Zum Buch:

Will Trent ermittelt verdeckt gegen den Boss eines einflussreichen Drogenrings, gerät jedoch schnell zwischen die Fronten, und unglücklicherweise ist Sara Lintons Stiefsohn involviert. Jared wurde in seinem eigenen Haus überfallen und angeschossen, deshalb eilt Sara ebenfalls nach Georgia, ohne zu wissen, dass sie damit Will folgt. Der muss seine Tarnung aufrechterhalten, doch Sara hält Lena Adams, Jareds Frau, für verantwortlich für die Gefahr, die sie nun umgibt. Will muss alle Register ziehen, wenn er die unerbittliche Rache der Unterwelt verhindern und gleichzeitig die Menschen, die er liebt, beschützen will …

Zur Autorin:

Karin Slaughter ist eine der weltweit berühmtesten Autorinnen und Schöpferin von über 20 New-York-Times-Bestseller-Romanen. Dazu zählen *Cop Town*, der für den Edgar Allan Poe Award nominiert war, sowie die Thriller *Die gute Tochter* und *Pretty Girls*. Ihre Bücher erscheinen in 120 Ländern und haben sich über 40 Millionen Mal verkauft. Ihr internationaler Bestseller *Ein Teil von ihr* ist 2022 als Serie mit Toni Collette auf Platz 1 bei Netflix erschienen. Eine Adaption ihrer Bestseller-Serie um den Ermittler *Will Trent* ist derzeit eine erfolgreiche Fernsehserie, weitere filmische Projekte werden entwickelt. Slaughter setzt sich als Gründerin der Non-Profit-Organisation »Save the Libraries« für den Erhalt und die Förderung von Bibliotheken ein. Die Autorin stammt aus Georgia und lebt in Atlanta.

KARIN SLAUGHTER

SCHWARZE WUT

THRILLER

Aus dem amerikanischen Englisch von
Klaus Berr

HarperCollins

Die Originalausgabe erschien 2013 unter dem Titel *Unseen*
bei Delacorte Press, an imprint of The Random House Publishing Group,
a division of Random House, Inc., New York.

1. Auflage 2024
© 2013 by Karin Slaughter
Ungekürzte Ausgabe im HarperCollins Taschenbuch
by HarperCollins in der
Verlagsgruppe HarperCollins Deutschland GmbH, Hamburg
© 2016 für die deutschsprachige Ausgabe by Blanvalet Verlag München,
in der Verlagsgruppe Randomhouse GmbH
Die Rechte an der Nutzung der deutschen Übersetzung
von Klaus Berr liegen beim Blanvalet Verlag, München,
in der Penguin Random House Verlagsgruppe GmbH.
Published by arrangement with William Morrow,
an imprint of HarperCollins Publishers, US
Gesetzt aus der Stempel Garamond
von GGP Media GmbH, Pößneck
Druck und Bindung von ScandBook
Umschlaggestaltung von Hafen Werbeagentur, Hamburg
Umschlagabbildung von Jaroslaw Blaminsky / Trevillion Images
Printed in Lithuania
ISBN 978-3-365-00878-2
www.harpercollins.de

Druckprodukt mit finanziellem
Klimabeitrag
ClimatePartner.com/15109-2009-1001

MIX
Papier | Fördert
gute Waldnutzung
FSC® C021394

Für Angela, Diane und Victoria – meine Champions

1.

Mittwoch
Macon, Georgia

Detective Lena Adams verzog das Gesicht, als sie ihr T-Shirt auszog. Sie kramte ihre Polizeimarke aus der Tasche, die Stablampe und ein Ersatzmagazin für ihre Glock, und warf alles auf die Kommode. Auf ihrem Handydisplay war es fast Mitternacht. Vor achtzehn Stunden hatte sie sich aus dem Bett gewälzt, und jetzt wollte sie nur noch wieder hineinfallen. Wobei sie das Gefühl hatte, in letzter Zeit nicht sonderlich viel getan zu haben. Seit vier Tagen verschwendete sie annähernd jede wache Stunde damit, an Konferenztischen zu sitzen und Fragen zu beantworten, die sie bereits am Vortag und am Tag davor beantwortet hatte, und sich durch den üblichen Unsinn zu lavieren, der zwangsläufig aufkam, wenn man sich bei einer Innenrevision verantworten musste.

»Wer leitete die Razzia in dem Haus?«

»Welche Hinweise hatten dazu geführt?«

»Was hatten Sie erwartet, dort zu finden?«

Die interne Ermittlerin des Macon Police Department hatte die mürrische, leblose Persönlichkeit einer karrieregeilen Schreibtischtäterin. Tagaus, tagein trug die Frau eine weiße Bluse zu einem schwarzen Rock – eine Garderobe, die eher zu einem Abendessen beim Edelitaliener gepasst hätte. Sie nickte viel und machte sich stirnrunzelnd Notizen. Wenn Lena nicht sofort antwortete, schaute sie nach, ob der Rekorder das Schweigen auch wirklich aufnahm.

Lena war überzeugt davon, dass die Fragen nichts anderem dienten, als sie zu einem Ausbruch zu provozieren. Am ersten Tag war sie noch derart benebelt gewesen, dass sie einfach wahrheitsgemäß geantwortet und gehofft hatte, dass es schnell vorübergehen würde. Am zweiten und dritten Tag war sie schon weniger kooperativ gewesen. Ihr Ärger war von Minute zu Minute angewachsen, und heute war sie schließlich explodiert. Aber genau darauf hatte die Frau offenbar gewartet.

»Was glauben Sie denn, was ich erwartet habe zu finden, Sie blöde Kuh?«

Wenn Lena es nur nicht gefunden hätte. Am liebsten hätte sie sich ein Rasiermesser geschnappt und sich die Bilder aus dem Hirn geschnitten. Sie verfolgten sie. Bei jedem Blinzeln liefen sie vor ihrem inneren Auge ab wie ein alter Film. Sie erfüllten sie mit einer beständigen, unerbittlichen Trauer.

Sie rieb sich die Augen, ließ es dann aber schnell wieder bleiben. Sechs Tage waren bereits vergangen, seit sie ihr Team in diese Razzia geführt hatte, doch ihr Körper war immer noch ein wanderndes Andenken an all das, was passiert war. Die Prellungen auf ihrem Nasenrücken und unter dem linken Auge hatten sich uringelb verfärbt, und die drei Stiche, die ihre Kopfhaut zusammenhielten, juckten unaufhörlich.

Und dann waren da noch die Sachen, die von außen niemand sehen konnte – Lenas geprelltes Steißbein, die Schmerzen in Rücken und Knien. Der Aufruhr in den Eingeweiden, sooft sie daran dachte, was sie in diesem trostlosen Haus im Wald gefunden hatte.

Vier Leichen. Einen Mann, der immer noch im Krankenhaus lag. Einen anderen, der nie wieder seine Marke tragen würde. Ganz zu schweigen von den grausigen Erinnerungen, die sie wahrscheinlich mit ins Grab nehmen würde.

Tränen brannten ihr in den Augen. Sie biss sich auf die Unterlippe, damit der Schmerz sie nicht überwältigte. Sie war erschöpft. Die Woche war hart gewesen. Verdammt, die letzten drei Wochen waren hart gewesen. Aber jetzt war es vorbei. Alles war vorbei. Lena war in Sicherheit. Sie würde ihren Job behalten. Diese Ratte von der Innenrevision war wieder in ihr Loch zurückgekrochen. Lena war endlich wieder zu Hause, wo niemand sie anstarren, ausfragen, piesacken und herumschubsen konnte. Aber es war nicht nur die Innenrevision. Alle wollten wissen, wie die Razzia gelaufen war, was Lena in diesem dunklen, feuchten Keller gefunden hatte.

Und Lena wollte nichts mehr, als das alles zu vergessen. Ihr Handy zirpte. Lena atmete aus, bis ihre Lunge leer war.

Das Telefon zirpte noch einmal. Sie nahm es zur Hand. Eine neue Nachricht.

VICKERY: Alles okay?

Lena starrte die Buchstaben auf dem Display an. Paul Vickery, ihr Partner.

Sie klickte auf Antworten. Ihr Daumen zögerte über der Tastatur.

Das entfernte Donnern eines Motorrads ließ die Luft erzittern.

Statt eine Antwort zu schreiben, hielt Lena den Aus-Knopf gedrückt, bis das Gerät sich abschaltete, und legte es neben ihre Marke auf die Kommode.

Das Dröhnen des Twin-Cam-Motors der Harley vibrierte in ihren Ohren, als Jared Gas gab, damit er es die steile Auffahrt hinaufschaffte. Lena lauschte den vertrauten Geräuschen: dem Abschalten des Motors, dem metallischen Ächzen des Ständers, den Schritten schwerer Stiefel, als ihr Mann das Haus betrat und Helm und Schlüssel auf den Küchentisch warf, obwohl sie ihn schon wer weiß wie oft gebeten hatte, es nicht zu tun. Für einen Augenblick blieb er stehen, wahrscheinlich um die Post durchzusehen, dann kam er auf das Schlafzimmer zu.

Lena blieb mit dem Rücken zur Tür stehen, während sie Jareds Schritte durch den langen Gang zählte. Sie klangen zaghaft, zurückhaltend. Wahrscheinlich hatte er gehofft, dass Lena bereits schlafen würde.

In der Tür blieb Jared stehen. Womöglich erwartete er, dass Lena sich zu ihm umdrehte. Als sie es nicht tat, fragte er: »Gerade erst heimgekommen?«

»Bin länger geblieben, um alles abzuschließen.« Das war nicht mal gelogen. Zudem hatte auch sie gehofft, dass er schon schlafen würde. »Wollte eben unter die Dusche gehen.«

»Okay.«

Doch Lena ging nicht ins Bad. Stattdessen drehte sie sich um und sah ihm direkt ins Gesicht.

Jareds Blick wanderte zu ihrem BH, dann sofort wieder hoch. Er war in Uniform, und sein Haar war unter dem Helm zu schiefen Büscheln zusammengeknautscht worden. Auch er war Beamter des Macon PD – Motorradpolizist, ein Dienstgrad unter Lena und zwölf Jahre jünger als sie. Früher hatte sie beides nicht gestört, doch in letzter Zeit schien jedes Detail in ihrem gemeinsamen Leben zur Provokation für sie zu werden.

Er lehnte sich an den Türstock. »Wie ist es gelaufen?«

»Ich wurde entlastet und darf mich wieder an die Arbeit machen.«

»Das ist doch gut, oder?«

Sie versuchte, seinen Tonfall zu deuten. »Warum sollte es das nicht sein?«

Jared antwortete nicht. Stattdessen fragte er nach einem Moment verlegenen Schweigens: »Willst du einen Drink?«

Lena konnte ihre Überraschung nicht verbergen.

»Schätze, das ist jetzt okay, oder?« Er neigte den Kopf zur Seite und zwang sich zu einem schiefen Lächeln. Er war nur wenige Zentimeter größer als Lena, aber sein muskulöser Körper und seine athletische Haltung ließen ihn deutlich größer erscheinen.

Normalerweise.

Jared räusperte sich, um ihr zu zeigen, dass er immer noch auf eine Antwort wartete.

Sie nickte. »Meinetwegen.«

Jared verließ das Zimmer, aber seine Hoffnung blieb – umhüllte sie, erstickte sie fast. Er hoffte inständig, dass Lena in die Knie gehen würde. Er hoffte inständig, dass sie sich auf ihn stützte. Er hoffte, dass die Geschehnisse sie berührt, sie auf irgendeine spürbare Weise verändert hätten.

Er begriff einfach nicht, dass ihre Unnachgiebigkeit das Einzige war, das sie vor dem völligen Zusammenbruch bewahrte.

Lena zog ihren Pyjama aus der Kommode. Sie hörte Jared in der Küche werkeln. Er zog die Kühlschranktür auf, griff in den Eisbehälter. Lena schloss die Augen, schwankte leicht, wartete darauf, dass Eiswürfel in Gläser klirrten. Unwillkürlich lief ihr das Wasser im Mund zusammen.

Sie schob das Kinn vor. Zwang sich, die Augen aufzuschlagen.

Sie brauchte diesen Drink. Zu sehr. Wenn Jared zurückkäme, würde sie das Glas beiseitestellen und ein paar Minuten warten, um sich selbst zu beweisen, dass sie es auch ohne schaffte.

Und um ihm zu beweisen, dass sie ihn nicht brauchte.

Ihre Hände taten weh, als sie die Jeans aufknöpfte. Am Tag der Razzia hatte sie ihr Gewehr so fest umklammert, dass ihre Finger sich jetzt noch anfühlten, als wären sie auf ewig verkrampft. Warum ihr immer noch alles wehtat, konnte sie sich nicht erklären. Eigentlich müsste es ihr inzwischen wesentlich besser gehen, doch ihr Körper schien sich regelrecht an die Schmerzen zu klammern. Er klammerte sich an das Gift, das sie zerfraß.

»Hier.« Jared war zurück, und diesmal trat er über die Schwelle. Noch während er auf sie zukam, schenkte er ihr einen großen Wodka ein. Sie hörte es in der Flasche gluckern, ehe die Flüssigkeit ins Glas plätscherte. »Dann bist du ab morgen also wieder im Dienst?«

»Ab morgen früh, ja.«

»Keine Auszeit?« Er hielt ihr das Glas hin.

Lena nahm es ihm aus der Hand und trank die Hälfte in einem Zug.

»Schätze, es ist genau wie nach der …«

Jared beendete den Satz nicht. Und er musste auch nicht sagen, wonach. Stattdessen sah er aus dem Fenster. Die dunkle Scheibe warf sein Spiegelbild zurück.

»Schätze, dafür kriegst du Sergeantstreifen.«

Sie schüttelte den Kopf, sagte aber: »Kann sein.« Er sah sie an. Abwartend und sehnsüchtig.

»Was sagen sie auf dem Revier?«

Jared ging zum Wandschrank. »Dass du Eier aus Stahl hast.« Er stellte die Kombination des Waffensafes ein. Lena starrte auf seinen Nacken. Ein geröteter Streifen markierte die Stelle, wo sein Helm die Haut nicht schützte. Unter Garantie spürte er, dass sie ihn anstarrte, trotzdem zog er ungerührt das Holster vom Gürtel und legte seine Waffe neben ihre. Auf Abstand. Er ließ nicht einmal zu, dass ihre Waffen einander berührten.

»Stört dich das?«

Er schloss die Safetür und drehte das Schloss herum. »Warum sollte es mich stören?«

Lena sprach es nicht aus, aber die Worte gellten ihr durch den Kopf: *Weil sie mich für tougher halten als dich. Weil deine Frau ein paar echt böse Jungs zur Strecke gebracht hat, während du auf deiner Harley rumgefahren bist und Strafzettel an Hausfrauen verteilt hast.*

»Ich bin stolz auf dich.« Seine Stimme war so sachlich, dass Lena ihm am liebsten ins Gesicht geschlagen hätte. »Sie sollten dir dafür 'nen Orden verleihen.«

Er hatte ja keine Ahnung. Jared kannte nur den groben Verlauf, die wenigen Details, über die sie mit den anderen hatte sprechen dürfen.

»Stört es dich?«, fragte sie noch einmal.

Er zögerte eine Sekunde zu lange. »Es stört mich, dass du dabei hättest umkommen können.«

Er hatte ihre Frage immer noch nicht beantwortet. Lena betrachtete sein Gesicht. Die Haut war faltenlos, frisch. Sie hatte Jared kennengelernt, als er einundzwanzig gewesen war, und in den anschließenden fünfeinhalb Jahren hatte er es irgendwie geschafft, zusehends jünger auszusehen, als hätte sich bei ihm der Alterungsprozess umgekehrt. Vielleicht wurde sie selbst aber auch einfach nur schneller älter. Seit ihren ersten gemeinsamen Tagen hatte sich so vieles verändert. Am Anfang hatte sie ihm immer ansehen können, was er dachte. Natürlich hatte sie ihm seitdem aber auch viel Mörtel geliefert, mit dessen Hilfe er eine Mauer um sich herum errichten konnte.

Er knöpfte sein Hemd auf. »Ich glaube, ich baue jetzt endlich diese Schränke zusammen.«

Sie lachte überrascht auf. »Ach, wirklich?«

Ihre Küche war seit drei Monaten in lauter Einzelteile zerlegt, vorwiegend weil Jared jedes Wochenende einen neuen Vorwand gefunden hatte, um sich nicht darum zu kümmern.

Er ließ das Hemd zu Boden fallen. »Dann weiß wenigstens Ikea, dass ich immer noch der Mann im Haus bin.«

Jetzt, da es im Raum stand, wusste Lena nicht, wie sie darauf reagieren sollte. »Du weißt, dass es nicht so ist.« Doch selbst in ihren eigenen Ohren hatte das schwach geklungen. »So ist es einfach nicht.«

»Ach, wirklich?« Lena schwieg.

»Na schön …«

Unvermittelt klingelte Jareds Handy. Er zog es aus der Tasche, warf einen Blick auf die Nummer und drückte den Anruf weg.

»Deine Freundin?«

Lena gefiel selbst nicht, wie dünn ihre Stimme klang. Und es war auch nicht lustig gewesen, das wussten sie beide.

Er wühlte in dem Korb mit der Schmutzwäsche, zog eine Jeans und ein T-Shirt heraus.

»Es ist fast Mitternacht.« Sie warf einen Blick auf den Wecker. »Nach Mitternacht.«

»Ich bin nicht müde.« Er zog sich eilig um und steckte das Handy in die Gesäßtasche. »Ich mach auch leise.«

»Brauchst du dein Handy, um die Schränke zusammenzubauen?«

»Muss den Akku aufladen.«

»Jared …«

»Es wird nicht lange dauern.« Wieder dieses falsche Lächeln. »Das ist doch das Wenigste, was ich tun kann.«

Lena erwiderte das Lächeln und prostete ihm wortlos zu.

»Du solltest unter die Dusche gehen, bevor du hier tot umfällst.«

Sie nickte, konnte aber den Blick nicht von dem T-Shirt abwenden, das straff seine Brust und die Wölbungen seiner Bauchmuskulatur umspannte. Sie war jetzt schon leicht beschwipst. Endlich fing ihr Körper an, sich zu entspannen. Die Art, wie Jared vor ihr stand, rief alte Erinnerungen in ihr wach. Sie ließ ihre Gedanken zu einem Ort schweifen, den sie für gewöhnlich verdrängte – zu jener Stadt, in der sie gelebt hatte, ehe sie mit Jared nach Macon gezogen war. Der Stadt, in der sie gelernt hatte, Polizistin zu sein.

Damals im Grant County hatte Jareds Vater Lena alles beigebracht. Na ja, fast alles. Sie hatte das Gefühl, dass ihn die Kniffe, die sie sich seit Chief Jeffrey Tollivers Tod angeeignet hatte, verärgert hätten. Obwohl auch er selbst die eine oder andere Grenze überschritten hatte, hatte er Lena jedes Mal zusammengestaucht, wenn sie sich einer dieser Grenzen auch nur genähert hatte.

»Lee?«, fragte Jared.

Er hatte Jeffreys Augen und legte genau wie er den Kopf schief, wenn er auf eine Antwort wartete.

Lena nahm noch einen Schluck, obwohl ihr bereits leicht schwindlig war. »Ich liebe dich.«

Jetzt war es Jared, der überrascht auflachte.

»Sagst du mir nicht, dass du mich auch liebst?«

»Willst du es wirklich hören?« Lena antwortete nicht.

Mit einem resignierten Seufzer trat er auf sie zu. Sie trug nichts als BH und Slip, aber er küsste sie nur auf die Stirn, wie er es auch bei seiner Schwester getan hätte. »Schlaf nicht unter der Dusche ein.«

Lena sah ihm nach. In letzter Zeit trug er dieses schmutzige T-Shirt oft. Auf Rücken und Schultern waren gelbe Farbspritzer, weil er vor drei Wochen angefangen hatte, das zweite Schlafzimmer umzugestalten.

Lena hatte ihm gesagt, er solle mit dem Streichen lieber noch ein paar Wochen warten – nicht weil es noch zehn andere Projekte gegeben hätte, die zuerst hätten abgeschlossen werden müssen. Sondern weil es Unglück brachte.

Doch Jared hatte nicht auf sie gehört. Natürlich hörte sie auch nie auf ihn.

Lena nahm die Wodkaflasche mit ins Bad. Sie stellte das leere Glas auf den Spülkasten und trank direkt aus der Flasche. Wahrscheinlich unvernünftig nach den Schmerztabletten, die sie geschluckt hatte, kaum dass sie durch die Haustür getreten war, aber ihr stand der Sinn im Augenblick nicht nach Vernunft. Sie wollte die Amnesie. Sie wollte, dass die Tabletten und der Alkohol alles ausradierten, was vor der Razzia, während der Razzia und danach passiert war. Sie wollte alles gelöscht wissen, damit sie sich endlich hinlegen und die Dunkelheit sehen konnte anstelle des flackernden Stummfilms, der sie seit sechs Tagen heimsuchte.

Sie stellte auch die Flasche auf den Spülkasten. Ihre Finger fühlten sich geschwollen an, als sie sich die Haare hochsteckte. Sie starrte ihr Spiegelbild an. Dunkle Schatten unter den Augen. Die stammten nicht alleine von der Prellung. Sie presste die Hand auf den Spiegel. Allmählich offenbarte ihr Gesicht, was sie verloren hatte.

Die Leichen, die sie zurückgelassen hatte.

Lena sah nach unten. Unbewusst hatte sie sich die Hand auf

den Bauch gelegt. Noch vor neun Tagen war dort der Ansatz einer Wölbung zu spüren gewesen. Ihre Hosen hatten sich fast schon ein wenig zu eng angefühlt. Die Brüste hatten geschmerzt. Und Jared hatte nicht aufhören können, sie anzufassen. Manchmal war sie aufgewacht und hatte seine Hand auf ihrem Bauch gespürt, als wollte er für sich beanspruchen, was er geschaffen hatte. Das Leben, das er ihr eingepflanzt hatte.

Natürlich war dieses Leben nicht geblieben. Seine Hand hatte den stechenden Schmerz nicht stillen können, der Lena aus dem Schlaf gerissen hatte. Seine Worte hatten sie nicht trösten können, während das Blut geflossen war. Im Bad. Im Krankenhaus. Auf der Heimfahrt. Eine rote Flut, die nichts als den Tod hinterlassen hatte.

Und jedes Mal, wenn sie an diesem verdammten Zimmer mit den strahlend gelben Wänden vorbeiging, packte sie ein so kalter Hass auf ihn, dass sie vor Wut zitterte.

Lena sah zur Decke empor. Sie hielt einen Augenblick den Atem an und hauchte ihn dann aus wie ein dunkles Geheimnis. Heute ging ihr alles an die Nieren. Der Verlust, die Trauer. Wodka und Tabletten halfen nicht. Würden nie genug helfen.

Sie sah sich nach dem Deckel für die Flasche um, fand ihn aber nicht. Als sie die Tür aufzog, war das Schlafzimmer leer. Jareds Kleider lagen auf dem Boden, wie er sie zuvor hingeworfen hatte. Lena hob sein Hemd auf. Sie roch die Abgase, den Schweiß, das Öl von seinem Tag auf dem Motorrad. In der Gesäßtasche seiner Hose steckte seine Brieftasche. Sie angelte sie hervor und legte sie auf den Nachttisch. Und auch die vorderen Hosentaschen waren vollgestopft. Eine Handvoll Kleingeld. Ein Döschen mit Burt's Bienenwachs gegen trockene Lippen. Ein paar Zwanziger, sein Führerschein und drei Kreditkarten, mit einem grünen Gummiband zusammengehalten. Ein kleiner schwarzer Samtbeutel, in dem er seinen Ehering aufbewahrte.

Lena steckte den Finger in den Beutel und zog den Goldring heraus. Jared trug ihn nicht mehr bei der Arbeit, seit einer seiner

Kumpel mit seiner Maschine verunglückt war. Sein Ehering hatte sich in den Knöchel gedrillt und ihm die Haut abgerissen wie eine Socke. Danach hatte Lena Jared das Versprechen abgenommen, den Ring auf dem Motorrad nicht mehr zu tragen. Der schwarze Beutel war ihr Kompromiss gewesen. Sie hatte ihn gebeten, den Ring einfach zu Hause zu lassen, aber ihr Mann war ein Romantiker – viel mehr als jede Frau, die Lena kannte – und hatte auf den Ring nicht verzichten wollen.

Wahrscheinlich trug er ihn inzwischen nur mehr aus Gewohnheit mit sich herum.

Lena steckte ihn zurück in den Beutel und klappte Jareds Brieftasche auf. Sie hatte sie ihm in ihrem ersten Jahr geschenkt, und er benutzte sie noch immer, obwohl er nie zuvor eine Brieftasche besessen hatte. Im Grunde war es nicht mehr als ein tragbares Fotoalbum. Lena überblätterte die vielen Schnappschüsse, die Jared in den vergangenen fünf Jahren aufgenommen hatte: Lena vor dem Haus am Tag ihres Einzugs, Lena auf seiner Maschine, sie beide in Disney World, bei einem Spiel der Braves, den SEC-Play-offs, der Landesmeisterschaft in Arizona.

Beim Foto ihrer Hochzeit hielt sie inne. Sie hatten vor einem Richter im Gerichtsgebäude von Atlanta geheiratet. Lenas Onkel Hank hatte auf der einen, Jared auf der anderen Seite gestanden und neben Jared seine Mutter, sein Stiefvater, die Schwester, die Großeltern, zwei Cousinen und eine Grundschullehrerin, zu der er über all die Jahre den Kontakt gehalten hatte.

Alle waren fein herausgeputzt gewesen – bis auf Lena, die denselben marineblauen Hosenanzug angehabt hatte, den sie normalerweise auch zur Arbeit trug. Ihr Haar hatte sie offen getragen, es war ihr bis über die Schultern gefallen. Sie hatte sich bei Lenox Macy von einem Transsexuellen Make-up auflegen lassen. Er hatte ihren Hautton in den höchsten Tönen gelobt. Wenigstens einer, der Lena an diesem Tag gewürdigt hatte. Der mürrische Ausdruck auf dem Gesicht von Jareds Mutter sprach Bände und erklärte, warum der Bräutigam nicht auf einer formelleren Feier bestanden hatte. Irgendwo in Alabama betete Darnell Long wohl gerade darum, dass ihr Sohn endlich zur Besinnung kommen möge und sich von dieser Schlampe scheiden ließe.

Manchmal fragte sich Lena, ob sie nur an Jared festhielt, um dieser Frau eins auszuwischen.

Sie blätterte zum nächsten Foto, und ihre Knie wurden weich.

Lena setzte sich aufs Bett.

Sie hatte das Foto schon oft gesehen, aber nie in Jareds Brieftasche. Es stammte aus einem Schuhkarton, den Lena in ihrem Wandschrank aufbewahrte. Es war ein Foto ihrer Zwillingsschwester Sibyl. Lena verspürte einen Anflug von Eifersucht, doch dann musste sie unwillkürlich lachen. Jared hatte offensichtlich angenommen, das Foto wäre von Lena. Er hatte Sibyl nie kennengelernt. Sie war bereits zehn Jahre tot gewesen, als Jared in ihr Leben getreten war.

Sie schlug die Hand vor den Mund, als aus dem Lachen ein Schluchzen wurde. Nachdem Lena herausgefunden hatte, dass sie schwanger war, hatte sie zuallererst an Sibyl gedacht. In dem flüchtigen Moment des Glücks hatte sie zum Telefon greifen wollen, um sofort ihre Schwester anzurufen.

Und dann hatte der Verlust sie erneut getroffen wie ein Schlag in die Magengrube.

Lena wischte sich über die Augen. Sie wusste intuitiv, warum Jared sich dieses Foto ausgesucht hatte. Sibyl saß darauf in einem Park auf einer Picknickdecke. Sie hatte den Kopf in den Nacken geworfen und lachte so frei und selbstvergessen, wie Lena sich nur selten zeigte. Dass sie eine mexikanisch-amerikanische Großmutter gehabt hatten, war überdeutlich zu sehen. Sibyls Haut war von der Sonne gebräunt. Ihre lockigen braunen Haare hingen offen herab, so, wie Lena sie jetzt ebenfalls gerade trug. Doch Sibyl hatte keine Strähnchen gehabt wie Lena, nicht einmal graue Einsprengsel.

Wie würde Sibyl wohl heute aussehen? Die Frage hatte sich

Lena im Lauf der Jahre oft gestellt. Wahrscheinlich fragte sich das jeder Zwilling, wenn der andere gestorben war. Sibyl hatte nie Lenas harte Gesichtszüge und die scharfen Konturen gehabt. Auf Sibyls Gesicht hatte eine Weichheit gelegen, eine Offenheit, die die Menschen einlud, statt sie abzustoßen. Nur ein Narr hätte die Eine für die Andere halten können.

»Lee?«

Sie sah zu Jared auf, als wäre es völlig normal, dass sie in Unterwäsche auf dem Bett saß und über seiner Brieftasche weinte. Erneut war er auf der Schwelle zur Schlafzimmertür stehen geblieben.

»Von wem war der Anruf?«, fragte sie. »Auf deinem Handy?«

»Die Nummer war unterdrückt.« Er hakte die Daumen in seinen Werkzeuggürtel und lehnte sich an den Türstock. »Alles okay?«

»Ich bin … äh …« Die Stimme versagte ihr. »Müde.«

Lena sah ein letztes Mal auf Sibyl hinab und klappte dann die Brieftasche zu. Sie spürte, wie ihr die Tränen über die Wangen liefen. Sie biss die Zähne zusammen und versuchte, gegen ihre Gefühle anzukämpfen. Egal was sie tat, sie stiegen immer wieder in ihr auf, schnürten ihr die Kehle zu, legten sich ihr wie eine Klammer um die Brust.

»Lee?« Er kam noch immer nicht ins Zimmer.

Lena schüttelte den Kopf. Sie wollte, dass er wieder ging. Sie konnte ihn nicht ansehen, konnte nicht zulassen, dass Jared sie so sah. Dass sie zusammenbrach, war genau das, worauf er wartete. Was er *er*wartete.

Wollte.

Doch dann zerriss etwas in ihr. Ein unkontrolliertes Schluchzen brach sich Bahn – tief, schwermütig. Sie konnte nicht mehr dagegen ankämpfen, konnte ihn nicht länger von sich wegstoßen. Trotzdem rief sie Jared nicht zu sich. Stattdessen durchquerte sie das Zimmer, warf sich ihm an den Hals, drückte ihr Gesicht an seine Brust.

»Lena …«

Sie küsste ihn. Ihre Hände wanderten zu seinem Gesicht, berührten seinen Nacken. Anfangs sträubte er sich, doch er war ein sechsundzwanzig Jahre alter Mann, der seit einer Woche auf der Couch schlief. Lena musste nicht viel unternehmen, um ihn zu einer Reaktion zu bewegen. Seine schwieligen Hände strichen über ihren nackten Rücken. Er zog sie enger an sich, küsste sie heftiger.

Dann schnellte sein Körper von ihr weg. Blut spritzte ihr in den Mund.

Erst Sekundenbruchteile später hörte Lena den Schuss.

Nachdem Jared getroffen worden war. Nachdem er auf sie draufgesackt war.

Er war zu schwer. Lena strauchelte, fiel rücklings zu Boden, und Jared kippte auf sie drauf, nagelte sie am Boden fest. Sie konnte sich nicht mehr bewegen. Sie versuchte verzweifelt, ihn hochzudrücken, dann fiel ein weiterer Schuss. Sein Körper zuckte, hob sich ein paar Zentimeter und fiel dann wieder auf sie drauf.

Lena hörte ein schrilles Kreischen. Es kam aus ihrem eigenen Mund. Sie kroch unter Jared hervor, packte sein T-Shirt, um ihn aus der Schusslinie zu ziehen. Sie schaffte es einen knappen Meter weit, bevor sein Werkzeuggürtel sich im Teppich verhakte.

»Nein, nein, nein …« Sie hatte beide Hände auf den Mund gepresst, um nicht noch mehr Lärm zu machen, fiel schwer mit dem Rücken gegen die Wand und kämpfte gegen die aufkommende Hysterie an. Jetzt rächten sich der Wodka und die Tabletten. Der Mageninhalt stieg ihr in die Kehle. Sie wollte schreien. Musste schreien.

Aber sie konnte es nicht.

Jared bewegte sich nicht mehr. Der Schuss hallte ihr immer noch in den Ohren. Schrotkugeln waren weitflächig in seinen Rücken und in den Schädel eingedrungen. Leuchtend rote Kreise breiteten sich über den getrockneten gelben Farbflecken auf seinem T-Shirt aus. Der Schraubenzieher aus seinem Werkzeuggürtel hatte sich ihm in die Seite gedrillt. Unter seinem Körper sammelte sich immer mehr Blut. Sie legte die Hand auf sein Bein, spürte den schlanken Muskel seiner Wade.

»Jared?«, flüsterte sie. »Jared?«

Doch seine Lider blieben geschlossen. Blut blubberte auf seinen Lippen. Seine Finger zitterten über dem Boden. Sie sah den bleichen Streifen auf seinem Finger, wo der Ehering gesteckt hatte, obwohl er ihr versprochen hatte, ihn draußen nicht zu tragen.

Lena griff nach seiner Hand, zuckte aber dann zurück. Schritte.

Der Schütze kam den Flur entlang. Langsam. Zielsicher.

Er trug Stiefel. Sie hörte den Hall der hölzernen Absätze, die auf die nackten Dielen knallten, dann das weichere Kratzen der Schuhspitze.

Ein Schritt. Noch einer. Stille.

Der Schütze zog den Duschvorhang im Bad zurück.

Panisch sah Lena sich im Schlafzimmer um. Ihre Waffen hatten sie im Safe eingeschlossen. Ihr Handy lag am anderen Ende des Zimmers. Einen Festnetzanschluss hatten sie nicht. Das Fenster war zu leicht einsehbar. Das Zimmer war eine Todesfalle.

Jareds Handy!

Sie tastete an seinem Bein entlang, befühlte seine Hosentaschen. Leer. Leer. Sie waren leer.

Wieder waren Schritte zu hören, sie hallten den Flur entlang, ein Geräusch wie brechende Zweige.

Und dann – nichts mehr.

Er war direkt vor dem anderen Zimmer stehen geblieben. Zwei Schreibtische. Kartons mit alten Fallakten. Die Schranktür ließ Jared immer offen stehen. Der Schütze konnte vom Flur aus hineinsehen.

Er räusperte sich, spuckte auf den Boden. Er wollte Lena wissen lassen, dass er kam.

Sie presste den Rücken an die Wand, zwang sich aufzustehen. Sie wollte nicht im Sitzen sterben. Sie würde auf beiden Beinen um ihr Leben und um das ihres Mannes kämpfen.

Wieder hielten die Schritte inne. Der Schütze warf einen Blick ins nächste Zimmer. Strahlend gelbe Wände. Die Schranktür lag immer noch über zwei Böcken, damit Jared blaue Ballons draufmalen konnte. Selbst vom Flur aus konnte man die dünnen Bleistiftstriche sehen, die er freihändig daraufgezeichnet hatte. Man konnte bis auf die Rückwand des leeren Schranks sehen.

Der Schütze kam weiter den Flur entlang.

Ihre Hand zitterte, als sie sich nach Jared ausstreckte. Sein Hammer war halb aus der Schnalle gerutscht. Sie angelte ihn zu sich herüber, legte die Hand um den Griff. Er fühlte sich an ihrer Haut warm, beinahe heiß an.

Jareds Lider flatterten. Er sah Lena zu, wie sie aufstand und den Rücken erneut an die Wand presste. Sein Blick wirkte glasig. Schmerz. Intensivster Schmerz. Es jagte ihr einen Stich durchs Herz. Sein Mund öffnete sich. Lena hob den Finger an die Lippen. Sie wollte, dass er still blieb, sich tot stellte, damit nicht noch einmal auf ihn geschossen würde.

Kurz vor der Schlafzimmertür, vielleicht anderthalb Meter entfernt, hielten die Schritte wieder inne. Der Schatten eines Mannes fiel ins Zimmer und über die Hälfte von Jareds Körper.

Lena drehte den Hammer so, dass die Klaue nach vorne zeigte. Dann hörte sie, wie eine Schrotflinte durchgeladen wurde. Es hatte die beabsichtigte Wirkung. Sie musste sich mit aller Macht zusammennehmen, um nicht zu Boden zu sinken.

Der Schütze hielt inne. Sein Schatten schwankte kaum merklich. Ins Zimmer kam er nicht.

Lena spannte die Muskeln an, zählte die Sekunden. Eins, zwei, drei. Der Mann kam immer noch nicht. Er stand einfach nur da.

Sie versuchte, sich in den Schützen hineinzuversetzen, sich auszumalen, was er gerade dachte. Zwei Polizisten. Beide mit

Waffen, die sie nicht benutzt hatten. Einer lag auf dem Boden. Die andere hatte sich nicht gerührt, hatte das Feuer nicht erwidert, hatte nicht geschrien, war nicht durchs Fenster gesprungen, hatte ihn nicht angegriffen.

Lena spitzte die Ohren, während sie beide warteten. Schließlich machte der Schütze einen Schritt vorwärts – einen kurzen, zögerlichen Schritt. Dann noch einen.

Die Mündung der Schrotflinte war das Erste, was Lena sah. Abgesägt. Der Metallrand war schartig, offensichtlich frisch bearbeitet. Dann entstand eine Pause, eine leichte Korrektur, als der Schütze sich zur Seite drehte. Lena nahm flüchtig zur Kenntnis, dass die Hand, die den Lauf abstützte, tätowiert war. Ein schwarzer Schädel und gekreuzte Knochen auf der Haut zwischen Daumen und Zeigefinger.

Ein letzter, vorsichtiger Schritt.

Lena packte den Hammer mit beiden Händen und jagte ihn dem Mann ins Gesicht.

Die Klaue verschwand in seiner Augenhöhle. Sie hörte Knochen splittern, als der geschärfte Stahl sich in den Schädel bohrte. Die Schrotflinte ging los, riss ein Loch in die Wand. Lena versuchte, den Hammer für einen weiteren Schlag herauszuziehen, doch die Klaue hatte sich in seinem Schädel verfangen. Der Mann taumelte, versuchte, sich am Türstock abzustützen. Seine Finger umklammerten ihr Handgelenk. Blut quoll aus seiner Augenhöhle, lief ihm in den Mund und den Hals hinab.

Erst in diesem Augenblick sah Lena den zweiten Mann. Er lief den Flur entlang und hatte eine fünfschüssige Smith & Wesson in der Hand. Lena riss an dem Hammer, benutzte ihn als Handgriff, um den ersten Mann wie einen Schild vor sich zu zerren. In rasender Folge fielen drei Schüsse, die allesamt den Körper des Schützen trafen. Lena stieß ihn mit aller Kraft dem zweiten Angreifer entgegen. Beide Männer taumelten. Die Smith & Wesson schlitterte über den Boden.

Dann schnappte Lena sich die Flinte. Sie drückte den Abzug,

doch die Patrone hatte sich verklemmt. Sie zog den Pumpgriff durch, um die Kammer freizubekommen, während der zweite Kerl sich wieder aufrappelte. Er machte einen Satz auf sie zu, streifte mit den Fingern die Mündung der Waffe, bevor er stolperte.

Jared hatte ihn am Knöchel gepackt. Er hielt ihn fest umklammert, sein Arm zitterte vor Anstrengung. Der Mann holte aus, wollte Jared schon die Faust ins Gesicht rammen.

Lena drehte die Flinte um, packte sie am Lauf und schmetterte sie wie einen Knüppel gegen den Kopf des Mannes. Blut und Zähne spritzten, als sein Unterkiefer aufklappte. Er stürzte zu Boden.

»Jared!«, schrie Lena und ließ sich neben ihn fallen. »Jared!«

Er stöhnte. Blut lief ihm aus dem Mund. Seine Augen waren leer, sie sahen nichts.

»Alles okay«, sprach sie beruhigend auf ihn ein. »Alles okay.«

Er hustete. Sein Körper erzitterte, dann packte ihn ein heftiger Krampf.

»Jared«, kreischte sie. »Jared!«

Tränen stiegen ihr in die Augen, ihre Sicht verschwamm. Sie legte ihm die Hände um die Wangen.

»Schau mich an«, flehte sie. »Schau mich einfach an.« Eine Bewegung. Sie sah es aus den Augenwinkeln heraus.

Der zweite Mann kroch auf das Bett zu, versuchte, an die Waffe zu kommen. Sein Körper schien halb gelähmt zu sein, er zog sich nur mit einem Arm vorwärts wie eine verletzte Kakerlake, die eine Blutspur hinterließ.

Lena spürte, wie ihr Herz einen Schlag lang aussetzte. Irgendetwas hatte sich verändert. Die Luft hatte sich verschoben. Die Welt drehte sich nicht mehr.

Sie sah auf ihren Mann hinab.

Jareds Körper war erschlafft. Seine Augen waren nur mehr Schlitze. Sie berührte sein Gesicht, seinen Mund. Ihre Hand zitterte so heftig, dass ihre Fingerspitzen gegen seine Haut schlugen.

Sibyl. Jeffrey. Das Baby.

Ihr Baby.

Lena stand auf.

Sie bewegte sich wie eine Maschine. Der Hammer ragte noch immer aus dem Gesicht des ersten Mannes. Lena stemmte den Fuß gegen seine Stirn, packte den Griff mit beiden Händen und riss die Klaue los.

Die Kakerlake kroch immer noch aufs Bett zu, kam aber kaum vorwärts. Lena nahm sich Zeit, wartete, bis er nur mehr Zentimeter von der Waffe entfernt war, und rammte ihm dann das Knie in den Rücken. Sie spürte, wie seine Rippen unter der Wucht brachen. Erneut stoben Zahnsplitter aus seinem Mund wie Klumpen nassen Sands.

Lena hob den Hammer hoch über den Kopf. Mit einem krachenden Splittern bohrte er sich in den Rücken des Mannes. Er schrie auf, seine Arme schnellten zur Seite, sein Körper bäumte sich unter ihr auf. Lena ließ nicht locker, sie war voll konzentriert, ihr Körper starr vor Wut. Sie hob den Hammer noch einmal hoch über den Kopf und zielte auf seinen Hinterkopf, doch dann blieb plötzlich alles stehen.

Der Hammer rührte sich nicht mehr. Er hing in der Luft fest.

Lena sah über die Schulter. Da war ein dritter Mann. Er war groß und schlank und hatte starke Hände, die Lena von dem Schlag abhielten.

Sie war zu schockiert, um zu reagieren. Sie kannte diesen Mann. Wusste genau, wer er war.

Er war angezogen wie ein Biker – Stirnband um den Kopf, eine Metallkette am Ledergürtel. Er hielt sich einen Finger an die Lippen, so, wie sie selbst es nur Augenblicke zuvor Jared gegenüber getan hatte. In seinem Blick lag eine Warnung, und hinter dieser Warnung erkannte sie die blanke Angst.

Langsam kam Lena wieder zur Besinnung. Zuerst ihr Gehör – das kratzende Geräusch ihres eigenen, angestrengten Atmens. Dann spürte sie den stechenden Schmerz in ihren angespannten

Muskeln, die versengte Haut an ihrer Handfläche, wo sie den Lauf der Flinte gepackt hatte. Der ätzende Gestank des Todes stieg ihr in die Nase. Und direkt darunter roch sie den Duft der offenen Straße, den Hauch von Auspuffgasen und Öl und Schweiß, den Jared jeden Abend mit nach Hause brachte.

Jared.

Der Rücken seines T-Shirts war durchnässt und klebte auf der Haut. Die gelben Flecken getrockneter Farbe waren verschwunden. Sie waren jetzt schwarz wie seine Haare – dunkel vom Blut.

Lenas Körper erschlaffte. Die Kampfeslust sickerte aus ihr heraus. Sie ließ den Hammer fallen.

Sirenen zerrissen die Luft. Zwei, drei, mehr, als sie zählen konnte.

Von irgendwo draußen rief eine heisere Stimme: »Junge, wo steckst du?«

Die Sirenen wurden lauter. Kamen näher.

Will Trent warf Lena einen letzten Blick zu und verließ das Zimmer.

2.

Donnerstag
Atlanta, Georgia

Aufzüge in Krankenhäusern waren notorisch unzuverlässig, aber Sara Linton hatte den Eindruck, dass es in den Aufzügen im Grady Memorial in Atlanta ganz besonders knirschte. Trotzdem drückte sie wie ein Spielsüchtiger vor einem Automaten jedes Mal wieder in der vagen Hoffnung auf die Knöpfe, dass die Türen sich so schneller öffneten.

»Na, komm schon«, murmelte Sara und starrte die Nummern über der Tür an, als könnte sie sie dazu zwingen, auf sieben zu springen. Mit den Händen in den Taschen ihres weißen Laborkittels stand sie da, während die Anzeige auf zehn sprang, auf neun und dann bei acht stehen blieb.

Sara tippte mit dem Fuß auf den Boden und sah auf die Uhr. Und dann packte sie das kalte Grauen, als sie Oliver Gittings durch die Aufzugtür treten sah.

Als fest angestellte Kinderärztin in der Notaufnahme des Grady Hospital war Sara verantwortlich für eine Gruppe von Studenten, die sich – trotz gewisser Indizien, die auf das Gegenteil hindeuteten – einbildeten, eines Tages Ärzte werden zu wollen. Die Nachtschichten waren besonders mühsam. Der Mond hatte etwas an sich, das ihre kleinen Hirne in Brei zu verwandeln schien. Sara fragte sich oft, wie einige von ihnen es überhaupt schafften, sich alleine anzuziehen, geschweige denn die Aufnahmeprüfungen für die medizinische Fakultät gemeistert hatten.

Oliver Gittings war eines der besseren Beispiele. Oder der schlimmeren, wie es öfter der Fall war. In den letzten acht Stunden hatte er es geschafft, sich eine Urinprobe über den Kittel zu kippen und sich versehentlich ein steriles Tuch an den Ärmel zu nähen. Zumindest hoffte sie, dass es ein Versehen gewesen war.

»Dr. Linton …«

»Kommen Sie mit«, sagte Sara, verließ den Aufzug und ging zur Treppe.

»Wie gut, dass ich Sie gefunden habe.« Oliver rannte hinter ihr her wie ein eifriges Hündchen. »Es hat sich da ein interessanter Fall ergeben …«

Oliver fand all seine Fälle interessant.

»Geben Sie mir die Eckdaten.«

»Ein sechsjähriges Mädchen«, sagte er und zog zweimal an der Ausgangstür, bevor er merkte, dass sie in die andere Richtung aufging. »Dom erzählt, das Mädchen hat sie mitten in der Nacht geweckt, weil sie einen Schluck Wasser will. Sie gehen die Treppe runter. Das Mädchen stolpert. Mom packt sie am Arm. Irgendwas knackt. Das Mädchen fängt an zu schreien. Mom bringt sie hierher.«

Sara ging voraus die Treppe hinunter. »Und die Röntgenaufnahme zeigte eine Torsionsfraktur«, mutmaßte sie.

»Ja. Das Mädchen hatte eine Quetschung hier am Arm …«

Sara drehte sich um, um zu sehen, wohin er deutete. »Das heißt, Sie vermuten einen Missbrauch. Haben Sie eine Gesamtuntersuchung des Skeletts angeordnet?«

»Ja, aber die Radiologie ist dicht. Meine Schicht ist fast vorbei. Ich dachte mir, stattdessen reagiere ich lieber gleich und rufe D-FACS an, damit Bewegung in die Sache kommt.«

Sara blieb abrupt stehen. Die Division of Family and Children's Services, so etwas wie das Jugendamt. »Wollen Sie sich wirklich so weit aus dem Fenster hängen und das Kind dem System überantworten?«

Oliver zuckte mit den Schultern. »Das Mädchen ist zu still.

Und die Mutter ist nervös, unwirsch. Sie will nur wissen, wann sie wieder gehen können.«

»Wie lange sind sie schon hier?«

»Keine Ahnung. Ich glaube, die Aufnahme war gegen eins.« Sara sah erneut auf die Uhr. »Es ist jetzt 5.58 Uhr in der Früh. Sie sind schon die ganze Nacht hier. Ich würde auch gehen wollen. Sonst noch was?«

Allmählich schienen Oliver die ersten Zweifel zu beschleichen. »Na ja, der Bruch …«

Sara ging weiter die Treppe hinunter. »Kein spezifischer Bruch weist eindeutig und ausschließlich auf Kindesmisshandlung hin. Wenn Sie D-FACS anrufen, wird das zu einer juristischen Angelegenheit. Wenn die Mutter eine Missbrauchstäterin ist, wollen Sie sie nicht damit durchkommen lassen. Und dann brauchen Sie wasserdichtes Beweismaterial. Macht die Kleine den Eindruck, als hätte sie Angst vor ihrer Mutter? Oder schaut sie einem in die Augen und beantwortet Fragen? Gibt es noch andere Verletzungen? Erkennbare Entwicklungsstörungen? Ist sie Bettnässerin? Gibt es eine Vorgeschichte von Besuchen in der Notaufnahme? Wie stellt sie sich allgemein dar?«

Oliver antwortete nicht sofort.

»Ist sie gesund?«, fuhr Sara fort. »In gutem Ernährungszustand?«

»Ja, aber …«

»Stopp.« Sara hatte keine Lust auf eine Diskussion. Sie sah von Neuem auf die Uhr. »Dr. Connor löst mich gleich ab, aber Sie haben ja meine Nummer. Fordern Sie eine Gesamtuntersuchung des Skeletts an, und stellen Sie fest, ob es frühere Brüche oder Verletzungen gab. Sagen Sie dem Sicherheitsdienst, dass er die Mutter im Auge behalten soll. Rufen Sie die anderen Notaufnahmen an, und finden Sie heraus, ob das Mädchen je dort aufgenommen wurde.« Sara mäßigte ihren Ton, um ihm zu verstehen zu geben, dass sie ihm etwas beibringen wollte und ihn nicht tadelte. »Oliver, fünfundsechzig Prozent aller Fälle von Kindesmisshandlungen werden in Notaufnahmen entdeckt. Wenn Sie in der Kinderheilkunde bleiben wollen, wird dies ein Problem sein, mit dem Sie sich Woche für Woche herumschlagen werden. Ich will damit nicht sagen, dass Sie sich irren. Ich will nur sagen, dass Sie sämtliche Fakten kennen sollten, bevor Sie das Leben dieses Mädchens völlig durcheinanderbringen. Und das seiner Mutter.«

»Ja, Ma'am.« Mit beiden Händen tief in den Taschen lief er die Treppe runter.

Sara blieb noch für einen Moment stehen. Ihr war klar, dass Olivers Ego nun ohnehin schon angeknackst war, auch ohne dass sie ihm auf den Fersen folgte. Stattdessen setzte sie sich auf die unterste Stufe und kontrollierte ihr Krankenhaus-Blackberry. Sie verdrehte die Augen, als sie sich durch all den Verwaltungsmist klickte, der ihre Inbox verstopfte. Besprechungen, Konferenzen, verweigerte Anforderungen und neue Prozeduren für jene Anforderungen, Beratungskonferenzen und geplante Treffen.

Sie steckte das Blackberry wieder ein und tastete die Taschen nach ihrem Handy ab. Das war doch schon um einiges besser. Ihr Vater hatte ihr einen blöden Witz über Schnecken gemailt, den er im Waffle House gehört hatte. Ihre Mutter hatte ihr ein Rezept weitergeleitet, das sie nie nachkochen würde. Ihre Schwester hatte ihr eine lange E-Mail mit einem Foto von Saras Nichte im Anhang geschickt. Sie markierte die Mail als ungelesen und speicherte sie für später. Die nächste Nachricht stammte von Saras Freund. Vor einer Stunde hatte er ihr ein Foto seines Frühstücks geschickt: sechs Mini-Donuts mit Schokoglasur, ein Brötchen mit Käse und Ei und eine große Cola.

Sara wusste nicht, wer von ihnen beiden zuerst einen Herzinfarkt bekommen würde.

Eine Tür ging auf, und Dr. Felix Connor steckte den Kopf ins Treppenhaus. Er musterte Sara argwöhnisch. »Woher dieser fröhliche Gesichtsausdruck?«

»Weil ich jetzt heimfahren kann, nachdem du endlich da bist.«

»Lass mich nur noch schnell aufs Klo gehen.«

Sara steckte das Handy wieder in die Tasche und stand auf. Oliver war nicht der Einzige, der allmählich nach Hause wollte. Aufgrund einer Magen-Darm-Grippe, die im Krankenhaus wütete, hatte Sara in der vergangenen Woche mehrere Nachtschichten hintereinander übernommen. So langsam hatte sie das Gefühl, für ihre gute Gesundheit bestraft zu werden.

Nach Hause. Schlafen. Stille. Während sie die Notaufnahme durchquerte, machte sie bereits Pläne. Dank ihres verrückten Dienstplans hatte sie jetzt vier freie Tage vor sich. Sie würde ein Buch lesen. Mit den Hunden laufen gehen. Ihren Freund daran erinnern, warum sie zusammen waren.

Dieses letzte Vorhaben zauberte ihr ein Grinsen ins Gesicht. Als Reaktion bekam sie einige merkwürdige Blicke. Nicht viele Leute waren glücklich, hier im Grady zu arbeiten – im letzten aus öffentlicher Hand finanzierten Krankenhaus Atlantas. Überwiegend war hier eher das abgebrühte Auftreten von ehemaligen Frontkämpfern verbreitet. Allein schon die Medizin an sich war ein schwerer Kampf, aber das Grady stand im Großen und Ganzen synonym für Guadalcanal: Messerstechereien, Schlägereien, Vergiftungen, Vergewaltigungen, Schießereien, Morde, Drogenüberdosen.

Zum Glück ging es hier nur um Pädiatrie.

Vor dem Computer neben dem Schwesternzimmer blieb Sara stehen. Sie rief die Akte von Olivers Patientin auf. Die Röntgenaufnahme zeigte eindeutig einen Bruch des Oberarmknochens durch eine starke Verdrehung. Entweder hatte die Mutter wahrheitsgemäß geschildert, was passiert war, oder sie war schlau genug gewesen, um sich eine glaubhafte Erklärung einfallen zu lassen.

Sara hob den Blick und sah zu dem Bereich mit den offenen Vorhängen hinüber, der wie zu erwarten mit Stammkundschaft belegt war. Ein paar Säufer schliefen ihren Rausch aus. Ein Junkie, der jedes Mal damit drohte, sich umzubringen, wenn er verhaftet wurde. Eine ältere Obdachlose, die eigentlich in eine psychiatrische Anstalt gehörte, das System aber immer wieder austrickste, sodass sie auf der Straße bleiben durfte. Olivers kleines Mädchen schlief zusammengerollt auf der hintersten Pritsche. Die Mutter saß auf einem Stuhl daneben. Auch sie schlief, aber ihre Hand hielt die ihrer Tochter. Den Wachmann, der nur wenige Meter entfernt stand, hatte sie nicht mal bemerkt.

Nicht zum ersten Mal wünschte sich Sara, die Natur hätte ein System entwickelt, das den Rest der Welt alarmierte, wenn irgendjemand ein Kind misshandelte. Ein scharlachroter Buchstabe. Ein Teufelsmal. Irgendein Zeichen, das den Anständigen zeigte, dass man diesen Monstern nicht trauen durfte.

Bis vor ein paar Jahren hatte Sara in einer Kleinstadt vier Stunden südlich von Atlanta gelebt. Sie hatte dort sowohl als Kinderärztin als auch als Medical Examiner des Countys gearbeitet. Ihr Vater hatte damals gescherzt, bei ihren beiden Jobs sehe sie die Leute kommen und gehen. Das hatte zwar gestimmt, doch überdies hatte Sara auch viel zu oft vor Augen geführt bekommen, welch schreckliche Dinge Erwachsene Kindern antun konnten. Röntgenaufnahmen, die wiederholt gebrochene Knochen offenbarten. Zahnbefunde, die in Form von Fäulnis auf Vernachlässigung hindeuteten. Haut, die für immer von Brandwunden und Schlagverletzungen entstellt war.

Seit sie wieder in Atlanta lebte, hatte Sara auch noch andere Dinge erfahren, vor allem weil sie mit einem Mann zusammenlebte, der in staatlicher Obhut aufgewachsen war. Saras Freund redete nicht gerne über seine Kindheit. Wenn sie die Brandnarben von ausgedrückten Zigaretten auf seiner Brust berührte oder die gezackte Narbe über seiner Oberlippe küsste, wo ein Faustschlag die Haut aufgerissen hatte, konnte sie nur mutmaßen, welche Hölle er durchlebt hatte.

Trotzdem konnten einem Kind noch deutlich schlimmere Dinge passieren. Das System hatte einfach zu viele Fehler, aber es existierte doch aus guten Gründen.

»Wenn du bloß aufhören könntest zu grinsen.« Felix Connor trocknete sich die Hände mit einem Papierhandtuch, während er auf Sara zukam. »Ich muss sagen, ich hab immer noch Schwierigkeiten mit dieser Darmgrippe.«

Sara klang bewusst vergnügt. »Lieber krank in der Arbeit als krank daheim.«

»Sagst du das auch deinen Patienten?«

»Nur den Babys.« Und noch ehe Felix sich eine Ausrede zurechtlegen konnte, warum er besser wieder gehen sollte, fing sie an, ihm die jüngsten Fälle zu referieren. Sie hatte gerade die letzten Details zu Olivers Fall aufgezählt, als sie im Rücken plötzlich Hitze spürte und das Gefühl hatte, beobachtet zu werden. Sie warf einen Blick über die Schulter und erschrak regelrecht, als sie ihren Freund vor sich sah.

Will Trent lehnte an der Wand. Er trug einen anthrazitfarbenen Dreiteiler, der wie angegossen an seinem schlanken Körper saß. Die Hände hatte er in die Taschen versenkt. Sein blondes Haar war feucht und fiel ihm im Nacken bis kurz über den Kragen.

Er lächelte sie an.

Sara erwiderte das Lächeln und spürte dabei ein vertrautes Kribbeln in der Brust. Sie kannte Will seit fast zwei Jahren – sie hatte ihn hier in diesem Krankenhaus kennengelernt –, und in letzter Zeit war aus ihrer Beziehung deutlich mehr geworden. Die Tiefe der Gefühle, die sie für ihn entwickelt hatte, kam für Sara einem unerwarteten Schatz gleich. Vor fünf Jahren hatte Sara ihren Ehemann verloren. Sie hatte angenommen, dass sie den Rest ihres Lebens alleine verbringen würde.

Doch dann hatte sie Will kennengelernt.

»Felix, ich …« Sie sah sich nach ihm um, doch er war bereits verschwunden.

Will stieß sich von der Wand ab und kam auf sie zu. »Du siehst gut aus.«

Sara musste über diese offenkundige Lüge lachen. »Was machst du hier? Ich dachte, du müsstest arbeiten.«

»Meine Besprechung ist erst in einer Stunde.«

»Hast du noch Zeit für ein zweites Frühstück?« Will schüttelte langsam den Kopf.

»Oh.« In diesem Augenblick dämmerte es Sara, dass er nicht einfach so vorbeigekommen war. »Was ist passiert?«

»Können wir vielleicht irgendwo hingehen?«

Sie führte ihn zum Ärztezimmer. Die zehn Meter bis zur Tür reichten, damit Sara sich immer größere Sorgen machte.

Will war Sonderermittler im Georgia Bureau of Investigations. Seit zehn Tagen arbeitete er verdeckt. Er konnte – oder wollte – Sara keine Details verraten, aber er rief immer wieder von seltsamen Nummern aus an oder tauchte zu den merkwürdigsten Zeiten einfach auf, und sie hatte keine Ahnung, woher er da kam oder wohin er unterwegs war. Wenn sie fragte, wechselte er entweder das Thema oder fand einen Vorwand zum Gehen. Wenn Sara nicht gerade leicht verärgert darüber war, machte sie sich große Sorgen, dass etwas Schlimmes passieren könnte. Oder bereits passiert war. Saras verstorbener Ehemann war ebenfalls Polizist gewesen. Er war im Dienst ermordet worden, und ihn zu verlieren hätte auch sie beinahe umgebracht. Der Gedanke, dass Will etwas Ähnliches passieren könnte, war für sie unerträglich.

»Lass mich …« Will griff an Sara vorbei, um ihr die Tür aufzuhalten. Zum Glück war das Ärztezimmer leer. Er wartete, bis sie am Tisch Platz genommen hatte, bevor er sich ihr gegenüber niederließ.

»Was ist passiert?«, fragte sie erneut.

Schweigend nahm er ihre Hand. Sara sah zu, wie er mit den Fingern ihre Handfläche und dann ihrem Handgelenk entlangstrich. Auch Will starrte darauf hinab, seine dunkelblauen Augen folgten der Bewegung seiner Finger. Sara spürte ein Kribbeln, als sie sah, wie sein Blick die Bewegungen seiner Finger auf ihrer Haut beobachtete.

Sie legte ihre freie Hand auf seine. Es musste nun wirklich nicht sein, dass zufällig ein Student hereinplatzte und sie schnurren sah wie ein Kätzchen. Außerdem kannte sie Wills Hinhaltetaktik inzwischen.

Sie beugte sich vor. »Was ist los?«

Er grinste schief. »Funktioniert die Ablenkung nicht?«

»Nur beinahe.«

Will atmete einmal tief durch. »Mein Auftrag ist ein bisschen komplizierter geworden.«

Sara hatte so etwas erwartet, aber sie brauchte trotzdem einen Augenblick, um die Information zu verdauen.

»Ich kann dir immer noch nicht sagen, warum, aber ich werde länger verdeckt arbeiten müssen. Und ich werde es nicht mehr so oft zurück nach Atlanta schaffen. Dich nicht mehr so oft sehen können.«

Sara wusste nicht genau, warum Will ihr von seinem Auftrag nichts erzählen durfte, aber sie wollte die wenige Zeit, die sie miteinander hatten, nicht damit vergeuden, noch einmal durchzukauen, was sich bereits früher als fruchtlose Diskussion erwiesen hatte.

»Okay.«

»Gut.« Er starrte wieder auf ihre Hände hinab. Sara folgte seinem Blick. Seine Handgelenke waren gebräunt, aber nur bis zu den Manschetten seines Hemds. Sein Haar war in der Sonne stellenweise hellblond ausgebleicht. Was Will auch tat, erforderte offensichtlich, dass er viel Zeit an der frischen Luft verbrachte.

»Ich wollte dir nur sagen«, fuhr er fort, »dass du nicht denken darfst, ich würde dir aus dem Weg gehen. Oder dass ich …« Er beendete den Satz nicht. »Ich meine, was wir tun …« Erneut hielt er inne. »Was wir getan haben …«

Sara sah ihn abwartend an.

»Ich will nicht, dass du meine Abwesenheit interpretierst als …« Er schien um die richtigen Worte zu ringen. »Mangel an Interesse?« Er starrte weiter auf ihre Hände hinunter.

»Weil ich es bin. Interessiert, meine ich.«

Sara starrte seinen Scheitel an, den Wirbel, der dort abstand. Irgendwann in naher Zukunft würden sie an einen Punkt gelangen, da sie seine Ausflüchte nicht länger würde akzeptieren können. Er würde sich ihr öffnen müssen, oder sie müsste sich überlegen, ob sie so weitermachen wollte. Je länger Sara darüber nachdachte, umso deutlicher spürte sie, dass dieser Punkt bereits sehr nahe war.

Sie zwang sich, den Gedanken beiseitezuschieben. Stattdessen sagte sie: »Versprich mir einfach, dass du vorsichtig bist. Was immer du tust.«

Er nickte, aber sie hätte sich besser gefühlt, wenn er es tatsächlich ausgesprochen hätte. Will war schließlich nicht bloß Detective. Das GBI war für den Staat Georgia, was das FBI für die Vereinigten Staaten war. Abgesehen von Fällen von Drogenhandel und Kindesentführung musste die Agency eigens damit beauftragt werden, einen Fall zu bearbeiten, und die lokalen Polizeibehörden forderten deren Hilfe eigentlich nur dann an, wenn sie selbst mit ihrem Latein am Ende waren. Egal aus welcher Perspektive Sara es betrachtete: Das Verbrechen, in dem Will verdeckt ermitteln musste, war für die örtlichen Behörden offensichtlich zu kompliziert gewesen. Und schlimmer noch: Verdeckt zu arbeiten hieß auch, dass Wills Partnerin nicht an seiner Seite war, um ihm den Rücken freizuhalten. Er war komplett auf sich allein gestellt und wahrscheinlich umgeben von Männern mit einer gewalttätigen Vorgeschichte und diversen Abhängigkeiten.

»Wir verstehen uns also?«, fragte er jetzt.

Sara presste die Lippen zusammen, verkniff sich, was sie eigentlich hatte sagen wollen. »Natürlich verstehen wir uns.«

»Gut.« Als Will sich auf seinem Stuhl nach hinten fallen ließ, war seine Erleichterung beinahe greifbar. Nicht zum ersten Mal fragte sich Sara, wie ein Mann, der sein ganzes Erwachsenenleben damit zugebracht hatte, komplizierte Rätsel zu lösen, in seinem Privatleben so hartnäckig begriffsstutzig sein konnte.

»Wie lange wird es noch dauern?«

»Zwei, vielleicht drei Wochen.«

Sie wartete auf mehr, doch dann wandte Will einfach den Blick ab. Die Geste war naiv ausgeführt, als würde er eine Checkliste beiläufiger Bewegungen abarbeiten. Blinzeln. Sich am Kinn kratzen. Interesse für die Notizen an der Wand vortäuschen.

Sara wandte sich den Postern zu, die ihn plötzlich derart zu faszinieren schienen. Die typischen Krankenhausplakate: Warnungen vor HIV und Hepatitis C neben einem rüde verunstalteten Hygiene-Cartoon mit SpongeBob in der Hauptrolle. Sara drehte sich wieder zu ihm um. Dieses passiv-aggressive Rollenspiel hatte sie noch nie gut beherrscht. »Können wir uns wenigstens darauf einigen, dass sonst noch etwas ist? Weil ich es spüren kann, Will. Da steckt doch noch was anderes dahinter – und ich glaube, du verheimlichst es vor mir, weil du nicht willst, dass ich mir Sorgen mache.«

Sie musste ihm zugutehalten, dass er es nicht abstritt. »Würde es dir dann besser gehen?«

Sie nickte.

»In Ordnung.«

Sara nagte an ihrer Unterlippe. Sie wartete auf mehr, aber dann fiel ihr wieder ein, dass sie das Krankenhaus hatte verlassen wollen, noch ehe sie das Rentenalter erreichte. »Das ist alles?«

Er zuckte bloß mit den Schultern.

Sie war zu müde, um weiter Sisyphos zu spielen. »Du machst mich wahnsinnig.«

»Aber auf eine gute Art?«

Sie drückte seine Hand. »Nicht unbedingt.«

Er lachte kurz auf, doch sie wussten beide, dass sie es ernst gemeint hatte.

»Hast du gehört«, fragte er, »dass der Heimatschutz Sponge-Bob am Flughafen verhaftet hat?«

»Will ...«

»Ich meine es ernst. Kam heute Morgen in den Nachrichten.«

Sara stöhnte auf. »Erregung öffentlichen Ärgernisses?«

»Versteht sich von selbst. Aber der Hauptgrund für die Verhaftung war, dass er versucht hat, zu viel Flüssigkeit mit an Bord zu nehmen.«

Sie schüttelte den Kopf. »Das ist ja grässlich.«

»Er behauptete, irgendjemand hätte ihm da etwas in die Schuhe schieben wollen.« Will machte eine dramatische Pause. »Aber offenbar hat ihn einfach niemand zum Trocknen rausgehängt.«

Sara schüttelte wieder den Kopf. »Wie lange hast du gebraucht, um dir das auszudenken?«

Will beugte sich vor und küsste sie – kein entschuldigendes, schnelles Wischen über die Lippen, kein flüchtiger Abschiedskuss, sondern etwas Längeres, Bedeutungsvolleres.

Kurz dachte Sara daran, dass sich auf der anderen Seite der Tür die gesamte Notaufnahme befand, dass jeder einfach hereinplatzen und sie ertappen könnte, aber dann vertiefte Will seinen Kuss, und plötzlich war alles andere unwichtig. Er war von seinem Stuhl aufgestanden und kniete vor ihr, drängte sich an sie, drückte sie gegen die Stuhllehne. Sara wurde leicht schwindlig.

»Jell-O«, schrie plötzlich ein Mann in der Notaufnahme. Sara schreckte hoch, und Will hockte sich auf die Fersen.

Mit dem Handrücken wischte er sich über den Mund.

»Tut mir leid«, sagte Sara, als könnte sie die Patienten je kontrollieren. Dann zupfte sie Wills Kragen glatt, zog seine Krawatte zurecht. Sie spürte das Blut in seiner Halsarterie pochen. Es passte zum Klopfen ihres Herzens. »Die Säufer wachen auf.«

»Ich mag Jell-O auch ...«

»Will ...«

»Ich sollte mich jetzt langsam auf den Weg machen.« Er stand auf und klopfte sich ein bisschen Staub von der Hose.

»Vergiss nicht, was ich gesagt habe, okay? Ich flüchte nirgendshin.« Er grinste. »Ich meine, ich gehe jetzt, aber ich komme wieder. Sobald ich kann. In Ordnung?«

Ihr Kopf war voller Dinge, die sie ihm sagen wollte – dass er ihr versprechen sollte, sich nicht in Gefahr zu begeben, dass er ihr versichern sollte, alles würde gut ausgehen. Doch Sara wusste, dass diese Versprechen bestenfalls bedeutungslos und schlimmstenfalls eine Belastung wären. Das Letzte, woran ein Polizist denken sollte, wenn er ins Kreuzfeuer geriet, war seine Freundin und ob sie es gutheißen würde.

»In Ordnung.« Mehr brachte sie nicht hervor.

Er lächelte sie wieder an, doch Sara konnte erkennen, dass irgendwas nicht stimmte. Sie sah es in seinen Augen – ein Zögern, Sorge. Wie üblich ließ Will ihr nicht die Zeit, ihn danach zu fragen.

Sie erhaschte einen flüchtigen Blick auf den überfüllten Gang, als er die Tür aufzog und hinausschlüpfte. Die morgendliche Hektik war bereits in vollem Gang. Die Kakofonie piepsender Monitore und Apparate drehte bereits wieder hoch. Schon lagen Patienten auf Rollbahren in den Gängen. Der Säufer schrie wieder nach Jell-O, dann brüllte ein zweiter den ersten an, er solle das Maul halten und dass er selbst auch ein Jell-O haben wolle.

Sara faltete die Hände im Schoß und ging die Unterhaltung mit Will im Geist noch einmal durch. Was hatte er ihr wirklich sagen wollen? Warum war er zu ihr ins Krankenhaus gekommen, obwohl er ihr doch all das, was er gesagt hatte, auch am Telefon hätte sagen können? Wenigstens hatte er zugegeben, dass sonst noch etwas im Argen lag. Er konnte so verdammt unergründlich sein, und Sara musste sich einmal mehr eingestehen, dass sie sich von ihm ausmanövriert fühlte. Sie berührte ihre Lippen, die Will eben noch geküsst hatte. Was war der Grund seines Besuchs gewesen? Waren die Küsse Wills Art gewesen, dafür zu sorgen, dass sie ihn nicht vergaß, während er weg war? Oder hatte er lediglich sein Revier markieren wollen, ehe er die Stadt verließ?

Keine dieser Möglichkeiten war besonders schmeichelhaft. Saras Handy klingelte. Sie griff in die Tasche, tastete nach der verräterischen Vibration. Sie erwartete – hoffte –, dass es Will wäre, aber die Ortskennung lautete »TALLADEGACO., AL.«. In den vergangenen Wochen hatte er sie häufig von den merkwürdigsten Orten aus angerufen, doch nie aus Alabama.

»Hallo?«, meldete sie sich.

Niemand antwortete, nur ein leises Summen war zu hören. Sara versuchte es noch einmal. »Hallo?« Noch immer keine Antwort, doch das Summen wurde lauter, eher animalisch als elektronisch.

»Hallo?«

Sara wollte eben auflegen, doch dann blitzte unvermittelt ein Bild vor ihren Augen auf – Will, dessen Körper zerrissen auf einem Bürgersteig lag. Sie sprang von ihrem Stuhl auf.

»Will?«

Am anderen Ende der Leitung atmete jemand schwer.

»Hallo?«

Sara riss die Tür auf. Sie rannte auf den Gang hinaus und wäre beinahe mit einem Patienten zusammengestoßen. Das war doch lächerlich. Will ging es gut. Er war gerade erst vor zwei Minuten losmarschiert. Sie konnte immer noch seinen Kuss auf ihren Lippen spüren.

»Hallo?« Sara presste sich das Handy ans Ohr. »Wer ist denn da?«

»S-S-S-ara?« Die Frau am anderen Ende der Leitung konnte kaum sprechen.

Sara legte sich die Hand über die Augen, und Erleichterung durchströmte sie. »Ja?«

»Hier ist ... Hier ist ... Tut mir leid, ich ...«

»Nell?«

Eilig fügte Sara die Puzzlestücke zusammen. Es war die Stimme der Highschoolfreundin ihres Ehemanns. Er und Darnell Long hatten ein Kind, darüber hinaus allerdings nicht allzu viel gemeinsam gehabt.

»Nell?«, wiederholte Sara. »Bist du okay?«

»Es ist Jared«, wimmerte die Frau. »O Gott!«

Sara lehnte sich an die Wand. Jared, ihr Stiefsohn. Sara hatte ihn nur ein paarmal getroffen. Er war Polizeibeamter geworden, genau wie sein Vater.

»Ich wusste nicht ...« Nell versagte die Stimme. »Ich hätte ...«

»Nell, bitte, sag mir, was ...«

»Ich hätte auf dich hören sollen!«, weinte sie. »Sie hat es so weit kommen lassen ... O Gott ...«

»Wobei hättest du ...« Dann unterbrach sie sich. Sie wusste intuitiv, von wem Nell gesprochen hatte.

Lena Adams.

Saras Mann hatte Lena trainiert, als sie frisch von der Polizeiakademie gekommen war, hatte sie unter seine Fittiche genommen und sie zur Detective befördert.

Und als Gegenleistung für Jeffrey Tollivers Vertrauen hatte sie es so weit kommen lassen, dass er getötet worden war.

»O Gott, Sara«, schluchzte Nell. »Bitte ...«

»Nell«, brachte Sara mit stockendem Atem gerade noch hervor. »Sag's mir. Sag mir, was passiert ist.«

Doch die Frau war zu hysterisch, um der Bitte nachzukommen. »Warum hab ich nicht auf dich gehört? Warum hab ich es ihm nicht verboten? Warum hab ich nicht ...« Ihre Worte gingen in herzzerreißendem Heulen unter.

Sara zwang sich, ruhig zu atmen. Sie spürte, wie ihre Brust bebte und ihre Hände zitterten. Ihr ganzer Körper vibrierte vor Grauen.

»Nell, bitte. Sag mir endlich, was passiert ist.«

3.

Will Trent stand im Büro seiner Chefin im Obergeschoss der City Hall East und blickte auf die Stadt hinunter. Atlanta wachte gerade erst auf, die Sonne funkelte zwischen den Wolkenkratzern, Pendler in BMWs und Audis versuchten, sich den Weg zur Arbeit freizuhupen. Auf der anderen Straßenseite standen Dutzende Männer vor dem Home Depot Schlange. Ein Pick-up nach dem anderen fuhr vor, und Bremslichter leuchteten rot auf. Hände wurden gehoben, Finger deuteten hierhin und dorthin, und zwei, drei, manchmal vier Männer stiegen auf eine Ladefläche, um zu ihrer Tagelöhnerarbeit gefahren zu werden.

So ein Leben hätte Will auch blühen können. Im Atlanta Children's Home hatte es keine Berufsberatung gegeben. Als Will achtzehn geworden war, hatte man ihm hundert Dollar und eine Wegbeschreibung zum nächsten Obdachlosenheim in die Hand gedrückt. Die folgenden paar Monate hatte er damit zugebracht, auf und von Pick-ups zu springen, um auf dem Bau zu arbeiten oder in jedem anderen Job, der ihm angeboten worden war. Will hatte großes Glück gehabt, dass die richtigen Leute interveniert hatten. Ansonsten wäre er niemals Agent beim GBI geworden. Er hätte heute weder Haus noch Auto noch sein Leben.

Und auch Sara hätte er nicht.

Will wandte sich vom Fenster ab. Er sah sich in Amanda Wagners Büro um, das sich in den fast fünfzehn Jahren, die er mittlerweile für sie arbeitete, nicht wesentlich verändert hatte. Man war ein paarmal umgezogen, und die Elektronik war raffinierter geworden, während Amanda sich bis zum Depot Director des GBI hochgearbeitet hatte, aber sie hatte sich immer gleich eingerichtet. Dieselben Fotos an der Wand. Sogar ihr Sessel war immer noch dasselbe alte, ächzende Ding aus Holz und Leder, das aussah, als gehöre es George Baileys Widersacher in *Ist das Leben nicht schön?*.

Der Flachbildfernseher war eines der wenigen Zugeständnisse an die Moderne. Will griff nach der Fernbedienung und zappte sich durch die Nachrichtenkanäle Atlantas, um zu sehen, ob die Medien inzwischen mitbekommen hatten, was in der vergangenen Nacht in Macon passiert war. Weniger als zwei Autostunden von der Hauptstadt des Bundesstaats entfernt war Macon mit mehr als 150 000 Einwohnern und einer florierenden Uni keine unwichtige Stadt. Und weil sie zudem im geografischen Herzen des Staates lag, diente sie als Kompromiss für Leute, die Atlanta als zu hektisch und Kleinstädte als zu verschlafen betrachteten. In vielerlei Hinsicht war Macon die bessere Repräsentantin Georgias als Atlanta. Zwischen Ramschläden waren Kunstmuseen entstanden. Eine Handvoll angesehener technischer Colleges lag nur wenige Blocks entfernt von teuren Privatschulen, in denen Kreationismus gelehrt wurde. Das Besucherzentrum warb sowohl für das Tubman African American Museum als auch für das Hay House, eine über sechzehnhundert Quadratmeter große Vorkriegsresidenz, die vom Schatzmeister der Konföderierten erbaut worden war.

Anscheinend aber fanden Atlantas Nachrichtenredaktionen Macon nicht sonderlich interessant. Will schaltete den Fernseher aus und legte die Fernbedienung zurück auf Amandas Schreibtisch. Er sollte mit seinen Wünschen vorsichtiger sein.

Es war vermutlich nur eine Frage der Zeit, bis sämtliche Kanäle voll waren mit den blutigen Details des Angriffs auf Jared Long. Wahrscheinlich hatten die Nachrichtenproduzenten Atlantas einfach noch nicht Wind von der Geschichte bekommen. Manchmal dauerte es schmerzhaft lange, bis zum Telefon gegriffen und bis Menschen eröffnet wurde, dass sich ihr Leben unwiderruflich verändert hatte.

Will hatte in seinem Wagen vor dem Grady Hospital gesessen, als Saras Anruf ihn erreichte. Er war nie jemand gewesen, der als Erster angerufen wurde, aber wenn irgendwas Schlimmes passierte, dann dachte Sara offenbar an ihn. Sie hatte geweint und ein paarmal neu ansetzen müssen, bevor sie ihm die Geschichte hatte erzählen können. Sie hatte ja nicht wissen können, dass Will sie bereits kannte. Und ihr ein paar fehlende Details hätte liefern können.

Auf Jared war geschossen worden.

Sein Leben hing an einem seidenen Faden. Irgendwie hatte Lena damit zu tun.

Will starrte blicklos durch die Windschutzscheibe, während er zuhörte, wie Sara versuchte, die Sätze herauszupressen. Er sah Lena in dem winzigen Bad vor sich. Halb nackt. Blutverschmiert. Panisch war Will den Flur hinabgerannt, hatte sich von den Wänden abgestoßen. Er kam sich vor, als würde er einen Film in Zeitlupe sehen. Lena hatte dem Kerl das Knie in den Rücken gerammt und mit dem Hammer weit ausgeholt. Die Zeitlupe wurde langsamer, als der Hammer das erste Mal nach unten sauste. Der Flur wurde länger. Will hätte genauso gut auch einen Berg aus Sand hinauflaufen können. Er lief zwar vorwärts, und doch schien jeder Schritt ihn weiter wegzuführen.

Doch von alldem wusste Sara nichts. Sie wusste lediglich, dass Jared angeschossen worden war. Dass Lena Adams wieder einmal dabei gewesen war, als ein weiterer guter Ehemann ins Kreuzfeuer geraten war. Das Gleiche war vor fünf Jahren mit Saras Ehemann passiert. Diesmal war der Sohn ihres Mannes dran gewesen.

Für Sara lag nun der Gedanke nahe, dass es auch Will passieren könnte.

Das Frustrierende war, dass Will erst heute Morgen extra ins Krankenhaus gefahren war, um reinen Tisch zu machen. Er hatte Sara erzählen wollen, dass er sie wegen seiner verdeckten Ermittlung angelogen hatte, weil er nun mal nicht gewollt hatte, dass sie sich Sorgen machte. Doch dann hätte er auch in Bezug auf seinen Einsatzort lügen müssen, damit sie nicht eins und eins zusammenzählte. Er hätte wieder und wieder lügen müssen, bis er erkannt hatte, dass es einfacher gewesen wäre, wenn er ihr gleich von Anfang an die Wahrheit gesagt hätte.

Als Will sie vor dem Schwesternzimmer hatte stehen sehen, hatte er die Nerven verloren. Um genau zu sein: Ihm war die Luft weggeblieben. Das war nichts Neues. So oft er Sara Linton in letzter Zeit ansah, hatte er das Gefühl, es würde ihm den Atem rauben. Das konnte nicht gut für sein Hirn sein. Er hatte regelrecht an Sauerstoffmangel gelitten. Offensichtlich war das auch der Grund, warum er, anstatt ihr alles zu gestehen, vor ihr auf die Knie gesunken war und sie geküsst hatte, als würden sie einander niemals wiedersehen.

Was durchaus möglich war. Will war sich schmerzhaft bewusst, wie wenig er die Situation im Griff hatte.

Wie gefährdet seine Beziehung zu Sara war.

»Sie sind spät dran«, sagte Amanda, als sie mit ihrem Blackberry in der Hand das Büro betrat.

Will reagierte nicht auf die Bemerkung. Ein reiner Automatismus, den sie oft anstelle einer Begrüßung einsetzte. Stattdessen sagte er: »Ich habe meinen Bericht vor einer Stunde geschickt.«

»Und ich hab ihn gelesen.« Amanda stand mitten im Raum, und ihr Daumen flog über die Tasten, während sie eine E-Mail beantwortete. Sie trug ein rotes Kostüm, dessen Rock bis knapp unters Knie reichte, und eine ordentlich in den Bund gesteckte weiße Bluse. Ihre grau melierten Haare waren wie üblich zu einem Helm frisiert. Die Nägel waren geschnitten, der Transparentlack schimmerte.

Sie wirkte ausgeruht, auch wenn Will wusste, dass sie in der vergangenen Nacht nicht sonderlich viel Schlaf bekommen hatte. Der Polizeichef von Macon. Der Direktor des GBI. Die Spurensicherung. Der Medical Examiner. Das forensische Labor. Sie alle hatten ins Bild gesetzt oder ausgeschickt werden müssen. Und doch hatte Amanda es geschafft, Will noch vor Sonnenaufgang dreimal anzurufen. Dass sie besorgt gewesen war, hatte er an der Gelassenheit in ihrer Stimme hören können, wie sie mit ihm gesprochen hatte – als wäre er mit einem platten Reifen am Straßenrand liegen geblieben und nicht mitten in ein Blutbad hineinmarschiert. Normalerweise bereitete es Amanda ein gewisses Vergnügen, Will leiden zu sehen, doch in der vergangenen Nacht war es anders gewesen.

Und es war vergänglich gewesen.

»So.« Sie beendete die E-Mail und wandte sich einer neuen zu. »Da sind Sie ja in einen ziemlichen Schlamassel hineingeraten, Wilbur.«

Er wusste nicht genau, welchen Schlamassel sie meinte.

»Ich muss Ihnen leider sagen, dass wir nicht länger auf dem kräftigen Ende des Astes sitzen, sondern auf dem dünnen Teil. Dem Zweig.«

»Ja, Ma'am.«

»Wer immer diese Männer sind – es macht ihnen nichts aus, sich mit der Polizei anzulegen.« Amanda sah zu ihm hoch.

»Versuchen Sie, sich nicht umbringen zu lassen, okay? Ich hab nicht die Geduld, um einen Neuen einzuarbeiten.«

»Ja, Ma'am.«

Sie wandte sich wieder ihrer E-Mail zu. »Wo ist Faith?« Faith Mitchell, Wills Partnerin.

»Sie haben gesagt, wir treffen uns hier um halb acht.« Er sah auf die Uhr. »Sie hat noch sechs Minuten.«

»Erstaunlich. Sie haben tatsächlich gelernt, die Uhr zu lesen.«

Sie ließ das Display nicht aus den Augen, während sie zu ihrem Schreibtisch ging und sich setzte. Das alte Kissen gab ein Geräusch von sich wie ein grunzendes Schwein.

»Ich hab den Director über Ihre mitternächtlichen Eskapaden informiert. Er behält diese Geschichte genau im Blick.« Will wusste nicht, welche Reaktion auf diese Information von ihm erwartet wurde, deshalb setzte er sich und wartete auf die nächste Hiobsbotschaft. Erst vor Kurzem hatte er sich eingestehen müssen, dass Amanda Wagner diejenige Frau für ihn war, die einer Mutterfigur am nächsten kam – zumindest wenn man eine Frau als Mutter betrachtete, die einen auch mal in den Kühlschrank sperrte oder auf den Rücksitz ihres Autos schnallte und es dann in einen See rollen ließ.

Sie legte ihr Blackberry beiseite und nahm die Lesebrille ab.

»Noch irgendwas, was Sie mir sagen müssten?«

»Nein, Ma'am.«

Amanda ließ es auf sich beruhen, was eigentlich nicht ihre Art war. Sie wandte sich ihrem Computer zu und wartete, bis er funktionsbereit war. Will schätzte Amanda auf Mitte, Ende sechzig, auch wenn ihr Aussehen keinen Schluss auf ihr genaues Alter zuließ. Sie war immer noch gut in Form, noch immer in der Lage, Männer, die halb so alt waren wie sie, locker zu übertrumpfen – Männer in Wills Alter, um genau zu sein. Doch wenn man ihr dabei zusah, wie sie versuchte, eine Computermaus zu bedienen, war es, als würde man einer Katze dabei zusehen, die versuchte, einen Kieselstein aufzuheben.

Sie donnerte die Maus auf den Tisch und murmelte: »Was stimmt mit diesem Ding bloß nicht?«

Will war klug genug, ihr keine Hilfe anzubieten. Er wischte eine Staubfluse von seinem Knie. Dabei musste er wieder an Sara denken. Wahrscheinlich saß sie jetzt in ihrem Auto und fuhr nach Macon. Die Fahrt dauerte ungefähr eineinhalb Stunden. Will hätte ihr anbieten sollen, sie zu fahren. Unterwegs hätte er ihr die ganze elende Wahrheit beichten können.

Und dann hätte Sara ihn vor die Wahl gestellt: zu Fuß zurück nach Atlanta oder zu Fuß den Rest des Wegs nach Macon.

»Sie brüten«, riss sie ihn aus den Gedanken.

Will dachte kurz über die Formulierung nach. »Braucht man dazu nicht ein Nest?«

»Haha.« Amanda lehnte sich zurück und schenkte Will endlich ihre volle Aufmerksamkeit. »Sie haben letztes Jahr gegen Lena Adams ermittelt.«

»Vor anderthalb Jahren«, stellte Will richtig. »Faith hat mir geholfen. Lenas Partner war erstochen worden. Er ist praktisch noch auf der Straße verblutet. Sie nahm den Verdächtigen in Haft, und er starb in ihrem Gewahrsam.«

»Vorsätzliche Gefährdung, Fahrlässigkeit?«

»Ja«, antwortete Will. »Sie wurde offiziell abgemahnt, aber nur eine Woche später hat sie dem Grant County den Rücken gekehrt und sich nach Macon versetzen lassen. Denen schien der Aktenvermerk nichts auszumachen.«

Amanda spielte mit den Bügeln ihrer Brille. Ihre Stimme wurde weicher. »Sie war Jeffrey Tollivers Partnerin, als er ermordet wurde … wann … vor fünf, sechs Jahren?«

Will sah aus dem Fenster. Er spürte, wie ihr Blick über sein Gesicht wanderte wie ein Laserstrahl.

»Es gibt da einen Song von Eric Clapton über die Wahrheit. Irgendwas darüber, dass die ganze Show an einem vorüberzieht. Hör auf dein Herz und so weiter.«

Will räusperte sich. »Aus irgendeinem Grund beschleicht mich ein komisches Gefühl, wenn ich mir vorstelle, dass Sie Eric Clapton hören.«

Amandas Seufzen hatte einen Anflug von Traurigkeit, über den er lieber nicht nachdenken wollte. »Was glauben Sie – wie wird das alles ausgehen?«

Er nickte zu den grauen Wolken hinüber, die sich plötzlich vor die Sonne schoben. »Ich glaube, es wird regnen.«

»Da zieht eindeutig ein Sturm auf.« Dann änderte sich unvermittelt ihr Tonfall. »Ah, Major Branson, danke, dass Sie die Fahrt auf sich genommen haben.«

Will stand auf, als eine Frau in dunkelblauer Polizeiuniform das Büro betrat. Bänder und Auszeichnungen zierten ihre Uniformbrust. In der Hand hielt sie eine sichtlich schwere lederne Aktentasche. Sie war klein, stämmig und hatte kurz geschorene schwarze Locken. Hier zu sein schien sie in etwa genauso glücklich zu machen wie Will.

Amanda stellte die beiden einander vor. »Special Agent Trent, das ist Major Branson vom Macon Police Department. Denise ist unser Verbindungsoffizier im Fall Jared Long.«

Will wurde flau im Magen. »Soll ich etwa die Ermittlungen leiten?«

Ein Lächeln huschte über Amandas Lippen, bevor sie sagte: »Nein, Faith wird die Leitung übernehmen.«

»Das haben Sie sich alles schon zurechtgelegt?« Branson klang, als würde ihr gleich der Kragen platzen. »Ich will ganz ehrlich sein, Deputy Director. Ich bin alles andere als glücklich darüber, dass Ihre Leute durch mein Revier marschieren, als würde es ihnen gehören.«

Amandas Tonfall blieb unbeschwert. »Und trotzdem hat Ihr Chef Sie auf eine zweistündige Fahrt gen Norden geschickt, um uns die Akten zu übergeben.«

»Anderthalb Stunden«, korrigierte Branson sie. »Und ich arbeite vielleicht für diesen Mann, aber wir sind deshalb noch lange nicht immer ein und derselben Meinung.«

»Okay.« Amanda deutete auf einen freien Stuhl vor ihrem Schreibtisch. »Warum legen wir unseren kleinen Kompetenzstreit nicht bei, während Agent Trent uns Kaffee holt?«

Branson setzte sich und legte sich die Aktentasche auf den Schoß. Ohne Will anzusehen, sagte sie: »Schwarz, zwei Stück Zucker.«

Amanda grinste breit. »Für mich einfach nur schwarz.« Will war nicht sonderlich begeistert davon, zum Kaffeeholen geschickt zu werden, aber er war nicht so dumm, dass er es lange hinauszögern würde.

Im Vorzimmer saß Caroline, Amandas Sekretärin, an ihrem Schreibtisch. Sie lächelte Will zu. »Kaffeesahne. Und zweimal Süßstoff.«

Will quittierte ihre Bestellung mit einem Salut und eilte den Korridor hinab. Seine Schuhe versanken in dem tiefen Teppichboden. Er spürte die Kühle der Klimaanlage. Die City Hall East war in einem der alten Sears-Gebäude untergebracht, das in den 1920ern erbaut worden war. Als die Stadt es in den Neunzigern übernommen hatte, hatte man nur die wichtigen Teile renoviert, vor allem die Führungsetagen. Drei Stockwerke weiter unten in Wills Büro, das die Ausmaße eines Schuhkartons hatte, war die Luft abgestanden und wahrscheinlich obendrein verseucht. Die Fenster waren zugerostet. Die rissigen Asbestfliesen am Boden waren abgenutzt und rot vom Georgia-Lehm, den fast hundert Jahre lang Straßenschuhe dort hineingetragen hatten.

Im Obergeschoss war nicht nur die Luft besser. Die Küche war der reinste Showroom, mit dunklen Kirschholzschränken und Edelstahlarmaturen. Die Kaffeemaschine sah aus wie etwas, das ein Transformer aus dem Ärmel schütteln würde. Will nahm an, die Maschine gehörte zu den neumodischen Dingen, die Pads erforderten. Er öffnete die Schränke und fand zwei Schachteln. Er nahm an, dass Amanda Dunkin' Donuts extrastark in rosa-orange-farbenen Döschen bevorzugte. Die andere Schachtel enthielt rot-gelbe Pads mit Vanilleblüten auf dem Foliendeckel. Will nahm sich drei Döschen und schloss den Schrank.

Nach ein paar Fehlstarts hatte er begriffen, wie man die Pads einsetzte. Eine weitere Minute verging, bis er es schaffte, den Deckel des Wassertanks zu öffnen und Wasser bis zur Markierung einzugießen. Er nahm drei Becher von den Haken und wartete, bis das Wasser kochte.

Aus reiner Gewohnheit öffnete Will die Kühlschranktür. Darin lagen zwar ein paar Papiertüten, aber nirgends alte Takeaway-Kartons oder verfaulendes Essen, das roch, als würde es in eine Leichenhalle gehören. Bevor Will mit Sara zusammengekommen war, hatte sein gesamter Speiseplan aus schnellen Happen zwischen Tür und Angel bestanden, ob es nun die Schüssel Müsli war, die er am Spülbecken, oder die Hotdogs, die er auf dem Nachhauseweg an der Tankstelle in sich hineingestopft hatte.

Wenn Will jetzt nach Hause fuhr, bedeutete das meist: in Saras Wohnung und zu einem Abendessen, das nicht den ganzen Tag unter einer Wärmelampe geschmort hatte.

Zumindest hatte es das bis jetzt bedeutet.

Endlich blinkte das Signallämpchen an der Kaffeemaschine rot. Will drückte den Hebel auf das Pad und sah zu, wie die heiße Flüssigkeit herausspritzte. Der Geruch erinnerte ihn an das süßliche Parfüm, das Frauen manchmal auflegten, um Zigarettengeruch zu überdecken.

Er füllte den Wassertank für eine neue Runde. Es roch leicht nussig, als er Kaffeeweißer in den ersten Becher rührte. Will hatte den Geschmack von Kaffee nie gemocht, trotzdem kochte er jeden Morgen welchen für Sara. Sie mochte ihn stark, ohne irgendein Zusatzaroma. Er hatte angefangen, den Geruch mit ihr in Verbindung zu bringen.

Will legte den Löffel weg und startete die Maschine neu.

Es brachte ohnehin nichts mehr, dagegen anzukämpfen. Er gab sich völlig den Gedanken an Sara hin, ging im Geiste durch, was er alles verlieren würde. Dass ihre langen kastanienbraunen Haare sein Gesicht kitzelten. Dass er mit den Lippen die Sommersprossen in ihrem Kreuz streifte. Wie ihr Dekolleté sich rötete, wenn er sie berührte. Dann war da noch die Art, wie sie ihn manchmal küsste, ihm mit ihrem Mund zeigte, was sie von ihm wollte.

»Will?«

Er riss den Kopf hoch und stellte überrascht fest, dass Faith Mitchell in der Tür stand.

»Was ist los? Sie sehen schlecht aus.«

Das rote Lämpchen blinkte. Will setzte ein weiteres Pad ein.

»Wollen Sie auch einen?«

»Wenn ich heute noch mehr Koffein bekomme, platzt mir der Schädel.«

»Hat Emma Sie wachgehalten?«

Emma war Faiths zehn Monate alte Tochter. Will wusste, dass das Baby in dieser Woche bei seinem Vater war, aber er lauschte Faiths Erzählung, als höre er die Geschichte gerade zum allerersten Mal.

»Wie auch immer.« Faith schloss ihre Litanei über den Vater des Kindes ab, indem sie fragte: »Sind Sie ein Freund von Zufällen?«

Will durchschaute sie sofort, sagte aber nichts.

»Zum Beispiel, dass man in einem Augenblick noch verdeckt ermittelt und im nächsten in so eine typische Lena-Adams-Scheißsache hineingezogen wird?« Sie hob fragend die Hände. »Zufall?«

»Wir haben immer gewusst, dass es passieren würde – dass ich mit ihr zusammentreffe.«

»*Haben* wir das?« Sie betonte das erste Wort, als würde sie mit einem Kleinkind sprechen.

Will wandte sich wieder der Kaffeemaschine zu. Er verlangsamte seine Bewegungen, täuschte Unsicherheit vor in der Hoffnung, dass Faith übernehmen würde.

Doch anstatt darauf einzugehen, sagte sie: »Vor ungefähr fünfzehn Minuten hat Sara mich angerufen.«

Will konzentrierte sich darauf, den Wassertank präzise bis zur Markierung zu füllen.

»Sie weiß, dass der Staat bei Todesfällen mit Beamtenbeteiligung die Ermittlungen übernimmt.«

Er steckte das nächste Pad in die Maschine.

»Sie wollte wissen, was mit Jared gelaufen ist.« Faith hielt kurz inne und fügte dann hinzu: »Sie wollte Sie nicht damit belästigen. Ich hab ihr gesagt, ich werd' mir die Sache ansehen.«

Will räusperte sich. »Das dürfte einfach werden. Amanda überträgt Ihnen die Leitung der Ermittlungen.«

»Na klasse. Aber das hab ich nicht gewusst, als ich mit Sara gesprochen habe. Ich hab sie angelogen. Genau wie ich gelogen habe, als ich ihr versichert hab, es wäre schon in Ordnung, dass Sie Gott weiß wo verdeckt arbeiten, und dass Sie in diese Geschichte nicht hineingezogen würden. Ich weiß nicht genau, ob Sie es wissen, aber Sara hat eine Heidenangst davor, dass Sie es wieder mit Lena zu tun bekommen.«

Will suchte in den Küchenschubladen nach Süßstoff. Er fand zwei rosa Päckchen und riss sie auf.

»Sie wissen, dass Sara Lena für den Mord an ihrem Ehemann verantwortlich macht. Ich teile ihre Meinung.«

Will ließ den Süßstoff in den Becher gleiten.

»Sie wird außerdem denken, Lena wäre daran schuld, dass auf Jared geschossen wurde, und bei ihrer Vorgeschichte ist das auch alles andere als unrealistisch.« Faith hielt wieder inne. »Genau genommen ist das doch inzwischen schon ein Muster. Ich hab das schon gesehen, als Sie vor eineinhalb Jahren gegen Lena ermittelt haben. Leute, die sich in ihre Nähe wagen, kommen dabei um. Sara ist völlig zu Recht besorgt. Jared ist lediglich das jüngste Opfer.«

Will warf die Süßstofftütchen in den Mülleimer. Edelstahl wie die Armaturen. Er fragte sich, ob Amanda dies alles aus eigener Tasche bezahlt hatte.

»Jared, der Stiefsohn vonseiten ihres toten Ehemanns«, stichelte Faith weiter. »Und für dessen Tod macht sie Lena verantwortlich.«

Wieder blinkte das Lämpchen an der Kaffeemaschine. Will drückte den Hebel nach unten. Er versuchte, das Thema zu wechseln. »Ich glaube, es wird heute regnen.«

Faith stöhnte auf. »Sie sind ein Trottel, wissen Sie das?« Er schnitt eine Grimasse. Da konnte er ihr nicht widersprechen.

»Es ist nicht der Fall an sich, der Sara sauer machen wird. Es ist die Heimlichtuerei.« Faith hielt inne, aber nur, um durchzuatmen. »Und genau genommen wird es sie nicht sauer machen. Es wird sie verletzen. Sie umhauen. Und das ist noch viel schlimmer, als wäre sie bloß wütend. Über Wut kommt man hinweg.«

Will schnappte sich die drei Tassen. »Amanda wartet.« Faith folgte ihm aus der Küche. Will zog die Schultern gegen die Enttäuschung hoch, die sie verströmte, doch zum Glück schwieg sie auf dem Weg zu Amandas Büro. Er wusste genau, dass diese Sache noch nicht ausgestanden war. Wahrscheinlich durchdachte Faith im Augenblick nur all die Gründe, warum sie hier recht haben würde.

Und leider hatte Will dem nichts entgegenzusetzen, eben *weil* Faith recht hatte. Sara würde nicht wütend sein. Sie würde verletzt sein. Es würde sie umhauen. Und dann würde sie wahrscheinlich den dampfenden Haufen Scheiße durchwühlen und analysieren, den Will in ihr bislang so kontrolliertes Leben gebracht hatte, und zu dem Entschluss kommen, dass es all das nicht wert war. Seine Kindheit wie aus einem Roman von Dickens. Alles, was in seiner Familie passiert war. Sein Bemühen, über beides nicht zu sprechen, sosehr Sara ihn auch bedrängte. Es gab einfach nicht viel, was für ihn sprach. Will wäre beinahe von der Highschool geflogen. Er war obdachlos gewesen. Er hatte seinen Collegeabschluss gerade so geschafft. Und das alles war noch lange nichts im Vergleich zu seiner hassgetriebenen Ehefrau, die wie vom Erdboden verschwunden war, kaum dass er die Scheidung eingereicht hatte, und es trotzdem irgendwie schaffte, immer mal wieder eine unflätige Botschaft unter Saras Scheibenwischer zu klemmen.

Caroline saß noch immer an ihrem Schreibtisch. Sie half Will, die Becher richtig zuzuordnen, und nahm sich den mit

Kaffeeweißer. Er hatte die Bestellungen im selben Augenblick durcheinandergebracht, als er bemerkt hatte, dass es ihm egal war.

Er hätte es nicht für möglich gehalten, aber die Atmosphäre in Amandas Büro war noch angespannter als zuvor. Amanda hatte das Kinn vorgeschoben. Branson saß stocksteif da und hatte die Hände zu Fäusten geballt. Der Kompetenzstreit war noch immer nicht vorüber.

Amandas Stimme hätte Stahl zerschneiden können. »Major Branson, das ist Special Agent Mitchell.«

Merkwürdigerweise lächelte Denise Branson Faith herzlich an. »Ich hab mit Ihrer Mutter gearbeitet, als ich noch ein Frischling war. Ich hoffe, sie genießt ihren Ruhestand?«

»Ja.« Faith gab der Frau die Hand. »Ich richte ihr aus, dass Sie sich nach ihr erkundigt haben.«

»Evelyn war immer ein hundertprozentiger Profi.« Branson sah Amanda immer noch nicht an, aber alle wussten, was sie meinte. »Es tut mir leid, dass ich nicht die Zeit habe, sie zu besuchen, während ich in der Stadt bin.«

Faiths flüchtiges Lächeln und ihr Schweigen machten deutlich, dass sie sich selbst durch eine Charmeoffensive nicht von Amandas Seite loseisen lassen würde.

Um die Peinlichkeit des Augenblicks zu überspielen, verteilte Will die Kaffeebecher. Amanda hielt sich ihren Becher an die Lippen, zuckte dann aber zurück, als ihr der Geruch in die Nase stieg. Branson bemerkte es und stellte ihren Becher augenblicklich zurück auf den Tisch.

»Wir sollten das hier kurz halten«, sagte Amanda. »Wir haben alle viel zu tun.«

Will wartete, bis auch Faith sich gesetzt hatte, lehnte sich gegen das Fensterbrett und kam sich unwillkürlich fehl am Platz vor. Er war es gewohnt, von Frauen umgeben zu sein, aber bei dieser speziellen Konstellation verspürte er den starken Drang, die Beine zusammenzukneifen.

»Okay«, hob Amanda wieder an, »fangen wir an mit diesem …« Sie suchte nach dem richtigen Wort. »… Hammerangriff.« Sie grinste kurz angesichts der Formulierung, doch Will hatte mit eigenen Augen gesehen, dass der Sachverhalt alles andere als lustig gewesen war. »Denise, irgendwelche Hinweise darauf, warum Adams und Long ins Visier geraten sind?«

»Es gibt da mehrere Hypothesen.«

Doch erläutern wollte Branson die offenbar nicht.

»Okay«, sagte Amanda schließlich. »Wir müssen alle neueren Fälle durchgehen, mit ihrem Partner und den übrigen Teammitgliedern reden und herausfinden, ob sie uns irgendwas …«

»Das haben wir bereits getan«, fiel Branson ihr ins Wort. »Beide unauffällig. Sie sind Polizeibeamte. Man bekommt keine Dankesschreiben, weil man Leute verhaftet.«

Amanda gab sich nicht damit zufrieden. »Und doch sind sie aus einem bestimmten Grund ins Kreuzfeuer geraten.«

»Wir haben uns Adams' Fälle aus den letzten zwölf Monaten angesehen. Das Gleiche bei Long. Sie haben vorwiegend Routinefälle bearbeitet. Keine gefährliche Arbeit. Nichts, was diese Art von Aufmerksamkeit auf sich ziehen würde.«

Amanda grinste. »Faszinierend, dass Sie diese Schlussfolgerung in weniger als sechs Stunden ziehen konnten.«

»Wir in Macon sind eben ein Klasseteam.«

Amanda musterte die Frau. Will ebenso. Offensichtlich genoss Branson das Spiel, aber ihre Mundwinkel zitterten, offenbar weil sie etwas geheim hielt, fast als müsste sie dabei gegen ein Lächeln ankämpfen.

»Haben Sie Charlie Reed getroffen?«, erkundigte sich Amanda.

»Ist das Ihr Forensiker?« Branson schüttelte den Kopf. »Hatte keine Gelegenheit dazu. Dank Ihrer Anordnung an meinen Chef wurde das Haus ja unmittelbar nach Jared Longs Transport ins Krankenhaus versiegelt. Ich hatte mit meiner Zeit Besseres zu tun, als hinzufahren und zu warten, bis Ihre Jungs angeschlichen kamen.«

»Vielen Dank für Ihre Kooperationsbereitschaft, Major. Ich bin mir sicher, sie wird dazu beitragen, dass unsere Ermittlungen reibungslos vonstattengehen. Zu viele Köche und so weiter.« Amanda hatte ein gekünsteltes Lächeln im Gesicht. »Das Labor weiß, dass sämtliche Spuren, die Charlie findet, oberste Priorität haben. Er berichtet dann direkt an mich, und ich gebe alles Relevante an Ihr Department weiter. Faith wird die Leitung der Ermittlungen übernehmen.« Und zu Faith sagte sie: »Sorgen Sie dafür, dass Macon immer im Bilde bleibt.«

»Ja, Ma'am.« Faith holte ihr Notizbuch heraus und schlug eine leere Seite auf. »Major, was können Sie mir erzählen?«

Branson hatte sich offensichtlich gut vorbereitet. Zu Amanda sagte sie: »Wenn Sie bitte die Fotos vom Zip-Drive auf den Bildschirm ziehen könnten …«

Amanda hob angesichts des Befehlstons eine Augenbraue, gehorchte aber, griff nach der Computermaus und starrte auf den angeschlossenen Fernsehbildschirm, als erwarte sie, dass dort etwas passierte. Der Bildschirm blieb schwarz. »Warum funktioniert das nicht?«

Will schwieg, und Faith fragte in die Stille hinein: »Ist er eingeschaltet?«

»Natürlich ist er eingeschaltet.« Amanda nahm die Fernbedienung zur Hand und drückte auf den roten Knopf. Der Fernseher sprang an, dann baute sich ein Foto auf. Will vermutete, dass es Jared Longs Foto aus der Personalakte war. Er hatte den jungen Mann bisher nur ein einziges Mal getroffen. Long war ein gut aussehender Junge mit Charme und Selbstbewusstsein, was ihn zum geborenen Anführer gemacht hatte. Sämtlichen Berichten zufolge hatte er mit seinem Vater viel gemeinsam.

»Jared Long, Lena Adams' Ehemann«, erläuterte Branson.

»Er ist Motorradpolizist und seit sieben Jahren bei der Truppe in Macon. Gut in seinem Job, gern auf dem Motorrad unterwegs. Keine Verwarnungen. Ein erstklassiger Beamter.«

»Im Gegensatz zu seiner Frau«, murmelte Faith.

Falls Branson die Bemerkung gehört hatte, ignorierte sie sie. »Long hat den OP vor einer halben Stunde verlassen. Es steht auf Messers Schneide, aber das ändert aus unserer Sicht rein gar nichts. Ein Beamter wurde angeschossen. Ein anderer fast ermordet. Irgendjemand hat diesen Anschlag in Auftrag gegeben. Nächstes Bild bitte.«

Amanda klickte auf die Maus. Sie starrte den Bildschirm an und wartete darauf, dass das nächste Bild erschien. »Ach, um Himmels willen ...«

»Drücken Sie auf die Leertaste«, kam es von Faith.

»Das funktioniert doch nicht.« Amanda tippte auf die Leertaste. Das Bild wechselte. Das neue Foto zeigte einen älteren Mann mit pockennarbigem Gesicht und einem leichten Silberblick. Er trug einen orangen Gefängnisoverall. Unter dem Kinn war eine Tafel mit seinem Namen und der Insassennummer eingeblendet.

»Samuel Marcus Lawrence«, erklärte Branson, »der erste Angreifer, der in das Haus eindrang. Kurz darauf tot. Er ist unser erster Schütze. Ein mittelschwerer Krimineller, zwei Körperverletzungen, die ihm zwei beziehungsweise drei Jahre eingebracht haben. In beiden Fällen wegen guter Führung vorzeitig entlassen. Er hat jedem erzählt, der es hören wollte, dass er früher bei den Hells Angels war, aber es gibt keinen Beweis dafür, dass er die Kutte je wirklich getragen hätte.«

Faith machte sich ein paar Notizen. »Drogen?«

»Meth. Er hatte mehr Entzündungen im Gesicht als eine Rücksitzhure.«

»Wie auch immer. Und jetzt ist er tot.« Amanda drückte wieder auf die Leertaste. Auf dem Bildschirm tauchte ein weiteres Registerfoto auf. Der Mann war ungefähr so alt wie der erste, hatte graue Haare und das ausgebleichte Tattoo eines Kobrakopfes, das in den Hautlappen seines Halses fast verschwand.

»Fred Leroy Zachary«, sagte Branson. »Saß acht Jahre wegen eines tödlichen Angriffs und dann noch mal zehn für eine Entführung und Vergewaltigung. Er lebt, aber nur noch um Haaresbreite. Der Unterkiefer ist gebrochen. Das Rückgrat durchtrennt. Rippenbrüche. Der ganze Körper steckt in einem Gips. Der Mund ist verdrahtet. Er kann nicht reden, aber selbst wenn er es könnte – sein Anwalt würde es nicht zulassen.«

»Na ja«, wandte Amanda ein, »Sie können Adams zumindest nicht vorwerfen, nicht gründlich gewesen zu sein. Was hatte sie zu ihrer Verteidigung vorzubringen?«

Schlagartig war Branson wieder reserviert. »Nicht allzu viel. Die Ärzte sagen, sie stehe noch unter Schock. Sie mussten sie vor Ort behandeln. Sie hat uns einen kurzen Abriss des Handlungsverlaufs geschildert – ein bewaffneter Mann ist in ihr Haus eingedrungen. Long wurde in Rücken und Kopf getroffen. Abgesägte Schrotflinte, die Kugeln streuten deshalb breit. Adams zog den Hammer aus Longs Werkzeuggürtel und verteidigte sich. Ein zweiter bewaffneter Mann kam auf sie zu. Es gab einen Kampf, aber es gelang ihr, beide Eindringlinge zu neutralisieren.«

Branson schien fertig zu sein.

»Das ist alles?«, wollte Amanda wissen.

»Wie gesagt, Adams war wegen des schweren Schocks in medizinischer Behandlung. Sie hat mit eigenen Augen mit ansehen müssen, wie ihr Mann angeschossen wurde. Kämpfte um ihr Leben – und auch um seines, wie es aussieht. Wir nehmen sie uns später noch mal vor, aber meiner Ansicht nach hat sie sich erst einmal eine Verschnaufpause verdient.«

Amanda legte stumm die Hände unterm Kinn zusammen. Faith schrieb weiter in ihr Notizbuch, doch Will konnte ihr ansehen, wie sie die Ohren spitzte. Am Ende der Geschichte fehlte ein entscheidendes Stück. Entweder hatte Lena unterschlagen, dass Will ebenfalls vor Ort gewesen war, oder aber Branson log in Bezug auf das, was Lena ihr erzählt hatte.

»Faith wird sich Adams vornehmen«, entschied Amanda.

»Ich denke, die Verschnaufpause war jetzt lange genug. Wir müssen genau wissen, was letzte Nacht passiert ist. Das mag Ihnen nicht gefallen, aber es ist unser Fall, und genauso wird es ablaufen.«

Branson schob das Kinn vor, nickte dann aber.

Diesmal brach Faith das angespannte Schweigen. »Major, vielleicht können Sie mir noch mit ein paar Details weiterhelfen?« Sie schlug eine neue Seite in ihrem Notizbuch auf.

»Wir reden von einer reinen Wohngegend?« Branson nickte. »Mitten in der Nacht wird eine Schrotflinte abgefeuert. Hat irgendjemand irgendwas gesehen? Irgendwas gehört?«

Anscheinend teilte Branson Amandas Angewohnheit, auf Fragen, die sie nicht guthieß, erst nach reiflicher Überlegung zu antworten. Sie zögerte etwas länger als notwendig und sagte dann: »Die Nachbarn waren sich anfangs nicht sicher. Es ist eine ziemlich ländliche Gegend. Wenn man um kurz nach Mitternacht einen Schuss hört, ist es vielleicht ein Wilderer oder die Fehlzündung eines Wagens. Die Gegend ist stark bewaldet. Die Häuser stehen auf Grundstücken von zwei Hektar. Wir leben dort anders als hier in der Stadt – nicht so eng gedrängt wie die Ratten.«

Faith nickte und ignorierte die Spitze, stimmte ihr vielleicht sogar zu. »Wer hat die Polizei gerufen?«

»Eine Nachbarin, die vier Häuser entfernt wohnt. Sie finden ihren Namen und ihre Aussage auf dem Zip-Drive, sofern Ihre Chefin denn herausfindet, wie man ihn öffnet. In der Straße wohnen noch zwei weitere Polizisten. Der eine ist mit einer Sanitäterin verheiratet, der zweite lebt mit einem Feuerwehrmann zusammen. Und das ist auch der einzige Grund, warum Long nicht noch am Tatort starb – sein Herz hatte nämlich bereits aufgehört zu schlagen, als sie ankamen. Sie bearbeiteten ihn abwechselnd, bis der Krankenwagen eintraf. Es hat fast zwanzig Minuten gedauert.«

»Wenn Long wieder zu Bewusstsein kommt, wird Faith ihn befragen, um herauszufinden, ob seine Aussage mit der seiner Frau übereinstimmt«, entschied Amanda.

Branson ließ erneut einige Zeit verstreichen. Ihre Mundwinkel zitterten und verzogen sich dann zu einem Lächeln.

»Sind Sie denn gar nicht neugierig, woher ich weiß, dass Ihr Junge hier letzte Nacht bei dem Überfall dabei war?«

Will nahm an, dass mit dem Jungen er gemeint war. Er sah wieder den Hammer vor sich, erinnerte sich daran, dass das Blut noch warm war, als er das Metall mit bloßer Hand gepackt hatte. Die Wirbel seiner Fingerabdrücke in dem getrockneten Blut wären für eine erfahrene Polizistin wie Denise Branson gleichbedeutend mit einer Leuchtreklametafel. Amanda seufzte schwer.

»Ich denke, wir können Will durchaus als Mann bezeichnen. Überdies war er derjenige, der Detective Adams davon abhielt, einen Verdächtigen mit einem Hammer totzuschlagen. Soll heißen, den zweiten Verdächtigen.«

»Glauben Sie das wirklich?«, fuhr Branson sie scharf an.

»Ich nehme an«, gab Amanda nüchtern zurück, »dass Sie trotz meiner Anweisung, Ihre Leute vom Tatort fernzuhalten, Fingerabdrücke genommen haben?«

Branson straffte die Schultern, als würde sie sich auf einen Kampf vorbereiten. Wahrscheinlich hatte sie im selben Augenblick ein Team in Lenas Haus geschickt, als Amanda den Befehl gab, es zu versiegeln. Will konnte sich gut vorstellen, wie wütend Branson gewesen war, als seine GBI-Akte auf ihrem Computer erschienen war. Und er konnte es der Frau nicht verdenken. Niemand erfuhr gerne, dass man ihn zum Narren gehalten hatte.

»Okay.« Amanda wandte sich an Will. »Jetzt sind wir an der Reihe. Bitte berichten Sie Major Branson von Ihrem Abend.« Will hatte nicht erwartet, in das Gespräch mit einbezogen zu werden. Ein wenig überrumpelt hob er an: »Gestern Abend wurde ich von einer Kontaktperson angesprochen, mit

der ich im Rahmen einer verdeckten Operation zusammen-
arbeite. Er brauchte jemanden, der bei einem Einbruch für ihn
Schmiere stand. Keine Gefahr, Gewalt anwenden zu müssen,
die Bewohner wären nicht zu Hause. Offensichtlich eine Lüge
in mehrfacher Hinsicht. Es sah aus wie eine gute Gelegenheit,
mir Zugang zu der Gruppe zu verschaffen, deshalb sagte ich
zu.«

»Sie waren nur zufällig in Macon?« Branson verzog das Gesicht, als niemand ihr antwortete. »Hat diese Kontaktperson
auch einen Namen?«

»Anthony Dell«, antwortete Amanda.

Branson reagierte nicht auf den Namen. Stattdessen fragte sie
Will: »Dieser Dell hat Ihnen also erzählt, er hätte einen Job für
Sie. Und dann?«

»Wir fuhren zu dem Haus. Dell setzte mich am Ende der
Straße ab. Ich sollte ihn auf dem Handy anrufen, falls irgendjemand auftauchte. Er selbst fuhr weiter und parkte vor einem Haus mit einer steilen Auffahrt. An der Straße stand bereits
ein hellgrauer Transporter. Zwei Männer stiegen aus – ich nehme
an, das waren Zachary und Lawrence. Sie drangen in das Haus
ein. Dell blieb bei dem Transporter stehen. Ich könnte nicht sagen, ob sie bewaffnet waren. Ich stand rund fünfzig Meter entfernt.«

»Das ist ein halbes Fußballfeld«, bemerkte Branson. »Konnten Sie das Nummernschild des Transporters entziffern?«

»Es war Mitternacht.«

»Vollmond.«

»Keine Straßenbeleuchtung. Von meinem Standpunkt aus
konnte ich nur Schatten sehen.«

Branson musterte ihn weiter eingehend, als versuche sie, ihn
einer Lüge zu überführen. Schließlich sagte sie: »Der Kia, den
Dell fuhr, stand noch vor Ort, als unsere Einheiten eintrafen.«
Schlagartig hatte Will ein flaues Gefühl im Bauch. Tonys Auto
hatte er völlig vergessen.

»Wir haben Dell heute Morgen bei sich zu Hause aus dem Bett geholt«, fuhr Branson fort. »Er machte einen ziemlich schockierten Eindruck, als er sah, dass sein Auto nicht in der Einfahrt stand. Wollte es sofort als gestohlen melden. Wir haben ihn nach Schmauchspuren untersucht und uns sein Register angesehen, das überquillt mit Kleinigkeiten – aber ich bin mir sicher, das wissen Sie längst.«

»Trotzdem haben Sie ihn laufen lassen?«

»Weswegen hätte ich ihn einbehalten sollen? Haben Sie einen Zeugen, der ihn am Tatort gesehen hätte?«

Will sah, dass Amanda die Nasenflügel blähte.

»Mir ist außerdem aufgefallen«, fuhr Branson fort, »dass Dells Auto einen Aufkleber auf der Windschutzscheibe hatte – einen Parkausweis für Angestellte des Macon General Hospital. Und da klingelte etwas bei mir – wir hatten im Vormonat Ermittlungen eingeleitet, weil dort aus der Krankenhausapotheke Medikamente verschwunden waren. Wir konnten zwar keine belastbaren Hinweise finden, aber ich weiß, dass das GBI eine Kopie sämtlicher Berichte erhält, sobald es um den Diebstahl von Betäubungsmitteln geht. Ich war heute Morgen im Krankenhaus, um Dells Kollegen zu überprüfen.« Dann wandte sie sich wieder an Will: »Wie gefällt Ihnen Ihr Job im Krankenhaus?«

Amanda schaffte es, zugleich entrüstet und gelangweilt zu klingen. »Tja, Major, ausgezeichnete Arbeit. Gratuliere. Und wo steckt Dells Kia jetzt?«

»In unserer Werkstatt. Sie haben uns angewiesen, das Haus zu versiegeln, nicht die Straße.« Es schien ihr große Genugtuung zu bereiten, Amanda zu versichern: »Ich sorge dafür, dass Ihr Department alle relevanten Informationen erhält.«

»Sehr freundlich. Vielen Dank.«

»Nichts zu danken.« Branson wandte sich wieder an Will: »Zwei Männer gingen ins Haus, Sie und Dell blieben auf der Straße. Was passierte dann?«

Will musste einen Augenblick in sich gehen, ehe er den Faden wieder aufnehmen konnte. »Ich hörte den Knall der Schrotflinte. Ich rannte zum Haus.«

»Ein halbes Fußballfeld entfernt«, bemerkte sie. »Und dann?«

»Dell wollte mich davon abhalten, das Haus zu betreten. Wir gerieten aneinander – keine Ahnung, wie lange diese Auseinandersetzung gedauert hat. Aber er ist stärker, als er aussieht, und er war offensichtlich völlig durchgedreht. Noch während unseres Handgemenges fielen weitere Schüsse.«

Branson musterte ihn. »Sie sehen nicht aus wie nach einem Kampf.«

»Er versuchte lediglich, mich vom Hineingehen abzuhalten, und nicht, mich k. o. zu schlagen.«

»Netter Kerl.«

Will zuckte mit den Schultern, aber in der kriminellen Welt hatte Dell ihm so tatsächlich einen Gefallen erwiesen. Er hatte Will stoppen wollen, damit er nicht in eine Schießerei geriet.

»Als ich mich losgerissen und endlich das Haus betreten hatte, waren bereits beide Männer neutralisiert. Lena Adams hat mich wiedererkannt – zumindest wirkte es so auf mich. Ich konnte sie dazu bringen, den Hammer fallen zu lassen, dann lief ich wieder nach draußen. Dell war mittlerweile verschwunden, und die Polizei war bereits auf dem Weg. Ich konnte die Sirenen hören. Ich umrundete das Haus, sprang über den Zaun und lief dann durch den Wald davon.«

Will steckte die Hände in die Hosentaschen und lehnte sich ans Fenster. Streng genommen war er nicht einfach nur davongelaufen, aber sie mussten ja nicht wissen, dass er durch diesen Wald gerannt war, als wäre der Teufel höchstpersönlich hinter ihm her.

»Hatten Sie irgendeinen Kontakt zu Lena Adams, nachdem Sie und Ihre Partnerin vor eineinhalb Jahren gegen sie ermittelt hatten?«

Will entschied sich für die Wahrheit. »Seit Ende der Ermittlungen haben wir sie beide nicht mehr gesehen.«

»Haben Sie letzte Nacht mit ihr gesprochen?«

Will schüttelte den Kopf, aber im Geiste sah er Lenas Gesichtsausdruck vor sich, als er den Finger an die Lippen gelegt hatte, damit sie stumm blieb. Offensichtlich hatte sie es sich zu Herzen genommen.

»Ich finde es wirklich bemerkenswert, dass Detective Adams ohne jegliche Absprache Ihre Tarnung wahrte.«

Nun meldete sich Faith zu Wort. »Das lässt sie doch gut dastehen, oder nicht? In ihrer Version hat nicht Will sie davon abgehalten, dem zweiten Kerl ebenfalls den Schädel einzuschlagen. Sie hat es von sich aus getan.«

Branson hatte nicht vor, öffentlich über eine ihrer Beamtinnen herzuziehen. »Ich schreibe den Transporter zur Fahndung aus und gebe das auch an die Nachrichtensender weiter.«

»Neueres Modell«, sagte Will. »Wahrscheinlich ein Ford. Keine Fenster im Heck oder an den Seiten. Hell-, nicht dunkelgrau.«

Branson zog ihr Blackberry aus der Aktentasche. »Und nichts übers Nummernschild, obwohl Sie direkt davorgestanden haben müssen, ehe Sie ins Haus gegangen sind.« Sie tippte die Informationen in eine E-Mail.

»Haben Sie schon nach Fahrzeugen gesucht«, fragte Amanda nun, »die auf Lawrence und Zachary registriert sind?«

Branson tippte ungerührt weiter. »Natürlich hab ich das getan. Sie wohnen beide in derselben Wohnwagensiedlung an der I-16. Zachary fährt eine Harley, Lawrence einen Pick-up. Beide standen vor den jeweiligen Bruchbuden ihrer Besitzer. Und auf keinen von ihnen ist ein grauer Transporter registriert.«

»Sind die beiden aus Macon?«

»Geboren und aufgewachsen.«

»Die Familien wurden benachrichtigt?«

»Lawrence hat eine Ex, die fast schon froh zu sein scheint,

dass er weg ist. Zachary hat einen Bruder, der in Holman auf seine Giftspritze wartet. Hat bei einem Tankstellenüberfall den Tankwart umgebracht. Mord liegt bei denen wohl in der Familie.«

»Ist meistens so.« Amanda wollte die Besprechung nun offensichtlich zum Abschluss bringen. »Sieht so aus, als hätten wir eine Menge Arbeit vor uns.« Sie wandte sich an Faith.

»Sobald Sie in Macon sind, müssen Sie zuallererst mit Lena Adams reden und dafür sorgen, dass sie in Bezug auf Will den Mund hält. Sehen Sie sich ihre letzten Fälle an. Ich bin mir sicher, Major Branson hat nichts gegen ein zweites Augenpaar einzuwenden, das die gute Arbeit, die ihre Leute bereits geleistet haben, noch einmal ganz genau unter die Lupe nimmt. Reden Sie mit Adams' Team, finden Sie heraus, woran sie gerade gearbeitet hat. Es würde mich nicht wundern, wenn wir erfahren würden, dass sie inoffiziell ermittelt hat. Vielleicht redet ja irgendjemand.«

Branson steckte ihr Blackberry wieder in die Aktentasche.

»Sie müssen sie im Krankenhaus befragen. Sie weicht nicht von Longs Seite. Meinte, wir müssten sie schon in Handschellen abführen.«

»Das lässt sich einrichten«, gab Faith zurück. Sie hatten bei ihren früheren Ermittlungen gegen Lena hinter den Kulissen arbeiten müssen, und es wurmte sie noch immer, dass sie ihr nichts hatten nachweisen können. »Immerhin war Adams im Begriff, einen Mord zu begehen.«

Branson sah sie finster an. »Sind Sie mit der Castle Doctrine vertraut, Agent Mitchell? Der Staat gewährt jedem seiner Bürger das Recht, sich selbst und den eigenen Wohnsitz zu verteidigen. Meiner Ansicht nach sind Vorfälle wie dieser genau der Grund, warum dieses Gesetz überhaupt erlassen wurde.« Rein juristisch konnte Faith dagegen wenig einwenden, aber sie war niemand, der sich seinen Groll so leicht ausreden ließ.

»Mag ja sein, Major Branson, aber so, wie Lena Adams ihr

Leben führt, wird sie irgendwann mal auf der falschen Seite einer Zellentür landen.«

»Im Augenblick wird Lena nirgends landen, weil sie jetzt nur eins im Sinn hat, nämlich ihren Mann zum Aufwachen zu bringen. Und das wollen wir alle. Jared Long ist ein guter Polizist. Und Lena ebenfalls. Ehrlich gesagt bin ich bestürzt, Agent Mitchell, dass Sie mit einer gegensätzlichen Ansicht an diesen Fall herangehen.«

»Ich gehe diesen Fall so an, wie die Indizienlage es mir vorschreibt«, gab Faith patzig zurück.

»Wie auch immer«, sagte Amanda. »Wir müssen Lena dazu verpflichten, dass sie Wills Deckung aufrechterhält. Unsere verdeckte Operation in diesem Krankenhaus ist immer noch nicht abgeschlossen, und nach den Ereignissen der letzten Nacht scheint sie mir jetzt umso gefährlicher zu sein. Major, ich gehe davon aus, dass Sie unsere Bitte um Vertraulichkeit respektieren. Wir haben in diese Sache schon zu viel Zeit investiert und wollen nicht, dass sie uns jetzt um die Ohren fliegt.«

»Diese *Sache*«, wiederholte Branson mit vielsagender Betonung, doch Amanda schwieg, nicht um Zeit zu schinden, sondern schlicht, um Branson warten zu lassen. Doch Major Denise Branson schien willens zu sein, hier im Büro sogar einen Schlafsack auszurollen.

Nach einer geschlagenen Minute, zumindest kam es ihr so vor, wandte sich Amanda um. »Will?«

Er sah ihr in die Augen und fragte sich, wie viel Offenheit sie von ihm erwartete. Sie machte eine auffordernde Handbewegung, als wolle sie ihm bedeuten, dass er nichts zurückzuhalten brauche. Trotzdem war das, was sie Branson zu verstehen gab, etwas komplett anderes als alles, was sie tatsächlich im Schilde führte.

Behutsam bog Will die Wahrheit zurecht. »Vor ein paar Tagen haben wir den Tipp bekommen, dass derzeit ein ziemlich dicker Fisch versucht, in Macon Fuß zu fassen. Sein Straßenname ist Big Whitey. Als wir den Namen ins System eingegeben haben, kam eine Meldung aus Florida, sonst nicht viel.«

»Aus welchem Teil Floridas?«, erkundigte sich Branson.

»Sarasota.«

»Haben Sie ein Foto?«

Will zögerte einen Augenblick zu lange. Amanda dagegen zog mit großer Geste eine Schreibtischschublade auf, zauberte ein Überwachungsfoto daraus hervor und schob es über den Tisch. »Das hier wurde vor vier Jahren aufgenommen.« Branson beugte sich darüber und studierte das grobkörnige Foto eingehend.

Will hätte das Foto im Schlaf beschreiben können. Big Whitey trug eine Marlins-Baseballkappe, den Schirm tief ins Gesicht gezogen, und eine dicke Jacke, was in der Hitze Floridas eher unangebracht wirkte. Auf der Nase eine verspiegelte Sonnenbrille. Sein Bart war dicht und dunkel und ließ wenig Haut frei. Die Hände hatte er tief in die Taschen gesteckt. Big Whitey wusste genau, wie er für eine Überwachungskamera zu posieren hatte. Man hätte nicht sagen können, ob er groß war oder klein, weiß oder dunkelhäutig.

»Die Kollegen aus Florida haben ihn persönlich nie zu Gesicht bekommen. Dieses Foto wurde von der Überwachungskamera einer Hühnerbraterei am Tamiami Trail aufgenommen.«

»Einer der Köche dort hat ihn verpfiffen. Gab an, er würde ihn aus seiner örtlichen Apotheke kennen.«

»Verpfiffen – weswegen denn?«

Will deutete auf das Foto. »Ungefähr eine halbe Minute, nachdem dieses Foto aufgenommen wurde, verließ Whitey den Kamerabereich, schoss einem Polizisten in den Kopf und floh durch den Hinterausgang, vor dem ein Auto wartete.«

Branson klang skeptisch. »Und Sarasota hat nicht alles darangesetzt, um einen Polizistenmörder dingfest zu machen?«

»Der Koch kannte kaum mehr als seinen Straßennamen. Die Kollegen wollten ihn sich tags darauf noch einmal vornehmen, aber er war noch in derselben Nacht vor seinem Haus erschossen worden.«

»Sarasota hat den einzigen Zeugen einfach so nach Hause geschickt?«

»Sie wussten ja nicht, dass Whitey es auf ihn abgesehen hatte, und ohne juristischen Grund konnten sie den Kerl nicht festhalten.«

Jetzt schaltete sich auch Amanda wieder ein. »Und Sarasota konnte das Puzzle nicht zusammensetzen, bis das FDLE dazukam und es für sie tat.« Ihre Stimme triefte vor Sarkasmus, als sie überflüssigerweise hinzufügte: »Das *Florida Department of Law Enforcement* arbeitet ganz ähnlich wie das GBI. Sie koordinieren Fälle über County-Grenzen hinweg. Und sie verstehen es hervorragend, ein komplettes Bild zu vermitteln, die Details zu liefern, die manch örtliche Behörde aus Kurzsichtigkeit übersieht.«

Wieder ließ Branson sich Zeit, bevor sie fragte: »Haben Sie sonst noch irgendwelche Details über Big Whitey?«

»Nichts Neueres«, antwortete Will. »Das FDLE nimmt an, dass er früher bei den Palmetto Street Rollers war. Diese Gang operiert von Miami aus. Vorwiegend Kubaner, nur ein paar wenige Weiße. Das FBI schätzt die Gesamtmitgliederzahl entlang der Ostküste auf etwa zwanzigtausend.« Als Branson nickte, fuhr Will fort: »Nach diversen Revierkämpfen hat sich die Gang aufgesplittet. Florida glaubt, dass Big Whitey die Gruppierungen von Sarasota bis runter zu den Keys übernahm, ist sich da aber nicht sicher. Wir vermuten, dass er sich vor etwa zwei Jahren die Küste hoch bis nach Savannah und Hilton Head bewegt hat.«

»Und was hat Sie zu dieser Annahme bewegt?«

»Sein Name ist sowohl in Savannah als auch in Hilton Head mehrmals gefallen, auch bei V-Männern, aber etwas Konkretes wussten die auch nicht. Die Kollegen vor Ort haben sogar erst angenommen, er wäre nur so was wie eine urbane Legende, eine

Art Schwarzer Mann: Bleib sauber, sonst kommt Big Whitey und schnappt sich dich. Das war nicht ich, Officer, das war Big Whitey. Solche Sachen.« Und dann fügte Will hinzu: »Inzwischen ist Savannah allerdings davon überzeugt, dass er tatsächlich existiert. Carolina hat die Sondereinheit Hilton Head indes vor sechs Monaten aufgelöst und das Budget lieber in die Bekämpfung des Drogenhandels entlang der Küste gesteckt, weil sie annahmen, dort wäre ein größeres Netzwerk aktiv.«

»Aber was hat Savannah denn nun davon überzeugt, dass dieser Big Whitey nicht nur eine urbane Legende ist?« Eine spitze Anmerkung konnte sich Branson offensichtlich nicht verkneifen: »Außer den herausragenden, kontra-kurzsichtigen Diensten des überwältigenden GBI?«

Will ignorierte den Sarkasmus in ihrer Stimme. »Nach einer Weile hat sich dort ein Muster herauskristallisiert. Die Junkies und Verbrecher wurden raffinierter. Die Zahl der Verbrechen stieg, doch immer weniger wurden vor Gericht gebracht. Die bösen Jungs hatten auf einmal nachweislich mehr Geld für Anwälte – und zwar immer dieselben Anwälte aus denselben Kanzleien. Bessere Autos, bessere Klamotten, größere Waffen. Irgendjemand hatte sich offenbar eine Handvoll Kleinkrimineller gegriffen und sie zu Geschäftsleuten ausgebildet.«

»Also ist Big Whitey real«, fasste Branson zusammen. »Und sämtliche bösen Jungs in der Stadt haben mitgespielt?«

»Wenn sie nicht mit dem Gesicht nach unten im Sand landen wollten …« Wohlweislich verriet er ihr nicht, dass auf ihre ganz eigene Weise auch zahlreiche Polizisten mitgespielt hatten. Nur eine Handvoll Detectives, die sich nicht hatten versetzen lassen wollen, hatten die Pensionierung beantragt.

»Die meisten Kriminellen fügten sich. Schließlich sind sie keine Drogendealer geworden, um Geld zu *verlieren*.«

»Und weil Sie einen Tipp bekommen haben, glauben Sie jetzt, dass Big Whitey eine ähnliche Organisation in Macon aufbauen will«, schloss Branson. »Ich nehme an, Whitey ist auf Pillen spezialisiert, die Tony Dell aus der Krankenhausapotheke mitgehen lässt?«

»Das ist ein Teil seines Gewerbes«, erwiderte Will, »aber sein Hauptgeschäft ist Heroin. Whitey geht in die Vorstädte, macht sich in den reichen weißen Vierteln breit. Sie fangen mit Pillen an, dann bringt er sie auf Heroin.«

»Wie sind Sie überhaupt auf Dell aufmerksam geworden?«

»Vertrauliche Quelle«, bemerkte Amanda knapp, doch Branson sah Amanda nicht einmal an.

»Dieselbe Quelle, die Sie auch auf Big Whitey aufmerksam gemacht hat?«

»So läuft das eben normalerweise«, kam es erneut von Amanda, und wieder ignorierte Branson sie.

»Und das ist der Grund«, fragte sie Will, »warum Sie einverstanden waren, bei diesem sogenannten Einbruch in der vergangenen Nacht Schmiere zu stehen – um vor Dell an Ihrem Image als böser Bube zu arbeiten?«

Will nickte.

»Na gut, das klingt alles sehr einleuchtend. Vielen Dank für Ihre Zeit.« Branson stellte sich die Aktentasche wieder auf den Schoß. »Sie wissen ja, wie Sie Kontakt mit mir aufnehmen können, Deputy Director.«

Amanda ließ sich selten überrumpeln, aber Denise Branson hatte es geschafft, sie zu überraschen. »Das ist alles?«

»Offensichtlich haben Sie nicht vor, mir mehr zu erzählen, und daher werde auch ich Ihnen nichts weiter sagen.« Sie stand auf. »Wenn ich mich heute Vormittag hätte ficken lassen wollen, wäre ich mit meinem Vibrator im Bett geblieben.« Die Frau wusste offenbar, wie man einen großen Abgang hinlegte. Mit hoch erhobenem Kopf, die Aktentasche an ihre Seite gedrückt, rauschte sie aus dem Büro.

Will sah Amanda an, die stumm die leere Tür anstarrte.

»O Mann«, durchbrach Faith das Schweigen. »Das war ja mal ein Auftritt.«

Amanda spielte wieder mit den Bügeln ihrer Lesebrille. »Sie wusste, dass Lawrence die Flinte abgefeuert hat, die Long niederstreckte. Ich nehme an, wir finden noch heraus, dass sie diverse Tests angeordnet hat.«

Will nickte. »Sie war im Haus, bevor es versiegelt wurde. Sie wusste, dass Lawrence Meth-Entzündungen im Gesicht hatte. Auf dem Polizeifoto hat er die nicht. Und sie hat Dell Tony und nicht Anthony genannt.«

»Sie hatte gut zwei Stunden, bevor Charlie und sein Team nach Macon kamen«, murmelte Amanda. »Offensichtlich führt sie dort eine parallele Ermittlung.« Amanda warf Will einen vielsagenden Blick zu. »Und eher friert die Hölle zu, als dass sie uns erzählt, was sie in Dells Auto gefunden hat – sofern sie denn überhaupt etwas gefunden hat.«

Will nahm den Tadel mit einem Nicken entgegen. Er war verdient.

»Ich glaube ehrlich gesagt nicht, dass dieses Auto sie weit bringen wird.« Faith blätterte in ihren Notizen. »Branson hat den beiden Angreifern ganz offensichtlich die Fingerabdrücke abgenommen, um sie identifizieren zu können. Zachary und Lawrence waren nicht so dumm, mit ihren Brieftaschen in der Gesäßtasche in Lenas Haus zu stiefeln. Wahrscheinlich hatten sie sie zuvor ins Handschuhfach des Transporters gelegt.«

»Und vermutlich hat Dell die Kreditkarten mittlerweile verscherbelt«, fügte Will hinzu. »Die Führerscheine wird er sicher für eigene Zwecke behalten. Und der Transporter selbst dürfte inzwischen zerlegt worden sein, um die Einzelteile zu verkaufen.«

Den Kia am Tatort stehen zu lassen war riskant gewesen, aber Dell war niemand, der sich eine leichte Beute entgehen ließ.

»In Dells Vorstrafenregister stehen wirklich nur Kleinigkeiten, hab ich recht?«, wollte Amanda wissen.

»Ja«, antwortete Will. Tony Dell hatte bis jetzt Glück gehabt. »Er saß wegen kleinerer Vergehen in ein paar lokalen

Gefängnissen. Die größeren Knäste sind ihm immer erspart geblieben.«

»Wie lautet Ihre Geschichte, wenn Sie ihn wiedersehen?«

»Ich bin wütend. Warum hat er mich bei dem Job angelogen? Was hat er den Bullen erzählt? Sollte ich die Stadt verlassen? Bekomme ich mein Geld trotz allem?«

»Gut. Aber übertreiben Sie es nicht.« Will nickte.

Faith lehnte sich auf ihrem Stuhl zurück. »Warum hat Lena Branson nicht verraten, dass Sie dort waren?«

»Ich habe keine Ahnung«, gab Will freimütig zu. »Ich glaube allerdings, dass sie tatsächlich unter Schock stand. Ihre Pupillen waren extrem geweitet, und sie war schweißgebadet. Sie hatte gerade erst einen Kerl mit bloßen Händen umgebracht und war drauf und dran, den zweiten ebenfalls zu töten.«

»Tja, das ist echt ein Ding«, murmelte Amanda. »Wir sollten im Hinterkopf behalten, dass sie kurz davorstand, einen kaltblütigen Mord zu begehen.«

»Branson hat recht bezüglich der Castle Doctrine«, wandte Will ein. »Zwei Männer sind in ihr Haus eingedrungen und haben versucht, sie umzubringen. Sie hielt ihren Mann für tot. Sie hatte Angst um ihr eigenes Leben. Man könnte sie zwar vor Gericht zerren, aber keine Jury dieser Welt würde sie unter diesen Umständen verurteilen.« Und genau das war auch das Problem mit Lena Adams – oder zumindest Wills Problem mit ihr. Er billigte ihre Handlungen nicht, aber in gewisser Weise konnte er sie trotzdem nachvollziehen.

»Ich hab doch nur gesagt, wir sollten es im Hinterkopf behalten«, gab Amanda brüsk zurück. »Ich habe Ihnen nicht den Auftrag erteilt, sie deswegen einzusperren.« Dann wandte sie sich an Faith. »Sehen Sie zu, dass Sie Will und Lena in einem Raum zusammenbringen. Mit ihm redet sie vielleicht offener.«

»Mit Sara gleich eine Tür weiter dürfte das ein Kinderspiel werden.« Faith starrte Will missbilligend an. »Und vergessen Sie nicht, mit wem wir es zu tun haben. Nur für den Fall, dass es nicht klar geworden sein sollte: Es ärgert mich noch immer kolossal, dass Lena beim letzten Mal davongekommen ist. Es würde mich kein bisschen überraschen, wenn wir dieses Mal herausfänden, dass sie genau weiß, warum das alles passiert ist und wer es in Auftrag gegeben hat. Vielleicht hat sie bei irgendeiner Verhaftung Geld abgezweigt. Und jetzt haben die bösen Jungs sich an ihr gerächt. Das könnte auch der Grund sein, warum Major Branson ihre eigenen Ermittlungen zu führen scheint. Lena gehört nun mal zu ihrem Team. Branson will nicht dastehen wie eine Idiotin, die nicht bemerkt hat, dass in ihrer Truppe jemand Dreck am Stecken hat.«

»Lena arbeitet nicht für die andere Seite«, entgegnete Will. Er hatte sein Leben lang mit kaputten Frauen wie Lena Adams zu tun gehabt. Ihre Motive waren verhältnismäßig leicht zu entschlüsseln, wenn man nur wusste, wonach man suchen musste. »Und sie würde sich auch nie bestechen lassen. Sie tut schlimme Dinge, aber sie ist dabei der festen Überzeugung, sie der guten Sache halber zu tun.«

»Wie auch immer.« Faith war kein großer Freund von Nuancen. »Major Branson glaubt, der Diebstahl in der Krankenhausapotheke ist der Grund, warum Sie jetzt in Macon sind. Sie wird nicht lockerlassen, bis sie herausfindet, wer Ihr Informant ist.«

»Sie erfährt das nur, wenn jemand es ihr sagt«, gab Amanda zurück.

»Fanden Sie es nicht merkwürdig, dass sie gefragt hat, ob wir ein Foto von Big Whitey hätten?«, wollte Will wissen.

»Ja«, antwortete Amanda. »Ein Bild wäre nicht das Erste, wonach ich fragen würde.«

»Sie hat nicht mit der Wimper gezuckt, als sie es sich angesehen hat, aber wer weiß?« Faith klappte ihr Notizbuch zu. »Was glauben Sie – was verschweigt sie uns sonst noch?«

»Jedenfalls mehr, als wir ihr verschweigen, und das finde ich höchst ärgerlich.« Amanda hob die Stimme. »Caroline, geben Sie mir Gil Gonzalo vom FDLE.«

»Denken Sie an die Zeitverschiebung«, rief Caroline zurück. »Warten Sie noch eine halbe Stunde, wenn Sie nicht mit irgendeinem untergeordneten Beamten reden wollen.«

»Schätze, da unten arbeiten sie, wann sie wollen«, grummelte Amanda. »Will, in Ihrem Bericht steht, dass Dell gestern Nacht gegen halb zwölf auf Sie zukam. Ist er mit Ihnen direkt zu diesem Job gefahren?«

»Meine Schicht im Krankenhaus war gerade zu Ende. Er hat mich auf dem Parkplatz abgefangen.« Über das Timing hatte Will bis jetzt noch gar nicht nachgedacht. »Vielleicht brauchte er mich als Ersatz für jemand anderen.«

»Wie hat Dell diesen Job angepriesen?«, fragte Faith.

»Er hat gefragt, ob ich mir fünfhundert Mäuse extra verdienen wolle, indem ich den Mund zu und die Augen offen halten würde.«

»Fünfhundert Dollar sind viel Geld fürs Schmierestehen«, gab Faith zu bedenken. »Man kriegt für weniger einen Auftragskiller.«

»Sie haben recht.« Allmählich beschlich Will das Gefühl, dass ihm in der vergangenen Nacht einiges entgangen war. Allerdings waren Adrenalin und nackte Panik für das Kurzzeitgedächtnis nicht eben förderlich.

»Als wir vor Lenas Haus standen«, fuhr er zögerlich fort, »fiel mir auf, dass sie sich die Hand gaben. Kein Schulterklopfen, nur ein förmlicher Handschlag, als würden sie einander nicht sonderlich gut kennen.«

Faith verzog das Gesicht, während sie sich die Situation vor Augen führte. »Dann kam dieser Plan wohl erst in letzter Minute zustande. Sie hatten kein festes Team beisammen.«

»Dell hängt in einer Kneipe namens Tipsie's rum«, berichtete Will. »Das ist ein Striplokal am Highway, die Kundschaft besteht vorwiegend aus Bikern und Ex-Knackis. Ich war ein paarmal mit ihm dort, um eine engere Beziehung aufzubauen.«

»Eine engere Beziehung?«, wiederholte Faith.

Will ignorierte den Sarkasmus. »Wenn man nach einem Kerl sucht, der einem hilft, zwei Polizisten in Macon umzubringen, dann ist das Tipsie's der richtige Ort dafür.«

»Ich lasse den Laden überprüfen«, sagte Faith. »Ich hoffe nur, dass das Police Department von Macon hilfsbereiter ist als Major Branson. Für meine Begriffe hatte sie ein bisschen viel von einer Wichtigtuerin. Wer bitte schön legt all seine Rangabzeichen zu einer Besprechung in der Innenstadt an? Und was sollte dieses blasierte Grinsen?«

»Das Ganze klingt in meinen Ohren fast wie eine Übung in Charakterformung«, warf Amanda ein. »Versuchter Mord an zwei Polizisten, ein Mann tot, einer schwerstverletzt, und der Chief schickt ausgerechnet sie, um uns zu informieren. Nicht gerade ein Traumauftrag.«

»Vor allem, nachdem sie schon seit kurz nach ein Uhr nachts auf den Beinen ist«, gab Faith zu bedenken. »Also, für mich klingt das hauptsächlich so, als wäre sie auf Lenas Seite. Nach dem Motto: wir gegen den Rest der Welt. Irgendwie, als wären sie beide auf die gleiche Art schlecht.«

»Vielleicht«, räumte Amanda ein. »Elend sucht sich seinesgleichen.«

Will versuchte, die Stimmen der beiden auszublenden. Er konzentrierte sich wieder auf die vergangene Nacht, auf die Fahrt zu Lenas Haus. Dell war nervös gewesen, aber das war er meistens. Er hatte am Radio herumgespielt, mit den Fingern auf das Armaturenbrett, das Lenkrad, den Oberschenkel getrommelt, während er einhändig zu einem Job gefahren war, der für sie beide leicht verdientes Geld versprochen hatte. Dell hatte die ganze Zeit über geredet: übers Wetter und über seine kranke Mutter, die in Texas lebte, über die Frau im Krankenhaus, mit der er unbedingt schlafen wollte. Will hatte nur hin und wieder nicken müssen, damit er weitermachte. Mehr Ermutigung war nicht nötig gewesen. Tatsächlich hatte Dell mehr geredet, als ihm gutgetan hatte. Und sie hatten Major Branson die Geschichte quasi rückwärts erzählt. Tony Dell war die ursprüngliche Zielperson in Wills Ermittlungen gewesen. Doch von seinem allerersten Undercover-Tag an hatte Dell die ganze Zeit nur von einem großen Dealer namens Big Whitey gesprochen.

Plötzlich bemerkte Will, dass Amanda und Faith verstummt waren.

»Was ist los?«, fragte Faith.

Will schüttelte leicht den Kopf, sagte aber dennoch: »Big Whitey.«

»Das kann kein Zufall sein«, sagte Amanda. »Sie sind wegen Dell dort unten. Dell macht Sie auf Big Whitey aufmerksam. Big Whitey hat bereits einen Polizistenmord begangen. Und eine gute Woche später werden zwei Polizeibeamte angegriffen.«

»Was mich bei dieser ganzen Sache stört, ist das Timing«, brachte Will langsam hervor. »Wenn ich doch vorhabe, zwei Polizisten umzubringen, dann mach ich das nicht auf die Schnelle. Dann geh ich gründlich vor. Ich mach mich zuerst schlau über ihre Gewohnheiten. Es dauert nur einige Tage, vielleicht eine Woche, um ein verlässliches Team zusammenzustellen. Die Auftraggeber müssen ziemlich unter Zeitdruck gestanden haben, sonst hätten sie nie Dell hinzugezogen, und auf gar keinen Fall hätten sie unbesehen mich angeheuert.«

»Glauben Sie, dass aus dem Ursprungsteam einige vielleicht kalte Füße bekommen haben könnten?« Sie beantwortete sich die Frage selbst. »Außerdem wäre es dann nur einleuchtend gewesen, Ihnen und Dell nicht zu erzählen, was sie in Wahrheit vorhatten. Nachdem sich die erste Wahl schon aus dem Staub gemacht hatte.«

»Das würde die fünfhundert Dollar erklären«, gab Will zurück. »Man zahlt bewusst zu viel, damit keine Fragen gestellt werden. Damit haben sie sich ein schnelles Ja erkauft.« Dann widmete er sich wieder dem Thema Timing. »Böse Jungs denken nicht so langfristig. Hier ging's um was Akutes. Maximal zwei Wochen vor dem Überfall wurde erstmals darüber geredet – wir sollten also herausfinden, was in diesen zwei Wochen vorgefallen ist.«

»Macon liegt jetzt im Bibb County.« Amanda tippte etwas in ihren Computer. »Das ist Zone …«

»Zwölf«, ergänzte Will.

Wieder hob Amanda die Stimme. »Caroline, holen Sie mir Nick Shelton ans Telefon.«

»Ich hab in Macon jeden Tag die Zeitung gelesen«, sagte Will und ignorierte die überraschten Blicke, die sie ihm daraufhin zuwarfen. »Vor ungefähr einer Woche wurden bei einer Razzia in einem Fixertreff, wo überwiegend Meth und Pillen verkauft werden, zwei Polizisten verletzt. Die Details waren verhältnismäßig vage. Einer liegt wohl noch im Krankenhaus, der andere hat sich arbeitsunfähig schreiben lassen.«

»Sonst noch was?«, fragte Amanda.

»Im Rahmen der Drogenbeschlagnahme konnte auch Bargeld konfisziert werden. Die Zeitung nannte keine Zahlen, aber im Macon PD war davon die Rede, dass sie sich damit ein paar neue Streifenwagen anschaffen wollten und ein paar Kalaschnikows für die SWAT.« Will zuckte mit den Schultern. »Der Rest war der übliche Kleinkram – vermisste Teenagermädchen, Beschlagnahme von Marihuana in einer Schule, Kerl stirbt auf dem Klo.«

Amanda faltete die Hände auf dem Schreibtisch. »Okay. Haben wir einen Plan?«

»Meine Schicht im Krankenhaus fängt um sieben an«, sagte Will zu Faith. »Überlegen Sie sich, wie Sie Lena und mich in einem Raum zusammenbringen können, ohne dass meine Tarnung auffliegt.«

»Und natürlich wird sie unter Garantie kooperieren.« Faith klang mehr denn skeptisch. Dann wandte sie sich an Amanda: »Glauben Sie, es würde sich lohnen, zu dieser Wohnwagensiedlung zu fahren, in der Zachary und Lawrence gelebt haben?«

Amanda schüttelte den Kopf. »Branson hat dort wahrscheinlich längst alles auf den Kopf gestellt. Warten Sie lieber noch ein, zwei Tage. Und gehen Sie dann sanft rein, damit der Kontrast umso deutlicher wird.«

»In Ordnung«, sagte Faith. »Aber da wir gerade von Branson sprechen: Ich überprüfe die Informationen, die sie uns gegeben hat, und sehe mir noch mal Zacharys und Lawrences Akten an, um sicherzugehen, dass sie nichts ausgelassen hat. Und wenn ich schon dabei bin, kann ich auch gleich Adams und Long überprüfen. Dann schicke ich alles zur Datenanalyse, um die Bankkonten, Hypotheken, irgendwelche bekannten Partner oder Familienangehörigen zu durchleuchten und zu sehen, was sich eben sonst noch ergibt.«

»Da werden Sie eine ganze Menge Informationen durchgehen müssen«, gab Amanda zu bedenken. »Suchen Sie sich Hilfe. Ihre Leute sollten sich vor allem auf Jared Long konzentrieren, damit wir genug schwarz auf weiß haben, falls die Sache vor Gericht kommt. Wir wollen uns schließlich nicht Voreingenommenheit vorwerfen lassen.«

»Sie meinen, schon wieder?« Faith stemmte sich aus dem Stuhl hoch. »Ich ruf die Handygesellschaft an und lass mir eine Liste der Funktürme in der Umgebung von Adams' Haus geben. Mitternacht in einer ländlichen Gegend – da dürfte nicht allzu viel telefoniert worden sein.«

»Sagen Sie Bescheid, falls die sich zieren«, sagte Amanda. Die Handyprovider waren seit geraumer Zeit zusehends geizig mit ihren Verbindungsdaten. »Falls wir einen richterlichen Beschluss brauchen, wird das ein paar Tage dauern.«

»Amanda?«, rief Caroline. »Nick Shelton ist auf Leitung zwei.«

Amanda griff zum Hörer, hob ihn aber nicht ans Ohr, sondern legte ihn sich auf die Schulter. »Will, seien Sie vorsichtig. Lassen Sie Ihr Handy die ganze Zeit über eingeschaltet, damit wir immer genau wissen, wo Sie sind.«

»Ja, Ma'am.« Er folgte Faith zur Tür.

»Außerdem …« Amanda wartete, bis die beiden sich wieder umgedreht hatten. »Will hat recht in Sachen Timing. Was immer diesen Vorfall ausgelöst hat, muss was Akutes gewesen sein. Faith, erstellen Sie eine Zeitleiste. Fangen Sie mit der vergangenen Nacht an, und gehen Sie Tag für Tag zurück. Minute für Minute, wenn's sein muss. Finden Sie heraus, was zum Teufel Lena Adams getrieben hat, um dies alles in Bewegung zu setzen.«

4.

Macon, Georgia
Sieben Tage zuvor – Der Tag der Razzia

Die Morgendämmerung färbte das Licht kobaltblau, als der Razzia-Einsatzwagen den Kiesweg entlangholperte. Hinten saßen zehn Polizisten, fünf auf jeder Seite, Schulter an Schulter, sodass sie bei jeder Unebenheit in der Straße wie ein Mann durchgeschüttelt wurden. Aus dem Radio plärrte »Cop Killer« von Ice-T. Die Luft im Transporter pulsierte regelrecht von dem wütenden Beat.

Cop Killer. Better you than me.

Lena Adams klammerte sich an ihrem Gewehr fest, als sie wieder durch ein Schlagloch fuhren. Sie kontrollierte die Glock an ihrer Seite, stellte sicher, dass der Klettverschluss den Halteriemen straff um ihren Oberschenkel spannte. Während sie sich dem Zielobjekt näherten, brüllte die Stimme in ihrem Kopf zusammen mit Ice-T. Lena atmete ein paarmal hastig ein und aus, nicht um den Kopf freizubekommen, sondern um eine leichte Benommenheit zu erzeugen, den Adrenalinausstoß und den Kick zu erhöhen, den das Wissen erzeugte, dass sie nur mehr wenige Augenblicke von der größten Verhaftung ihrer Karriere entfernt war.

Und dann hörte auf einmal alles auf.

Die Musik wurde ausgeschaltet. Über ihren Köpfen blinkte das rote Licht.

Stille.

Zwei Minuten bis zur Ankunft.

Der Transporter wurde langsamer. Kies knirschte unter den Reifen. Waffen wurden gezogen, Magazine kontrolliert. Helme und Schutzbrillen wurden festgezurrt. Der Testosterongeruch wurde intensiver. Neun Männer, eine Frau. Alle in Kevlar-Westen und schwarzen Kampfanzügen, mit genug Munition, um eine kleine Armee zu überwältigen.

Lena atmete durch den Mund, schmeckte die Angst und die Aufregung. Sie musterte ihr Team. Die Augen weit aufgerissen. Pupillen wie Zehn-Cent-Münzen. Die Erwartung war beinahe schon sexuell aufgeladen. Sie spürte die Erregung, die sich um sie herum aufbaute, während sie alle auf ihren Sitzen herumrutschten, ihre Waffen fester packten. Seit zwei Wochen war das Haus nun schon überwacht worden, sie hatten ihren Angriff geplant, während Junkies und Nutten hinein- und wieder herausgeströmt waren wie Ameisen rund um einen Ameisenhügel. Sie würden stapelweise Geld finden. Percocet, Vicodin. Hillbilly-Heroin. Koks. Waffen.

Eine Unmenge von Waffen.

Dank der nächtlichen Überwachung wussten sie, dass sich vier Männer in dem Haus befanden. Einer war ein Kleinverbrecher, der nach einem tätlichen Angriff wieder auf Bewährung draußen war. Der zweite war ein Junkie, der einem Hund einen blasen würde, um seine Oxy-Sucht zu befriedigen. Der dritte war Diego Nuñez, ein Schläger der alten Schule, der sich nur allzu gern die Hände schmutzig machte. Der vierte war ihr Anführer, ein Mistkerl namens Sid Waller, der wegen einer Vergewaltigung und zwei Morden verhaftet worden war, es aber geschafft hatte, in sämtlichen Fällen ungeschoren davonzukommen.

Waller war ihr wichtigstes Zielobjekt. Lena war ihm seit acht Monaten auf den Fersen, hatte ein geradezu masochistisches Spiel mit ihm gespielt – ihn verhaftet und wieder laufen lassen, verhaftet und wieder laufen lassen.

Dieses Mal würde es anders sein.

Die Drogen und die Waffen würden Sid für die nächsten zwanzig Jahre ins Gefängnis bringen, aber Lena wollte noch mehr. Sie wollte ihn für den Rest seines elenden Lebens wissen lassen, dass eine Frau ihm Handschellen angelegt, ihn ins Gefängnis geworfen, ihn überführt hatte. Nicht dass er noch ein langes Leben hätte, wenn Lena mit ihm fertig wäre. Sie wollte Sid Waller in der Todeszelle sehen. Sie wollte zusehen, wie ihm die Nadel in den Arm gedrillt wurde. Wollte sehen, wie der letzte Rest Leben aus ihm wich. Und sie hätte ihre Karriere darauf verwettet, dass genau dies passieren würde.

Zwei Wochen lang hatte sie sich mit ihren Chefs herumgeschlagen, sie dazu gedrängt, die Operation weiterlaufen zu lassen, hatte sie angefleht, mehr Überstunden und mehr Personal bereitzustellen, Geld auszugeben und die Versprechen an ihrem Informanten einzulösen, der sie zu diesem Haus mitten im Wald geführt hatte.

Sids Truppe würde nicht lange hinter Gittern sitzen. Diego Nuñez würde standhaft bleiben, aber die beiden anderen waren Junkies, und sobald Sid Waller aus dem Weg geschafft wäre, würde der nächste Trip für sie bald wichtiger sein als jede Loyalität. In weniger als vierundzwanzig Stunden würden sie sich darum reißen, Deals einzugehen, und Lena hatte einen Bezirksstaatsanwalt, der bereit war, derlei Deals auszuhandeln. Sid Waller hatte einen neunzehnjährigen Jungen umgebracht. Er hatte seine eigene Nichte vergewaltigt und ihrer Schwester die Kehle aufgeschlitzt, als sie den Notruf gewählt hatte. In diesem Transporter wollte jeder von ihnen derjenige sein, der ihn verhaftete.

Doch Lena hielt sich nicht mit Wollen auf. Sie würde es tatsächlich tun.

Sie sah zur Decke empor, starrte die rote Lampe an, bis sie verlosch und dann wieder ansprang.

Noch eine Minute.

Lena schloss die Augen und ging ihren Plan im Kopf noch

einmal durch. Sie hatten sich über das Haus informiert. Es sollte zwangsvollstreckt werden wie so viele in den Außenbezirken der Stadt. Ein Ziegelbau, was gut war, weil die Mauern die Kugeln auffangen würden. Das einstöckige Gebäude stand inmitten eines knapp einen Hektar großen Grundstücks, das zur einen Seite an einen staatlichen Forst grenzte und zur anderen an eine Landstraße, die Macon durchschnitt und in die Interstate 75 mündete, die in nördlicher Richtung nach Atlanta führte. Eine Anfrage an die Steuerbehörde hatte ihnen einen Bauplan des Gebäudes beschert: Wohnzimmer, Bad und zwei Schlafzimmer im rückwärtigen Teil. Vorne Esszimmer und Küche, mit einer Treppe gegenüber dem Spülbecken, die in den Keller führte.

Sie hatten ihr Vorgehen so oft eingeübt, dass Lena die Razzia bereits wie einen straff durchchoreografierten Tanz empfand. DeShawn Franklin und Mitch Cabello würden die Seitentür mit einem Rammbock aufbrechen. Lena würde zusammen mit Paul Vickery, der seit einem Jahr ihr Partner war, die Vorderseite übernehmen. Eric Haigh und Keith McVale würden das Bad und die beiden Schlafzimmer an der Rückseite überprüfen. DeShawn und Mitch würden die Gefangenen fixieren. Die restlichen Männer würden die Umgebung des Hauses absichern, um zu verhindern, dass irgendjemand sich durch ein Fenster oder eine Tür aus dem Staub machte. Lena hätte mindestens acht weitere Männer haben wollen, doch die Operation näherte sich bereits der Eine-Million-Dollar-Grenze, und Lena war schlau genug gewesen, die Sache nicht überzustrapazieren.

Sie arbeiteten immer paarweise. Niemand betrat je ein Zimmer allein. Der Grundriss des Hauses war unübersichtlich; jedes Zimmer hatte eine Eingangs- und eine Durchgangstür. In der Dienststelle hatten sie die Werkstatt leer geräumt und mit Klebeband einen maßstabsgetreuen Grundriss erstellt. Lena und Paul würden zwei Türen überwinden müssen, bevor sie den Keller erreichten: vom Wohnzimmer zum Esszimmer, vom Esszimmer zur Küche. Jede Tür barg ein neuerliches Risiko, beschossen zu werden.

Der Keller würde am kniffligsten werden. Der Bauplan hatte ihnen einen großen Raum offenbart. Allerdings war der Plan in den Fünfzigern gezeichnet worden, damals, als das Haus erbaut worden war. Der Keller selbst war erst später fertiggestellt worden. Es würde Wände geben, von denen sie nichts wussten. Geschlossene Türen. Wandschränke. Es führte keine zweite Tür nach draußen, nur schmale, mit Brettern vernagelte Fenster, durch die kein erwachsener Mensch hindurchpassen würde. Der Keller war eine Todesfalle.

Auf der Dienststelle hatten sie Strohhalme gezogen, um festzulegen, wer zuerst hinuntergehen würde. Lenas Team hatte gewonnen, aber auch nur, weil sie die Strohhalme in der Hand gehalten hatte.

Der Transporter fuhr jetzt nur mehr in Schrittgeschwindigkeit. Der hintere Bereich hatte keine Fenster, doch Lena konnte am Kopf des Fahrers vorbeisehen. Die Sonne spähte unter der Blende hervor. Kiefern standen dicht an dicht seitlich um das Haus herum. Luftaufnahmen hatten ihnen den direkten Zugang zur Landstraße knapp zweihundert Meter tiefer im Wald verraten. Wenn die Bösewichte fliehen wollten, würden sie genau diesen Weg nehmen. Deshalb patrouillierten jetzt zwei Streifenwagen auf dem entsprechenden Straßenabschnitt.

Der Transporter blieb stehen. Das rote Licht über ihren Köpfen blinkte ein letztes Mal und ging dann aus.

Lena lud ihr Gewehr durch. Kontrollierte noch einmal die Glock. Ihre Männer taten es ihr gleich und überprüften ihre Waffen. Der Fahrer, ein alter Hase namens Kirk Davis, flüsterte ins Funkgerät, um ihre Vorgesetzten wissen zu lassen, dass sie jetzt am Einsatzort eingetroffen waren. Die mobile Kommandozentrale parkte eine Meile entfernt auf dem Parkplatz des Piggly Wiggly. Wenn man von früheren Einsätzen ausgehen könnte, dann würde Denise Branson dort so lange warten, bis

Lenas Team das Haus gesichert hatte, und erst dann auftauchen und die Lorbeeren für die Aktion einheimsen.

Und wenn schon.

Lenas Belohnung würde darin bestehen, Sid Waller am Boden zu fixieren, ihr Fuß in seinem Genick, mit Kabelbinder gefesselt, die ihm tief in seine fetten Handgelenke schnitten. Das war das Einzige, was sie in ihrem Leben noch tun wollte – tun konnte. Nur das befähigte sie dazu, Morgen für Morgen aufzustehen, und es beherrschte ihre Gedanken, wenn sie sich abends in ihr leeres Bett legte.

Lena legte die Hand an den Griff, drehte sich dann aber noch einmal zu ihrem Team um, sah jedem einzelnen Mann in die Augen, um sich davon zu überzeugen, dass sie wirklich bereit waren. Anschließend zog sie die Tür auf.

Und der Tanz begann.

Lena sprang als Erste hinaus und rannte auf das Haus zu. Hinter sich hörte sie trampelnde Schritte – neun bis an die Zähne bewaffnete Männer, die bereit waren, den einen oder anderen Schädel einzuschlagen. Sie presste sich das Gewehr an die Brust, als sie auf den Carport zulief. Die Glock schlug ihr hart gegen den Oberschenkel. Mit dem Blick suchte sie den Waldrand in der Umgebung des Hauses ab, nahm flüchtig den Müll auf der Erde, kaputte Flaschen und Zigarettenkippen zur Kenntnis.

Das Außenteam ging in Position. Lena führte die restlichen Männer in den Carport. Sie bewegten sich jeweils zu zweit links und rechts von ihr. Paul Vickery drückte seine Schulter an ihre. Er zwinkerte ihr zu, als wäre das hier eine Kleinigkeit. Trotzdem konnte sie sehen, dass seine Brust unter seiner Schutzweste bebte. Aus dem Haus drang das Gelächter einer TV-Show, dann Musik. *The Jeffersons.* »Movin' On Up.«

Lena startete den Timer ihrer Uhr. Dann nickte sie DeShawn und Mitch zu, die den Rammbock zwischen sich hielten und auf ihr Signal warteten.

Sie holten mit dem massiven Metallzylinder zweimal aus, um Schwung aufzunehmen, und rammten die dreißig Kilo gegen die Tür. Das Holz splitterte wie Glas.

»Polizei«, schrie Lena, als sie mit gezogenen Waffen, bereit, die Bude auseinanderzunehmen, ins Haus hineinstürmten.

Doch sie waren zu der Party zu spät gekommen.

Zwei Männer saßen auf einem gelben Cordsofa vor dem Fernseher. Sie hatten die Hemden ausgezogen, die Jeans hingen ihnen tief überm Gesäß. Einer hatte die Hand in der Hosentasche. Der andere hielt eine Bierdose. Beider Augen waren offen, geöffnete Lippen offenbarten Zahnlücken. Diverse Handfeuerwaffen lagen auf dem abgenutzten Couchtisch vor ihnen.

Keiner der beiden rührte sich, und sie würden es auch nicht tun, bis der Coroner käme und sie für tot erklärte.

Man hatte ihnen die Kehlen durchgeschnitten. Die Haut klaffte weit auf und eröffnete den Blick auf weiße Wirbelfortsätze zwischen dunkelroten Sehnen, die in ihren Hälsen verliefen.

Paul tastete nach einem Puls, obwohl Lena bereits aus drei Metern Entfernung sehen konnte, dass alle beide schon seit Stunden tot waren. Wächserne Haut. Verwesungsgeruch. Einer der Toten war der Junkie – Elian Ramirez. Seine nackte Brust war eingefallen, die Rippen zeichneten sich deutlich unter der Haut ab. Sein Mörder hatte ihm die Kosten erspart, sich mit Oxy umzubringen.

Paul wandte sich dem zweiten Mann zu, drehte den Kopf zur Seite, um ihn besser ansehen zu können. »Scheiße«, fluchte er. Enttäuschung machte sich im Zimmer breit.

Diego Nuñez, Sid Wallers rechte Hand. Lena sah eine Fliege über seinen Augapfel krabbeln. Die violett-schwarze Zunge hing ihm wie einer Kuh schräg aus dem Mund. Zeugenaussagen zufolge hatte Diego sich Sid Wallers Nichte vorgenommen, nachdem sein Chef mit ihr fertig gewesen war. Er hatte hinter dem Steuer gesessen, als ein neunzehnjähriger Junge, der so dumm gewesen war, vor Waller den Mund ein bisschen zu voll zu nehmen, aus einem fahrenden Auto heraus erschossen worden war. Lena nahm an, dass Diego als Lohn für seine guten Dienste auch bei der Action mit Wallers Schwester hatte mitmachen dürfen. Die Frau war brutal vergewaltigt und verprügelt worden, ehe man ihr den Hals aufgeschlitzt hatte. Mörder. Vergewaltiger. Schläger. Er war gestorben mit einem Bier in der Hand, den Blick starr auf den Fernseher gerichtet.

»Scheiße«, wiederholte Paul. Er hatte hinter der Couch eine weitere Leiche gefunden. Diesem hatte man die aufgeschlitzte Kehle erspart, aber ein Teil seines Kopfes fehlte. Es war ein glatter Schnitt schräg über den Schädel. Lena vermutete, dass die Axt, die an der Wand lehnte, der Grund dafür war. Lange Haarsträhnen, Reste von Kopfschwarte und Knochen klebten an der Klinge.

Eric Haigh schlug die Hand vor den Mund, und noch während er zur Tür rannte, spritzte Erbrochenes zwischen seinen Fingern hindurch. Was Lena anging, konnte er ruhig weiterrennen. Sie hatte wenig Verständnis für Schwäche. Und auf keinen Fall würde sie zulassen, dass ihr Team aus dem Hinterhalt überfallen würde, während sie alle immer noch wie vom Donner gerührt dastanden.

Sie schnippte mit den Fingern, um sich Gehör zu verschaffen, und das Schnipsen durchschnitt den Lärm aus dem Fernseher. Lena deutete auf die drei Leichen und hielt dann vier Finger in die Höhe. Die Überwachung hatte ergeben, dass sich vier Männer im Haus befinden sollten. Sid Waller musste also noch aufgespürt werden.

Eine weitere Aufforderung brauchten sie nicht. DeShawn bewachte die Tür, um jede Überraschung aus dem rückwärtigen Teil des Hauses zunichtezumachen. Mitch übernahm Erics Position und folgte Keith in den hinteren Gang. Lena lief auf das Esszimmer zu, Paul dicht hinter ihr.

Sie hielten sich geduckt. Überall lag Müll auf dem Boden –

vorwiegend Bierdosen und leere Fast-Food-Tüten. Der Teppichboden darunter war verdreckt. Er klebte an Lenas Stiefelsohlen, als sie auf die offene Tür zum Esszimmer zuging. Sie trat nur leicht auf und war mit den Gedanken bereits im Keller. Sie stellte sich vor, wie Sid Waller mit nach oben gerichteter Waffe dort unten auf sie wartete und den Geräuschen nachspürte, auf deren Verursacher er gleich schießen würde.

Die Titelmelodie der *Jeffersons* endete mit einem Gospel-Schnörkel. Lena hörte es kaum, so laut rauschte das Blut in ihren Ohren, als sie sich neben die offene Esszimmertür stellte.

Sie drückte die Schulter an die Wand. Verputz, Holzlatten, ein paar Balken. Leicht zu durchschießen mit neun Millimetern Parabellum, Sid Wallers Lieblingsmunition, wie Lena wusste. Paul klopfte ihr zweimal ans Bein, ihr Einsatzsignal. Tief geduckt schnellte sie um den Türrahmen herum und riss das Gewehr in Anschlag. Nirgends ein Esstisch, nur eine blutfleckige Matratze und der übliche Unrat, der in einem Fixertreff erwartbar war. Crack-Pfeifen. Verkohlte Aluminiumfolie. Benutzte Spritzen. Der scharfe Essiggeruch von Heroin stach Lena in die Nase. Ein Wasserschaden von einem kürzlichen Regenguss hatte die Decke durchbrechen lassen. Auf dem Boden lagen Verputzbrocken. Die Bodendielen waren aufgeworfen, nach oben gebogen wie der Rumpf eines Kanus. Lena sah nach oben, um sicherzugehen, dass niemand auf dem Dachboden lauerte.

Das Zimmer war leer. Durch das zerbrochene Fenster sah sie einen der anderen Detectives im Vorgarten. Mit seinem Colt-AR-15-Gewehr auf Brusthöhe suchte er die Front ab. Er hielt kurz inne, um Lena mit einem Kopfschütteln zu verstehen zu geben, dass niemand aus dem Haus gekommen war. Sie drehte sich wieder zu Paul um und deutete zur nächsten Tür. Sie war geschlossen. Dahinter lagen die Küche und dann die Kellertür.

Wie abgesprochen übernahm Paul die Führung. Lena hielt die Flinte an die Schulter gedrückt, während sie sich umdrehte, um ihm Rückendeckung zu geben.

Aus den Schlafzimmern schrie Mitch: »Gesichert!«

Lena klopfte Paul aufs Bein, sein Einsatzsignal. Er bewegte sich exakt wie sie zuvor, als er die Tür auftrat und seine Glock in die Küche richtete, und Lena sprang mit ihrem Gewehr hinterher.

Leer.

Keiner der Schränke hatte Türen. Die halbe Decke war eingebrochen, die andere Hälfte war dunkelbraun verfärbt. Der Verputz klaffte auf, wo Kupferrohre und Stromdrähte aus den Wänden gerissen und als Altmetall verkauft worden waren. Der Gestank aus dem offenen Abfluss war ekelerregend. Paul richtete seine Glock zur Decke und suchte dort nach Verstecken, schüttelte dann aber den Kopf, um Lena zu signalisieren, dass alles gesichert war.

Dann starrten sie beide die Kellertür an. Das war unerwartet.

Ein Balken, wie man ihn an einem Scheunentor hätte finden können, versperrte die Tür. Das Kantholz steckte in zwei metallenen U-Haken, die links und rechts neben den Türrahmen geschraubt worden waren.

Paul warf Lena einen ratlosen Blick zu. Sie konnte seine Frage regelrecht hören. Sie hatten viel über diese Kellertür gesprochen. In sämtlichen Szenarios waren sie immer von zwei Dingen ausgegangen: dass die Tür verschlossen wäre und dass auf der anderen Seite einer der bösen Jungs mit einer geladenen Waffe stehen würde. Der Plan hatte ihnen abverlangt, dass sie mit dem Rücken zur Wand standen und mit dem Kolben ihres Gewehrs den Knauf oder das Schloss – oder was immer ihnen sonst im Weg war – aufbrachen, dann die Tür aufrissen und sich in die Hölle stürzten, die sie dort unten erwartete.

Dieser Sperrbalken jedoch änderte vieles. Aber womöglich doch nicht alles.

Lena stellte sich mit dem Rücken zur Wand neben die Tür und versuchte, mit der Mündung des Gewehrs den Balken hochzustemmen. Er saß zu fest. Sie konnte ihn nicht aus den

Haken hieven. Einer von ihnen würde mit beiden Händen versuchen müssen, ihn aufzustemmen, doch dann wäre dessen ganzer Körper ein leichtes Ziel für jemanden, der vielleicht auf der anderen Seite der Tür stand.

Lena dachte nicht lange nach. Sie warf Paul ihr Gewehr zu. Er fing es mit der freien Hand auf und trat dann einen Schritt zurück, um ihr Deckung zu geben.

Sie kauerte sich hin und drückte die Schulter von unten gegen den Balken. Doch das verdammte Ding saß fest, rührte sich keinen Millimeter. Sie versuchte es noch einmal, ging tief in die Knie und schnellte dann ruckartig nach oben. Es funktionierte – in gewisser Weise. Endlich löste sich der Balken aus den Haken, doch Lena stolperte dabei nach hinten, verlor das Gleichgewicht und fiel auf den Hintern.

So viel zum Überraschungsmoment.

Der Balken polterte zu Boden. Ihr Steißbein fühlte sich an, als wäre es gebrochen. In ihrer Schädelschwarte spürte sie einen scharfen, stechenden Schmerz, wo sie mit dem Kopf gegen die scharfe Kante der Küchenzeile gekracht war. Der Helm war ihr nach vorn gerutscht, hatte ihr die Schutzbrille in den Nasenrücken gerammt. Lena legte sich die Hand an den Hinterkopf. Das Haar war feucht. Sie sah auf ihre Finger hinab: Blut.

Paul starrte sie stirnrunzelnd an, als würde er nicht begreifen können, wie sie etwas so Einfaches hatte vermasseln können. Lena konnte es ebenso wenig, doch sie hatte keine Zeit, jetzt darüber nachzudenken. Die geschlossene Tür immer im Blick, zog sie sich wieder hoch und versuchte, ihre Benommenheit abzuschütteln. Ihre Sicht war leicht verschwommen. Ihre Nase fühlte sich an, als würde darin ein Metronom ticken. Sie nahm die Schutzbrille ab. Der Nasensteg war gebrochen. Sie warf sie in einen der offenen Schränke.

Aus dem anderen Raum kam ein leises Pfeifen: *Nicht schießen.* Keith trat zuerst in die Küche, dann Mitch. Beide waren große, kräftige Kerle, die Schultern so breit, dass die Küche um sie herum fast schon wirkte wie ein Wandschränkchen.

Lena spürte, wie ihr der Schweiß über den Nacken lief. Sie wischte ihn sich mit der Hand weg. Ihre Finger waren klebrig. Das war kein Schweiß. Das war Blut.

Paul hatte die Zungenspitze zwischen die Vorderzähne geschoben, ein Tic, der ihr schon während ihrer ersten Woche im Team aufgefallen war. So brachte er zum Ausdruck, dass er anderer Meinung war als sie. Er tat es nicht oft, aber wenn, dann meinte er es ernst.

Lena wollte schon den Mund aufmachen und weitere Befehle erteilen, doch in stillschweigender Übereinkunft traten Mitch und Keith vor, zogen ihre Stablampen heraus und stellten sich links und rechts neben die Tür. Sie alle sahen zu Lena zurück, diesmal jedoch nicht erwartungsvoll, sondern eher irritiert.

Widerwillig wich sie zum Spülbecken zurück und nahm das Gewehr wieder in Anschlag, damit sie ihnen zumindest Deckung geben konnte. Das eingespielte Gelächter aus dem Fernseher schien sie zu verhöhnen. Lena verstand nicht, was dort gesagt wurde, hörte lediglich das tiefe Grummeln von Weezys Stimme, gefolgt von Georges schriller Antwort.

Mitch riss die Kellertür auf. Da niemand auf ihn schoss, ging er die Treppe hinunter. Keith folgte ihm auf dem Fuß. Paul stellte sich auf den oberen Absatz, die Glock nach unten gerichtet für den unwahrscheinlichen Fall, dass jemand es schaffte, an den zusammen zweihundert Kilo der beiden vorbeizukommen.

Und dann fing das Warten an.

Die Zeit fühlte sich plötzlich anders an. Sogar die Staubpartikel in der Luft bewegten sich mit einer anderen Geschwindigkeit.

Paul rührte sich nicht. Schweiß tropfte von seinen Händen zu Boden. Mit angehaltenem Atem wartete Lena auf irgendeine Art der Auflösung – abgefeuerte Schüsse, schreiende Männer.

Ihr Kopf nickte die Sekunden ab. Fünf. Zehn. Dann wieder eine Lachsalve aus dem Fernseher. Noch einmal Weezy. Dann Lionel.

Zwanzig Sekunden. Paul hatte sich immer noch nicht gerührt. Er stand da wie eine Statue.

Langsam atmete Lena aus. Und wieder ein. Fünfunddreißig Sekunden.

Vierzig.

Schließlich rief Keith: »Gesichert.«

Paul ließ die Hände sinken. Lena spürte, wie ihre Lunge beim Ausatmen bebte.

»Noch einmal durchsuchen«, befahl sie und lehnte ihr Gewehr an die Küchenzeile, damit sie sich den Helm abnehmen konnte. Von unten hallte ein Schwall Flüche herauf, aber das war Lena egal. In dem Haus lagen drei Tote – in einem Haus, das rund um die Uhr überwacht worden war. Sie hatte eine Million für diesen Riesenschlamassel ausgegeben. Sie hatte es geschafft, sich die Kopfhaut aufzureißen und sich die Nase zu prellen. Ihr Steiß tat weh. Ihr Kopf pochte. Und währenddessen saß Sid Waller wahrscheinlich irgendwo an einem Strand, nippte an einer Margarita und überlegte sich, welche Frau er wohl an diesem Abend verfolgen und vergewaltigen würde.

Lena sah auf die Uhr. Der Timer lief immer noch. Sie waren gerade erst seit vier Minuten und zweiunddreißig Sekunden im Haus.

»Scheeeiße.« Lena dehnte das Wort. Sie sah zur Decke empor. Auf den nackten Dachsparren prangten Schimmelflecken. In einem Loch zwischen den Teerschindeln steckte ein Bündel Plastiktüten. Aus dem Nachbarzimmer hörte sie schwere Schritte. Der Rest des Teams kam herbei, um zu sehen, was los war.

Lena hob die Stimme, damit man sie im ganzen Haus hörte. »Wir verlassen das Haus so schnell wie möglich. Das hier ist ein frischer Tatort.«

»Branson ist schon unterwegs«, erwiderte DeShawn. »Der Coroner braucht etwa dreißig Minuten.«

»Na klasse«, sagte sie. »Je mehr Leute, umso lustiger.«

Paul nahm seinen Helm ab und strich sich mit der Hand durch die verschwitzten Haare. »Alles okay mit dir?«

Lena schüttelte den Kopf. Sie war zu wütend, um zu sprechen. Diese Aktion hätte alles verändern sollen. Sie hätte alles besser machen sollen. Die einzige verdammte Sache, die ihr im Leben noch geblieben war, war ihre Arbeit gewesen, und sie hatte es tatsächlich geschafft, auch die zu vermasseln. Sie öffnete den Klettverschluss ihrer Schutzweste, damit sie besser atmen konnte. Das T-Shirt klebte ihr am Rücken. Sie wusste, dass ihr Nacken blutverschmiert war. Dies hier würde nicht mit einem Abschlussgespräch mit Denise Branson enden. Der Polizeichef würde Antworten verlangen. Die ganz hohen Tiere würden bei ihnen auftauchen. Die Innenrevision. Lena würde ihren Mann anrufen müssen, damit er ihr frische Kleidung brachte, sodass sie nicht aussah wie der letzte Penner, wenn man sie auseinandernahm. Wobei Jared im Moment nicht mal auf ihre Anrufe reagierte. Und sich wahrscheinlich auch nicht mehr als ihr Mann betrachtete.

Lena schlug die Hände vors Gesicht. Schüttelte den Kopf. Sie musste sich zusammenreißen. Sie durfte jetzt nicht in die Knie gehen.

»Ich helf dir bei Branson«, sagte Paul. »Was immer du brauchst.«

Lena ließ die Hände sinken. »Ich muss wissen, warum diese Tür verbarrikadiert war.«

Paul runzelte wieder die Stirn. Sie konnte ihm ansehen, dass er so weit noch gar nicht gedacht hatte.

»Wenn man drei Kerle abschlachtet, sieht man doch zu, dass man wegkommt. Man bleibt nicht hier im Haus. Und man verbarrikadiert den Keller nicht.« Sie deutete zur Tür. »Sieh dir die Kante dieses Balkens an – den hat jemand dort reingehämmert.«

94

Lena wischte sich den Schweiß von der Stirn. Es war heiß wie in einem Backofen. »Verdammt! Dafür schickt Branson mich wahrscheinlich zurück auf Streife.«

»Dann kannst du ja mit Jared fahren.«

»Leck mich.«

»He!« Paul legte seine Glock auf die Anrichte, berührte ihren Arm, ihr Gesicht. Er lächelte sie an, versuchte, ihr Mut zu machen.

Doch Lena wich zurück. Sie stampfte mit dem Stiefel auf, damit die Männer im Keller sie hören konnten. »Cabello? McVale? Warum dauert das da unten so lange?«

»Wir haben Geld gefunden«, rief Keith nach oben. »Wir sind reich!«

»Na, Gott sei Dank.« Lena ging zur Kellertreppe. »Bitte, lass es eine Million Dollar sein.« Eine Beschlagnahme in dieser Größenordnung würde wenigstens die ganzen Überstunden abdecken. »Schaff alle aus dem Haus«, sagte sie zu Paul.

»Und sag der Spurensicherung, sie müssen Scheinwerfer mitbringen. Ich will mit dem Coroner reden, sobald er hier ist.«

Er salutierte knapp. »Okay, Boss.«

Lena zog ihre Maglite aus der Tasche und ging die Treppe hinunter. Auf dem unteren Absatz suchte sie nach einem Lichtschalter. Der Sicherungskasten stand offen. Sie betrachtete die alten Sicherungen, die in noch ältere Fassungen geschraubt waren. Sie ruckelte an einigen, aber nichts passierte.

Wie vermutet war der Keller in winzige Kammern unterteilt worden. Der Strahl von Lenas Lampe fiel auf verzogene, billige Pressspanplatten, auf aufgeplatzte Tüten voller Unrat, die man einfach die Treppe hinuntergeworfen hatte. Der Raum unter der Treppe war leer – bis auf weiteren Müll. Nirgends ein Gang, nur eine Reihe einzelner Verschläge, eine Kammer nach der nächsten. Es waren insgesamt vier Türen, also fünf Kammern einschließlich derjenigen, in der sie gerade stand.

Im hinteren Teil sah sie den sanften Schein von Lampen,

wahrscheinlich Keith und Mitch, die das Geld zählten. Lenas Sicht verschwamm erneut, als sie ins Licht schaute. Sie unterdrückte einen Fluch, als sie sich die Hand auf den Hinterkopf legte. Noch immer floss Blut. Wahrscheinlich würde sie genäht werden müssen. Ihr Kopf pochte vor Schmerz. Die Nase fühlte sich gebrochen an. Die Demütigungen dieses Tages häuften sich. Retten konnte sie diese Operation nur noch, indem sie jetzt einen Stapel Hundert-Dollar-Scheine fand, der bis zur Decke reichte.

Lena wollte gerade den Mund aufmachen, um die Jungs zurückzurufen, doch irgendetwas hielt sie davon ab. Ihr siebter Sinn. Die Intuition der Polizistin. Es waren keine Stimmen zu hören. Keith und Mitch konnten normalerweise nicht einmal aufs Klo gehen, ohne allen davon zu erzählen. Sie hatten einen Haufen Geld gefunden, und jetzt sollten sie keine Witze darüber reißen, wie sie es ausgeben wollten?

Irgendwas stimmte da nicht.

Lena griff nach der Glock, schaltete die Lampe aus und wartete, bis sich ihre Augen an die Dunkelheit gewöhnt hatten.

Sie spitzte die Ohren, um Geräusche zu unterscheiden, versuchte, den Lärm des Fernsehers von oben auszublenden.

Nichts.

Langsam trat sie in die angrenzende Kammer. So vorsichtig Lena auch ging – es war einfach unmöglich, kein Geräusch zu machen. Auf dem Boden lag zu viel Müll – leere Bierdosen, Crack-Pfeifen aus Glas, Alufolie. Der Teppich war dick und feucht und wirkte wie ein Saugnapf unter ihren Stiefelsohlen. Die Enge verstärkte jedes Geräusch. Sie hätte genauso gut anfangen können zu singen.

Nein.

Sie hätte sofort etwas ganz anderes tun müssen – nach oben laufen und Verstärkung rufen. Nie einen Raum alleine betreten. Immer paarweise arbeiten. Lena brach gerade ihre eigene Kardinalregel.

Aber sie war bereits auf den Hintern gefallen, hatte sich den Kopf aufgeschlagen und ein Vermögen verschleudert, um drei Tote zu verhaften und einen Tatort zu sichern, der wahrscheinlich mehr DNS-Spuren enthielt als das Männerklo der örtlichen Fernfahrerkneipe. Sie wollte nicht auch noch den mickrigen Rest ihrer Reputation wegen eines flauen Bauchgefühls riskieren.

Dennoch tastete Lena nach dem losen Riemen ihrer Schutzweste und zog ihn wieder fest. Tief in den Knien und bereit, jederzeit loszustürmen, bewegte sie sich vorwärts, senkte ihren Schwerpunkt, falls sie zu Boden hechten oder einen Angreifer abwehren müsste. Je näher sie der letzten Kammer kam, umso überzeugter war sie, dass da irgendetwas grässlich schiefgelaufen war.

Sieben Meter. Fünf. Lena war vielleicht noch drei Meter entfernt, als sie die Stiefelspitze sah. Schwarzes Leder. Stahlkappe. Ein Stiefel, wie sie ihn ebenfalls trug, nur deutlich größer.

Und die Spitze zeigte zur Decke.

Lena erstarrte. Blinzelte. Sah doppelt. Blut sammelte sich am Kragen ihrer Weste. Ihr Mund war staubtrocken.

Sie machte noch einen Schritt. Jetzt konnte sie den Boden direkt vor sich erkennen. Die Lichtkegel der Stablampen in der anderen Kammer verliefen diagonal aufeinander zu, einer beleuchtete die Tür, der andere die Wand. Gegenüber der Tür stand ein Koffer. Geld war daraus auf den Boden gefallen. Hunderter – wie sie gehofft hatte.

Lena umfasste die Glock mit beiden Händen. Jetzt schwitzte sie nicht mehr. Und sie hatte auch keine Angst mehr. Blendete alle nebensächlichen Gedanken aus. Zählte ihre Schritte – einer, der zweite, dann war sie in der letzten Kammer und richtete ihre Waffe auf Sid Waller.

Er hatte Keith im Würgegriff und bohrte ihm die Mündung einer Neun-Millimeter-Sig-Sauer in den Hals. Mitch lag flach auf dem Boden. Seine Kopfhaut war aufgeplatzt. Blut lief ihm übers Gesicht.

Vom ersten Augenblick an, da man auf der Polizeiakademie eine Waffe in die Hand bekam, wurde einem eingeschärft, den Finger immer an den Abzugsbügel zu legen, nie auf den Abzug selbst. So hatte das Hirn ein paar zusätzliche Millisekunden, um zu verarbeiten, was man vor sich sah, und zu entscheiden, ob man auf Freund oder Feind zielte. Den Finger krümmte man erst um den Abzug, wenn man bereit war, jemanden zu erschießen.

Lena krümmte den Finger um den Abzug.

»Zurück«, befahl Waller.

Lena schüttelte den Kopf. »Nein.«

Er packte den Griff der Sig fester. »Ich will ein Fahrzeug. Ich will freien Abzug.«

»Du kriegst gar nichts.« Keith riss die Augen weit auf, als Lena noch einen Schritt näher kam. »Lass ihn gehen.«

»Ich will einen Unterhändler.«

»Ich bin dein Unterhändler«, sagte sie. »Lass ihn gehen oder stirb.«

»Zurück.« Waller drückte Keith die Sig noch tiefer in den Hals. »Sonst tu ich's.«

»Tu's doch.« Sie machte noch einen Schritt auf ihn zu. Auf gar keinen Fall würde sie ihn mit Keith aus diesem Keller gehen lassen. »Du bringst ihn doch sowieso um. Tu's jetzt gleich, dann kann ich dich anschließend töten.«

»Ich meine es ernst.«

»Ich auch.«

Wallers Blick wurde unstet. Es war nicht das erste Mal, dass er sich mit Lena ein Blickduell lieferte, aber dabei hatte noch nie eine Waffe auf seinen Kopf gezielt. »Du bist ja verrückt.«

»Da hast du verdammt recht.« Lena machte noch einen Schritt. Sie fühlte sich irgendwie taub, als würde sie jemand anderem in dieser Situation zusehen. Als würde eine andere Frau ihre Glock halten und diesen Mörder anstarren, diesen Vergewaltiger. »Waffe weg!«

Keith schluchzte laut auf und flüsterte: »Bitte …«

Waller richtete die Waffe auf Lena. »Dann bring ich eben dich um. Wie wär's damit?«

Sie starrte in das schwarze Nichts der Mündung. »Und dann versuch, die Treppe hochzukommen.«

»Zurück, verdammt noch mal!«, kreischte Waller, und Spucke spritzte ihm aus dem Mund. »Ich tu's!«

»Tu's!« Lena war nur noch einen halben Meter entfernt.

»Ich tu's.«

»Dann tu's!«, schrie sie. »Drück ab, du verdammtes Weichei!«

Wallers Hand bewegte sich so schnell, dass nicht einmal ein Schemen erkennbar war. In einem Augenblick hatte die Sig noch auf Lena gezielt, doch schon im nächsten endete die Mündung an Wallers Schläfe. Sein Finger zuckte, es blitzte – und sein Schädel explodierte.

»Mein Gott!« Keith wischte sich angeekelt die Schädel- und Hirnfragmente weg, die auf ihn draufgespritzt waren.

»Gott!« Er versuchte, von der Leiche wegzukommen, doch seine Füße rutschen auf dem feuchten Boden aus.

Lena stützte die Hand an die Wand. Aller Tatendrang strömte aus ihr heraus. »Kümmer dich um Mitch.«

»Scheiße!« Keith stemmte sich hoch und taumelte hinaus.

»Mein Gott!«

»Lee?« Paul polterte die Treppe herunter. Panik lag in seiner Stimme.

»Ruf die Sanitäter«, rief sie zurück. Dann kniete sie sich neben Mitch, um ihm zu zeigen, dass sie da war. »Ganz ruhig«, brachte sie gerade noch hervor. »Hilfe ist schon unterwegs.« Mitch röchelte. Sein Brustkorb bebte vor Anstrengung. Seine Augen waren mindestens so weit aufgerissen wie zuvor die von Keith.

»Was zum …« Sichtlich schockiert starrte Paul sie an.

»Was …« Dann verstummte er, trat bloß Waller die Waffe aus der Hand, als wäre ein Kerl, dem der halbe Kopf fehlte, noch eine Bedrohung.

DeShawns Stimme kam vom anderen Ende des Kellers.

»Seid ihr okay?«

»Wir sind okay. Bleib, wo du bist.« Lena kauerte sich auf die Fersen, steckte die Glock zurück ins Holster. »Waller hat sich selbst in den Kopf geschossen«, erklärte sie Paul.

»Im Ernst? Mitch? Bist du …«

»Schafft mich hier raus.« Mitch griff sich an den Kopf, berührte den nackten Knochen seines Schädels mit den Fingerspitzen. Er starrte Lena an. Sie konnte seinen Ausdruck nicht deuten. Entweder war er völlig verängstigt oder schwer beeindruckt. Sie war sich immer noch nicht sicher, als er zu ihr sagte: »Du scheinst dich wirklich nach dem Tod zu sehnen.«

»Na komm.« Paul klappte Mitch die Kopfhaut wieder über den Schädel, als handelte es sich um einen Stofflappen.

»Kannst du aufstehen?«

Mitch gab sich alle Mühe, trotzdem musste Paul ihm helfen.

»Branson braucht noch fünf Minuten«, sagte er über die Schulter zu Lena.

Sie spürte ein Kitzeln am Hals. Sie hob die Hand und wischte sich ein Klümpchen von Sid Wallers Hirn weg. Dann näherten sich Lichtkegel von Stablampen vom anderen Ende des Kellers. Lena nahm an, dass die Männer sich um die Treppe versammelt hatten, nachdem der Schuss gefallen war.

»Gott, verschwindet einfach von hier!«, brüllte Lena. »Warum muss ich andauernd alle daran erinnern, dass dies ein frischer Tatort ist?«

Gemurmelter Protest war zu hören, aber keiner widersetzte sich ihrem Befehl.

»Das hier wird vor die Innenrevision kommen«, raunte Paul ihr zu.

Lena antwortete nicht. Es wäre nicht das erste Mal, dass gegen sie intern ermittelt würde.

»Ich spreche mit Keith und kümmere mich darum, dass er bei

der Stange bleibt.« Paul schlang sich Mitchs Arm um die Schultern und fragte sie: »Deine Geschichte steht?«

»Jetzt schaff Mitch endlich nach oben.«

Paul hob Mitchs Füße fast vom Boden, und Seite an Seite stolperten sie auf die Treppe zu. Der Aufstieg war mühsam. Offensichtlich hatten ein paar Männer Lenas Befehl missachtet und halfen Paul jetzt, Mitch nach oben zu hieven. Sie konnte hören, wie sie schwerfällig die Küche durchquerten, doch irgendwann waren alle verschwunden.

Plötzlich war es mucksmäuschenstill im Haus. Nur das Holz knarzte und arbeitete, während es draußen wärmer wurde. Die Sonne stand inzwischen höher am Himmel, und weißes Licht sickerte entlang der mit Brettern vernagelten Fenster herein. Mit einem Mal fühlte sich Lena völlig leer. Sie sah noch immer leicht verschwommen. Der Keller hatte auf sie eine merkwürdige Wirkung, und eine große Distanziertheit erfasste sie. Aus dem Alleinsein wurde Einsamkeit. Sie wollte zu Jared. Sie wollte, dass er in diese Kammer käme und sie in die Arme nähme. Wenn sie es sich nur intensiv genug vorstellte, konnte sie seine Hände auf ihrem Rücken fast spüren, seine besänftigende Stimme in ihrem Ohr beinahe hören.

Lena wischte sich die Tränen weg. Warum sehnte sie sich so sehr nach Jared, wenn er nicht da war, und hatte, sobald er vor ihr stand, nur noch den einen Gedanken: dass er wieder gehen möge?

Sie sah nach unten. Die Hand lag wieder flach auf ihrem Bauch.

Lena schüttelte den Kopf und versuchte, sich zu konzentrieren, denn in einer Sache hatte Paul recht gehabt: Sobald Branson hier war, brauchte sie eine schlüssige Geschichte. Drei Männer waren in der vergangenen Nacht ermordet worden, während keine fünfhundert Meter weit entfernt Polizisten in einem Überwachungswagen gesessen hatten. Keith machte sich wahrscheinlich immer noch ins Hemd, weil man ihm eine Waffe an den Hals gehalten hatte. Mitch wäre beinahe skalpiert worden. Und Sid Waller hatte sich selbst getötet.

Was würde Lena sagen? Dass ein Teil von ihr gehofft hatte, Sid Waller würde sie erschießen? Dass es fast jedem in Lenas Leben besser gehen würde, wenn er es getan hätte?

Nein. Sie würde Denise Branson sagen, dass sie sich nur an die Richtlinien aus ihrer Ausbildung gehalten hatte. Man überließ einem Verrückten keine Geisel. Man ließ ihn nicht an einen anderen Ort verschwinden. Man schoss, wenn man die Gelegenheit dazu hatte.

Oder man ließ ihn schießen.

Sie richtete ihre Taschenlampe auf Waller. Sein Mund stand offen. Sie sah die Titankrone auf seinem Schneidezahn. Ein Totenschädel und gekreuzte Knochen waren darauf eingraviert. Lena hatte die Gravur so oft bei Verhören gesehen, dass sie das Motiv aus dem Gedächtnis hätte zeichnen können. Waller hatte immer mit gespreizten Beinen am Tisch gesessen, als bräuchten seine Eier mehr Platz als die jedes anderen Mannes. Er hatte Lena kaum je angesehen, und wenn er es doch getan hatte, hatte er ihr eine solche Abscheu vermittelt, dass sie sich regelrecht schmutzig gefühlt hatte, wann immer sie nur in seiner Nähe gewesen war. Selbst in Anwesenheit seines Anwalts hatte er sie verhöhnt, sie angeblafft, sie eine blöde Fotze genannt. Paul hatte das wahnsinnig gemacht, doch Lena hatte es ganz einfach ignoriert. Waller wollte eine Reaktion. Er wollte, dass sie auf ihn losging, damit er ihr ins Gesicht lachen konnte. Man musste kein Genie sein, um zu erkennen, ob ein Mann Frauen hasste. Dieser Mistkerl hatte sich lieber selber umgebracht, als sich von einer Frau festnehmen zu lassen.

Sie richtete die Taschenlampe auf das glänzend feuchte Loch, wo zuvor Wallers Kopf gewesen war.

Wunsch erfüllt.

Lena wandte sich von der Leiche ab und richtete den Lichtstrahl auf den Koffer. Sie hatte sich getäuscht – es waren mehr

Fünfziger als Hunderter. Vielleicht eine halbe Million Dollar. Denise Branson würde sich wieder all ihre Rangabzeichen und Auszeichnungen an die Brust heften müssen, wenn sie für die Zeitung fotografiert würde. Die Tatsache, dass zwei erfahrene Polizisten sich von einem Gauner hatten überrumpeln lassen, würde allerdings kein Teil der Geschichte werden.

Trotzdem wollte Lena wissen, wie das hatte passieren können. Mitch und Keith waren eigentlich zu gut für so einen Patzer. Zumindest sah Lena es so. Sie ließ den Lichtstrahl durch die Kammer wandern und versuchte herauszufinden, was geschehen war. Ein Stück Wandverkleidung hing schief von der Wand. Sie streckte sich, um dahinterzusehen. Wallers Versteck. Die Erde war um das Fundament herum abgetragen. Wie Ratten waren Keith und Mitch in die Falle gegangen, als sie auf das Geld zugestürzt waren, und dann war Sid Waller hinter der Wandverkleidung hervorgesprungen und hatte sie niedergestreckt, noch ehe beide auch nur einen Ton von sich hatten geben können.

Mitch zuerst, wahrscheinlich mit der Mündung der Sig. Und dann hatte Keith, bevor er sich's versehen hatte, die Sig am Hals gehabt. Das war tausendmal furchteinflößender als der Gedanke, in den Kopf geschossen zu bekommen. Wenn einem in den Hals geschossen wurde, überlebte man vielleicht. Vielleicht würde man nie wieder gehen können, vielleicht müsste man für den Rest seines Lebens über einen Schlauch beatmet werden oder in einen Beutel pissen, aber man hätte überlebt …

Irgendjemand näherte sich über die Treppe. Lena wartete, bis Denise Branson sich den Weg durch den verdreckten Keller gebahnt hatte.

»Was zum Teufel ist hier passiert?«, schrie sie. »Du kannst von Glück reden, wenn der Chief dir wegen dieser Sache nicht den Kopf abreißt.«

Lena hatte diese Drohung schon öfter gehört, und zwar von Leuten, die wesentlich furchteinflößender waren als Denise Branson.

»Waller hat Keith als Geisel genommen. Er hatte seine Waffe auf mich gerichtet, und ich hab meine auf ihn gerichtet. Und dann hat er seine Entscheidung getroffen.«

Mit finsterer Miene blickte Denise auf Wallers Leiche hinab. Sie sah aus, als wollte sie gleich ausspucken. »Und wer, glaubst du, führt uns jetzt zu Big Whitey?«

Lena hatte die Schnauze voll von Big Whitey. »Denise, das ist mir wirklich scheißegal.«

»Du solltest deine Einstellung überdenken, bevor ich …«

Sie hielt inne, als plötzlich ein Geräusch zu hören war. Sie hatten es beide vernommen, und es war aus Wallers Versteck gekommen. Dort hinter der Wand war noch etwas.

Sofort hatte Lena die Glock im Anschlag. Sie hätte nicht einmal sagen können, in welchem Augenblick sie sie gezogen hatte.

Denise bewegte sich ein wenig langsamer. Sie trat erst einen Schritt zurück und zog dann ihre Waffe.

Wieder war das Geräusch zu hören. Lena bewegte sich nach rechts, versuchte, mit der Lampe hinter die Verkleidung zu leuchten. Wie schon zuvor presste sie die Schulter an die Wand. Dann kniete sie sich hin und korrigierte die Position der Maglite. Trotzdem war dort nichts weiter zu sehen als nasse schwarze Erde und eine schmutzige, zusammengeknüllte Sportsocke.

Lena stand wieder auf. Die beiden Frauen starrten einander an. Wie zu erwarten gab Denise Lena mit einem Nicken zu verstehen, sie möge die Führung übernehmen.

Lena wartete darauf, dass das Taubheitsgefühl zurückkehrte, der Autopilot wieder übernahm. Doch nichts dergleichen passierte – es wollte einfach nicht passieren. Ihr ganzer Wagemut hatte sich einfach verflüchtigt. Ihr Körper wollte sich nicht mehr bewegen. Noch vor fünf Minuten hatte sie den Tod fast schon herbeigesehnt, doch jetzt, da sich ihr die Gelegenheit erneut bot, war sie nicht länger bereit dazu.

Denise zischte leise, und Lena drehte sich um und sah sie an. Major Branson wartete, die Waffe nach unten gerichtet, den Finger am Abzugsbügel. Sie hatte die Augen weit aufgerissen, der Mund war leicht geöffnet, und die Lippen offenbarten ihre Zähne.

Lena drehte sich wieder um. Sie starrte die schmutzige, feuchte Socke an, das dunkle Loch, aus dem Sid Waller gekrochen war.

Wieder ein Geräusch. Kein Überlegen mehr.

Lena riss die Verkleidung von der Wand.

5.

Sara war noch nicht häufig in Macon gewesen, hatte aber jedes Mal den Eindruck gehabt, die Stadt würde sich in einer Art Schwebezustand befinden, gefangen zwischen der deutlich liberaleren Hauptstadt des Bundesstaats, weniger als hundert Kilometer nördlich, und den konservativeren Kleinstädten, die die Mehrheit des Staates ausmachten. Die meisten Bürger Atlantas verschwendeten an Macon keinen Gedanken.

Trotzdem schien alles an Macon besessen von dem Wunsch zu sein, den wohlhabenderen Nachbarn zu beeindrucken.

Das Macon General Hospital war ein gutes Beispiel für dieses fruchtlose Bemühen. Als Sara auf den frisch asphaltierten Parkplatz fuhr, kam sie nicht umhin, den Größenunterschied zwischen dem hoch aufragenden Monolithen des Grady und den drei architektonisch reich verzierten Backsteingebäuden zur Kenntnis zu nehmen, aus denen das kleinere Provinzkrankenhaus bestand. Bis in die 1960er war das Grady in zwei verschiedene Trakte unterteilt gewesen – einen für die Schwarzen und einen für die Weißen. Wie in vielen Gegenden des modernen Südens hatte in Macon eine andere Form der Segregation um sich gegriffen. Hier ging es nicht länger um Hautfarbe, es ging um die soziale Schicht. Alle waren willkommen, solange sie sich das Eintrittsgeld leisten konnten.

Dass sie bereits am anderen Ende des Parkplatzes angekommen war, bemerkte Sara erst, als sie das Ausfahrt-Schild vor sich sah. Sie bog auf einen Stellplatz unter ein paar Bäumen ein. Die nächsten Minuten saß sie einfach nur da und fragte sich, was sie nun tun sollte. Dann übernahm ihr Hirn wieder die Führung und befahl ihrer Hand, die Tür zu öffnen, ihren Füßen, sich auf den Asphalt zu stellen, und ihren Beinen, sich zu bewegen. Sie marschierte auf das Krankenhaus zu. Der große Brunnen in der Mitte der halbkreisförmigen Auffahrt versprühte einen feinen Nebel, als sie daran vorbeiging. Das rhythmische Plätschern des Wassers sollte offensichtlich die Besucher beruhigen, Sara aber machte es nur umso nervöser.

Als sie auf den Eingang des Hauptgebäudes zuging, spürte sie regelrecht, wie die Zeit sich zurückdrehte – nicht um Jahrzehnte, nur um Jahre. So war sie mir nichts, dir nichts wieder im Grant County – zurückversetzt an jenen Tag, als ihr Mann ermordet worden war. Ihr Körper hatte die Verbindung hergestellt, bevor ihr Hirn es vermocht hatte. Wahrscheinlich lag es an den vielen Polizeibeamten, dem Meer aus Blau, das sich über den Parkplatz, den Eingangsbereich und die Lobby ergoss.

Der Anblick jagte Adrenalin durch Saras Herz. In ihrem Kopf schrillte ein Klingeln, das höllisch wehtat. Ihre Muskeln zuckten unwillkürlich. Es war, als wären all die Drähte, die ihren Körper zusammenhielten, schlagartig zum Zerreißen angespannt.

Vielleicht war es aber auch gar nicht das Adrenalin. Vielleicht war es die Wut. Denn als Sara das Krankenhaus betrat, war sie so wütend, dass sie sich kaum mehr unter Kontrolle hatte.

Nein – sie war nicht nur wütend. Sie war stinksauer.

Stinksauer, weil sie hier sein musste. Stinksauer, weil sie nicht zu Hause war, ein Bad nahm oder Frühstück aß, mit den Hunden spazieren ging oder in ihrem Bett schlief oder eben ihr normales Leben lebte. Stinksauer, weil sie sich wieder einmal in eines von Lena Adams' tödlichen Spinnennetzen hatte hineinziehen lassen.

Und wenn die Drähte angespannt waren, dann nur, weil diese Lena sie straffgezogen hatte.

Die Wut hatte bereits in der Notaufnahme des Grady eingesetzt, im selben Augenblick, als sie das Telefonat mit Nell beendet hatte. Sara hatte sie im Hintergrund summen gehört – wie
einen Song, an dessen Text sie sich nicht mehr erinnern konnte.
Daraufhin hatte sie Will angerufen, Ersatzkleidung und ein paar
Sachen fürs Bad gepackt, die sie im Krankenhaus auf Vorrat
hatte. Sie hatte sich mit ihrer Hundesitterin, der Stationsleitung
und ihren Studenten kurzgeschlossen und dann das Auto voll-
getankt. Anschließend war sie schneller als erlaubt aus der Stadt
hinausgerast. Jared brauchte sie. Darnell brauchte sie. Das war
es gewesen, was Sara vorangetrieben hatte. Die beiden waren die
einzigen Personen, die jetzt noch wichtig waren. Sara hatte die
Pflicht, für sie da zu sein. Das war sie Jeffrey schuldig. Das war
sie Jared und Nell schuldig. Auf halbem Weg nach Macon war
der Song lauter geworden, und Saras Hirn hatte Worte hinzuge-
fügt. Jeffrey. Lenas Partner. Saras Mann.

Saras Leben.

Sie hatte ihn im Arm gehalten, als er sterbend auf der Straße
gelegen hatte. Sie hatte ihm ein letztes Mal durch das dichte
Haar gestrichen. Sie hatte ein letztes Mal die raue Haut seiner
Wange berührt. Sie hatte ihre Lippen auf seine gedrückt, seinen
letzten, flüchtigen Atemzug an ihrem Mund gespürt. Noch
während sie gesehen hatte, wie das Leben aus seinen wunder-
schönen Augen gewichen war, hatte sie ihn angefleht, sie nicht
zu verlassen.

Sara wäre ihm am liebsten gefolgt. Die Trauer hatte sie ent-
wurzelt, von allem losgerissen, was wichtig gewesen war. Wochen waren verstrichen, Monate, doch der Schmerz war eine
unbarmherzige Flut gewesen, die nicht hatte verebben wollen.
Irgendwann hatte Sara zu viele Pillen genommen. Sie hatte ihrer
Mutter erklärt, es wäre ein Versehen gewesen, doch Sara machte
keine Fehler. Sie hatte sterben wollen, und als sie herausfand,
dass sie nicht sterben konnte, blieb ihr nur noch eins, nämlich,
noch mal neu anzufangen.

Sie hatte ihre Familie, ihr Zuhause, ihr Leben zurückgelassen und war nach Atlanta gezogen. Sie hatte eine Wohnung gekauft, die nichts war im Vergleich zu dem Haus, das sie sich mit Jeffrey geteilt hatte. Sie hatte neue Möbel gekauft, die Jeffrey nicht gefallen hätten, sich auf eine Art angezogen, die Jeffrey bei ihr nie erwartet hätte. Sara hatte sogar eine Arbeit angenommen, die Jeffrey sie nie hatte tun sehen. Sie hatte ihr Leben so eklatant verändert, dass es auch ohne ihn funktionierte.

Und sie hatte Will kennengelernt.

Will.

Schon der Gedanke an seinen Namen glättete einige der scharfen Kanten. In diesem Augenblick wollte Sara so dringend bei ihm sein, dass sie fast umgekehrt wäre. Sie sah sich beinahe schon ins Auto steigen und zurück nach Atlanta fahren. In Saras Schrank hing ein enges rotes Kleid. Das würde sie zusammen mit den schmerzhaft hohen Schuhen tragen, bei deren Anblick Will sich immer über die Lippen leckte. Sara würde sich die Haare auskämmen und sie offen über die Schultern fallen lassen, so, wie er es gernhatte. Sie würde sich ein wenig stärker schminken als gewöhnlich. Sie würde einen Hauch Parfüm überall dort hintupfen, wo Will sie küssen sollte. Sobald er durch die Tür käme, würde Sara ihm sagen, dass sie tief und unwiderruflich in ihn verliebt wäre. Das hatte sie ihm nie gesagt. Nie die richtige Zeit dafür gefunden.

Zeit.

Eine scharfe, bestürzende Erinnerung riss Sara aus ihren Träumereien. Sie stand vor dem offenen Kamin in ihrem alten Haus. Was trug sie? Sara musste nicht lang überlegen. Sie trug genau dasselbe schwarze Kleid, das sie zu Jeffreys Beerdigung getragen hatte. Tage waren vergangen, bis ihre Mutter Sara dazu gebracht hatte, das Kleid wieder auszuziehen, sich zu duschen und etwas Neues anzuziehen, an dem nicht der Gestank von Jeffreys Tod haftete.

Und dennoch war Sara immer wieder zu diesem Kamin zurückgekehrt. Sie hatte nicht aufhören können, die Standuhr aus Kirschholz auf dem Kaminsims anzustarren. Ein wunderschönes altes Teil, ein Hochzeitsgeschenk an Saras Großmutter, das sie wiederum Sara vererbt hatte, genau wie die Armbanduhr, die Sara am Handgelenk getragen hatte. Dass Sara zwei Uhren geerbt hatte, war nichts, was sie je als bemerkenswert betrachtet hätte. Die stärkste Erinnerung an die Tage nach dem Begräbnis war, dass sie sich angesehen hatte, wie der Minutenzeiger auf der Uhr ihrer Großmutter sich weiterbewegte, und dem lauten Ticken des Räderwerks gelauscht hatte, das die Zeit in Stücke geteilt hatte.

Schließlich hatte Sara die Uhr angehalten. Sie hatte die Armbanduhr in eine Schublade gelegt. Sie hatte den Wecker neben ihrem Bett ausgesteckt – neben dem Bett, in dem sie nicht mehr schlafen konnte. In Jeffreys Werkbank hatte sie Isolierband gefunden, mit dem sie die Zeitanzeige auf der Mikrowelle, am Herd, am Kabel-Receiver abklebte. Es wurde zur Besessenheit. Niemand durfte das Haus mit einer Uhr betreten. Niemand durfte das Vergehen der Zeit auch nur erwähnen. Alles, was Sara daran erinnerte, dass das Leben auch ohne Jeffrey weiterging, musste vor ihr versteckt gehalten werden.

»Mrs. Tolliver?«

Sara gab sich einen Ruck. Sie war unwillkürlich stehen geblieben und stand stocksteif inmitten der Krankenhauslobby, als hätte sie der Blitz getroffen.

»Mrs. Tolliver?«, wiederholte der Mann. Er war schon älter, hatte volles weißes Haar und einen sauber gestutzten Schnurrbart.

Wie schon bei Nells Anruf brauchte Saras Erinnerung ein paar Sekunden, um die Informationen aus der Vergangenheit abzurufen.

»Chief Gray«, brachte sie schließlich hervor.

Er lächelte Sara herzlich an, wenn auch mit einer gewissen

Reserviertheit in den Augen. Sara nannte es den Witwenblick – nicht den Blick, den eine Witwe aussandte, sondern den Blick, den sie empfing. Den Blick, der besagte, dass der Blickende nicht wusste, was er sagen sollte, weil er sich insgeheim so verdammt glücklich fühlte, dass es nicht ihn selbst getroffen hatte.

Er streckte die Hand aus. »Lonnie.«

»Sara.« Sie nahm seine Hand, die sich kräftig und beruhigend anfühlte, so wie der ganze Mann selbst. Lonnie Gray war ein Polizist der alten Schule, einer, der seine Arbeit nie wirklich hinter sich lassen konnte. Seit seiner Pensionierung war er als Berater tätig, war im ganzen Staat herumgereist und hatte geholfen, diverse Ermittlungsbehörden auf Vordermann zu bringen. Sara hatte Gray seit der Beerdigung nicht mehr gesehen. Zumindest hatte sie das Gefühl, dass es damals gewesen war. Sara war während der Zeremonie so heftig sediert gewesen, dass ihre einzigen Erinnerungen daran diejenigen waren, die ihre Mutter und ihre Schwester ihr im Nachhinein eingepflanzt hatten.

»Ich wusste gar nicht, dass Sie jetzt in Macon das Sagen haben.«

»Die Beratertätigkeit war noch langweiliger, als es klingt. Mir fehlte die Rolle als wohlwollender Diktator.« Gray begleitete seine scherzhafte Bemerkung mit einem Lächeln. Sie wussten beide, dass mehr als ein Körnchen Wahrheit darin steckte. Trotz seines großväterlichen Auftretens konnte Sara sich einfach nicht vorstellen, dass Lonnie Gray je einen Rat erteilte, den der Beratene anschließend nicht annahm.

»Macon kann sich glücklich schätzen, Sie zu haben«, gab Sara zurück.

»Na ja, sagen wir, ich bin froh darüber, dass ich mich der Wahl nicht stellen musste.« Er sah auf Saras Hand hinab, wahrscheinlich, um nachzusehen, ob sie wieder geheiratet hatte. »Wie ich höre, leben Sie jetzt in Atlanta?«

»Ja.« Sara beschloss, das Offensichtliche auszusprechen: »Wir beide treffen uns immer nur unter schlimmen Umständen.«

»Da haben Sie recht.« Gray schien froh zu sein über ihre Offenheit. »Jared ist allerdings so weit stabil. Die Ärzte kümmern sich hier gut um ihn.«

Sara war erleichtert, endlich wieder unverfänglicheres Terrain betreten zu können. »Darf ich Sie fragen, warum er nicht ins MCCG gebracht wurde?« Das Medical Center of Central Georgia war ein spezialisiertes Unfallkrankenhaus und für Schussverletzungen wesentlich besser ausgestattet als das Macon General.

Chief Gray wand sich ein wenig. »Tut mir leid, ich habe Sie Mrs. Tolliver genannt. Sie haben promoviert, nicht wahr?«

»Ja.« Sara konnte nur mutmaßen, warum er ihrer Frage ausgewichen war. Wahrscheinlich hatte der Notarzt nur Sekunden zur Verfügung gehabt. Jareds Verletzungen hatten es erfordert, dass man ihn schnellstmöglich in die nächstgelegene Notaufnahme brachte.

»Wir finden heraus, wer Ihrem Stiefsohn das angetan hat.« Gray nickte nachdrücklich, wie um Sara daran zu erinnern, dass sie ihre Übeltäter immer dingfest machten.

Es war unerträglich, wie sehr manche Leute doch in einem Schwarz-Weiß-Denken verhaftet waren. Sie glaubten, Vergeltung würde den Kummer angesichts einer Tragödie lindern, dabei machte sie ihn bloß schlimmer.

»Wir haben Jeffrey in den letzten Jahren wirklich sehr vermisst. Gerade bei diesem Fall wären seine Fähigkeiten eine große Hilfe gewesen.«

Obwohl Sara die Antwort bereits ahnte, fragte sie: »Sie haben die Bundesstaatsbehörden dazugerufen?«

»Es schadet nie, ein paar zusätzliche Leute zur Verfügung zu haben.«

Das war mitnichten diplomatisch gemeint. Lonnie Gray war die gleiche Art von Polizeichef, die auch Jeffrey gewesen war. Ruhm war ihnen völlig unwichtig. Sie wollten einfach nur, dass die Bösen gefangen genommen wurden und die Guten sich abends zu Hause ausruhen konnten.

»Ich bin mir sicher, Sie finden heraus, warum das alles passiert ist«, sagte Sara.

»Das bin ich auch, Dr. Tolliver. Und das ist ein Versprechen.« Seine Stimme hatte inzwischen etwas Routiniertes angenommen. Wahrscheinlich sprach er immer so, wenn die Pflicht rief. »Jared ist ein guter Junge. Ich wäre wirklich froh, wenn ich mehr von seinem Schlag hätte. Und Detective Adams ist eine großartige Ergänzung für unser Team. Wir sorgen dafür, dass sie bald wieder auf den Beinen sind. Sie wissen ja, wir kümmern uns um unsere Leute.«

Sara dachte angestrengt über eine angemessene Antwort nach, aber Lonnie Gray erwartete offensichtlich gar keine. Er sah genauso erschöpft aus, wie Sara sich fühlte. Sie hatte Jeffrey oft in ähnlichen Situationen erlebt. Seine Schultern waren unter der ihnen auferlegten Last hinabgesunken, sein Gesicht war angespannt gewesen. Polizist zu sein war zwar bloß ein Beruf, aber ohne Berufung blieb keiner lange genug dabei, um Polizeichef zu werden.

Gray sah zu seinen Leuten hinüber, und Sara folgte seinem Blick. Sie versuchte, nicht darüber nachzudenken, wie ähnlich die Situation vor fünf Jahren gewesen war. Die Pflaster auf den Armen, weil sie alle Blut gespendet hatten. Die abgeknabberten Ränder ihrer Styroporbecher, weil sie schon viel zu lange mit Warten verbracht hatten. Der erwartungsvolle Blick, wenn irgendjemand Neues auftauchte.

»Mein Sohn ist vor Kurzem von uns gegangen«, sagte Lonnie Gray unvermittelt.

Sara hatte gar nicht gewusst, dass er einen Sohn gehabt hatte. »Das tut mir sehr leid für Sie.«

»Vielen Dank.« Er klang resigniert. »Sie wissen ja, dass so etwas auch mit der Zeit nicht einfacher wird.«

Sara nickte noch einmal. Sie hatte einen Kloß im Hals, den sie nicht hinunterzuschlucken vermochte. »Ich sollte allmählich los …«

»Ich bringe Sie hin.«

»Nein«, sagte sie fast schon ein wenig zu barsch. »Ich komme zurecht, vielen Dank. Bleiben Sie bei Ihren Männern.«

Er schien erleichtert zu sein. »Die Mutter ist bei ihm. Soweit ich weiß, herrscht zwischen ihr und Lena Adams keine allzu große Sympathie. Vielleicht könnten Sie ja …«

Trotz der Umstände musste Sara lächeln. Er redete mit ihr so, wie er mit der Frau jedes ranghohen Beamten reden würde. Sie hatte so eine Ahnung, dass es beim Militär genauso war und auch in jeder anderen Männerdomäne, in der von einer Frau erwartet wurde, dass sie das Heimchen am Herd spielte und für Häuslichkeit sorgte, während der Mann die weite Welt eroberte.

»Ich weiß nicht, ob ich dafür die Richtige wäre«, erwiderte sie.

»Adams war die Partnerin Ihres Mannes.«

»Ja, das war sie«, bestätigte Sara. Sie nahm an, dass Gray ihre komplizierte gemeinsame Geschichte nicht kannte, und hielt kurz inne, bevor sie hinzufügte: »Ich sollte jetzt wirklich gehen. Nell wartet auf mich.«

»Vielen Dank.« Er nahm ihre Hand in beide Hände. »Und denken Sie daran: Wenn ich irgendetwas für Sie tun kann, lassen Sie es mich wissen.«

Sara nickte erneut. Offenbar war dies die Reaktion, die Gray zu brauchen schien. Er berührte sie kurz am Ellbogen, bevor er sich abwandte und einen seiner Detectives ansteuerte. Die zuvor entspannte Haltung des Mannes wurde augenblicklich militärisch straff. Er nickte Sara zum Abschied mit der vertrauten, aber übertriebenen Ehrerbietung zu, die ihr jedes Mal entgegengebracht wurde, wenn ein Beamter erfuhr, dass sie die Witwe eines Polizisten war.

Sara erwiderte das Nicken, dachte aber insgeheim, dass dieses Gefühl nur so lange tröstend war, bis es einen erstickte. Sie wollte nicht auf ewig die tragische Figur sein. Jahrelang hatte sie im Grady, wo vor jedem dritten Zimmer ein Polizist saß, gegen dieses Stigma angekämpft. Komischerweise hatten die Leute sie erst vom Sockel steigen lassen, als sie angefangen hatte, mit Will auszugehen.

Und sie hatte wirklich keine Lust, wieder auf diesen Sockel hinaufzusteigen.

Sara folgte dem grünen Streifen am Boden hinüber zu den Aufzügen. Der blaue hätte sie zur Intensivstation geführt. Private Krankenhäuser hatten etwas beruhigend Gleichförmiges, mit ihren hellen Lichtern und fröhlichen Gemälden, die der Welt zu demonstrieren schienen, dass die Mehrzahl der Patienten zahlende Kundschaft war.

Sara drückte auf den Knopf neben der Aufzugstür. Schwer zu glauben, dass sie das Gleiche noch vor ein paar Stunden in Atlanta getan hatte. Wie auch bei der äußeren Hülle lagen zwischen dem Interieur des Macon General und dem des Grady Welten. Hier war alles sauber und modern, der Kundschaft entsprechend. Den Großteil seiner Mittel bezog das Krankenhaus aus seinen luxuriösen Geburtssuiten, aus Routine-Kolonoskopien und MRTs der Knie von Babyboomern. Hier blätterte nirgends die Farbe von den Wänden, keine Eimer standen unter leckenden Rohren. Es gab auf dem Gelände keine permanente Polizeidienststelle und auch keine Verwahrstation für Gefängnisinsassen und geisteskranke Kriminelle.

Offen gesagt mochte Sara das Grady lieber.

Mit einem leisen Quietschen gingen die Aufzugstüren auf, und Sara betrat die Kabine. Sie war alleine. Die Türen schlossen sich wieder. Sie drückte auf den Knopf neben dem blauen Symbol. Sie sah die Etagennummer aufleuchten und wieder verlöschen, während die Kabine in den fünften Stock hinauffuhr. Bei jedem Lichtsignal unterdrückte sie den Drang, laut auszusprechen, was ihr in einem fort durch den Kopf hallte: *Ich will nicht hier sein. Ich will nicht hier sein. Ich will nicht hier sein.*

Schon vor Jeffreys Tod hatte Sara Lena Adams nicht gemocht. Sie war gefährlich. Arrogant. Schlampig. Jeffrey hatte sich andauernd über Lenas Sturheit beklagt, doch Sara hatte gewusst, wie das Hirn ihres Mannes funktionierte. Zwischen den beiden hatte es nie eine sexuelle Anziehung gegeben – manchmal hatte Sara sich gewünscht, es wäre so leicht gewesen. Lena war ganz einfach eine Herausforderung, der Jeffrey sich nicht hatte entziehen können. Sie war die destruktive kleine Schwester eines alles verzeihenden großen Bruders. Jeffrey liebte ihre Zähigkeit. Ihren Kampfeswillen. Er liebte, dass Lena, egal wie schwer sie getroffen wurde, nach einem Niederschlag immer wieder aufstand.

Und wenn Lena sich nicht selbst wieder hochrappeln konnte, war Jeffrey da, um ihr zu helfen. Es war leicht, Risiken einzugehen, wenn man wusste, dass andere dafür die Konsequenzen trugen – und genau das war vor fünf Jahren passiert. Wieder einmal war Lena alleine losgezogen und hatte sich leichtsinnig auf die Spur einiger gefährlicher Verbrecher begeben, und als sie sich als zu gefährlich für sie erwiesen, bat sie Jeffrey um Hilfe, so wie schon unzählige Male zuvor. Nur wichen diesmal, dieses letzte Mal, die Verbrecher nicht zurück. Sie ließen nicht Lena die Rechnung begleichen, sondern Jeffrey, indem sie ihn ermordeten.

Sara hatte keinen Zweifel, dass es sich auch bei Jared so abgespielt hatte. Bei Motorradpolizisten drangen für gewöhnlich selten Überfallkommandos ein. Sara hätte ihre Ersparnisse darauf verwettet, dass Lena wieder einmal ein paar böse Jungs verärgert hatte, die dann – genau wie letztes Mal – beschlossen hatten, dass es die schlimmste Strafe für Lena wäre, wenn man ihr das nähme, was sie am meisten liebte.

Als wäre Lena fähig zu lieben.

Die Aufzugstüren glitten auf. Das gleiche frische Weiß. Die gleichen hellen Lichter. Sara lief weiter wie auf Autopilot, als sie den Pfeilen zum Wartebereich folgte. Sie kam an einem großen Mann mit einer blau-orangen Baseballkappe vorbei. Auch wenn er sie offensichtlich nicht wiedererkannte, wusste Sara, dass es sich um Jerry Long handelte, Darnells Ehemann und Jeffreys Freund aus Kindertagen. Er wurde Possum genannt, seit er sich als Knirps beim Spielen mit illegalen Feuerwerkskörpern verletzt hatte. Und er hatte Jeffrey auf eine seltsame Art verehrt, wie nur heterosexuelle Männer es konnten. Possum hatte mit Jeffrey in derselben Footballmannschaft gespielt. Er hatte Jeffreys Exfreundin geheiratet. Er hatte Jeffreys Kind großgezogen.

Sara ging weiter. Sie hielt den Kopf gesenkt, damit sie auch sonst niemand erkannte. Als Ärztin hatte sie ihr Leben damit zugebracht vorauszusehen, was als Nächstes passieren würde, und sich die nächsten drei oder vier Schritte zu überlegen, doch aus irgendeinem Grund legte sich für Sara dieser Tag in Scheibchen dar. Sie hatte nicht über die banalen Tätigkeiten hinausdenken können, die vor ihr gelegen hatten: das Grady verlassen. Zur Interstate fahren. Die nächste Ausfahrt nehmen. Das Auto abstellen. Dann das Krankenhaus betreten.

Die Begegnung mit Possum war nur ein kleiner Ausblick auf alles, was sie jetzt gleich erwartete. Sie würden alle in Erinnerungen an Jeffrey schwelgen wollen. Sie würden alte Geschichten über derbe Witze, lustige Streiche, freizügige Frauen und wütende Ehemänner erzählen wollen, und Sara müsste dasitzen und sich das alles anhören, als hätte ihr Leben im selben Augenblick wie seines aufgehört.

Und es *hatte* aufgehört. Alles war zum Stillstand gekommen. Nur dass es nach einer Weile wieder in Bewegung hatte kommen müssen. Sara hatte sich ein neues Leben aufgebaut – ein Leben, das sie nicht verstehen würden.

Sie fühlte sich, als säße ein Geier auf ihrer Schulter, der nur darauf wartete, sie zu verschlingen.

Als sie den Gang weiter entlangging, setzte Sara mechanisch einen Fuß vor den anderen. Dann betrat sie den kleinen Warteraum direkt vor den geschlossenen Türen zur Intensivstation. Der Raum war leer bis auf eine ältere Frau, deren Haare eher grau als braun waren.

»Sara!«

Nell saß auf einem Zweiersofa vor dem Fenster. Strickzeug lag auf dem Schoß. Neben ihr waren mehrere Zeitschriften ausgebreitet.

Der Altersunterschied zwischen ihnen betrug nur fünf Jahre, doch Nell war auf eine Art gealtert, wie nur Frauen vom Lande alterten – ohne Haartönung, ohne Make-up, ohne Laserbehandlungen, um die Altersflecken zu entfernen oder Falten zu glätten. Im Grunde entsprach ihr Aussehen ziemlich präzise ihrem Alter, was in Atlanta kein allzu häufiger Anblick war.

»Bleib sitzen«, sagte Sara zu ihr, beugte sich zu ihr hinab und drückte sie fest an sich. Nell war immer schon kräftig und stämmig gewesen, aber im Augenblick hatte sie etwas Zerbrechliches an sich. Die Hilflosigkeit hatte sie in Mitleidenschaft gezogen.

»Du hast dich kein bisschen verändert«, brachte Sara trotzdem hervor.

Nell lachte auf. »Gott, Herzchen, lüg doch nicht. Auch in Alabama gibt es Spiegel.« Sie schob die Zeitschriften beiseite, damit Sara sich neben sie setzen konnte. Dann nahm sie Saras Hand, was ungewöhnlich war. Nell war keine herzliche Person. Sie war geschwätzig, manchmal bis zur Unhöflichkeit, aber wenn man sie besser kannte, war sie auch unglaublich liebenswürdig – eine Frau, die man mitten in der Nacht anrufen konnte und die Himmel und Erde in Bewegung setzen würde, um jemandem zu Hilfe zu eilen.

Eine Frau, wie Sara sein sollte.

Sie drückte Nells Hand. »Was passiert ist, tut mir wahnsinnig leid.«

»Ich hätte dich nicht damit belästigen dürfen, ich war einfach …«

»Ich bin froh, dass du es getan hast«, erwiderte Sara, und in diesem Augenblick meinte sie es wirklich ernst. Sie hätte unmöglich in Atlanta bleiben können. Sie gehörte hierher.

»Kann ich irgendetwas für dich tun?«

Nell seufzte schwer. »Ich weiß nicht, was du außer Warten tun könntest. Die erzählen mir rein gar nichts. In vierundzwanzig Stunden wissen sie vielleicht mehr, heißt es. Aber was bedeutet das?«

Sara wusste genau, was das bedeutete: Sie hatten keine Ahnung. Es lag jetzt ganz allein an Jared selbst. Nichtsdestotrotz sagte sie zu Nells Beruhigung: »Das heißt, dass er jung und stark ist und sein Körper jetzt nur ein bisschen Zeit braucht, um gegen die Verletzungen anzukämpfen.«

»Hoffentlich hast du recht.« Nell ließ Saras Hand los. Sie steckte ihr Strickzeug in einen Jeansbeutel. »Du hattest recht, was sie angeht, Sara. Erst Jeffrey – und jetzt das. Diese Frau ist das reinste Gift.«

Sara spürte, wie sich ihr die Kehle zuschnürte. »Im Augenblick sollten wir uns nur auf Jared konzentrieren.«

Nell schüttelte den Kopf. »Sie will das Zimmer nicht verlassen. Sitzt einfach nur in der Ecke wie eine verdammte Hexe.« Sie kniff die Lippen zu einer dünnen weißen Linie zusammen.

»Ich kann sie nicht mal ansehen. Muss mich zusammenreißen, um ihr nicht ins Gesicht zu spucken.«

Sara verkniff sich eine Erwiderung. Es würde ihnen nicht guttun, wenn sie sich gegenseitig hochpuschten. »Wie heißt sein Arzt?«

»Shammers. Shaman. Ich weiß es nicht mehr. Irgendwas Ausländisches.«

»Ist er vom Krankenhaus oder hat man ihn aus dem Central Georgia hinzugezogen?«

»Keine Ahnung. Er hat mir seine Karte gegeben.« Nell griff nach ihrer Tasche, um die Karte zu suchen. »Ich weiß nicht mal, ob das hier ein gutes Krankenhaus ist.«

»Es ist gut«, gab Sara zurück, auch wenn es ihr insgeheim lieber gewesen wäre, wenn man die Spezialisten aus der Unfallklinik hinzugezogen hätte. »Wie lange ist er schon raus aus dem OP?«

Sie sah auf ihre Uhr. »Ungefähr eine Stunde.«

»Haben sie dir irgendwelche Details genannt?«

»Verdammt, Sara, ich kenn mich mit diesem medizinischen Zeug nicht aus. Er wurde mit einer Schrotflinte niedergeschossen. Die Kugeln steckten überall. Im Kopf, im Nacken, im Rücken.«

»Hat eine Kugel den Schädel durchstoßen?«

»Sie überwachen die Schwellung seines Gehirns. Ich vermute, das heißt, dass auch sein Gehirn betroffen ist.« Sie drehte sich zu Sara um. »Es hieß auch, vielleicht müssten sie eine Druckentlastung vornehmen. Ist das schlecht?«

»Der Schädel hat ein festes Volumen«, erklärte Sara. »Wenn das Gehirn anschwillt, muss es irgendwohin …«

»Dann sägen sie die Schädeldecke auf?«

»Nicht so, wie du es dir vorstellst. Das ist ein hochpräzises chirurgisches Verfahren.« Sie legte Nell die Hand auf die Schulter. »Darüber solltest du erst nachdenken, wenn es so weit kommen sollte, okay?«

Nell nickte widerwillig.

»Was ist mit seinem Rückenmark?«

»Du meinst, ob er gelähmt ist?« Sie zuckte mit den Schultern, eine schnelle, ruckartige Bewegung. »Sie haben ihn in künstlichen Tiefschlaf versetzt. Es hieß, es wäre das Beste, wenn er jetzt schliefe, aber ich kenne meinen Jungen. Es würde ihm bestimmt nicht gefallen, dass sie ihn mit Schmerzmitteln vollpumpen.«

Sara wusste, dass Nell die Schmerzen, die ihr Sohn durchleiden musste, nicht annähernd ermessen konnte. »Hat Jared noch irgendwas gesagt, bevor sie ihn betäubt haben?«

»Chief Gray hat gesagt, dass er bewusstlos war, als sie ihn herbrachten. Kennst du ihn?«

»Gray?« Sara nickte. »Jeffrey hat mit ihm mal einen Fall bearbeitet, bevor wir uns kennenlernten. Er hat ihm blind vertraut. Und alle anderen auch. Gray hat schon im ganzen Staat gearbeitet und alle möglichen Auszeichnungen erhalten.«

Nell war wenig beeindruckt. »Was immer das wert sein mag. Dass Jared angeschossen wurde, hat es zumindest nicht verhindert.« Dann zog sie ein paar Sachen aus ihrer Handtasche. Eine Bürste. Ihre Taschenbibel. Ein Döschen mit Burt's-Lippenbalsam. »Wo hab ich nur diese verdammte Karte hingesteckt?«

»Wie ging es Jared in letzter Zeit?«

»Gesund wie ein Pferd.«

»Nein, ich meine nicht seine Gesundheit.« Sara wusste nicht, wie sie das Thema behutsam angehen sollte, deshalb kam sie direkt zur Sache. »Hat er an einem Fall gearbeitet, der ihm Sorgen bereitete? Oder hat Lena irgendetwas in der Richtung getan?«

»Oh, er würde nie ein Wort gegen sie sagen – nicht gegen seine Little Miss Perfect.« Nell zog ein Päckchen Kaugummi heraus und bot Sara einen Streifen an, doch die schüttelte den Kopf.

»Wann hast du das letzte Mal mit ihm gesprochen?«

»Er ruft mich jeden Sonntag und Mittwoch nach der Kirche an. Selbst hingehen will er nicht. Damit hat er aufgehört, als er mit ihr zusammengekommen ist.«

Sara dachte kurz nach. Heute war Donnerstag. »Dann hast du also gestern Abend noch mit ihm gesprochen?«

»Um neun. Da war er mit Kumpels in einer Bar. Was sagt dir das?« Doch Nell wollte keine Antwort. »Das heißt doch, dass irgendwas nicht stimmt. Das sagt es einem. Mittwochabends sollte er daheim bei seiner Frau sein und nicht irgendwo mit seinen Kumpeln trinken gehen.«

Sara behielt ihre Meinung lieber für sich. Jared war ein erwachsener Mann. Ob nun verheiratet oder nicht, er hatte ein Anrecht auf einen Abend in der Kneipe. »Hat er am Telefon irgendetwas gesagt, was irgendwie komisch geklungen hätte?«

»Nein. Nur das Übliche. ›Die Arbeit läuft gut. Lena ist klasse. Sag Daddy schöne Grüße.‹ Friede, Freude, Eierkuchen.« Sie schnaubte. »Sie haben ja nicht einmal kirchlich geheiratet. Waren

121

auf dem Standesamt, als würden sie einfach nur einen Vertrag unterzeichnen. Kennst du ihren Onkel?« Sara nickte.

»Er war der Einzige, der von ihrer Seite dabei war. Das sagt doch alles, was du wissen musst. Keine Freunde. Niemand von der Arbeit. Nur ein Stück Dörrfleisch, das aussieht, als würde es am Straßenrand Leute um Geld anbetteln.« Sie deutete auf ihre nackten Arme. »Hatte überall an beiden Armen Einstichspuren. Machte sich nicht mal die Mühe, sie zu verstecken. Gott weiß, ob sie alt oder neu waren.«

Sara presste die Lippen zusammen bei dieser kurzen Erinnerung an den bodenlosen Abgrund, aus dem sie sich nur mit allergrößter Mühe selbst herausgezogen hatte. »Nell, es tut dir nicht gut, wenn du dich so hineinsteigerst.«

Widerwillig sagte sie nach einer Weile: »Du hast ja recht. Wenn ich weiter über sie rede, stürme ich noch dort rein und bringe sie um.« Nell sah wieder auf ihre Handtasche hinab und konzentrierte sich auf die Visitenkarte des Arztes. »Er braucht einen Pyjama. Er wacht bestimmt nicht gern in diesem Krankenhauskittel auf.«

»Wir besorgen ihm einen«, schlug Sara vor, obwohl sie wusste, dass es nichts bringen würde.

»Ich würde gerne dieses Haus besuchen. Bis jetzt hab ich nur Fotos gesehen. Was hältst du davon? Ich wohne keine vier Stunden entfernt, aber zu Weihnachten oder zu Feiertagen oder so hat er mich noch nie dorthin eingeladen.«

Sara wollte beileibe nicht Partei für Lena ergreifen, doch insgeheim bezweifelte sie, dass Nell es ihr einfach gemacht hatte. »Wahrscheinlich ist die Spurensicherung noch dort.«

»Die Spurensicherung …« Nell ließ das Wort eine Weile in der Luft hängen. »Ich will einfach nur dort vorbeifahren. Ich will sehen, wo es passiert ist.«

»Das ist wohl keine gute Idee«, entgegnete Sara. »Die Polizei putzt nicht, bevor sie geht. Es sieht sicher noch genauso aus wie gestern Nacht.«

Nell schien diese Information zu schockieren, doch im Handumdrehen hatte sie sich wieder gefasst und zog einen kleinen Notizblock und einen Stift aus ihrer Handtasche. »Ich sag Possum, er soll in den Gemischtwarenladen gehen. Da ist einer gleich vor dem Eingang.« Sie klickte die Mine aus dem Kugelschreiber und fing an zu schreiben. »Wir brauchen mehrere Lappen. Lysol-Spray. Mülltüten. Gummihandschuhe. Was sonst noch – Bleiche?«

»Es gibt spezielle Firmen, die sich um so was kümmern.«

»Ich lass doch nicht irgendwelche Fremden das Haus meines Babys putzen!« Sie klang aufrichtig entrüstet. »Das ist das Lächerlichste, was ich je gehört habe.«

Sara war klug genug, um darüber nicht mit ihr zu streiten.

»Warum tut jemand so was?«, fragte Nell. »Er war immer so ein netter Junge. Hat nie ein böses Wort über irgendjemanden gesagt. War immer hilfsbereit. Hat nie eine Gegenleistung verlangt. Warum, Sara? Warum wollte ihm jemand etwas antun?«

Sara schüttelte bloß den Kopf, obwohl ihr Lenas Name auf der Zunge lag.

»Seine Augen sind zugeklebt. In seinem Körper stecken alle möglichen Schläuche. Und auf einer Seite hat er ein Plastikding, das fast aussieht wie dieser Aufsteller für ›Vier gewinnt‹.«

»Wahrscheinlich eine Thorax-Drainage«, nahm Sara an. »Es hilft, seine Lunge offen zu halten, damit sie Zeit hat zu heilen.«

»Na ja, wenigstens hast du mir eben mehr verraten als sonst irgendjemand. Vielen herzlichen Dank.«

Sara bezweifelte, dass das stimmte. Sie hatte den glasigen Blick in Nells Augen schon öfter gesehen. In traumatischen Situationen war es oft schwer, die Informationen aufzunehmen, die man von Ärzten erhielt, von den richtigen Gegenfragen ganz zu schweigen.

Sara legte Nell gegenüber nun das Gleiche dar, was sie auch den Familien ihrer Patienten sagte: »Schreib dir deine Fragen auf, wie sie dir in den Kopf kommen. Wenn ich sie nicht beantworten kann, dann finden wir jemanden, der mehr weiß. Einverstanden?«

»Das ist gut. Darauf hätte ich auch selber kommen können. Ich war einfach so …« Sie konnte den Gedanken nicht zu Ende bringen. »Ich meine, ihn so zu sehen …« Der Satz erstickte in einem gutturalen Laut. Nell ließ Notizblock und Stift in den Schoß sinken. Die Einkaufsliste war vergessen. Tränen liefen ihr über die Wangen. Sara fragte sich, ob sie sich gerade wünschte, dass ihr Ehemann endlich wiederkäme. Doch wahrscheinlich betete sie eher darum, dass ihr Sohn durch die Tür kommen möge.

Sara nahm Nells Hand, konnte sie aber nicht ansehen. Der Schmerz war zu überwältigend. Sara war zwar fast jeden Tag mit dem Tod konfrontiert, doch da sie Nell kannte – Jared kannte –, war diese Situation hier anders. Sie konnte die Rolle der Außenstehenden nicht länger aufrechterhalten.

»Tja, bringt ja alles nichts.« Nells Stimme war voller Selbstvorwürfe. »Weinen hat noch nie jemandem geholfen.« Sie zog ein Papiertaschentuch aus ihrer Handtasche und wischte sich damit über die Augen. »Ich hab es Delia noch gar nicht erzählt.« Jareds Schwester, Nells jüngstem Kind. »Sie arbeitet am Golf von Mexiko. Sie ist jetzt Tierärztin, wusstest du das?«

Sara nickte.

»Sie kratzt dort Öl von Meeresschildkröten. Sie meint, die ganze verdammte Küste ist immer noch eine einzige Teergrube.«

»Du musst es ihr sagen.«

»Was soll ich ihr denn sagen? ›Die Schlampe, die deinen Bruder geheiratet hat, hat es so weit kommen lassen, dass er beinahe umgebracht wurde‹?« Nell schüttelte sichtlich verärgert den Kopf. »Als er anfing, mit ihr auszugehen, wusste ich, dass dabei nichts Gutes herauskommen würde.«

Sara hielt sich mit einer Antwort zurück.

»Er hat mir ein ganzes Jahr lang nichts davon erzählt. Er

wusste, dass es mir nicht gefallen würde. Und er wusste auch, warum.« Nell schnäuzte sich. »Du hast mich gewarnt, Sara. Und du hast ihn ebenfalls gewarnt. Jetzt im Augenblick würde ein nachdrückliches ›Ich hab's dir ja gesagt‹ nichts schaden.« Sara reagierte auch darauf nicht. Es bereitete ihr kein Vergnügen, recht zu haben.

»Aber Jared wollte einfach nicht hören. Sagte immer, Jeffrey hätte das Risiko gekannt, als er die Marke anlegte. Als hätte diese Frau rein gar nichts damit zu tun. Als hätte sie ihn nicht im Stich gelassen, sobald es schwierig wurde.« Nell verzog angewidert das Gesicht. »Manchmal denke ich, wenn ich einfach den Mund gehalten hätte, dann hätte er sich vielleicht irgendwann einer anderen zugewandt.«

Die Argumente waren Sara so vertraut, dass sie sie beinahe synchron mit Nell hätte herunterbeten können. Sie hatte sich nach Jeffreys Tod mit den gleichen Vorwürfen gequält. Sara hätte ihn davon abhalten sollen, mit Lena zusammenzuarbeiten. Sie hätte ein Machtwort sprechen müssen. Sie hätte ihm sagen müssen, dass es zu gefährlich und zu riskant war, sich in Lenas Leben einzumischen.

Doch sein Augenmerk war immer nur darauf gerichtet gewesen, anderen zu helfen, nie sich selbst.

»Das bringt doch nichts«, sagte Sara langsam, »wenn du dein Verhalten im Nachhinein anzweifelst.«

»Warum eigentlich nicht?« Sie nickte in Richtung Wartezimmer. »Ich hab hier doch gerade alle Zeit der Welt, um über all das nachzudenken, was ich falsch gemacht habe.«

»Auf dem Gang habe ich Possum gesehen«, versuchte Sara, das Thema zu wechseln, und Nell ließ sich auf die Couch zurücksinken. Sekundenlang sagte sie gar nichts.

»Er ist ein Wrack. Bricht immer wieder zusammen. Seit fünf Jahren hab ich ihn nicht mehr so heftig weinen sehen. Hört nicht auf die Ärzte. Geht nicht in Jareds Zimmer. Nicht wegen Lena – er ist immer gut mit ihr ausgekommen. Du weißt ja, wie freundlich er zu jedem ist. Der Mann würde mit einem Baumstumpf über seine Knorren reden! Aber das alles hier ...« Ihre weit ausholende Geste sollte wohl das ganze Krankenhaus umfassen. »Das hat alles zurückgebracht. Für ihn – und für dich auch, nehme ich an.«

Sara sah an Nell vorbei zu dem Blumengemälde an der Wand. Unwillkürlich musste sie an Will denken. Wie sie mit ihm auf der Couch lag. Fernsah. In seinen Armen. Die Hunde neben ihnen.

»In jener Nacht sind wir alle ins Krankenhaus gekommen.« Nell musste nicht eigens ausführen, in welcher Nacht. »Sind ohne eine Pause durchgefahren bis dorthin. Als hätte es irgendwas gebracht, dass wir vor Ort waren. Zu dem Zeitpunkt hat man ja doch nichts mehr für ihn tun können. Mann, wenn man irgendetwas hätte tun können – du hättest es getan.«

Sara merkte, wie ihr der Gedanke an Will wieder entglitt. Der Geier mit den Vorwürfen war wieder da und grub seine Klauen in ihr Fleisch.

»Ich weiß«, fuhr Nell fort, »dass wir aus einem ganz bestimmten Grund den Kontakt zu dir haben abreißen lassen. Es war zu schmerzhaft, nicht wahr? Und jetzt zerre ich dich in all das wieder mit hinein. Es tut mir leid, Sara ... aber ich wusste einfach nicht, wen ich sonst hätte anrufen sollen.«

Sara nickte. »Jeffrey hätte gewollt, dass ich hier bin«, brachte sie gerade noch so hervor.

»Ich wünschte mir so sehr, dass ich ihm früher von Jared erzählt hätte. Dass ich ihm die Chance gegeben hätte, seinen Sohn kennenzulernen.«

»Er hat verstanden, warum du es nicht getan hast«, sagte Sara in der Überzeugung, dass es nicht ganz gelogen wäre. Vor seinem Tod hatte Jeffrey nach Wegen gesucht, seinem Sohn näherzukommen. Es war ein riskantes Unterfangen gewesen. Nell konnte eine harte Frau sein, und Possum hatte etwas Besseres verdient, als plötzlich mit einem Mann konfrontiert zu werden, der sich einmischte und versuchte, Jareds Vater zu spielen.

»Erinnerst du dich noch an unsere erste Begegnung?«

Sara kam es vor wie vor hundert Jahren. »Ja.«

»Du hast Jeffrey damals sicher für verrückt gehalten, dass er mit dir bis an den Arsch der Welt gefahren ist.«

Sara lächelte. Sylacauga, Alabama, war tatsächlich der Inbegriff des Landlebens, aber sie hatte sich gefreut, dass Jeffrey sie seiner Familie, seinen Leuten hatte vorstellen wollen.

»Wir sind ungebeten bei eurer Gartenparty aufgekreuzt.«

»Und du hast mir erzählt, du wärst Stripperin.«

Sara lachte. Das hatte sie völlig vergessen. Nell hatte die Replik regelrecht provoziert, indem sie sie gefragt hatte, ob sie Stewardess oder Stripperin wäre. Sie alle hatten ein starres Bild von Jeffrey in den Köpfen gehabt – was für ein Mann er gewesen war, mit welchen Frauen er sich getroffen hatte.

Und sie hatten sich alle in ihm getäuscht.

»Wie auch immer«, sagte Nell. »Es geht uns auch so schon schlecht genug, ohne in der Vergangenheit zu wühlen. Ich weiß, dass du dich immer noch jeden einzelnen Tag damit herumschlägst.« Sie griff nach Saras Hand, doch diesmal strich sie über die Stelle am Ringfinger, wo Saras Ehering gewesen war. »Ich bin froh, dass du ihn abgenommen hast, Darling. Irgendwann, wenn genug Zeit verstrichen ist, wirst du einen Weg finden, dich etwas Neuem zuzuwenden.«

Sara nickte wieder und zwang sich, den Blick nicht abzuwenden.

Fünf Jahre.

Fünf Jahre lang hatte sie ihren Mann betrauert. Fünf Jahre lang war sie allein gewesen. Fünf lange, einsame Jahre lang hatte sie darauf gewartet, dass der Schmerz vergehen möge.

»Sara?«

Offensichtlich hatte sie Nells Frage überhört. »Ja?«

»Ich hab gefragt, ob du vielleicht mal nach ihm schauen

könntest. Ich weiß, mit Lena in ein und demselben Zimmer wird es schwer, aber vielleicht kannst du ja in deiner Sprache mit den Ärzten reden und herausfinden, was sie mir nicht verraten?«

Sara wusste nicht, wie sie Nells Bitte hätte ablehnen sollen. Und schließlich war das genau der Grund, warum sie hergekommen war. Um Nell zu helfen. Um Jared zu helfen. Um quasi als Stellvertreterin ihres Mannes am Krankenbett seines Sohnes zu stehen. Sogar Chief Lonnie Gray hatte angenommen, dass Sara deshalb hier war.

Und genau aus diesem Grund tat sie es auch.

Sie stand von der Couch auf und verließ den winzigen Warteraum. Sie trug noch immer ihren Krankenhauskittel. Die Schwestern bedachten Sara mit skeptischen Blicken, während sie die Tür zur Intensivstation aufstieß und den Gang entlangging. Auf der Tafel hinter dem Schreibtisch im Schwesternzimmer hätte Jareds Zimmernummer gestanden, doch der davor postierte Polizist war ihr Hinweis genug. Der Beamte stand ein paar Meter vom Schwesternzimmer entfernt und hatte den Unterarm über sein Pistolenholster gelegt. Eine Glaswand trennte Jareds Zimmer vom Korridor. Der Vorhang war halb geschlossen. Die Tür stand offen.

Der Polizist nickte Sara zu. »Ma'am.«

Sie reagierte nicht, stand einfach in der Tür und tat so, als würde sie dazugehören.

Das Deckenlicht war ausgeschaltet. Die Maschinen verbreiteten einen sanften Schein, der jedoch ausreichte, um etwas zu erkennen. Jareds Gesicht war geschwollen. Sein Körper lag völlig reglos da. Sara musste gar nicht erst auf sein Krankenblatt blicken. Die Maschinen sprachen bereits für sich. Die Thorax-Drainage war mit einer Absaugvorrichtung an der Wand verbunden und sollte der Ansammlung von Gasen im Brustraum vorbeugen. Ein mechanisches Beatmungsgerät. Drei Infusionspumpen versorgten ihn mit Flüssigkeiten und

Antibiotika. Eine Sonde, die den Magen leer hielt. Pulsoximeter. Herzmonitor. Blasenkatheter. Chirurgische Drainagen. Ein Instrumentenwagen stand an der Wand, der Defibrillator war einsatzbereit.

Dass Jared sich schnell erholte, war offenbar nicht zu erwarten.

Mit riesiger Resignation zwang Sara ihren Blick hinüber in die Ecke, die dem Bett gegenüberlag.

Lena schlief. Zumindest waren ihre Augen geschlossen. Sie saß zusammengekauert auf einem großen Sessel, hatte die Knie an die Brust gedrückt und die Arme darum geschlungen. Auch sie trug einen Krankenhauskittel, wahrscheinlich weil ihre eigene Kleidung sichergestellt worden war.

Sie hatte sich kaum verändert. Unter dem linken Auge hatte sie eine gelbliche Prellung, und über den Nasenrücken verlief ein gerader Schnitt, der bereits verschorfte. Nichts davon war unerwartet. Sara konnte sich nicht daran erinnern, dass Lena je keine sichtbaren Blessuren oder Verletzungen gehabt hätte, die von ihrem gewaltsamen Lebensstil herrührten. Das einzig Neue an ihr waren die Haare. Lena trug sie mittlerweile länger als bei ihrer letzten Begegnung. War das bei der Beerdigung gewesen? Sara konnte sich nicht mehr daran erinnern. Niemand in der Familie Linton hatte es je ertragen können, den Namen der Frau auch nur auszusprechen.

Sara atmete einmal tief durch und trat ein.

In vielerlei Hinsicht fiel es ihr wesentlich schwerer, Jared anzusehen als Lena. Er sah Jeffrey so ähnlich – die dunklen Haare, der Teint, die zarten Wimpern. Er hatte den gleichen Körperbau wie sein Vater, hatte sich stets mit der gleichen athletischen Geschmeidigkeit bewegt. Er hatte sogar die gleiche tiefe Stimme.

Sara legte ihm die Hand an die Wange. Sie konnte nicht anders. Sie strich ihm mit dem Daumen über die Stirn, fuhr den Bogen seiner Brauen nach. Sein Haar war dicht und überraschend weich, wie das von Jeffrey ebenfalls gewesen war. Sogar die Bartstoppeln fühlten sich unter ihren Fingerspitzen vertraut an und wuchsen mit der gleichen Struktur wie bei Jeffrey.

Lena hatte sich zwar immer noch nicht gerührt, aber Sara wusste intuitiv, dass sie inzwischen wach geworden war – und sie beobachtete.

Langsam zog Sara die Hand von Jareds Gesicht weg. Sie schämte sich nicht dafür, dass sie ihn berührt und gewisse Gedanken gehabt, ja, die offensichtlichen Verbindungen hergestellt hatte.

Dann regte Lena sich auf ihrem Sessel. Sie streckte sich, stellte die Füße auf den Boden, während Sara Jareds Hand nahm. Seine Handfläche war schwielig. Jeffreys Hände hatten sich immer weich angefühlt, die Nägel waren säuberlich geschnitten und nicht abgekaut gewesen. Sein Nagelbett war nicht einmal an den Rändern eingerissen gewesen. Manchmal hatte Sara ihn dabei ertappt, wie er die Haferkleie-Lotion benutzte, die auf ihrem Nachttisch gestanden hatte.

Lena stand auf.

Saras Herz hämmerte in ihrer Brust. Sie konnte sich nicht erklären, warum – es machte sie schlichtweg nervös, mit Lena in einem Zimmer zu sein. Trotz des Polizisten vor der Tür. Und obwohl Sara wusste, dass Lena ihr unmöglich etwas tun würde, fühlte sie sich nicht sicher.

Doch Lena merkte wie üblich nichts von alledem. Sie stellte sich ans Bett. Sie berührte Jared nicht, sie beugte sich nicht über ihn, um ihm übers Gesicht zu streicheln oder um sich zu versichern, dass er noch lebte. Anstatt ihn in die Arme zu schließen und festzuhalten, hielt sie sich selbst fest, schlang sich die Arme um die Taille. Sie war schon immer wahnsinnig in sich verschlossen gewesen.

»Sara …«, hauchte sie jetzt. Es war eher ein Schluchzen. Lena hatte sich ihrer Tränen nie geschämt, im Gegenteil, sie hatte sie stets wirkungsvoll eingesetzt. Zischend atmete sie ein, ihr Körper bebte regelrecht unter der Anstrengung. Dann legte sie beide Hände auf die erhöhte Bettkante. Sara konnte einen Blick auf ihren goldenen Ehering mit dem kleinen Diamanten erhaschen. Die Fassung war blutverkrustet. Lena wartete offenbar darauf, dass Sara das Wort ergriff und etwas sagte, um die Situation in irgendeiner Weise erträglicher zu machen.

Fast automatisch kamen sie Sara in den Sinn – die Ratschläge, die sie an unzähligen Krankenhausbetten anderer erteilt hatte. *Du kannst ihn ruhig berühren. Seine Hand halten. Mit ihm reden. Ihn küssen. Achte nicht auf die Schläuche, die in seinem Körper stecken oder neben ihm liegen. Zeig ihm auf einer ganz tiefen Ebene, dass er nicht alleine ist. Dass du da bist, um ihm auf seinem Weg zurück ins Leben beizustehen.*

Doch Sara sagte nichts davon. Stattdessen biss sie sich auf die Zungenspitze, bis sie Blut schmeckte. Ihr Herz hämmerte noch immer, doch die Angst war verschwunden. Kälte war an ihre Stelle getreten. Sara spürte, wie diese Kälte sich durch ihren Körper bewegte, die eisigen Finger sich um ihren Oberkörper legten, an ihrem Hals kratzten.

»Ich kann das nicht …« Lenas Stimme hielt der Last nicht stand. Für Sara war es, als würde sie sich selbst vor fünf Jahren hören. Bei diesen vier Wörtern spürte sie, wie alles in ihr wieder aufkam. Die Zerstörung. Der Verlust. Die Einsamkeit.

»Ich kann nicht … Ich schaffe das nicht. Ich kann nicht ohne ihn leben.«

Sanft zog Sara ihre Hand zurück. Sie strich die Decke über Jared glatt, steckte sie zu beiden Seiten fest. Dann sah sie Lena an – sah ihr direkt ins Gesicht.

»Gut«, sagte sie schließlich. »Jetzt wissen Sie, wie sich das anfühlt.«

6.

Will fuhr gerade auf seinem Motorrad auf den Parkplatz des Macon General, als er Saras BMW entdeckte. Er war drauf und dran, eine Dummheit zu begehen. Andererseits fühlte er sich in letzter Zeit ohnehin die meiste Zeit ziemlich dumm. Sie war auf den für Ärzte reservierten Bereich gefahren und hatte im Schatten einiger Bäume am hinteren Ende eine Parklücke gefunden. Er verkniff es sich, von seinem Bike zu steigen und die Hand auf die Motorhaube zu legen. Kurz redete er sich ein, er wolle das lediglich tun, um zu sehen, wie lange sie schon da war. Aber tief im Innern wusste er: Er wollte eine Art Verbindung zu ihr herstellen.

Und das war bereits so peinlich und armselig, dass er erneut Gas gab und in nicht eben ratsamer Geschwindigkeit zum Angestelltenbereich raste.

Zum Glück entsprach es genau seinem Alter Ego, Gummi auf dem Parkplatz zu verbrennen. Will hatte schon häufiger verdeckt gearbeitet. Er betrachtete sich als jemand, dem es ziemlich gut gelang, in andere Rollen zu schlüpfen. In North Georgia beispielsweise zeugte glückliches Federvieh im wohlverdienten Ruhestand von seinem Talent: Die Zerschlagung eines dortigen Hahnenkampfrings war zwar nicht annähernd so gefährlich gewesen wie sein gegenwärtiger Auftrag, aber entsprechend hatte es die Informationsabteilung des GBI geschafft, ihm diesmal eine noch eindrucksvollere Tarnung zu verleihen.

Genau wie die Taglöhner vor dem Home Depot führte auch Bill Black, seine Tarnidentität, Will vor Augen, was aus ihm hätte werden können. Der Mann war ein Knacki. Ein Kerl, der sich im System ziemlich gut auskannte. Mit einem geschlossenen Jugendstrafenregister und einer unehrenhaften Entlassung aus der Air Force. Wichtiger noch: In seinem Erwachsenenregister standen drei ernsthafte Vorwürfe – zwei für tätliche Angriffe gegen Frauen und einer dafür, dass er in einem Einkaufszentrum einen Sicherheitsmann die Rolltreppe hinuntergestoßen hatte.

Letzteres hatte Bill Black neunzig Tage Gefängnis im Fulton County eingehandelt. Wegen guter Führung war er dort auf Bewährung entlassen worden, wurde aber an der kurzen Leine gehalten von einem Bewährungshelfer, der Amanda direkt Bericht erstattete. Der Bewährungshelfer hatte bereits ein paarmal zu Überraschungskontrollen im Krankenhaus vorbeigeschaut. Bill Black war ein unheimlicher Typ. Die Polizei hatte ihn auch noch wegen anderer Verbrechen im Visier: ein Überfall auf eine Tankstelle. Irgendeine unschöne Geschichte oben in Kentucky. Ein tätlicher Angriff, bei dem ein Mann auf einem Auge erblindet war. Somit war Black, wie Eingeweihte es nannten, ein Mann von Interesse.

Das GBI hatte es geschafft, ein paar Informanten aus dem Milieu ins Boot zu holen, die als Gegenleistung für ein bisschen Nachsicht bereit gewesen waren, Blacks Tarngeschichte zu bestätigen. Ein anderer Knacki hatte Black über all den Klatsch unterrichtet, der in der Zeit von dessen vermeintlicher Haftstrafe im Umlauf gewesen war. Gefängniswachen hatten diverse grässliche Details bestätigt, die geklungen hatten wie eine Mischung aus *Der Unbeugsame* und *Die Sopranos*. Man hatte ein paar nicht gerade schmeichelhafte Fotos von Will geschossen, in denen er sich eine Tafel mit Blacks Namen vor die Brust gehalten hatte. Abgesehen von den fehlenden armseligen Knast-Tattoos wäre es sogar Will selbst schwergefallen, Löcher in seiner Tarngeschichte aufzuspüren.

Natürlich ließen sich immer Löcher finden. Aber Will hatte nicht vor, Amanda das größte von allen zu offenbaren: Allein der Name Bill Black, den Amanda ihm wie auf dem Silbertablett serviert hatte, gab seinem Gehirn das Gefühl, in ein Gemälde von Salvador Dalí zu gehören.

»Bill reimt sich auf Will«, hatte sie erwidert, als sie ihm das Dossier überreicht hatte, das er anschließend auswendig hatte lernen müssen. »Und natürlich ist Black eine Farbe.«

Will hatte aus ihrem Verhalten geschlossen, dass von ihm Dankbarkeit erwartet wurde. In Wahrheit hätte sie sich ebenso gut ein hautenges Trikot überziehen und den Namen tanzen können.

Will war Legastheniker, was sie ihm für gewöhnlich nur dann unter die Nase rieb, wenn sie kein schärferes Messer in ihrer Schublade fand. Nach einem offenen Gespräch über sein Handicap stand ihm nicht der Sinn – wozu gab es schließlich das Internet –, aber wenn Amanda sich die Mühe gemacht hätte, den Begriff nachzuschlagen, hätte sie erkannt, dass Legasthenie keine Leseschwäche war, sondern ein Problem der Sprachverarbeitung. Und dies war auch der Grund, warum Will kein Ohr für Reime hatte und nicht verstehen konnte, warum Schwarz eine Farbe sein sollte, obwohl doch der Großbuchstabe darauf hinwies, dass es sich um einen Namen handelte.

Trotzdem hatte Will in Amandas Büro gesessen und Bill Blacks Akte durchgeblättert, als wäre darin alles völlig einleuchtend.

»Sieht gut aus«, hatte er gesagt.

Sie war nicht überzeugt gewesen. »Soll ich Ihnen bei den schwierigen Wörtern helfen?«

Will hatte die Akte zugeklappt und das Büro verlassen.

Natürlich konnte er lesen – er war ja kein Trottel –, aber es erforderte nun einmal Zeit und viel Geduld. Im Lauf der Jahre hatte Will sich ein paar Tricks angeeignet, die ihn sprachgewandter erscheinen ließen. So hielt er gern ein Lineal unter jede

Textzeile, damit die Buchstaben nicht vor seinen Augen herumtänzelten. Er diktierte seine Berichte in ein Spracherfassungsprogramm auf dem Computer und ließ sich E-Mails vorlesen. In der Schule hatte man zu ihm gesagt, seine Lesefähigkeit entspräche der eines Zweitklässlers. Wobei die Lehrer selbst bei ihm nichts anderes als Dummheit diagnostiziert hatten. Will war längst auf dem College, als er herausgefunden hatte, dass das, worunter er litt, Legasthenie hieß, doch zu jener Zeit war es bereits zu spät gewesen, um noch irgendetwas dagegen zu unternehmen. Er hatte nur mehr zu Gott beten können, dass niemand es herausfand.

Und bei den allermeisten Leuten funktionierte es auch gut. Amanda selbst schien sich damit zufriedenzugeben, sein Manko als Waffe in ihrem Arsenal zu haben. Faith hatte es gleich bei ihrem ersten gemeinsamen Fall herausgefunden, und wann immer sich eine Situation ergab, die Lesen erforderlich machte, nahm sie einen geradezu mütterlichen Ton an, bei dem Will am liebsten den Kopf in einen Häcksler stecken wollte.

Und natürlich wusste Sara es auch. Sie hatte es sofort bemerkt. Will nahm an, dass es für sie als Ärztin einfacher war, die Symptome zu erkennen. Das Merkwürdige daran war nur, dass sie ihn danach kein bisschen anders behandelt hatte als zuvor. Sie betrachtete Wills Legasthenie ganz einfach als einen Teil von ihm wie seine Haarfarbe oder die Schuhgröße.

Sie betrachtete ihn als normal.

Wenn er jetzt weiter mit dem Gasgriff des Motorrads spielte, würde Sara zum Fenster hinausblicken und ihn über den Parkplatz fahren sehen.

Will war die Ironie darin nicht entgangen, dass er die letzten zehn Tage damit zugebracht hatte, Sara die Wahrheit zu verheimlichen, nur um sich jetzt nicht nur in derselben Stadt, sondern auch noch im selben Gebäude wie sie aufzuhalten und sich mehr oder minder mit denselben Leuten herumzuschlagen wie sie. Er würde alles tun, damit sie wieder zurück nach Atlanta fuhr, weil er dort die Lügen viel einfacher aufrechterhalten konnte. In Macon bestand das Risiko, dass er um eine Ecke ging oder eine Tür öffnete und plötzlich Sara vor ihm stand, die eine Erklärung von ihm einforderte.

Er stellte seine Triumph an gewohnter Stelle neben dem Personaleingang ab. Der Regen hatte ihn fast auf der ganzen Fahrt von Atlanta hierher begleitet und ihm spitze Nadeln ins Gesicht gejagt. Will besaß keinen Integralhelm, sondern nur eine Halbschale, die seinem Kopf bloß den gesetzlich vorgeschriebenen Minimalschutz bot. Es war eher eine Kappe. Immer wenn ihm auf der Interstate ein Schlepper auf die Pelle rückte, fragte er sich, ob er noch sein eigenes Gehirn auf dem Asphalt würde sehen können, ehe er starb, oder ob er sofort tot wäre.

Der Gedanke war für ihn nicht neu. Will hatte in seinen Zwanzigern eine Kawasaki gefahren, weil das Motorrad billig und Benzin teuer gewesen war. Und er gestand sich durchaus ein, dass das Gefühl, auf einer großen, vibrierenden Maschine zu sitzen, nicht unangenehm gewesen war für einen jungen Mann, der nur wenig Erfahrung mit dem anderen Geschlecht gehabt hatte. Zehn Jahre später brachte diese Art der Fortbewegung allerdings deutlich unerfreulichere Aspekte mit sich. Sein Rücken schmerzte. Die Hände taten ihm weh. Die Schultern kreischten regelrecht, und andere Körperbereiche waren ganz ähnlich in Mitleidenschaft gezogen.

Will stieg ab und schüttelte sich die Beine aus, dann öffnete er den Riemen seines Helms und nahm ihn ab.

»Hey, Bud«, rief eine Krankenschwester.

Will blickte auf. Die Frau lehnte an der Wand und rauchte eine Zigarette. Er hatte den Leuten gesagt, sie sollten ihn Buddy nennen, weil er nicht jedes Mal, wenn er den Namen Bill Black hörte, an seine Unterhaltung mit Amanda erinnert werden wollte. Dass seine Kollegen im Krankenhaus den Namen zu Bud verkürzen würden, hatte er nicht vorhersehen können.

»Schöne Fahrt gehabt?«

Will brummte nur, wie es Bill Blacks Art war.

»Das ist gut.« Sie lächelte ihn an. Ihr blondiertes Haar hing trotz der Brise schlaff herab. Über ihre eng anliegende pinkfarbene Uniform sprangen Delfine. »Schon gehört, was letzte Nacht mit diesen beiden Bullen passiert ist?«

»Ja.« Will nahm sein Stirnband ab und wischte sich damit den Straßendreck vom Gesicht.

»Einer von ihnen liegt auf der Intensiv. Wacht vielleicht nicht mehr auf.« Sie zupfte sich etwas von der Zungenspitze.

»Da drinnen wimmelt's nur so von Bullen.« Sie blies Rauch aus. »Tony sagt, sie waren heute in der Früh bei ihm. Die Trottel haben sein Auto gestohlen und es für den Überfall benutzt. Kannst du dir das vorstellen?«

Will sah sie nachdenklich an und fragte sich, ob diese Frage rhetorisch gemeint war oder nicht. Dann hielt er es für das Beste, die Frage einfach zu ignorieren. »Ich muss einstempeln.«

Er klemmte sich den Helm unter den Arm und ging zur Tür.

Die Schwester nahm noch einen letzten Zug. Seine Schroffheit schien sie nicht zu stören. Das war typisch für Frauen in Bill Blacks sozialer Schicht. Sie erwarteten, dass Männer wortkarg waren, höchstens mal vor sich hin brummten und finster dreinblickten, sich kratzten und ausspuckten. Will, der gelernt hatte, den Klodeckel runterzuklappen, sobald er aus den Windeln gewesen war, kam es so vor, als würde er auf dem Mond leben.

Oder, je nach Blickwinkel, in Utopia.

»Pass auf dich auf«, sagte die Schwester und zwinkerte Will zu, als er die Tür aufzog. Er machte sich nicht die Mühe, sie für sie aufzuhalten. Er kannte diese Art von Frauen. Es hatte sie in seinem Leben immer schon in der Peripherie gegeben. Sie waren im Kinderheim gewesen. Sie hatten sich auf der Straße herumgetrieben. Oftmals saßen sie auch hinten in einem Einsatzwagen. Sie suchten sich die falschen Männer aus, trafen die falschen Entscheidungen. Je schlimmer man sie behandelte, umso heftiger klammerten sie sich an einem fest. Will wusste, dass diese Sorte Frau ihn attraktiv fand. Vielleicht waren es die Narben in seinem Gesicht. Vielleicht war es ein unsichtbares Zeichen, das seine Kindheit auf ihm hinterlassen hatte und das nur Leidensgenossen erkennen konnten. So oder so, sie fühlten sich zu Will hingezogen, weil sie ihn für geschädigt oder gefährlich hielten oder beides zugleich. Sein ganzes Leben lang hatte er versucht, ihnen aus dem Weg zu gehen. Das Interesse einer verzweifelten Frau sicherte man sich nur, indem man sich als eine gewisse Art Mann verhielt.

Und ein solcher Mann wollte Will nicht sein.

»He«, rief die Schwester. Mit den Händen in der Hüfte stand sie in der offenen Tür. »Ich heiße übrigens Cayla.«

Will starrte sie nur an. Mittlerweile hatte er die Tür zum Umkleideraum erreicht, und sie stand gute zehn Meter hinter ihm. Die grauen Delfine auf ihrer Bluse sahen aus der Ferne aus wie verspritztes Sperma.

Sie lächelte ihn kokett an. »Cayla mit C.«

Will wusste, dass weiteres Grummeln ihn nicht weiterbringen würde. Er versuchte, patzig zu klingen. »Soll ich mir das jetzt aufschreiben oder was?«

»Klar.« Sie lachte auf eine Art, dass er sich ganz klein vorkam. »Was machste'n nach der Arbeit?«

Er zuckte mit den Schultern.

»Warum kommst du nicht zu mir zum Essen? Ich wette, du hattest nichts Selbstgekochtes mehr, seit du wieder draußen bist.«

Bill Blacks Geschichte hatte schnell die Runde gemacht. Will arbeitete gerade erst seit knapp zwei Wochen in dem Krankenhaus, doch Cayla wusste offenbar bereits, dass er im Gefängnis gesessen hatte.

»Wie wär's? So gegen sieben? Mein Hühnchen wird immer richtig schön knusprig.«

Will zögerte. Er kannte Cayla Martins Vorstrafenregister – eine Verhaftung wegen Fahrens unter Alkoholeinfluss vor vier

Jahren. Die Strafen für Alkoholfahrten waren erstaunlich heftig. Cayla schuldete dem Gericht immer noch tausend Dollar, ehe sie ihren Wagen außer zur Arbeit und zurück nach Hause auch wieder anderweitig fahren durfte. Im Übrigen war sie Apothekenhelferin, was bedeutete, dass sie Zugang zu den Medikamenten gehabt hatte, die gestohlen worden waren.

Cayla stampfte mit dem Fuß auf. »Jetzt komm schon, Bud. Lass dir von mir was Gutes kochen.«

Will dachte gerade über seine Möglichkeiten nach, als Tony Dell aus dem Umkleideraum kam. Bei Wills Anblick geriet der Mann regelrecht in Panik. Seine Turnschuhe quietschten über den Boden, weil er über seine eigenen Füße stolperte, als er versuchte davonzurennen.

Ob Knacki oder nicht, spielte hier keine Rolle. Wenn jemand versuchte, vor einem zu fliehen, hielt man ihn auf. Will warf den Helm zu Boden, packte Tony im Nacken und knallte ihn mit dem Gesicht gegen die Tür.

»He!«, schrie Tony. Er war verhältnismäßig klein, Will selbst war fast einen halben Meter größer als er und hatte gut und gerne dreißig Kilo mehr Muskelmasse. Tony vom Boden zu heben war für ihn so leicht, als hätte er Sara hochgehoben.

Er ließ ein Knurren hören. »Wo zum Teufel hast du mich da reingeritten?«

»Ich wusst nicht …« Offensichtlich fiel ihm mit dem Gesicht auf dem Türblatt das Sprechen schwer. »Jetzt komm, Bud! Ich wollt' dir doch nur was verschaffen.«

»Ich verschaff dir gleich ein paar gebrochene Rippen.«

»Bud, ich meine es ernst. Ich hab das nicht gewusst!« Seine Zehen schlugen gegen die Tür, als er versuchte, Halt zu finden. »Lass mich los!«

Und Will ließ ihn runter. Tonys Füße landeten wieder auf dem Boden, und er brauchte ein paar Sekunden, um sich zu fassen. Er atmete schwer. Schweiß troff ihm von der Stirn, doch Will hätte nicht sagen können, ob das von irgendeinem Trip herrührte oder davon, dass er eine Heidenangst hatte. Dennoch war Tony jetzt, da er nicht länger fürchten musste, dass ihm das Genick gebrochen wurde, verärgert über die grobe Behandlung. »Gott, Alter, was ist denn eigentlich los mit dir?«

»Wer hat diese Sache organisiert?«, wollte Will wissen. Tony blickte den Gang entlang, um zu sehen, ob sie allein waren. Cayla war verschwunden. Frauen wie sie wussten, wann sie sich aus dem Staub machen mussten.

»Verdammt!« Tony rieb sich den Nacken. »Das hat wehgetan, Mann!«

»Wer hat das organisiert?« Will drillte Tony den Zeigefinger in die Schulter. »Sag's mir, du kleiner Scheißer.«

Tony schlug ihm die Hand weg. »Ich weiß es nicht! In der Bar sind zwei Typen auf mich zugekommen und fragten bloß, ob ich ein bisschen Geld verdienen wollte.«

»Gestern Abend?«

»Ja, nach der Arbeit.«

»Hast du sie gekannt?«

»Ich hatte sie schon ein paarmal gesehen.« Er rieb sich die Schulter. »Du hast sie auch schon gesehen – die Typen, die dort immer in dieser speziellen Ecke rumhängen.«

Der VIP-Bereich im Tipsie's. In der Tat kannte Will ihn nur zu gut. Er war ungefähr so einladend wie die Gemeinschaftsdusche im Staatsgefängnis. »Wie viel haben sie dir angeboten?«

Tony schien die Frage unangenehm zu sein.

Will legte ihm die flache Hand auf die Brust und drückte ihn gegen die Tür. Er musste kaum Kraft anwenden, doch die Drohung allein genügte, um den kleinen Mann zum Reden zu bringen.

»Fünfzehnhundert.«

Will zog die Hand zurück. »Du Arsch …«

»Sie haben gesagt, es wär kein Risiko dabei!«, keifte Tony und hob beide Hände. »Wir müssten nur draußen auf der Straße stehen, hieß es – genau, wie wir es getan haben. Nichts dabei …«

Will hob die Faust. »Und warum kriegst du dann 'nen Riesen und ich fünf Scheine?«

»Ich war näher am Haus.« Er zuckte halbherzig mit den Achseln. »Meine Position war gefährlicher.«

Will ließ die Faust sinken. »Du hast gewusst, dass es mehr sein würde als ein Einbruch.«

Tony klappte den Mund auf und schloss ihn wieder. Dann versicherte er sich noch einmal, ob sie allein waren. »Ich will dich echt nicht anlügen, Bud. Ich hab gewusst, dass da Leute im Haus sein würden, die vielleicht was abkriegen. Aber ich schwör auf einen Stapel Bibeln: Ich wusste nicht, dass das Bullen waren! Sonst hätt' ich diesen Job nie angenommen – und dich schon gar nicht mit hineingezogen. Wir sind doch Freunde, richtig?«

»Freunde reiten mich nicht in die Scheiße, während ich noch auf Bewährung bin!« Will war das T-Shirt aus der Hose gerutscht. Er stopfte es zurück und sah dabei den Gang entlang. »Wehe, wenn das auf mich zurückfällt.«

Doch Tony war nicht so blöd, wie er aussah. »Und warum wolltest du so dringend in das Haus rein? Wozu war das gut?« Die Jackpot-Frage. Will hatte sich die Antwort auf der Fahrt hierher zurechtgelegt. »Ich brauch das Geld. Tote zahlen nicht.«

»Schon verstanden«, sagte Tony, aber offensichtlich kaufte er es ihm nicht vollends ab. »Du bist da reingerannt wie ein Wahnsinniger. Hätt mich fast den Kopf gekostet. Ich wollte dir nur helfen.«

Wieder kontrollierte Will den Gang. »Ich hab 'ne Ex, okay? Ein Mädchen oben in Tennessee. Die kriegt ein Kind von mir. Ich wollt's ihr nicht glauben, aber dann kamen die Testergebnisse.« Will versuchte, verärgert zu klingen. »Die Schlampe droht damit, mich zu verklagen, wenn ich nicht fünf Riesen rüberwachsen lasse, bevor das Baby kommt.« Absichtlich benutzte er einen Ausdruck, den er schon oft bei Knackis gehört hatte. »Ich kann nicht wieder in den Knast, Mann. Ich kann es einfach nicht.«

Tony nickte verständnisvoll. Bei diversen Gesprächen im Tipsie's hatte Will mitbekommen, dass der DNS-Test, den alle am meisten fürchteten, der Vaterschaftstest war. Viel schwerer zu glauben war allerdings, dass der Slang, den Will sich anhand einer Rockerserie aus dem Kabelfernsehen draufgeschafft hatte, tatsächlich funktionieren sollte.

»Ich hab's kapiert, Mann.« Tony kratzte sich am Arm, ein nervöser Tic, der auf seiner Haut dauerhafte rote Streifen hinterließ. »Wenn du willst, fahr ich mit dir da hoch und knöpf sie mir mal vor.«

»Nicht so laut, Alter«, sagte Will. »Hier oben hängt die gesamte Bullenherde aus dem ganzen County rum. Der eine von gestern schafft's vielleicht nicht. Kannst dir ja womöglich vorstellen, was dann los ist.«

Tony kratzte sich weiter am Arm. »Und, was hast du gesehen?« Wieder spähte er den Gang entlang. »In dem Haus. Was hast du gesehen?«

»Einer tot, einer kurz davor.« Nur mit Mühe konnte Will das blutige Bild von Lena beiseiteschieben, die quasi rittlings auf Fred Zachary gesessen und weit ausgeholt hatte, um ihm das Rückgrat zu brechen. »Und so 'ne verrückte Tussi mit 'nem Hammer.«

»Hat sie dich gesehen?«

»Glaubst du echt, sie würde noch leben, wenn's so wäre?«

Tony senkte die Stimme. »Ich hab gehört, sie hat die Klaue benutzt.«

»Kanntest du sie?«, fragte Will. »Die Polizistin, meine ich. Hat sie dich schon mal verhaftet?«

»Scheiße, nein. Nie im Leben lass ich mich von einer Schlampe einbuchten!«

Unwillkürlich schoss Will durch den Kopf, dass ein Chihuahua von vier Kilo Tony Dell würde einbuchten können.

»Warum wollten sie die beiden Bullen umbringen? Lassen die sich schmieren?«

»Sie haben's mir nicht gesagt, und ich hab nicht gefragt.« Tony lehnte sich lieber selbst an die Tür, ehe er sich von Will noch einmal dagegenschubsen ließ. »Ehrlich, Bud. Ich habe keine Ahnung.«

Will fragte sich, worüber sich ein Kerl wie Bill Black in einer solchen Situation Gedanken machen würde. »Was hast du mit dem Transporter gemacht?«

Offensichtlich hatte Tony diese Frage nicht erwartet. »Alles cool. Ich kenn da ein paar Jungs …«

»Was immer sie dir dafür gezahlt haben – ich krieg die Hälfte.«

»Ich hab aber nicht viel bekommen …«

»Blödsinn.« Will packte Tony am Arm, um sich seine volle Aufmerksamkeit zu sichern. »Ich frag dich das nur ein einziges Mal: Für wen arbeiten sie?«

»Ich hab keine Ahnung, Alter. Ehrlich.«

»Na ja, dann solltest du gut darüber nachdenken, weil wir beide im Augenblick verdammt noch mal aussehen wie zwei Abschusskandidaten.«

»Meinst du, die sind hinter uns her?«

»Glaubst du, dass derjenige, der die Sache ins Rollen gebracht hat, sich einfach darauf verlässt, dass wir das Maul halten?«

»O Mann …« Die Farbe wich aus Tonys Gesicht. »Kann nur Big Whitey sein. Er ist der einzige Typ, der mir einfällt, der die Eier dazu hat.«

Will drückte fester zu. Es war verdammt viel einfacher, jemanden zu verhören, wenn man demjenigen Angst einjagen durfte. »Wie kommst du darauf?«

»Weil er schon mal einen Bullen umgelegt hat. Das weiß jeder. Verdammt, Mann, ich hab gehört, er hätte unten in Florida sogar 'nen Bundesagenten umgenietet!«

Noch ein Mord, den es aufzuklären galt. »Bist du dir ganz sicher, dass du meinen Namen nicht genannt hast?«

»Verdammt, nein, Bruder. Nein.«

»Wenn ich rausfinde, dass du …«

»Ehrenwort!« Tonys Stimme wurde ein paar Oktaven höher. »Hör zu, Mann, ich verpfeife niemanden. Und ich sag dir klipp und klar, was Sache ist.« Mit seiner freien Hand griff er in seine Gesäßtasche. »Guck mal.« Er zog einen Stapel Scheine heraus. »Das ist alles, was ich für den Transporter bekommen habe. Nimm du's, okay? Dann sind wir quitt. Okay?«

Will nahm das Geld. Es fühlte sich leicht feucht an, doch er versuchte, nicht daran zu denken, während er die Scheine zählte. »Sechshundert. Mehr nicht?«

»Gestern hast du noch gedacht, du würdest für den Job noch weniger bekommen.«

Will schnaubte. Bill Black würde sich mit dem Betrag zufriedengeben.

»Hör zu.« Tony kratzte sich wieder am Arm. »Big Whitey ist ein Geschäftsmann. Wir sollten mit ihm reden. Versuchen, ihn zur Vernunft zu bringen.«

»Ich werd' auf gar keinen Fall …«

»Hör mir mal zu, Großer.« Tony kratzte weiter, obwohl sein Arm schon blutete. »Ich hab dir doch gesagt, ich hab da diese Pillensache am Laufen. Du und ich, wir könnten das verdoppeln, und …«

»Nein«, sagte Will. »Mein Bewährungshelfer hat mir diesen Job besorgt. Was glaubst du, wen sie aufs Korn nehmen, wenn plötzlich eine Unmenge von Pillen fehlen?« Er baute sich wieder vor Tony auf. »Was hast du der Polizei gesagt, als sie heute früh an deiner Tür geklingelt haben?«

Wieder dieser ausweichende Blick. »Woher weißt du das?«

»Von dieser Krankenschwester. Inzwischen hat sie es wahrscheinlich im ganzen verdammten Krankenhaus herumerzählt.«

»Cayla«, sagte Tony so sanft, dass Will auf der Stelle hellhörig wurde. Dann war also Cayla Martin das Mädchen, von dem Tony auf der Fahrt zu Lenas Haus die ganze Zeit gefaselt hatte. Und natürlich lag es nahe, dass ein Pillenfreak sich mit einer

Apothekenhelferin gut stellen wollte. »Hat sie irgendwas über mich gesagt?«

»Nein.«

»Bist du dir sicher?«

Allmählich hatte Will es satt. »Sie hat mich zum Abendessen eingeladen.«

Tony schien dies schwerer zu treffen, als Will erwartet hatte. Er ließ das Kinn auf die Brust sinken. »Gehst du hin?«

»Sag mir, was du heute früh zu den Bullen gesagt hast.« Doch Tony ignorierte seine Frage. »Ich hab gedacht, du wärst mein Freund, Bud. Ich kann nicht glauben, dass du was mit ihr hast.«

Will wiederum konnte kaum glauben, dass er diese Unterhaltung tatsächlich führte. »Was hast du den Bullen erzählt, Tony? Zwing mich nicht dazu, es aus dir rauszuprügeln.«

Er schmollte weiter, antwortete aber: »Dass das Auto anscheinend gestohlen wurde. Sie haben gesagt, ich soll auf die Dienststelle kommen und eine Aussage machen.«

»Geh da bloß nicht hin«, warnte Will ihn. »Wenn sie dich erst dort drinnen haben, kommst du nicht mehr raus.«

»Ich sag denen gar nichts.«

»Glaubst du, das macht 'nen Unterschied? Diese zwei Bullen wurden fast getötet. Sie werden das dem erstbesten Idioten anhängen, der ihnen ins Netz geht.«

»Aber sie haben die Idioten doch«, entgegnete Tony. »Diese zwei Kerle von gestern Nacht – einer von denen ist doch sowieso tot. Und der andere kann sich nicht mehr rühren. Den Mund aufmachen wird der auf keinen Fall. Ich sag's dir noch einmal – Big Whitey, der hat Einfluss. Der erledigt sie sogar im Krankenhaus. Im Untersuchungsgefängnis. Im Knast. Big Whitey kriegt dich überall. Glaub mir, Mann, der ist echt ein übler Bruder.«

Will biss die Zähne zusammen. Bei so gut wie jeder Unterhaltung war Tony Dell irgendwann auf Big Whitey zu sprechen gekommen. Irgendwie war Will nicht wohl dabei, und sein

Instinkt riet ihm, das Thema zu wechseln. »Wie auch immer, Mann. Lass mich da aus dem Spiel.«

Tony spürte, dass ihm sein Publikum entglitt. »Wir könnten doch mit ihm reden – ihn wissen lassen, dass wir ihn nicht hinhängen. Vielleicht heuert er uns ja sogar an.«

»Nein.« Will hob seinen Helm vom Boden auf und wischte mit dem Ärmel über die verschrammten Stellen. Er versuchte es noch mal mit Biker-Slang. »Muss für'n Kind löhnen. Der Bewährungshelfer tritt mir in den Arsch. Noch mehr Zoff kann ich nicht brauchen.«

»Das muss doch nicht so sein.«

»Wie auch immer. Halt meinen Namen einfach raus.« Will zog die Tür zum Umkleideraum auf. Er war leer. Blaue Spinde säumten die Wände und unterteilten den Raum in drei Bereiche. Er wartete ein paar Sekunden und fragte sich, ob Tony Dell ihm folgen würde. Als die Tür zublieb, marschierte Will auf die Spinde an der Rückwand zu.

Auf einem Stück Klebestreifen auf der Tür eines der Spinde stand »Black«. Will hatte den Namen mit einem Shapiro-Stift durchgestrichen und »Bud« druntergeschrieben. Drei Buchstaben. Nicht schön. Wills Handschrift war noch nie herausragend gewesen – aber es war immerhin besser als der Spind daneben, auf den irgendjemand einen ejakulierenden Penis mit nur einem Ei gekritzelt hatte.

Will nahm an, dass es sich dabei um irgendeinen Insiderwitz handelte.

Um seinen Spind zu verschließen, hatte Will sich kein Schloss mit Wählscheibe gekauft, sondern ein Kofferschloss. Er hatte zwar Schwierigkeiten mit links und rechts, konnte aber gut mit Zahlen umgehen. Er stellte das Datum des Tages ein, an dem er Sara zum ersten Mal geküsst hatte. Na ja, eigentlich hatte Sara ihn geküsst. Aber für das Schloss waren die Details irrelevant.

Will warf den Helm in den Spind und angelte die zusammengelegte Arbeitskleidung heraus. Der Job als Wartungstechniker war alles in allem gar nicht schlecht. Will war ein geschickter Heimwerker, und die Formulare, die er hatte ausfüllen müssen, waren für Leute gedacht, die kaum Englisch sprachen. Es hatte nur fünf Kästchen zum Ankreuzen gegeben und daneben eine lange Linie mit einem X, was Will das Unterschreiben erleichtert hatte. Wobei Will natürlich nicht mit seinem echten Namen unterschrieben hatte. Er hatte nur zwei große B dort hingekritzelt und es dabei belassen.

Will zog seine Arbeitskleidung an. Bill Blacks Kennkarte mit Foto hing an einem Band um seinen Hals. Eine Sicherheitskarte und ein Schlüsselbund waren an einem einziehbaren Kabel an seinem Gürtel befestigt. In einem Metallhaken an seiner Seite steckte die Stablampe. Will steckte Tony Dells immer noch leicht feuchtes Geld in seine vordere Hosentasche und hoffte, dass die Scheine getrocknet wären, bis er sie später der Spurensicherung übergeben würde. In einer blauen Brieftasche mit Klettverschluss steckten ein paar von Blacks Kreditkarten, ein Strafzettel für zu schnelles Fahren, der ihm als Führerschein diente, und ein paar Quittungen, die darauf hindeuteten, dass Mr. Black all seine Einkäufe bei Rat Race am Startpunkt des Ocmulgee Heritage Trail erledigte.

Er kontrollierte den Akku seines iPhones. Im echten Leben benutzte Will kein Smartphone, doch Bill Black war da ein wenig fortschrittlicher. Wobei dieses Gerät keines war, bei dem man Raketentechnik studiert haben musste, um es zu bedienen. Will hatte ganz ohne Hilfe herausgefunden, wie die meisten Programme funktionierten, während er in der Absteige, in der sich Bill Black wochenweise ein Zimmer mietete, Stunde um Stunde vertrödelt hatte.

Blacks erstes E-Mail-Konto lief über den Krankenhausserver. Das zweite war bei G-Mail registriert. Im Posteingang schlummerten ein paar zunehmend fiese E-Mails einer wütenden Schwangeren aus Tennessee. Dazwischen fanden sich einige latent rassistische Kommentare von ein paar Scheinadressen, aber insgesamt hatte Black nicht viele Freunde. Der Großteil seiner Post bestand aus Spammails, in denen für Jagdausrüstung und nackte Frauen geworben wurde, sowie Coupons für Dinge wie Dörrfleisch und Old Spice.

Blacks Musikgeschmack ging in Richtung Country, mit ein paar Songs von Otis Redding als Gruß an Macon, der Heimatstadt des Sängers. Er hatte auch ein paar Fotos von reizvollen Landschaften vom Highway aus aufgenommen. Black war Jäger, also war es naheliegend, dass er Wälder und Bäume mochte. Außerdem mochte Black die Damenwelt. Er hatte ein paar wenig jugendfreie Fotos aus dem Internet heruntergeladen, einerseits Blondinen, andererseits Asiatinnen. Will hatte kurz überlegt, ob er auch ein paar Rothaarige dazunehmen sollte, aber das war ihm in Hinblick auf Sara merkwürdig vorgekommen. Auch ihretwegen wusste er inzwischen, dass nicht alle Rothaarigen tatsächlich rothaarig waren.

Ein Spezialist des GBI hatte den Rest der Uploads für ihn übernommen und auch ein paar verdeckt ablaufende Programme auf das Gerät gespielt. Die Apps liefen im Hintergrund und waren unsichtbar für jeden, der nicht ganz genau wusste, wonach er suchen musste. Eine dieser Apps löschte beispielsweise automatisch alle ein- und ausgehenden Telefon- und Textverbindungen. Eine andere verwandelte den Lautsprecher in ein Aufnahmegerät, wenn man dreimal auf den Einschaltknopf drückte. Wieder eine andere lieferte Will eine variable Ortskennung für den Fall, dass er telefonieren musste und nicht wollte, dass man seinen Aufenthaltsort übertragen bekam. Die wichtigste App jedoch verband das Gerät mit dem Ortungssystem des Militärs – nicht mit demselben GPS, das dem Rest der Welt zur Verfügung stand, sondern mit der Echtzeitortung, die etwa für die Steuerung von Drohnen oder Lenkwaffen benutzt wurde.

Diese letzte App war auch der Grund, warum Will den Akku regelmäßig prüfte. Amanda hatte bei vielen Dingen recht, vor allem aber mit ihrer Überzeugung, dass es eine Verbindung geben musste zwischen Wills Ermittlungen gegen Big Whitey und dem Anschlag auf Lena Adams und Jared Long. Selbst Tony Dell hatte die Beziehung hergestellt. Und Will wollte für keine Sekunde vom Radar verschwinden, nur weil er vergessen hatte, sein Handy aufzuladen.

Ohne Vorwarnung flog die Tür mit einem lauten Krachen auf, und Will drehte sich um. Eigentlich hatte er Tony Dell erwartet, doch dieser Kerl war groß und kräftig und hatte dichtes Haar und ein scharfes Kinn, mit dem er Glas hätte zerschneiden können.

Will erkannte einen Polizisten, wenn er einen vor sich sah. Er tat genau das, was Bill Black tun würde – er knallte die Tür seines Spinds zu und steuerte die Tür an.

Der Polizist hielt seine Marke in die Höhe. »Detective Paul Vickery, Macon PD.«

Lenas Partner. Das war naheliegend.

Will nahm ihn noch immer nicht zur Kenntnis. Er ging weiter auf die Tür zu, als Vickery ihn unversehens an der Schulter packte und ihn zu sich herumdrehte. Er war ein paar Zentimeter kleiner als Will, aber er hatte eine Marke und eine Waffe und offensichtlich den Eindruck, das würde ihm das Recht geben, ein Arschloch zu sein. »Wo willst du hin?« Er warf einen Blick auf den Namen auf Wills Hemdbrust. »Buddy?«

»Ich will keine Schwierigkeiten, okay?«, gab Will ruhig zurück.

Vickery wippte auf den Fußballen. Anscheinend war er auf Streit aus. »Tja, die wirst du aber gleich bekommen, Wichser. Wo ist Tony Dell?«

Will zuckte mit den Schultern. Ihm war klar, dass es nicht eben günstig wäre, wenn Lenas Partner ausgerechnet den Kerl in die Finger bekäme, dessen Auto vor dem Haus geparkt hatte, in dem Jared Long beinahe umgebracht worden war. Und eben auch Lena. »Keine Ahnung, Mann. Fragen Sie an der Rezeption.«

»Ich frag aber dich, du Scheißkerl. Du bist doch Bill Black, oder nicht?« Doch Vickery erwartete keine Antwort. Sein Blick wanderte zur Krankenhauskennkarte vor Wills Brust.

»Dein Chef sagt, du und Dell, ihr seid Kumpels. Durch dick und dünn und so weiter.«

Wahrscheinlich hätte Ray Salemi in seinem Büro alles gesagt, nur um Paul Vickery wieder loszuwerden.

»Wir sind nicht miteinander verheiratet«, entgegnete Will. »Wir sind uns darin einig, dass wir uns auch mit anderen Leuten treffen dürfen.«

»Sehr lustig, du Arschloch.« Vickery trat einen Schritt näher. »Wo warst du letzte Nacht? Warst du mit ihm zusammen, als er und seine Leute meine Partnerin überfallen haben?«

Will hatte sich bereits um sein Alibi gekümmert. »Fragen Sie meinen Bewährungshelfer. Der hat so gegen Mitternacht bei mir vorbeigeschaut.«

»Das werde ich auch tun.« Vickerys Knopfaugen verengten sich zusehends. »Irgendwas stimmt nicht mit dir, Arschloch. Das hab ich im Urin.«

Will verkniff sich den naheliegenden Witz.

»Du steckst bis zum Hals in der Scheiße. Das kann ich riechen.« Vickery schnupperte zur Verdeutlichung. »Dell ist einer unserer Informanten. Ist nur eine Frage der Zeit, bis er dich verpfeift. Warum kommst du ihm nicht zuvor? Sag mir, was letzte Nacht passiert ist, und ich bewahr dich vor dem Gefängnis.«

»Tut mir leid, dass ich Ihnen nicht weiterhelfen kann, Officer.« Wieder versuchte Will zu gehen, doch Vickery drückte ihm die Hand auf die Brust.

»Du kriegst jetzt eine letzte Chance, mir zu sagen, wo dein Kumpel ist, oder ich lass meine Wut an dir aus.«

»Ich hab doch schon gesagt, ich weiß es …«

Da schlug Vickery ihm ins Gesicht. Will sah den Schlag zwar kommen, aber zum Ausweichen hatte er nicht mehr genug Zeit.

Wills Kopf schleuderte zur Seite, sein Unterkiefer klappte auf. Er schmeckte Blut. Automatisch riss er die Hände hoch.

Er musste sich zwingen, sie wieder sinken zu lassen. Vickery war Lenas Partner. Will brauchte gar nicht erst darüber nachzudenken, welche Dummheiten er selbst begehen würde, wenn jemand Faith und ihre Familie bedrohte.

»Komm schon, Buddy.« Diesmal schlug Vickery Will mit der flachen Hand ins Gesicht. »Willst du dich etwa wehren, Buddy?« Er pfiff, als würde er einen Hund rufen. »Komm schon, Junge, na komm!«

Will musste seinen Fingern einzeln befehlen, die Fäuste wieder zu öffnen. Anstatt Paul Vickery die Seele aus dem Leib zu prügeln, erwiderte er: »Sie wissen, dass hier drinnen eine Überwachungskamera hängt, oder?«

Vickerys Blick schnellte hoch zur Ecke. Die Kamera zeigte direkt nach unten, und das rote Birnchen blinkte. Er schien darüber nachzudenken, ob es den Verlust seiner Marke wert war, Will zu Tode zu prügeln.

Anscheinend nicht.

»Es ist noch nicht vorbei.« Mit diesen Worten trat Vickery die Tür auf und stürmte mit geballten Fäusten hinaus.

Will sah zu der Kamera hoch, die mit einer Neun-Volt-Batterie lief und mitnichten mit irgendeinem Computer verbunden war, weil der Oberste Gerichtshof entschieden hatte, dass Angestellte in einem Umkleideraum eine gewisse Privatsphäre erwarten durften.

Man sollte meinen, ein Detective wüsste so etwas.

Will warf einen Blick in den Spiegel über dem Waschbecken. Vickery hatte keinen sichtbaren Schaden angerichtet. Mit der Zunge tastete Will nach der Blutung in seinem Mund. Die Backenzähne hatten ihm die Innenseite der Wange aufgerissen. Er drehte den Hahn auf und nahm einen großen Schluck Wasser, und sofort fing die Wunde an zu brennen. Will spülte sich den Mund aus, bis das Wasser, das er ausspuckte, nur mehr hellrosa war.

Dann summte auf einmal sein Handy in der Hosentasche, und er ließ sich die E-Mail vorlesen, die soeben eingegangen war – von Ray Salemi, seinem überaus hilfreichen Chef. Will verfolgte mit dem Blick auf dem Display, was die dünne Computerstimme vortrug. Offenbar hatte Faith einen Weg gefunden, ihn und Lena im selben Zimmer zusammenzubringen.

Auf der Intensivstation gab es ein undichtes Rohr, und Will hatte soeben den Auftrag erhalten, es zu reparieren.

Will stieg die Nordtreppe zum fünften Stock hoch, was nicht ganz einfach war. Der Werkzeugkasten wurde mit jedem Schritt schwerer, und auch sein Körper erinnerte ihn sekündlich daran, dass er in der vergangenen Nacht nicht allzu viel Schlaf abbekommen hatte. Normalerweise versuchte er, täglich ein paar Meilen zu laufen, doch Bill Black erlaubte ihm einen derartigen Luxus nicht. Auf dem Absatz des dritten Stocks zitterte Wills Arm. Im vierten Stock schossen ihm Schmerzen ins Kreuz. Er stellte den Werkzeugkasten ab und wischte sich mit seinem Stirnband den Schweiß vom Gesicht.

»Hey.«

Er sah nach oben. Faith lehnte sich über das Geländer. Sie checkte das offene Treppenhaus, um sich zu vergewissern, dass sie allein waren, bevor sie fragte: »Wohl aus dem Keller hochgestiegen, was?«

Er nahm seinen Werkzeugkasten wieder auf und ging weiter. »Der Aufzug liegt genau dem Wartezimmer gegenüber. Das ist neben der Treppe auf der anderen Seite.«

»Warum sind Sie denn nicht einfach in den vierten Stock gefahren, um dann von dort weiter die Treppe zu nehmen?«

Will sah einen Schweißtropfen über seine Nase rollen und auf die Betonstufe spritzen.

»Will?«

Er umrundete den Treppenabsatz. Faith hatte mal wieder dieses Grinsen im Gesicht, das ihn unmissverständlich wissen ließ, dass sie ihn bei einer Dummheit ertappt hatte, aber wenigstens so freundlich war, die Beobachtung nicht in Worte zu fassen. »Ich hab in den letzten fünfzehn Minuten sämtliche Türen kontrolliert.«

»Haben Sie das Rohr kaputt gemacht oder nur so getan, als wäre es kaputt?«

»Wasserpistole. Sie werden es gleich sehen.« Sie nickte zum nächsten Treppenabsatz hinauf. »Glauben Sie, Sie schaffen's noch?«

Faith nahm immer zwei Stufen auf einmal. Sie trug wieder ihre normale Dienstkleidung – schwarze Turnschuhe, hellbraune Cargo-Hose und ein langärmeliges blaues Polohemd mit der Aufschrift *GBI* in leuchtend gelben Buchstaben auf dem Rücken. Ihre blonden Haare steckten in einer dazu passenden blauen Baseballkappe mit dem identischen Logo. Ihre Glock hatte sie sich an den Oberschenkel geschnallt.

Will stellte den Werkzeugkasten neben der Tür zur Intensivstation ab. Er spähte durch das kleine Fenster in den Flügel. Hinter dem Schreibtisch im Schwesternzimmer saß jemand. Der Polizist, der Jared Longs Zimmer bewachte, war so jung, als stecke er immer noch in seiner ursprünglichen Plastikverpackung. Will hatte schon öfter in Fällen von angeschossenen Polizisten ermittelt. Wenn es in Macon so zuging wie auf jedem anderen Polizeirevier, dann waren die erfahreneren Beamten auf der Straße, klopften an eine Tür nach der anderen und setzten ihre Informanten unter Druck.

Will lief hinter Faith her die Treppe weiter hinauf. Ohne das zusätzliche Gewicht ging es mit einem Mal erstaunlich einfach.

Er stieß die Metalltür auf. Vom plötzlichen Sonnenlicht tränten ihm die Augen. Die Regenwolken hatten sich verzogen. Inzwischen leuchtete der Himmel strahlend blau. Zigarettenstummel in dem feinen Kies verrieten, dass auch das Krankenhauspersonal die Tür zum Dach kannte. Er ließ den Blick über den Gebäudekomplex schweifen. In der Mitte ragte das fünfstöckige Krankenhausgebäude auf. Zwei niedrigere Bauten flankierten es zu beiden Seiten. Dort hatten diverse Ärzte Räumlichkeiten angemietet. Soweit Will wusste, gab es hier unverhältnismäßig viele Kinderärzte. Er war schon ein paarmal in den Geburtssuiten gewesen. Sie sahen fast aus wie Hotelzimmer. Während der Rezession hatten zwar die meisten Industriegebiete und Fabriken dichtgemacht, aber die Einwohner von Macon zeugten noch immer ein Baby nach dem anderen.

»Hier rüber«, rief Faith.

Eine Art Schuppen schützte den Zugang zum Dach. Faith war darunter hinausgetreten und zur Rückseite gegangen, damit niemand sie überraschen konnte.

»Was ist mit Sara?«, erkundigte sich Will.

»Sie ist mit Nell einkaufen gegangen – das ist Jareds Mutter. Sie will das Haus putzen.«

»Den Tatort?«

»Genau.«

Will runzelte die Stirn. Er konnte sich nicht vorstellen, dass Sara das für eine gute Idee hielt.

»Ich fahre später rüber, um nachzusehen, ob es ihr gut geht.« Dann kniff sie die Augen zusammen und starrte auf sein Namensschild hinab. »Buddy?«

»Ist noch vom Vorgänger«, log Will. »Ich hab gerade mit Tony Dell gesprochen.«

»Und?«

»Wie wir vermutet haben: Zachary und Lawrence haben ihn im Tipsie's angesprochen. Sie brauchten zwei Männer für einen Job.«

»Und Tony kannte sie?«

»Er sagt Nein, hätte sie nur ein paarmal in dieser Bar gesehen. Ich glaube ihm zu vielleicht neunzig Prozent. Sie hängen dort mit all den anderen Rednecks rum, mit diesen verfetteten Proleten, die hier das Sagen haben. Deutlich über Tonys Kragenweite.«

Faith angelte ihre Sonnenbrille aus der Tasche und setzte sie auf. »Ich hab nachgeprüft, was Branson heute Morgen erzählt hat. Sie hat in Bezug auf die zwei Schützen nicht gelogen. Das waren bloß mittelschwere Jungs. In ihren Vorstrafenregistern war nichts vergleichbar Gewalttätiges zu finden, mit Sicherheit keine Auftragsmorde.«

»Wie ist die Prognose für Fred Zachary, den zweiten Schützen?«

»Fragen Sie mich nicht. Ich komm nicht an ihn ran. Ein Anwalt hat in dem Krankenzimmer seine Zelte aufgeschlagen. Weicht nicht von seiner Seite.«

»Klingt teuer.«

»Der Kerl gehört zu irgendeiner schnieken Kanzlei aus Savannah. Vanhorn und Gresham. Sie haben erst vor Kurzem eine Niederlassung in Macon eröffnet.« Sie sah ihn kurz an, um sich davon zu überzeugen, dass er ihr folgen konnte.

»Es ist die gleiche Vorgehensweise wie in Sarasota und Milton Head. Big Whitey kommt, verpasst den örtlichen Mistkerlen eine neue Struktur, vermittelt ihnen teure Anwälte und beseitigt jeden Polizisten, der ihm dabei in die Quere kommt.«

»Irgendwas von den Funkmasten?«

»Gegen Viertel nach elf erhielt Lena einen Anruf von Paul Vickery. Nichts Wichtiges, er wollte sich nur erkundigen, ob es ihr gut geht. Fünfzehn Minuten später erhält Long einen Anruf von einer unterdrückten Nummer, den wir gerade nachverfolgen. Könnte allerdings bis morgen dauern.«

»Fünfzehn Minuten später?«

»Ja, ungefähr zehn Minuten vor dem Überfall.«

Will ließ den Blick über die Umgebung schweifen. Vor ihm lag eine deprimierende Mischung aus Interstates und Einkaufszentren. »Könnte einer von Jareds Kumpeln gewesen sein, der sich nur mal melden wollte.«

»Möglich.«

»Haben Sie mit Lenas Team gesprochen?«

»Was davon noch übrig ist. DeShawn Franklin scheint das alles für keine große Sache zu halten. Und Paul Vickery ist ein Arschloch.«

Unwillkürlich strich Will sich mit der Hand übers Kinn.

»Er ist auf hundertachtzig, weil seine Partnerin fast erschossen wurde. Er war heute Morgen hier und hat nach Tony Dell gesucht.«

»Und hat er ihn gefunden?«

»Wenn Tony zusammengeschlagen wird, dann wissen wir es.«

»Vickery scheint mir genau der Typ dafür zu sein«, gab Faith zurück. »War ziemlich selbstgerecht und wollte wissen, warum ich seine Zeit verschwende, während er doch auf der Straße sein und denjenigen suchen sollte, der diesen Anschlag auf Lena und Jared in Auftrag gegeben hat.«

»Vickery glaubt, dass Bill Black damit zu tun hat.«

»Ich würde wahrscheinlich zu der gleichen Annahme kommen. Black ist ein Knacki mit einer gewalttätigen Vorgeschichte. Dells Auto war am Tatort. Beide arbeiten im selben Krankenhaus.«

»Mein Chef hat Vickery erzählt, dass Tony Dell und Bill Black gute Freunde sind.«

»Nett von ihm. Wie fühlt es sich an, eine Zielscheibe auf dem Rücken zu haben?«

»Nicht so toll«, gab Will zu. Er würde im Umgang mit Paul Vickery vorsichtig sein müssen, falls er noch einmal das Pech haben sollte, ihm über den Weg zu laufen. »Wie sieht's auf der Dienststelle aus?«

»Oberflächlich sind sie alle sehr hilfsbereit, aber sobald man anfängt, ins Detail zu gehen, machen sie dicht.«

»Welche Details?«

»Vorfallberichte. Tagesbesprechungen. Sind nicht gerade Meister des Papierkrams, was für eine Polizeidienststelle merkwürdig ist.«

»Bis jetzt hatte ich immer den Eindruck, dass Polizeibeamte alles aufschreiben müssen.«

»Ganz genau. Vielleicht sollten wir für die Truppe hier in Macon arbeiten.« Sie lehnte sich an den Schuppen. »Chief Gray hat den Laden zwar im Griff, aber er hat die Presse im Nacken – sowohl in Macon als auch in Atlanta –, und außerdem kursiert das Gerücht, irgendwer hätte einen CNN-Übertragungswagen auf der 75 hierherfahren sehen.«

»Na klasse«, murmelte Will. Er hatte bislang nur selten an Fällen gearbeitet, in denen die Medien seine Arbeit erleichtert hatten.

»Gray hat jeden diensttauglichen Beamten auf die Straße geschickt, sich selbst mit eingeschlossen. Eines muss man dem alten Knaben lassen: Er krempelt die Ärmel hoch wie alle anderen auch. Der Nachteil ist allerdings, dass Branson jetzt die Dienststelle für sich alleine hat. Sie und Paul Vickery. Und ich habe das Gefühl, dass DeShawn Franklin nicht mit ganzem Herzen bei der Sache ist. Als Chief Gray die Truppe vor ein paar Jahren übernommen hat, bestand er darauf, dass Franklin dazukam. Er scheint in einem Loyalitätskonflikt zu stecken.«

»Glauben Sie, dass er die Seiten wechselt?«

»Nur wenn man ihn mit einer toten Frau oder einem lebenden Jungen im Bett erwischt.« Faith schnaubte, und Will konnte ihr ansehen, wie frustriert sie war. »Ich hab Jareds und Lenas Kreditrahmen und ihre Konten überprüft. Zumindest den Geruchstest haben sie bestanden. Lenas Celica ist abbezahlt, bei seinem Pick-up fehlt nur noch ein Jahr. Geringe Kreditkartenumsätze. Bei Jareds Studiendarlehen steht noch ein Tausender aus, und einen Tausender haben sie auf der hohen Kante. Bei ihren Hypothekenzahlungen geht's ein bisschen durcheinander, aber bei wem wäre das nicht der Fall?«

»Was ist mit ihren Einsätzen?«

»Wir werden damit zugemüllt. Jared hat sich einen Wettstreit mit Kollegen geliefert, wer die meisten Strafzettel ausstellt. Lena hat eine Liste von Verhaftungen, die so lang ist.« Faith hielt ihre Hände einen knappen halben Meter auseinander. »Ich hab vier hiesige Hilfskräfte darangesetzt, die mich am liebsten umbringen würden, weil ich sie mit dem Papierkram derart überhäufe. Sie müssen Achtzehn-Stunden-Schichten schieben.«

»Es ist einfacher, sie schlecht zu behandeln, wenn man ihre Namen nicht kennt.«

»Ich werde es mir merken«, gab Faith zurück. »Das Erste, was ich haben wollte, war die Fallakte zu dieser Razzia im Fixertreff, von der man gerade in der Zeitung liest.«

Will nahm an, dass sie es aus einem bestimmten Grund so spannend machte. »Und?«

»Die Akten liegen bei der Innenrevision. Jedes verdammte Fitzelchen.«

Die Innenrevision. »Das liegt nahe. Bei dieser Razzia wurden immerhin zwei Beamte verletzt.«

»Keith McVale und Mitch Cabello. Sie brauchen nicht gleich beeindruckt zu sein. Ich kenne die Namen nur, weil ich mir den Dienstplan angesehen habe.«

»Haben Sie mit ihnen gesprochen?«

»Einer gibt zurzeit sein Krankengeld in Florida aus, und der andere hat sich heute Morgen selbst aus dem Krankenhaus entlassen. Er reagiert nicht auf meine Anrufe, und er ist auch nicht zu Hause.« Sie zog ihr Handy aus der Gesäßtasche und wischte ein paarmal über das Display, bevor sie Will einige Fotos zeigte. »DeShawn Franklin. Mitch Cabello. Keith McVale.«

Abgesehen von der Hautfarbe sahen die Männer einander ziemlich ähnlich – kantiges Kinn, gepflegte Erscheinung. Wie Paul Vickery. Sie wirkten eher wie eine militärische Einheit denn wie ein Team von Detectives.

»Es gibt da noch einen weiteren Kerl«, fuhr Faith fort, »der sich ungefähr zur selben Zeit aus dem Staub gemacht hat. Ebenfalls Detective.« Sie hielt das Handy so, dass Will das Foto sehen konnte. »Ich weiß noch nicht, was er damit zu tun hat, aber Eric

Haigh hatte ausgerechnet für den Tag der Razzia seine Beurlaubung beantragt.«

Will studierte das Foto. Auch dieser Mann sah den anderen verblüffend ähnlich. »Und er ist nicht erreichbar?«

»Er geht nicht mal ans Telefon«, sagte Faith. »Das reinste Déjà-vu.«

Will wusste, was sie meinte. Die Polizeieinheiten von Hilton Head und Savannah hatten beide eine Welle von Frühpensionierungen erlebt, kaum dass Big Whitey anfing, dort auf den Busch zu klopfen. »Es ist die gleiche Strategie, die Whitey auch bei den Dealern anwendet: Wenn man einen Polizisten tötet oder verletzt, bringt man die anderen leichter dazu, entweder die Seiten oder den Beruf zu wechseln.«

»Und dann reißt Big Whitey den Drogenmarkt an sich.« Abrupt wechselte Faith das Thema. »Heute Morgen war ich so verzweifelt, dass ich sogar den Zeitungsartikeln nachgegangen bin.« Sie rief den Browser auf ihrem Handy auf. Die Website des *Macon Chronicle-Herald* war bereits geöffnet.

»Über die Razzia in dem Fixertreff wissen wir Bescheid – zumindest, dass sie stattgefunden hat. Die zwei verschwundenen Teenie-Mädchen sind zu einer Party ausgebüxt und am nächsten Morgen reumütig zu Hause wieder aufgetaucht. Der in der Schule verhaftete Hasch-Dealer war ein Wiederholungstäter, der zum x-ten Mal in eine Entzugsklinik muss. Der Kerl auf der Toilette hatte einen Herzinfarkt. Er wurde als dreiundvierzigjähriger Existenzgründer beschrieben.« Faith sah wieder zu Will auf. »Wenn ich nur besser mit Wortspielen wäre.«

»Das wird schon noch.«

Sie kicherte gutmütig. »Die Razzia steht natürlich im Mittelpunkt des Interesses. Ich gebe es nicht gerne zu, aber Denise Branson ist gut. Sie hat mich wirklich am ausgestreckten Arm verhungern lassen.«

Will hatte derartige Fälle schon öfter bearbeitet. Er ersparte Faith die Erklärungen. »Die Innenrevision gibt keine Unterlagen über die Razzia in dem Fixertreff frei, bis sie zu einer Entscheidung gelangt ist. Sie dürfen nicht über die Details sprechen, weil der Ruf eines Beamten – oder der von mehreren – in Gefahr ist oder weil es möglicherweise zu einem Prozess kommen könnte. Es gibt ein Redeverbot für alle Beteiligten, aber auch ohne den Maulkorb würde niemand mit Ihnen reden, weil Sie die Böse vom Staat sind, die ihre Nase in Sachen steckt, die Sie nichts angehen.«

»Kurz und bündig«, bestätigte Faith. »Ich als Mutter eines Sohns im Teenageralter sollte es eigentlich gewohnt sein, gehasst zu werden. Aber das ist eine ganz neue Dimension.«

Will hätte ihr gerne sagen wollen, dass es in dieser Hinsicht irgendwann besser würde, aber er wollte nicht lügen.

Faith steckte das Handy wieder in die Tasche. »Als ich hier ankam, hatte ich erwartet, dass sie sich auf Lena stürzen würden, aber sie wird hier richtiggehend verehrt. Sie reden über sie, als wäre sie die Beste in der ganzen Truppe. Ich verstehe das nicht. Und wenn ich sie frage, warum sie so großartig sein soll, sehen sie mich nur an, als wäre das doch offensichtlich, als wär ich eine Idiotin, weil ich das nicht erkennen kann.« Will konnte sich ebenso wenig erklären, warum Lena eine solche Loyalität genoss. Er hatte das auch im Grant County erlebt. Für jemanden, der in einem fort Mist baute, schien sie mehr Unterstützer zu haben, als ihr zustanden.

»Was ist mit Denise Branson?«, fragte er. »Konnten Sie schon herausfinden, wie die anderen zu ihr stehen?«

»Sie sind ihr gegenüber ein bisschen kühl, aber das war zu erwarten. Sie steht weiter oben in der Nahrungskette. Sie ist selbstbewusst. Sie ist eine Frau. Drei Minuspunkte.« Faith schloss mit einer Gegenfrage: »Was haben Sie aus Tony Dell sonst noch herausgebracht?«

»Big Whitey hier, Big Whitey dort.«

»Das macht mich nervös.«

Will ging nicht weiter darauf ein. Sie hatten sich mehr als einmal darüber unterhalten, dass es ihnen gefährlich vorkam, wie oft Tony Dell den Namen fallen ließ. »Ich hab ihm eingeredet, dass Big Whitey uns wahrscheinlich umbringen will. Dass wir Risikofaktoren sind.«

»Klingt einleuchtend.« Faith starrte zur Interstate hinüber. Will ahnte, was sie dachte: Es wurde Zeit, dass sie sich eingehender mit Big Whitey beschäftigten. Will musste noch dichter an Tony Dell herankommen, am besten über Cayla, die Apothekenhelferin.

»Tony denkt, wir sollten versuchen, ein Gespräch mit Big Whitey einzufädeln. Ihn wissen zu lassen, dass wir keine Bedrohung für ihn darstellen. Dann sehen wir ja, ob wir vielleicht mit ihm ins Geschäft kommen.«

Faith nickte, sah Will aber nicht an. »Geben Sie mir die Details, sobald Sie sie haben.«

»Vielleicht könnten Sie für mich eine Waffe in den Spülkasten kleben.« Sie reagierte nicht. »Wie in …«

»Ich hab *Der Pate* gesehen.«

Will folgte ihrem Blick hinab zu der endlosen Reihe von Autos. Auf der I-475 staute sich der Mittagsverkehr. Jeder Supermarkt und jedes Fast-Food-Restaurant entlang der Ausfahrten war voll bis auf den letzten Platz.

»Ist Ihnen inzwischen noch ein Wortspiel eingefallen? Für den toten Existenzgründer auf der Toilette?«

»Kommt mir nicht mal mehr lustig vor.«

Will blickte wieder auf die Autos hinab. Ein Lkw scherte auf die falsche Spur aus, um einen Transporter zu überholen. Eine Hupe war bis zu ihnen hinauf aufs Dach zu hören. Faith nahm ihre Kappe ab und steckte sich die Haare wieder darunter.

»Ist sie okay?«, fragte Will.

Faith schüttelte den Kopf. »Sie hat immer noch keinen Ton gesagt. Es ist, als würde man mit einer Mauer reden. Sie reagiert auf gar nichts. Sieht mich nicht an. Ich hab mir sogar schon überlegt, ihr einen Spiegel unter die Nase zu halten, um zu sehen, ob sie noch lebt.«

Will wartete, bis Faith erkannt hatte, dass er gar nicht nach Lena gefragt hatte.

»Oh. Ja. Sara ist okay. Müde. Sie hat nichts gesagt, aber ich kann ihr ansehen, dass es schwer für sie ist.«

Will nickte.

Endlich sah sie wieder zu ihm hinüber. »Sie müssen es ihr sagen, Will. Das Ganze nähert sich der Schmerzgrenze.«

Er rieb sich das Kinn. Er spürte eine leichte Schwellung, wo Vickery ihn getroffen hatte. »Und Lena hat nichts gesagt?«

Faith starrte ihn noch eine Sekunde an und schüttelte dann den Kopf. »Ich hab versucht, dort reinzugehen und so zu tun, als wäre sie bloß irgendeine Zeugin. Dann hab ich versucht, mit ihr wie mit einer Polizistin zu reden. Aber die ganze Zeit spüre ich, wie mir der Schweiß den Rücken runterrinnt, weil ich nur daran denken kann, dass ich die nächste Polizistin sein könnte, die ihretwegen getötet wird.« Faith zuckte mit den Schultern, als sie hinzufügte: »Oder Sie der nächste Polizist.«

Will wusste nicht recht, was er sagen sollte. Auch er zuckte mit den Schultern.

Sie drehten sich beide um, als sie gackerndes Gelächter hörten. Eine Gruppe Ärzte war aufs Dach gekommen. Will ging vorsichtig hinten um den Schuppen herum und hielt sich mit dem Rücken an der Metallwand. Kies knirschte, als die Gruppe zum Rand des Dachs hinüberging.

Er sah nach, ob die Luft rein war, und schlüpfte dann durch die Tür. Bevor er die Treppe hinunterging, warf er einen kurzen Blick übers Geländer. Sein Werkzeugkasten stand immer noch vor der Intensivstation. Er packte den Griff und stieß die Tür auf. Und dann wäre ihm fast das Herz stehen geblieben, weil er vergessen hatte, auch noch durch das Fenster zu schauen. Doch zum Glück war niemand da außer dem Polizisten und der Krankenschwester.

Der Mann griff an seine Waffe.

Will hob seine Kennkarte in die Höhe. »Wartungsdienst. Hier soll irgendwo ein Rohr undicht sein.«

Der Polizist sah Will streng an, die Hand immer noch an der Waffe.

»Ist schon okay, Officer Raleigh.« Die Schwester stand von ihrem Schreibtisch auf. »Mein Gott, Buddy, wo warst du denn so lange?« Doch dann überlegte sie es sich anders. »Tut mir leid. Du kannst wahrscheinlich nichts dafür.«

»Trotzdem sorry für die Verspätung«, entgegnete Will. »Der letzte Job hat mich ein bisschen aufgehalten.«

»Ich heiße übrigens Ruth.« Sie lächelte ihn an und bedeutete ihm, ihr zu folgen.

Will nahm den Werkzeugkasten in die andere Hand und ging den Gang entlang. Er war schon einmal auf der Intensivstation gewesen, um eine zischende Klimaanlage zu kontrollieren. Sie hatte im Wesentlichen die Form eines Hufeisens gehabt, das zur dem Schwesternzimmer zugewandten Seite eckiger wurde. Die Zimmer waren winzig. Fenster gab es nur zum Gang. Will nahm an, dass die Patienten hier keinen großen Wert auf Sonnenlicht legten, aber er persönlich verspürte auf dieser Etage einen Anflug von Klaustrophobie.

Officer Raleigh stellte sich vor die Tür zu Jareds Zimmer. Er packte die Kennkarte, die Will um den Hals hing, und sah sich Bill Blacks Foto genau an. Will war dem jungen Beamten so nahe, dass er den feinen Flaum auf seiner Wange sehen konnte.

»Was ist denn hier los?« Ruth schien verwirrt. »Das ist Buddy. Er war schon mal hier oben.«

Will warf der Frau einen Seitenblick zu. Sie war schon etwas älter, ihre dunklen Haare wurden am Scheitel bereits ein wenig grau. Er wusste nicht recht, warum sie sich so für ihn einsetzte. Will konnte sich an Gesichter ziemlich gut erinnern, und er war sich sicher, diese Schwester noch nie gesehen zu haben.

»Okay.« Endlich gab Raleigh den Weg frei.

Will bemühte sich um einen neutralen Gesichtsausdruck, als er das Zimmer betrat, doch Lena, die mit angezogenen Beinen auf einem Stuhl in der Ecke saß, riss überrascht den Mund auf.

Ruth missverstand ihre Reaktion. »Tut mir leid, Herzchen«, erklärte sie. »Wir müssen diese undichte Stelle dort überprüfen. Dauert auch nicht lange.«

Will konnte nicht anders. Er sah überallhin, nur nicht zu Jared.

»Da oben.« Ruth deutete zu einem braunen Fleck an der Decke.

Will war so groß, dass er einfach nach oben greifen und den Fleck berühren konnte. Die Deckenfliese war feucht und roch nach Apfel. Er sah zu dem Essenstablett neben Jareds Bett hinüber. Garantiert war das Apfelsaftpäckchen leer.

Will ließ die Hand wieder sinken. Ruth beobachtete ihn auf eine Art, die ihm unbehaglich war. Dann blinzelte sie ihm unvermittelt zu und sagte dann in einem gehauchten Flüstern: »Ich bin eine Freundin von Cayla.«

Will reagierte mit dem typischen Bill-Black-Brummen, bis endlich Faith im Zimmer auftauchte.

»Was zum Teufel ist hier los?« Sie richtete ihre Wut auf den Polizisten. »Ich weiß, dass Chief Gray es Ihnen besser beigebracht hat. Haben Sie diesen Kerl überprüft?«

Raleigh zögerte. Er hatte offensichtlich eine gesunde Angst vor seinem Chief. »Der Kerl hat eine Kennkarte.«

»Die kann man sich in jedem Copyshop nachmachen lassen.« Faith nickte zur Tür. »Gehen Sie nach unten und fragen Sie in der Personalabteilung nach.«

»Ja, Ma'am.« Wäre Raleigh nur ein paar Jahre älter gewesen, hätte er Faith unter Garantie deutlich zu verstehen gegeben, wohin sie sich ihren Befehl stecken konnte. Doch er war immer noch so grün hinter den Ohren, dass er regelrecht losrannte, sobald Faith nur mit den Fingern geschnippt hatte.

Ruth sah zur Decke hoch und fragte geschäftsmäßig: »Was denkst du, Bud?«

Will musterte erneut den Fleck. »Ich denke mal, dass da was undicht ist.«

»Können wir Mr. Long vielleicht so lange in ein anderes Zimmer verlegen?«, schlug Faith vor.

Ruth schüttelte den Kopf. »In der nächsten Stunde bin nur ich hier oben, und ich kann ihn nicht allein verlegen.«

»Ich kann Ihnen ja helfen«, bot Faith an.

»Eigentlich ist es uns nicht gestattet …«

Will fiel ihr ins Wort. »Das Zimmer muss auf jeden Fall geräumt werden.« Er drückte eine gekachelte Dämmfliese nach oben und leuchtete mit der Taschenlampe, die an seinem Gürtel gebaumelt hatte, in die Zwischendecke. Will hatte an fast jedem der letzten zehn Tage Decken kontrolliert. Er wusste, dass die Chance, irgendein verdächtig aussehendes Rohr zu finden, verhältnismäßig gut stand, doch das Gewirr von Rohren und Leitungen, die kreuz und quer durch die Intensivstation liefen, überraschte ihn nichtsdestoweniger.

Er schob die Fliese so weit beiseite, dass jeder hineinsehen konnte, und sagte in einem so amtlichen Ton, wie er nur konnte: »Das wird der Sauerstoff sein, das da die Kondensationsröhre der Klimaanlage, PVC-Rohr, irgendein altes Polybuten-Teil. Ich brauche einen Leitungsplan, deshalb …«

»Ich kümmere mich darum«, unterbrach ihn Ruth. »Ich will nur schnell meine Chefin anrufen. Vielleicht kann sie ja hochkommen.«

Als sie das Zimmer verließ, ging Faith ihr nach. Will hielt die Lampe an die Decke gerichtet, doch sein Blick ruhte auf Jared Long.

Das Gesicht des jungen Mannes war angeschwollen wie ein Ballon. Überall steckten Schläuche. Seine Augen waren zugeklebt. Getrocknetes Blut verkrustete seine Nasenlöcher. Seine Hand war wächsern gelb. Kein Polizist der Welt mochte einen

Kollegen in einem Krankenhausbett sehen. Normalerweise war Will nicht abergläubisch, jetzt aber musste er einen Schauder unterdrücken, der sich sein Rückgrat hocharbeitete. Allerdings war Jared Long nicht das einzig warnende Beispiel in diesem Zimmer.

Langsam, als wolle sie sich nichts brechen, streckte Lena sich auf ihrem Stuhl aus.

»Alles okay mit Ihnen?«, fragte Will.

»Nein.« Die Arme um die Taille geschlungen, schlurfte Lena zur anderen Seite des Betts. »Sara weiß nicht, dass Sie das machen, oder?«

Lena war schon immer eine aufmerksame Beobachterin gewesen. Doch Will hatte nicht vor, über Sara zu sprechen. Er sah über die Schulter. Ruth stand im Schwesternzimmer und telefonierte. Faith klebte förmlich an ihrer Seite.

»Ich sag ihr nichts.« Lena rieb die Lippen übereinander. Sie waren rissig und trocken. »Irgendwann finden Sie das auch noch raus: Ich kann sehr gut den Mund halten. Ich hab gelernt, das Richtige zu tun.«

»Was ist letzte Nacht passiert?«, wollte Will wissen.

»Sie haben auf ihn geschossen.« Weiter sprach sie nicht. Dass sie ihre Verwicklung in den Vorfall auf so vorhersehbare Weise abtun wollte, täuschte Will nicht darüber hinweg, wie sehr die Vorkommnisse sie erschüttert haben mussten. Ihre Augen waren blutunterlaufen. Die Prellung unter ihrem Auge verfärbte sich dunkel. Sie schien Probleme mit dem Gleichgewicht zu haben. Ihre Pupillen waren stark geweitet, und er hatte keine Ahnung, ob das von dem dunklen Zimmer oder von irgendwelchen Medikamenten herrührte.

»Sagen Sie mir, was die Ursache dafür war.«

Ihr Kopf bewegte sich quälend langsam von einer Seite zur anderen.

»War es die Razzia letzte Woche?« Er hielt kurz inne. »Dabei wurden zwei Polizisten verletzt. Waren Sie daran beteiligt? Haben Sie ebenfalls zu dem Einsatzteam gehört?«

Sie ließ sich mit der Antwort Zeit. »Über die Razzia darf ich nicht sprechen.«

»Wir wissen beide, dass Sie sich nicht an Regeln halten.«

»Fragen Sie Branson.«

»Ich frage Sie.«

Wieder schüttelte sie den Kopf. Dann sah sie auf Jared hinab. Ihre Stimme war kaum mehr als ein Flüstern, als sie zu ihrem Ehemann sagte: »Es tut mir so leid, Baby. Es tut mir so leid.«

»Lena, irgendwas muss doch passiert sein, das das hier ausgelöst hat.«

Sie reagierte nicht.

Er versuchte es mit Diplomatie. »Hat Jared irgendjemanden herausgewinkt, der ihm vielleicht was tun wollte?«

Sie warf Will einen verwirrten Blick zu, als wäre sie noch gar nicht auf den Gedanken gekommen, dass ein Motorradpolizist, der auf einem Abschnitt eines Drogenkorridors entlang der gesamten Ostküste arbeitete, je in eine gefährliche Situation geraten könnte. »Glauben Sie, er könnte irgendwelchen Dealern in die Quere gekommen sein?«

»Ich weiß es nicht. Sagen Sie es mir.«

Sie schien darüber nachzudenken. »Die hätten ihn doch auf der Stelle erschossen.«

Will wusste, dass sie recht hatte, fragte aber dennoch: »Und Jared hat rein gar nichts erwähnt?«

»Wir haben nicht wirklich miteinander gesprochen.«

Will ließ diesen Satz auf sich wirken. Dass es einen Ehestreit gegeben hatte, wunderte ihn nicht. Das Erste, was er gesehen hatte, als er durch die Tür ihres Hauses getreten war, waren das Kissen und die Decke auf der Couch.

»Was ist mit Ihnen?«, fragte er stattdessen.

»Was sollte mit mir sein?«

Will drehte sich wieder zu Ruth um. Faith gab ihm mit einer Handbewegung zu verstehen, dass ihm nicht mehr viel Zeit blieb. Will bemühte sich, nicht die Geduld zu verlieren, als er zu

Lena sagte: »Was immer die Ursache hierfür war – ich weiß, dass Sie es nicht beabsichtigt haben. Sie sind kein schlechter Mensch. Aber Sie müssen irgendwas getan haben, das uns diese Situation eingehandelt hat, und Sie müssen mir jetzt sagen, was es ist, damit ich den Täter dingfest machen kann.«

Noch immer schüttelte Lena leicht den Kopf. Ihre Hand lag auf dem Schutzgitter. Sie spreizte die Finger, strich mit den Fingerspitzen sanft über Jareds Decke.

»Sie wissen«, fuhr Will fort, »dass Sie mir vertrauen können. Es gibt einen Grund, warum ich hier bin.«

Sie ging nicht darauf ein. »Was ist mit Ihrer Partnerin? Arbeiten Sie schon lange mit ihr zusammen?«

»Faith.« Will schmeckte Blut auf der Zunge. Ohne darüber nachzudenken, hatte er auf der Wunde in seiner Wange herumgekaut. »Schon 'ne ganze Weile.«

»Kann sie was?«

»Ja.« Will versuchte es anders: »Wer ist Big Whitey?« Das schien sie endlich aus ihrer Versunkenheit zu reißen.

Er sah Wut in ihren Augen aufblitzen, als die alte Lena wieder zum Vorschein kam. »Was hat Branson Ihnen erzählt?«

»Wer ist er?«

»Niemand.« Kurz hatte Will den Eindruck, als hätte sie Angst. »Er existiert nicht. Er ist eine Lüge.«

»Lena …«

»Stopp.« Ihre Stimme bekam etwas Flehendes. »Hören Sie mir zu, Will. Wenn Sie Sara lieben, halten Sie sich da raus.« Verzweifelt umklammerte sie die Bettkante. »Ich meine es ernst. Halten Sie sich raus.«

Will sah hinüber zu der Schwester. Offensichtlich hatte sie ihren Anruf beendet. »Reden Sie mit mir«, wandte er sich wieder an Lena. »Lassen Sie mich Ihnen helfen.«

Doch Lena schüttelte den Kopf. Tränen liefen ihr über die Wangen. »Eigentlich sollen wir doch die Menschen beschützen. Wir sollen für ihre Sicherheit sorgen.«

»Für Jareds Sicherheit sorgen Sie am besten, indem ...«

»Aber wie entscheidet man sich?« Sie schluckte schwer. Das Geräusch war lauter als das Summen der Maschinen. »Wie entscheidet man, wessen Leben wichtiger ist?« Ihre Hand wanderte zu ihrem Bauch, und dann legte sie sie mit gespreizten Fingern darauf. »Er würde das hier wollen«, flüsterte sie. »Genau das hier würde Jared von mir wollen.«

Faith räusperte sich, um ihre Rückkehr anzukündigen. Ruth folgte ihr auf dem Fuß. »Wie schlimm ist das Leck denn nun? Ich meine, geht's darum, dass gleich die ganze Decke runterkommt?«

Will nahm sich Zeit, er schaltete die Stablampe aus und steckte sie wieder in den Haken an seinem Gürtel. Dann schüttelte er den Kopf und zuckte gleichzeitig mit den Schultern. »Das weiß ich erst, wenn ich da oben bin.«

Ruth seufzte. »Meine Chefin wird mir erst in einer Stunde helfen können, ihn zu verlegen. Könnten Sie später noch mal wiederkommen?«

Jetzt übernahm wieder Bill Black. »Dann müssen Sie mich noch mal anfordern.«

Ruth seufzte von Neuem, aber offensichtlich war sie an die bürokratischen Abläufe im Krankenhaus gewöhnt. »Okay, Buddy. Trotzdem danke fürs Kommen.« Sie trat auf Jareds Bett zu und kontrollierte die Maschinen. Lena beobachtete sie wie ein Falke. Allein die Art, wie sie dastand, konnte einen nervös machen. Sie hatte zwar die Finger gespreizt, berührte ihn aber nicht. Sie konnte kaum sein Gesicht ansehen.

Und auch Ruth musste das gespürt haben. »Sie dürfen ihn ruhig berühren, meine Liebe. Er wird daran nicht zerbrechen.« Wie um es zu beweisen, legte sie Jared die Hand an die Wange. Und behielt sie dort. Sie runzelte die Stirn.

Irgendetwas stimmte hier nicht.

Ruths Hand wanderte zu Jareds Stirn. Dann zu seinem Hals. Dann zu seinem Handgelenk. Sie starrte auf die Uhr, verglich den Puls unter ihren Fingerkuppen mit der blinkenden Zahl auf dem Monitor. Will konnte sehen, dass das Herz schneller schlug, als es hätte schlagen dürfen. Der Blutdruck war zu niedrig.

»Was ist los?«, fragte Faith.

»Er ist nur ein bisschen feucht …« Ruth griff nach der Steuerkonsole des Bettes und hob das Fußende ein wenig an. Der Boden unter Wills Füßen vibrierte. Mit gespielter Unbekümmertheit sagte die Schwester: »Ich bin mir sicher, es ist nichts, aber ich werde doch schnell den Arzt dazuholen, okay?« Hastig verließ sie das Zimmer. Faith lief ihr nach, doch Will bezweifelte, dass Lena ihm noch irgendetwas sagen würde.

Er hob seinen Werkzeugkasten vom Boden auf und versuchte es ein letztes Mal. »Lena, ich weiß, Sie glauben, dass Sie das alles hier unter Kontrolle haben, aber das haben Sie nicht.«

Ohne den Blick zu heben, erwiderte sie: »Ich war noch nie fähig, irgendwas in meinem Leben zu kontrollieren.«

Will wartete, gab ihr noch eine letzte Chance, die Wahrheit zu sagen, doch sie ignorierte ihn, stand einfach nur da und starrte auf Jared hinab. Die Hand hatte sie sich wieder flach auf den Bauch gedrückt. Ihre Lippen bewegten sich lautlos wie zum Gebet.

Will wandte sich zum Gehen. Ruth telefonierte an ihrem Schreibtisch. Sie nahm ihn kaum mehr wahr, was Will als schlechtes Zeichen interpretierte. Jareds Zustand war offensichtlich ernster, als sie es ihnen gegenüber eingestanden hatte.

Er ging den Gang entlang auf Faith zu. Sie las E-Mails. Oder tat zumindest so – Will sah, dass das Display dunkel war. Einen guten Meter von ihr entfernt blieb er stehen und öffnete seinen Werkzeugkasten. Faith sprach sehr leise. »Und?«

Will suchte sich Klemmbrett und Stift heraus und warf Ruth einen Blick zu. Sie hatte ihm den Rücken zugewandt und hielt sich den Hörer ans Ohr.

»Sie beschützt jemanden«, raunte er.

»Sie beschützt sich selbst.«

Da war sich Will nicht annähernd so sicher. Er kreuzte ein paar Kästchen auf seinem Formular an. »Ich glaube, sie war bei der Razzia in dem Fixertreff mit von der Partie. Sie hat zu mir gesagt, sie dürfe nicht darüber reden.«

»Natürlich war sie bei der Razzia dabei. Würd mich nicht wundern, wenn sie sie sogar geleitet hätte.«

»Sie hat mich vor Big Whitey gewarnt.«

Faith hob den Blick von ihrem Handy, doch Will kreuzte bloß weiter Kästchen an. Das gab ihm die Zeit zu entscheiden, ob er Faith auch noch den Rest erzählen sollte. Er wusste, dass er letztendlich keine Wahl hatte.

»Sie hat mir gesagt, wenn ich Sara liebe, soll ich den Fall sausen lassen.«

Faith starrte wieder auf ihr Handy hinab. Sie bewegte den Daumen über das schwarze Display. Außer Verärgerung zeigte sie selten irgendwelche Gefühle, jetzt aber sah Will, dass Lenas Worte sie getroffen hatten.

»Wieso hab ich nur das Gefühl«, fragte sie, »dass sie vor fünf Jahren genau das Gleiche zu Jeffrey Tolliver gesagt hat?«

7.

Der Tag vor der Razzia

Lena saß an ihrem Schreibtisch und starrte ihren Computermonitor an. Auf der Mattscheibe explodierte ein Feuerwerk. Sie wusste, wenn sie jetzt gleich irgendeine Taste drückte, würde der Desktop erscheinen. Sie wusste auch, welche Dateien dort zu finden sein würden: offene Fälle, abgeschlossene Fälle, Gerichtsdokumente, Zeugenaussagen, Einlassungen von Verdächtigen – endlose Datenströme, die das Leben von Tausenden Menschen schilderten.

Doch in ihrem Computer gab es lediglich ein Leben, an dem ihr wirklich etwas lag.

Nicht, dass da noch Leben wäre.

Lena schloss die Augen. Ließ ihrem Kummer freien Lauf.

Sie hatte einmal einen Stromschlag erlitten. Offensichtlich keinen tödlichen wie auf einem elektrischen Stuhl, doch erschreckt hatte sie der Stoß nichtsdestoweniger. Lena war fünfzehn gewesen, als es passiert war. Sie hatte Sibyl beim Frisieren geholfen. Sie hatten beide vor dem Spiegel gestanden. Das Glas war vom Duschen immer noch beschlagen gewesen. Ein modriger Geruch hatte in der Luft gelegen.

In dem Haus, in dem sie aufgewachsen waren, hatte ihr Onkel Hank die Stromleitungen verlegt, weshalb sie es gewohnt waren, dass hier und da Steckdosen rauchten und Glühbirnen zerbarsten. Er hatte auch die Bücherschränke gebaut, die keine

Regalböden hatten, und eine tragende Wand herausgerissen, was dazu geführt hatte, dass das Dach irgendwann ausgesehen hatte wie ein Kamelrücken. Man brauchte nur durch die Haustür zu treten, um zu wissen, dass man von nun an sein Leben riskierte.

Deshalb hätte Lena auch wissen müssen, dass man den Föhn nicht anschalten durfte, ohne erst den Ventilator auszustecken. Der Schlag schoss ihren Arm hinauf, dann übers Rückgrat hinunter in die Beine und bis in die Zehenspitzen, die zufällig in einer Pfütze standen. Dann war da eine Art Verzögerung. Lena spürte die volle Wucht des Stromschlags erst, als sie das Wasser sah. *Das ist gefährlich*, dachte sie noch – und dann ging das Licht aus. Ihr Körper verkrampfte sich. Als sie auf dem Badezimmerboden wieder zu sich kam, schrie Sibyl Hank zu, er müsse einen Krankenwagen rufen.

Genau so fühlte Lena sich jetzt – unter Schock. Beinahe wie nach dem Stromschlag. Flach auf dem Rücken. Den Körper angespannt. Die Nerven in Flammen. Nur war diesmal niemand da, der ihr half. Diesmal war sie völlig auf sich allein gestellt.

Lena sah die Farben auf dem Monitor explodieren. Sie legte die Hand auf die Maus und klickte zögerlich. Sofort erschien der Desktop. Sie bewegte den Cursor hin zu dem Icon, hinter dem sich die Ultraschallaufnahme verbarg. Das Foto selbst hatte Lena zerrissen, aber das Video war immer noch da. Ihre Hand erstarrte über der Maus. Sie musste die Datei nicht noch mal öffnen. Sie musste das Bild nicht noch mal sehen. Es war ihr für immer in die Netzhaut eingebrannt. Sooft sie es sah, fühlte sie sich, als würde auch der allerletzte Rest Energie aus ihr hinausströmen.

Eine kleine schwarze Blase. Weiße Falten und Grate. Das winzige Flattern eines schlagenden Herzens, das nicht größer gewesen war als ein Regentropfen.

Wie konnte sie etwas so sehr lieben, das sie mit bloßem Auge nicht einmal hatte sehen können? Wie hatte sie dieses Herz in sich schlagen spüren können, wenn sie doch eine Maschine gebraucht hatte, die ihr sagte, dass es überhaupt existierte?

Wie hatte sie es so leicht wieder verlieren können?

Wie hatte ein einziger schrecklicher Augenblick Wochen des Glücks auslöschen können, ein künftiges Leben vernichten, das Lenas Herz zuvor schier schwerelos vor freudiger Erwartung gemacht hatte?

Der Cursor hing über der Datei. Das Bild zitterte leicht. Dann klingelte ihr Handy. Lena nahm die Hand von der Maus und griff nach dem Telefon. »Detective Adams.«

»Oh.« Die Frau schien überrascht, dass Lena sich gemeldet hatte.

»Ja bitte?«, fragte Lena. Wieder legte sie die Hand auf die Maus. Sie musste die Datei nicht noch mal sehen. Sie würde sie löschen.

»Ma'am«, sagte die Frau. »Hallo?«

»Ja.« Lena wandte sich vom Computer ab. Sie zwang sich, der Anruferin zuzuhören.

»... aus Dr. Benedicts Praxis? Sie waren gestern bei uns?« Lena konnte Leute nicht ausstehen, die am Ende jedes Satzes die Stimme hoben. »Rufen Sie wegen der Rechnung an? Wir haben sie noch nicht bekommen.«

»O nein, natürlich nicht.« Sie klang fast schon verletzt. »Ich wollte nur hören, wie es Ihnen geht? Ihr Mann sagte mir, Sie wären schon wieder bei der Arbeit?«

Lena rieb sich die Augen. Jared hatte in der vergangenen Nacht auf der Couch geschlafen. Als Lena heute Morgen aufgewacht war, war er schon weg gewesen. In der Dienststelle hatte sie sich als Erstes den Dienstplan angesehen. Er hatte seine Schicht getauscht, um sie nicht sehen zu müssen.

»Ma'am?«

Lena ließ die Hand sinken. »Was genau kann ich für Sie tun?«

»Dr. Benedict hat mich gebeten, Sie anzurufen und zu fragen, ob die Krämpfe nachgelassen haben?«

Lena legte sich die Hand auf den Bauch. »Ist besser geworden«, sagte sie, ohne zu wissen, ob das stimmte oder nicht. Sooft sie daran dachte, spürte sie alles noch einmal. Den unerträglichen Schmerz, der sie geweckt hatte. Die Panik, als sie versucht hatte, sich anzuziehen. Die Angst, als sie ins Krankenhaus gerast waren. Die Qual, als sie sich die Erklärung des Arztes hatte anhören müssen. Den lautstarken Streit, in den sie auf der Heimfahrt mit Jared geraten war.

Er hatte Lena die blutigen Laken nicht wegwerfen lassen. Er hatte gesagt, sie wolle doch nur so tun, als wäre nichts passiert. Dass sie gefühllos wäre. Unfähig zu trauern. Dass das Wegwerfen der Laken ihre Art wäre, Beweisstücke zu vernichten. Als bräuchte Lena eine sichtbare Erinnerung, um zu begreifen, was sie verloren hatte.

Was *sie beide* verloren hatten.

»Ma'am?«

Lena schüttelte den Kopf, um die Gedanken loszuwerden. »Ja?«

»Ich habe Sie gefragt: Keine exzessiven Blutungen?«

Was »exzessiv« bedeutete, wusste Lena nicht. Sie hatte schließlich keinen Vergleich.

»Mrs. Long?« Die Stimme der Frau war warmherziger geworden, und diese Herzlichkeit war zehnmal schlimmer als ihr Verhörton. »Dr. Benedict könnte Sie krankschreiben. Sie sollten nicht so bald schon wieder arbeiten. Die meisten Frauen brauchen Wochen, manchmal sogar ein oder zwei Monate – falls Sie so lange pausieren können.«

»Tja, das geht nicht«, antwortete Lena. Gestern war schlimm genug gewesen. Sie waren gegen zehn Uhr vormittags aus dem Krankenhaus zurückgekommen. Lena hatte den Nachmittag durchgeschlafen und danach bis weit in die Nacht mit Jared gestritten. Der Gedanke, zu Hause gefangen zu sein und nichts tun zu können, außer darauf zu warten, dass Jared wieder durch die Tür käme, war unerträglich gewesen. Außerdem wusste bei der Arbeit niemand, dass sie überhaupt schwanger war.

Schwanger gewesen war.

»Ich hab zu tun«, sagte Lena schließlich.

»Da bin ich mir sicher, Mrs. Long, aber die Leute werden es verstehen. Was Sie verloren haben …«

»Mir geht's gut«, fiel Lena ihr ins Wort. Am liebsten hätte sie die Frau korrigiert und ihr gesagt, dass sie mit Nachnamen Adams hieß, dass Jared selbst ihr geraten hatte, ihren Mädchennamen zu behalten, weil Lena Long wie etwas geklungen hätte, was man in einer Dauerwerbesendung kaufen konnte.

»Ich brauche keine Krankschreibung«, erwiderte sie stattdessen. »Vielen Dank.«

»Herzchen, bitte, legen Sie nicht auf.« Die Frau machte sich offensichtlich Sorgen um Lena. »Sie sollten wieder nach Hause gehen. Mit Ihrem Mann zusammen sein. Glauben Sie mir, auch wenn er es vielleicht nicht zeigt, leidet er genauso darunter wie Sie.«

Lena presste sich die Finger auf die Augen. Jared hatte es gezeigt. Das Problem war Lena selbst. In den Augen ihres Mannes funktionierte sie wie eine Art Maschine. Sie war nicht mehr die Frau, die er geheiratet hatte. Und er war sich nicht mehr sicher, ob sie immer noch die Frau war, mit der er verheiratet bleiben wollte.

Lena sah auf die Uhr. In fünf Minuten stand eine Besprechung an. Ihr Team wartete bereits auf sie. Sie sollte dieses Gespräch beenden. Trotzdem sprudelten ihr die Wörter aus dem Mund, ehe sie es verhindern konnte. »Ich hab mich gefragt …« Anstatt Lena zu drängen oder irgendeine schwachsinnige Bemerkung mit am Ende erhobener Stimme zu machen, schwieg die Frau. Ein guter Trick. Lena selbst wandte ihn bei Vernehmungen an. Es lag in der Natur der Leute, das Schweigen zu füllen, vor allem wenn sie sich wegen irgendetwas schuldig fühlten.

»Ich hatte eine Abtreibung.« Die Frau schwieg weiter.

»Vor sechs Jahren.« Lena hob die Hand an die Wange. Ihre Haut fühlte sich heiß an. »Ich hab mich gefragt ...«

»Nein. Das hat nichts mit alledem zu tun, was vorgestern passiert ist.« Die Antwort hatte eine gewisse Endgültigkeit.

»Wenn das der Fall wäre, hätte ich meine beiden Kleinen nicht.«

Lena spürte, wie sich die Spannung in ihrer Brust ein wenig löste. Sie klappte den Mund auf, um Luft zu holen. Einen Augenblick lang konnte sie wieder frei atmen.

»Geben Sie sich Zeit zu trauern. Sie und Ihr Mann können es doch noch einmal versuchen. Glauben Sie mir, was Sie jetzt durchmachen ... Es wird einfacher werden. Es wird nie ganz weggehen, aber es wird einfacher.«

Lena zog eine Schachtel mit Papiertaschentüchern aus ihrem Schreibtisch. Sie musste sich zusammennehmen. Schließlich war sie bei der Arbeit. Sie musste endlich aufhören zu grübeln. Sie konnte unmöglich ihr Team führen, wenn die anderen sie am Schreibtisch weinen sahen. Sie wischte sich über die Augen, schnäuzte sich.

»Okay«, sagte Lena zu der Frau. »Vielen Dank. Ich muss jetzt wieder an die Arbeit.«

»Mrs. Long ... Lena. Sie sollten wirklich nach Hause gehen. Tun Sie sich das nicht an. Niemand bekommt einen Orden für Zähigkeit.«

»Okay ...« Lena bemühte sich um eine kräftigere Stimme. »Vielen Dank für Ihren Anruf. Ich muss jetzt wirklich Schluss machen ...«

»Aber ...«

Lena legte auf und schnäuzte sich noch einmal. Sie wischte sich über die Augen, bis sie sich regelrecht wund anfühlten. Vielleicht war es in einer Arztpraxis ja anders, aber in einer Polizeidienststelle wurden tatsächlich Orden für Zähigkeit verliehen.

Lena wandte sich wieder ihrem Computer zu. Sie klickte auf die Ultraschalldatei und zog sie in den Papierkorb. Dann klickte sie sich durch bis zum Befehl »Papierkorb leeren«. Ihre Hand verharrte über der Maus, und das Herz hämmerte ihr in der Brust.

»Lee?« Paul Vickery klopfte an und steckte den Kopf zur Bürotür herein, blieb aber auf der Schwelle stehen. »Was ist denn los? Hat dich jemand an den Nasenhaaren gezogen?«

»Hab nur so 'ne blöde Erkältung.« Lena bewegte den Cursor jetzt zu »Elemente wiederherstellen« und klickte den Befehl an. Sie sah erst zu Paul hinüber, nachdem sie sich versichert hatte, dass die Datei wieder auf ihrem Desktop erschienen war. »Was ist?«

»Schon eine Entscheidung getroffen, Chefin?«

Die Entscheidung. Sie hatten die Razzia ursprünglich für die darauffolgende Woche angesetzt, doch ihr Informant hatte ihnen verraten, dass noch an diesem Abend eine große Lieferung eintreffen würde. Schon vor dem Verlust des Babys hatte Lena Bedenken gegen jedes übereilte Vorgehen gehabt. Sie brauchte mehr Zeit für die Vorbereitungen. Doch anscheinend war sie die Einzige, die so dachte. Sie spürte Druck von allen Seiten. Mehr Geld, mehr Waffen, mehr Drogen, mehr Gefängniszeit.

»Ja. Alle wissen Bescheid außer dir.«

»Wollte nur mal nachfragen, Kemosabe. Musst deswegen doch nicht gleich in die Luft gehen.«

Aus dem Computer hörte sie ein vertrautes »Pling«. Paul war nicht der Einzige, der allmählich zappelig wurde. Denise Branson hatte schon wieder eine E-Mail geschickt. Lena überflog die erste Zeile, die ihr ziemlich unverblümt mitteilte, dass ihre Ermittlung nach den Überstunden der letzten Nacht die Eine-Million-Dollar-Marke überschritten hätte.

»O Mann, Mädchen!« Paul las über ihre Schulter mit.

»Die ist ja mal richtig sauer auf dich. Was machst du jetzt?«

»Die kriegt sich schon wieder ein, sobald sie ihr Foto in der Zeitung sieht.«

»Vanhorn und Gresham«, las Paul in der Mail. »Kommt nicht Sid Wallers Anwalt aus dieser Kanzlei?«

Lena schloss die E-Mail und stand auf. »Wir ziehen Strohhalme, um auszulosen, wer als Erster in den Keller geht. Ich halte die Strohhalme, und einer aus jedem Team zieht.«

Paul grinste breit. »Nur gut, dass ich gerade eine Glückssträhne habe.«

»Habt ihr den Grundriss fertig?«

»Ja. Mussten DeShawn davon abhalten, seinen Winkelmesser zu benutzen.«

»Gut. Wir werden das proben, bis wir es im Schlaf können.« Auf dem Weg nach draußen schnappte sich Lena ihre Jacke.

»In diesem Schuppen hat's sicher siebenundzwanzig Grad.«

»Danke für das Wetter-Update.« Lena zog sich die Jacke an, während sie den Gang entlangging. Ihr Hormonhaushalt war immer noch vollkommen durcheinander. Ihr war die ganze Zeit kalt – trotz des Gefühls, innerlich zu verbrennen. Danach hätte sie die blöde Frau aus Dr. Benedicts Praxis fragen sollen und nicht nach etwas, das vor sechs Jahren passiert war.

»Wirst du …«

»Scheiße!« Ihre Bluse hatte sich im Reißverschluss der Jacke verfangen.

»Komm.« Paul stellte sich vor sie und ruckelte für sie an dem Reißverschluss, als wäre sie drei Jahre alt. Paul war nicht der Einzige, der in letzter Zeit zartfühlender mit ihr umging. Lena argwöhnte, dass sie Schwangerschaftshormone verströmte. Oder es zumindest getan hatte.

»Wir haben ein Problem mit Eric. Er verhält sich merkwürdig …«

»Inwiefern?«

»Er ist zu still.« Dann fügte er hinzu: »Die Sache vorgestern mit dem Transporter war ja noch halbwegs lustig, aber irgendetwas hat er zu verbergen.«

»Und was?«

»Tja.«

Lena sah zu, wie Paul versuchte, ihre Bluse aus dem Reißverschluss zu befreien. Unwillkürlich musste sie wieder an das blaue Jäckchen denken, das sie online bestellt hatte. In Jareds Familie waren alle leidenschaftliche Fans des Footballteams von Auburn. Es grenzte fast schon an religiösen Fanatismus. Zwar hatte Lena ihn angeschrien, weil er das Kinderzimmer gestrichen hatte, aber in der vergangenen Woche hatte sie selbst nicht widerstehen können, online zu gehen und bei Tiger Rags ein Auburn-Kapuzenjäckchen in Babygröße zu bestellen.

Das Jäckchen hatte eine gewisse Lieferzeit. Sie fragte sich, wann es geliefert würde. Wann genau, an welchem Tag in der Zukunft sie nach Hause kommen und ein winziges Jäckchen vorfinden würde, das über kleine Arme gestreift werden sollte, die niemals hatten existieren dürfen.

»Lee?«, fragte Paul. »Wo bist du gerade?«

Sie schüttelte den Kopf. »Es ist zu spät, um Eric noch auszutauschen. Er muss sich eben zusammenreißen.«

Endlich hatte er die Bluse aus dem Reißverschluss befreit.

»Du bist die Chefin.«

So, wie er das mittlerweile aussprach, hatte es in ihren Ohren einen spöttischen Unterton. »Ich Glückspilz«, erwiderte sie. Eigentlich hätte der Lieutenant der Chef der Einheit sein müssen, doch eine besonders aggressive Form der Leukämie hatte ihn von einem Tag zum anderen aus dem Rennen geworfen, und Denise Branson hatte immer noch keinen adäquaten Ersatz für ihn gefunden. Anfangs hatte Lena die neue Rolle bereitwillig übernommen, doch inzwischen sah sie auch die Nachteile der größeren Verantwortung.

»O Scheiße«, kam es plötzlich von Paul. »Achtung!« Er nahm Haltung an, drückte die Brust raus und den Rücken an die Wand.

Lena musste nicht fragen, warum. Lonnie Gray kam mit dem Handy am Ohr den Gang herauf. Sobald er Paul und Lena vor sich sah, beendete er den Anruf und fragte ohne jede Vorrede: »Status?«

»Wir gehen den Ablauf immer wieder durch«, antwortete Lena. »Diesmal wird es laufen. Wir schnappen uns Waller.« Gray klang streng, als er sagte: »Nichts anderes darf passieren, Detective.«

»Ja, Sir«, sagte sie. Sie wusste, dass er es ernst meinte. Lena hatte schon weit mehr als einen Detective lange vor der Rente aus dem Macon PD ausscheiden sehen, weil er den Chief enttäuscht hatte. »Sie haben mein Wort, dass das gesamte Team auf einhundert Prozent fährt.«

»Sie können sich auf uns verlassen, Sir.« Paul klang fast wie ein Drittklässler, der seiner Lehrerin einen Apfel anbot.

»Gut.« Chief Gray nickte Paul kurz zu und marschierte dann den Gang wieder hinunter. Lena konnte Vickerys Eier beinahe zittern hören. Sie hatte den gleichen Respekt gegenüber Gray, hoffte aber, dass sie selbst nicht aussah, als würde sie sich gleich in die Hose machen, sobald der Chief in ihrer Nähe war.

Kaum war Gray verschwunden, klatschte Paul in die Hände. »Du hast den Chief gehört. Rücken wir dem Bösewicht also auf die Pelle.«

Er ging voraus. Lena folgte ihm den Gang hinunter zur Werkstatt. Paul war offensichtlich aufgeregt, und nicht nur wegen des Chiefs. Er rollte beim Gehen auf eine merkwürdige, fast schon weibliche Art über den Fußballen ab. Lena wusste, dass er zwei Einsätze in Afghanistan absolviert hatte, bevor ihn ein Schrapnell am Arm erwischt hatte. Die Physiotherapie hatte ihn wieder hundertprozentig einsatzfähig gemacht, aber nachdem er eine Weile zu Hause verbracht hatte, hatte er die Lust am Krieg vollends verloren.

Trotzdem genoss Paul noch immer einen guten Kampf – eine der vielen Eigenschaften, die sie gemeinsam hatten. Anfangs hatte Lena gedacht, ihre so ähnlichen Temperamente würden aus ihnen ein gutes Team machen. Inzwischen aber war ihr klar, dass unterschiedliche Ansichten womöglich ein besseres Gleichgewicht hergestellt hätten.

Lena hatte Jeffrey Tolliver nicht zuletzt auch deshalb so respektiert, weil er sie immer zurechtgewiesen hatte, wenn sie sich geirrt hatte.

Paul trat die Tür zur Werkstatt auf. Das Geräusch von Metall auf Metall hallte durch das Hangar-große Gebäude. Die Werkstatt war der Ort, wohin sie beschlagnahmte Autos und Boote brachten, um sie auseinanderzunehmen und nach Drogen und Diebesgut zu untersuchen. Außerdem wurden hier die Wartungsarbeiten an den Einsatzwagen durchgeführt, und das war auch der Grund, warum gleich drei Streifenwagen auf Hebebühnen standen.

Die Mechaniker hatten eine große Fläche leer geräumt, auf der Lenas Team arbeiten konnte. Der Grundriss des Fixertreffs maß elf mal zwanzig Meter, und selbst in diesem großen Gebäude war Platz rar. Sie benutzten den Schreibtisch des diensthabenden Sergeant als Arbeitstisch, und auch wenn das dem Sergeant nicht behagte, war ein Befehl nun mal ein Befehl. Lena war überrascht, dass Denise Branson ihnen den Platz nicht längst wieder weggenommen hatte. Sie war so sauer auf Lena, dass sie zu allem fähig war, und Branson war nicht Major geworden, weil sie keine Strafen zu verteilen wusste.

DeShawn Franklin, Mitch Cabello und Keith McVale standen bereits um den Tisch herum. Lena wieselte an Paul vorbei und machte ein paar längere Schritte, damit er sie nicht wieder überholte. Damals im Grant County war Lena der einzige weibliche Detective in einer ansonsten rein männlichen Truppe gewesen. Sie kannte die Regeln, seit sie bei der Polizei war. Jede Sekunde des Tages hatte sie um ihren Platz in der Hackordnung kämpfen müssen.

»He, Boss.« Mitch hob den Blick von dem Lageplan, den sie vom Grundbuchamt bekommen hatten. »Erkältet?«

Lena wusste, wie sie wahrscheinlich aussah: rot geäderte

Augen, blutunterlaufen vom Weinen. Sie wischte sich mit dem Handrücken über die Nase. »Ja. Kleines Mitbringsel von Jared.«

»Ich wette, er hat's dir nach allen Regeln der Kunst gegeben.« DeShawn gab ein Knurren von sich, das die Männer zu einer Runde Pornogeräuschen inspirierte.

»Schnauze, Arschlöcher! Bin auf dem Gang eben Chief Gray begegnet. Er hat mir zu verstehen gegeben, dass wir besser mit Waller im Schlepptau wiederkommen, sonst können wir gleich aus der Stadt verduften.« Sie warf DeShawn einen vielsagenden Blick zu. »Das gilt auch für dich, Goldjunge.«

Mitch ließ ein heiseres »Oh, oh!« hören. Sie alle wussten, dass DeShawn einer von Grays Lieblingen war.

Lena sah sich in der Werkstatt um. Die Mechaniker waren im Augenblick beim Mittagessen, und der diensthabende Sergeant saß wahrscheinlich in seinem Auto und schmollte. Das B-Team hatte in der vergangenen Nacht die Observierung übernommen. Lena hatte ihnen mit auf den Weg gegeben, sie dürften sich an diesem Morgen ruhig Zeit lassen. Während der Razzia sollten sie die Sicherung der Umgebung übernehmen, deshalb mussten sie an der Besprechung der Abläufe im Haus selbst nicht teilnehmen.

Trotzdem fehlte jemand.

»Wo ist Eric?«

»Scheißt sich das Mittagessen heraus, so, wie's klingt«, antwortete DeShawn.

Lena sah zu Paul hinüber, dessen Gesichtsausdruck meistens genau zur Schau trug, was er dachte. Er machte sich noch immer Sorgen wegen Eric. Vielleicht sogar zu Recht. Bei Eric war der Magen Spiegel seiner Seele.

»Stimmt was nicht, Chefin?«, kam es von DeShawn.

Lena versuchte, wieder zu alter Form aufzulaufen. »In der Tat. Ich scheine hier einen Haufen kleiner Mädchen im Team zu haben.«

Entrüstetes Aufjaulen, doch Lena ignorierte es. Sie sah hinab auf den Betonboden, wo sie den Grundriss des Hauses abgeklebt hatten. Der Plan war maßstabsgetreu. Wohnzimmer, zwei Schlafzimmer, Bad, Esszimmer, Küche. Hier konnten sie die einzelnen Schritte nachvollziehen, sodass sie die Bewegungsabläufe im Blut hatten, sobald sie die Razzia eröffneten.

Die einzige Unbekannte war der Keller.

Klinkenschloss. Bolzenschloss. Schieberiegel. Sie hatten keine Ahnung, wie die Tür gesichert sein würde, hatten aber viel Zeit auf Spekulationen verschwendet.

Das größte Problem waren die vier, vielleicht fünf Kerle, die sich normalerweise in dem Haus befanden. Manchmal blieben ein paar Junkies über Nacht, allerdings eher nach einem Party-Wochenende. Der Publikumsverkehr setzte gegen halb acht in der Früh ein – entweder Jugendliche auf dem Weg zur Schule oder Erwachsene auf dem Weg zur Arbeit. Zwei, drei Stunden später kamen dann die Mütter in ihren SUVs auf der Suche nach dem Kick, der sie durch den Tag brachte. Gegen Mittag herrschte eher Flaute, doch gegen halb fünf setzte die wahre Stoßzeit ein, die erst nach drei Uhr morgens wieder schwächer wurde.

Zu dieser Zeit tauchte auch Sid Waller für gewöhnlich auf. Verlässlich wie ein Uhrwerk nahm er die nördliche Ausfahrt zur Allman Road, bog links in die Redding Street ein und fuhr dann in seiner Corvette über den furchigen Kiesweg zu dem Fixertreff.

Normalerweise blieb er drei Stunden. Kein Mensch wusste, was er dort tat. Zu dieser Zeit Informanten hineinzuschicken war zu gefährlich. Inzwischen waren sie ohnehin samt und sonders zugedröhnt. Paul hatte gemutmaßt, dass Waller dort seine Lieferungen verkostete. DeShawn glaubte eher, dass er irgendwelche Mädchen vögelte. Denise Branson hatte geargwöhnt, dass er sein Geld zählte.

Lena betete zu Gott, dass er all das zugleich täte und, wenn sie endlich in diesen dunklen, feuchten Keller vordringen würden, zu vollgedröhnt, zu schlappgefickt und zu verängstigt wäre, um noch irgendwas anderes zu tun, als hilflos zuzuschauen, wie Lena ihm Handschellen anlegte.

Sie hob den Blick. Alle warteten auf sie. DeShawn starrte seine Hände an, als überlege er, ob er eine Maniküre bräuchte. Mitch und Keith flüsterten miteinander. Die beiden konnten nicht einmal dann den Mund halten, wenn man ihnen eine Waffe an den Kopf hielt. Und Pauls Gesichtsausdruck sprach Bände. Er kam ihr wie ein Hündchen vor, hüpfte herum und machte sich vor Aufregung fast in die Hose.

Mit einem Quietschen ging die Tür auf, und mit einem dümmlichen Grinsen betrat endlich auch Eric Haigh die Werkstatt. Paul hatte recht gehabt. Mit diesem Mann stimmte etwas nicht. Er wirkte zögerlich, was umso offensichtlicher wurde, als er sich zu den anderen an den Schreibtisch stellte. Sie waren alle bereit loszuschlagen. Nur Eric sah aus, als würde er lieber wieder kehrtmachen und zu der Tür hinauslaufen, durch die er eben erst hereingekommen war.

Tja, in ihrer aller Leben lief nun mal irgendwas beschissen.

»Okay, Ladys.« Lena klatschte in die Hände. »Die Entscheidung ist gefallen. Wir stürmen die Bude morgen in aller Herrgottsfrühe.«

8.

Sara saß auf dem Beifahrersitz von Nells Pick-up, starrte aus dem Fenster und ließ die Umgebung von Macon an sich vorbeiziehen. Obwohl Atlanta eine Stadt voller Gärten und Bäume war, vermittelte Macon mit den umliegenden Wäldern Sara ein Gefühl von Heimat. Wie das Grant County war auch Macon eine Collegestadt in einem Teil des Staats, in dem sich alles ein wenig gemächlicher bewegte. Allein schon der Anblick der Bäume weckte in Sara das Gefühl, dass ihre Lunge wieder funktionierte. Der Geier hatte sich für eine Weile von ihrer Schulter erhoben, und endlich kam sie sich wieder ein bisschen mehr vor wie sie selbst.

Vielleicht war es aber auch gar nicht nur die Umgebung, die ihr dieses Gefühl von Ruhe vermittelte. Während Nell Putzutensilien eingekauft hatte, hatte Sara in einer langen E-Mail an ihre Schwester verzweifelt ihr Herz ausgeschüttet. Tessas Antwort war nicht weniger lang gewesen, aber anstatt die Nachricht mit Klischees übers unermüdliche Weitermachen und süße Rache zu füllen, hatte sie Listen erstellt: zehn Dinge, die sie an Will Trent liebte. Drei der dümmsten Witze, die ihr Vater je erzählt hatte. Acht neue Wörter, die Tessa vor Lizzie, Saras Nichte, gesagt hatte und für die sie nun wahrscheinlich in der Hölle schmoren würde. Sechs Gründe, warum niemand je so gut Plätzchen wie ihre Großmutter würde backen können. Fünf Sachen, die ihre Mutter tat, bei denen sie sich geschworen hatten, dass sie sie nie selbst tun würden und die sie nun doch beinahe an jedem einzelnen Tag ihres Lebens taten.

Der einzige direkte Bezug auf Saras Situation hatte erst im PS gestanden.

Bitte fang nicht wieder an, Dolly Parton zu hören.

»Ich mach das die ganze Zeit«, riss Nell Sara jäh aus ihren Gedanken.

»Was?«

»Mich an irgendeine Begebenheit mit Jeff erinnern und lächeln.« Sie lächelte auch jetzt. »Wie gerne er im Wald war. Als er noch in der Highschool war, ging er die ganze Zeit wandern.«

Sara öffnete den Mund, um sie zu korrigieren, überlegte es sich dann aber anders.

»Ist schon okay«, sagte Nell. »Heb dir die Geschichte, an die du gerade gedacht hast, für Jared auf, wenn er aufwacht. Dann lächeln wir alle darüber.«

Sara nickte. Das war ein Refrain, den Nell wiederholt hatte, seit sie das Krankenhaus verlassen hatten. Sie musste frische Pyjamas für die Zeit besorgen, wenn Jared aufwachte. Sie musste dafür sorgen, dass das Haus sauber war, wenn Jared aufwachte. Sara missgönnte Nell dieses Ziel nicht. Sie spürte, es war das Einzige, was sie jetzt noch am Laufen hielt.

Nells Handy piepste. Sie hatte ihr GPS-Navi verwendet, um Lenas und Jareds Haus zu finden. »Ich nehme an, es ist dort unten«, sagte sie und bog gemächlich nach rechts ab.

Sara presste die Lippen zusammen. Nell fuhr wie eine alte Frau, nie schneller als erlaubt und mit dem Fuß auf der Bremse aus Angst vor jedem Auto, das auch nur den Anschein erweckte, dass es sich gleich in den Verkehr einreihen wollen würde. Hin und wieder blieb sie sogar stehen, um ein Schild zu mustern oder eine Bemerkung über einen Fußgänger zu machen. Ihr Kleinstadtrhythmus hatte sie fest im Griff – wo schnell fahren als unhöflich betrachtet wurde und man nur hupte, wenn einem irgendein streunender Hund vors Auto lief.

Nell betrachtete die Häuser am Straßenrand. »Gar nicht so übel«, stellte sie fest, und das war das Positivste, was sie über Macon gesagt hatte, seit sie in den Pick-up gestiegen waren.

»Schätze, die hatten ihre Baupläne alle aus demselben Einrichtungsmagazin.«

Sara folgte ihrem Blick. Das Viertel war tatsächlich von einer gewissen Gleichförmigkeit, trotzdem wirkten die Häuser nicht zu groß für die Grundstücke oder in zu viele zusätzliche Schlafzimmer unterteilt, die kein Mensch je benutzen würde. Die Leute pflegten ihre Vorgärten. In den Einfahrten standen Minivans. An Verandapfosten hingen amerikanische Flaggen. Es war genau die Art von Straße, in der man das Haus von zwei Polizeibeamten erwarten würde.

Nell schaltete das Navi ab. Sie parkte neben einem weißen Transporter der Spurensicherung. Charlie Reed stand an der geöffneten Hecktür. Ein jüngerer Mann reichte ihm Plastikkisten, die Charlie sorgfältig im Laderaum verstaute. Sara kannte diese versiegelten Asservatenbehälter noch aus ihrer Zeit als Medical Examiner. Die Vergangenheit schlich sich wieder an sie heran, erst recht, als sie die beiden Polizisten entdeckte, die neben einem Streifenwagen am Ende der Straße standen.

»Na dann«, sagte Nell und sah mit einer gewissen Beklemmung zu dem Haus hoch.

Sara nahm an, dass Nell eher eine Art Hexenhäuschen erwartet hatte und nicht das schmucke einstöckige Schindelhaus oben auf einer steilen Anhöhe. In der schmalen Front des Hauses war die Haustür genau mittig eingelassen, und es war deutlich tiefer als breit. Anstelle der amerikanischen Fahne hing an der Veranda ein blau-oranges Banner mit dem Logo der Auburn University.

Nell schien die Fahne zu gefallen. »Wenigstens hat er noch nicht vergessen, wo er herkommt.«

Sara murmelte etwas, das man als Aufmunterung interpretieren konnte. Vielleicht war es ja gar nicht Nell, sondern Sara, die

Schwierigkeiten hatte, sich vorzustellen, dass Lena in diesem Haus wohnte. Der Rasen war ein dunkelgrüner Teppich. Rund um den Briefkasten standen ein paar hochgewachsene Petunien. Traubenlilien säumten den Gartenpfad. Die Haustür war rot lackiert. In Holztrögen auf der Veranda standen weitere Petunien. Sara konnte sich beim besten Willen nicht vorstellen, dass Lena sich um diese Blumen kümmerte, geschweige denn sich hinsetzte und ein Buch über Feng-Shui las.

»Kommst du?«, fragte Nell.

Sara stieß die Tür auf. Nachdem es in der Fahrerkabine des Pick-ups ziemlich stickig gewesen war, fühlte sich die Luft im Freien geradezu kühl an. Die Polizeibeamten am Ende der Straße starrten sie mit unverhohlener Neugier an. Sara winkte. Als Antwort erhielt sie ein zweifaches Nicken.

»Ich ruf schnell Possum an«, sagte Nell, »und frage ihn, ob er schon etwas Neues gehört hat.« Sie klappte ihr Handy auf und wählte die Nummer. Während sie darauf wartete, dass Possum sich meldete, sah sie erneut zum Haus hoch.

Sara hoffte inständig, dass Nell es sich noch anders überlegte. Während der ersten halben Stunde ihrer Fahrt hatten sie ausschließlich darüber gesprochen, was es bedeutete, einen Tatort zu reinigen. Gegen Ende hatte Sara sich nicht mehr zurückgehalten. Sie war regelrecht brutal geworden, doch das schien Nell in ihrer Entschlossenheit nur bestärkt zu haben.

Sara schlenderte ein Stück vom Pick-up weg, damit Nell ungestört war. Sie spürte die leichte Brise, als sie auf den Van der Spurensicherung zuging, rieb sich die Arme und wünschte sich, sie hätte daran gedacht, sich eine Jacke mitzunehmen.

»Dr. Linton.« Charlie Reed lächelte Sara entgegen. Er war ein gut aussehender Mann – bis auf den Zwirbelbart, der ihn aussehen ließ wie einen alten Salonsänger. »Bitte sagen Sie mir, dass Amanda es endlich geschafft hat, Sie anzuwerben.«

»Gott bewahre, nein.« Für Amanda Wagner zu arbeiten wäre das Letzte, was Sara je tun wollte. »Ich bin mit einer

Freundin hier.« Sie deutete zu Nell hinüber. »Jared Long ist ihr Sohn.«

»Oh.« Charlies Lächeln war schlagartig wie weggefegt.

»Aber sie will doch hoffentlich nicht ...«

»Schlimmer. Sie will das Haus putzen.«

Charlie bedeutete Sara, ihm zur Front des Transporters zu folgen. Er sah noch einmal kurz zu Nell hinüber, wahrscheinlich um sicherzugehen, dass sie außer Hörweite war. »Es sieht übel da drin aus. Ich meine, nicht so übel wie viele andere Tatorte – aber es wurde eine Schrotflinte abgefeuert, und es gab einen heftigen Kampf. Die Menge an Blut ...«

Sara hob beide Hände. »Wenn es nach mir ginge, wären wir auf der Stelle wieder weg. Wenn ich sie nur dazu bringen könnte mitzukommen!«

Charlie warf Nell einen neuerlichen Blick zu. Anscheinend konnte er ihr die Entschlossenheit ansehen. »Na ja, gut, dass wenigstens Sie da sind, um ihr beizustehen.«

»Ich versuche immer noch, sie umzustimmen.«

»Sie sieht nicht aus wie jemand, der sich umstimmen lässt«, bemerkte er. »Ich kann Ihnen einen schnellen Überblick geben, wenn Sie wollen.«

Sara nickte und schämte sich gleichzeitig, dass die schmutzigen Details derart ihre Neugier weckten.

Charlies Stimme nahm einen professionellen Tonfall an.

»Der Mann, den wir Angreifer zwei nennen, drang durch das vordere Fenster ein.« Er deutete auf die Fassade. Schwarzes Fingerabdruckpulver war auf dem gesamten weißen Rahmen verschmiert. »Wahrscheinlich hat er einfach ein Taschenmesser benutzt. Hat es zwischen die Rahmen geschoben und den Sperrriegel angehoben.«

Sara nickte. Eine fast schon typische Vorgehensweise bei Einbrüchen.

»Es ist anzunehmen, dass Angreifer zwei anschließend die Haustür aufmachte und den Mann einließ, den wir Angreifer eins nennen. Aus den Schießpulverrückständen am Boden und an den Wänden können wir schließen, dass der erste Angreifer im vorderen Zimmer bei der Tür zum Gang stand, als er das erste Mal die Waffe abfeuerte – eine abgesägte Remington 870, Achtundzwanziger-Kaliber.«

Sara wusste aus früheren Fällen, dass eine Schrotladung aus so kurzer Entfernung zentimeterdickes Sperrholz durchschlagen konnte. Der abgesägte Lauf hatte die Kugeln breiter gestreut, und das war vermutlich auch der einzige Grund, warum Jared nicht auf der Stelle tot gewesen war.

»Ich hab den Aufnahmebericht des Krankenhauses gelesen. Meine einstweiligen Tatortermittlungen stützen die Annahme, dass die Schrotkugeln sich vorwiegend in einem Kreis von zwanzig Zentimetern um die Brustkorbregion des Opfers konzentrieren, in etwa von T2 bis T7, wobei einige auch in den Schädel eindrangen. Vor Ort fanden wir ein paar Kugeln im Türrahmen. Wir gehen allerdings davon aus, dass die Mehrzahl der Kugeln in den Körper des Opfers einschlugen.«

Sara war es nicht mehr gewohnt, Leute reden zu hören, als stünden sie im Zeugenstand. »Jared stand also in der Tür?«

»Ja. Der Körper des Opfers lag genau in der Mitte des Durchgangs. Wahrscheinlich hatte er die Arme verschränkt oder hielt sie irgendwie vor sich. Dem Krankenhausbericht zufolge hatte er keinerlei Wunden auf dem Arm oder Handrücken. Er trug einen Werkzeuggürtel, und wir können wohl davon ausgehen, dass Detective Adams den Hammer später aus seinem Gürtel zog.«

Sara hatte sich über dieses Detail bereits Gedanken gemacht. Sie konnte sich nicht vorstellen, dass Lena im Schlafzimmer einen Hammer aufbewahrte, aber wer wusste schon, auf welche Ideen sie kam.

»Adams benutzte den Hammer, um den ersten Angreifer, den Schützen, an der Tür zum Schlafzimmer niederzustrecken.« Charlie deutete auf eine Stelle knapp unter dem Auge.

»Die Klaue drang hier ein, verfing sich in der Augenhöhle, durchstieß den Glaskörper. Die Flinte ging ein zweites Mal los und riss ein ungefähr zweiunddreißig Zentimeter großes Loch in die Rückwand des Zimmers. Der Angreifer stürzte zu Boden, und dann wurde ihm der Hammer aus dem Gesicht gerissen. An den Wänden fanden wir ungefähr fünfunddreißig Zentimeter vom Boden entfernt Spritzer und Knochenfragmente, also lag er wahrscheinlich auf dem Rücken, als der Hammer sich löste. Einige Spritzer gingen hoch bis zur Decke, als er herausgerissen wurde.« Charlie erschauderte. »Tut mir leid, aber bei Hämmern krieg ich jedes Mal eine Gänsehaut.«

»Da sind Sie nicht allein.«

»Wie auch immer.« Noch einmal erschauderte er sichtlich. »Angreifer zwei versuchte wohl, ihm zu Hilfe zu kommen. Aus Pulverrückständen schließen wir, dass er ungefähr einen Meter achtzig weit vor dem Schlafzimmer stand, als er drei Schüsse aus einem fünfschüssigen Revolver abgab, einer Smith & Wesson. Dummerweise schoss er auf seinen Kumpanen. Ich bin mir nicht sicher, wie das passieren konnte, aber Angreifer eins hatte der Tür den Rücken zugewandt, als auf ihn geschossen wurde, und ging dann vollends zu Boden. Dann stürzte auch Angreifer zwei, und Adams fiel über ihn her.«

»Der zweite Angreifer stürzte, bevor sie ihn angriff?«

»Fiel auf die Knie«, korrigierte Charlie sich. »Tut mir leid. Wir haben Knie- und Handabdrücke gefunden, in dem Blut an der Stelle, wo er hinfiel. In diesem Augenblick schlug Detective Adams ihm wahrscheinlich mit dem Flintenkolben über den Schädel. Es sind Blut und Haare auf der Waffe, und die Spritzer auf Wand und Bett – das ungefähr fünfundfünfzig Zentimeter vom Boden entfernt steht – lassen auf einen ausgeholten Schlag wie mit einem Baseballschläger schließen. Wir haben die ausgeschlagenen Zähne als Beweismittel sichergestellt. Die bleiben dieser Frau wenigstens erspart.« Er sah noch einmal zu Nell hinüber. Sie hatte ihr Handy wieder eingesteckt und griff gerade nach den Einkaufstüten mit Putzzeug auf der Ladefläche des Pick-ups.

»Was ist passiert, nachdem der zweite Schütze unschädlich gemacht worden war?«

»Da kamen die Nachbarn.« Charlie nickte die Straße hinauf. »In dieser Straße wohnen zwei Polizisten sowie eine Sanitäterin und ein Feuerwehrmann. Sorry, eine Feuerwehrfrau. Sie haben Jared wiederbelebt. Zum Glück für mich hat der diensthabende Beamte, der als Erster auf den Notruf reagierte, nicht das Schlafzimmer betreten. Der Tatort war noch ziemlich unberührt, als ich hier ankam.«

»Sie haben angedeutet, Jareds Herz hätte aufgehört zu schlagen?« Das würde erklären, warum sie ihn ins nächstliegende Krankenhaus und nicht ins Unfallkrankenhaus gebracht hatten.

»Korrekt«, antwortete Charlie. »Soweit ich weiß, haben die Nachbarn das Opfer eine ganze Weile mit einer Herzmassage bearbeitet, ehe der Krankenwagen kam. Ich bin ehrlich gestanden überrascht, dass er es überhaupt geschafft hat. Er hat eine beträchtliche Menge Blut verloren. Meine Schätzung ist – aber zitieren Sie mich nicht, bevor ich genau nachgerechnet habe –, an die zwei Liter.«

Sara ließ diese Information auf sich wirken. Wenn Charlie recht hatte, dann hatte Jared eine Blutung der Klasse III erlitten, wobei er dreißig bis vierzig Prozent seiner Gesamtblutmenge verloren hatte. Die Kaskade aus Atemnot und Organversagen war fast schon zweitrangig in Bezug auf das schwere Herzrasen. Wenn die Nachbarn Jareds Herz nicht massiert hätten, hätte Sara Nell am Vormittag in der Leichenhalle und nicht im Krankenhaus angetroffen. Von der Schwere der Wunden, die diese Blutungen überhaupt ausgelöst hatten, ganz zu schweigen.

»Hallo«, rief Nell. Die Griffe der Plastiktüten schnitten ihr in die Hände, aber sie schüttelte nur den Kopf, als Sara anbot, ihr etwas abzunehmen. »Ich bin Darnell Long, Jareds Mutter«, stellte sie sich vor.

»Charlie Reed«, entgegnete er. »Ich arbeite für den Staat. Was mit Ihrem Sohn passiert ist, tut mir sehr leid, Mrs. Long. Aber ich weiß, dass er in fähigen Händen ist.«

»Der Herr bürdet uns nie mehr auf, als wir tragen können.«

Charlie klatschte in die Hände. »Wer mir nachfolgt, wird nicht wandeln in Finsternis.«

Nell schien überrascht darüber zu sein, dass der Mann aus der Bibel zitierte, und Sara ging es ganz ähnlich. Charlie war ihr nie wie ein Kirchgänger vorgekommen. Andererseits war er im Süden geboren, wo die Babys die Heilige Schrift mit der Muttermilch aufsogen.

»Ich mache mich besser wieder an die Arbeit.« Charlie amüsierte sich sichtlich über die Reaktion der beiden Frauen. »Wenn Sie mich bitte entschuldigen würden, meine Damen.« Er marschierte zu seinem Transporter zurück.

»Na, so was!« Nell blickte Charlie nach, und Sara begriff allmählich, dass in diesem Ausdruck, den Nell schon mal geäußert hatte, als sie den vollen Parkplatz des Strip-Lokals neben dem Gemischtwarenladen entdeckt hatte, eine beträchtliche Menge Kritik lag. »Was soll denn bitte dieser Schnurrbart?«

»Charlie ist einer unserer besten Forensiker. Und sehr, sehr nett. Was er tut, liegt ihm wirklich am Herzen.«

»Na ja.« Sonst sagte Nell nichts mehr. Dann schleppte sie die schweren Tüten die Einfahrt hinauf. Sara konnte sehen, wie die Henkel die Blutzufuhr zu ihren Fingern abschnitten.

»Soll ich dir wirklich nichts abnehmen?«

»Ich schaff das schon, danke.« Trotzdem stöhnte Nell auf dem letzten Stück der steilen Einfahrt hörbar auf.

Jareds Polizeimotorrad stand vor der Garage. Das Flutlicht über der Tür brannte noch. Sara blickte zur Straße hinunter. Dass hier ein Polizeibeamter wohnte, war schlicht unübersehbar. Selbst in finsterster Nacht hätte das Motorrad im Scheinwerferlicht gestanden.

»Was machen wir damit?«, fragte Nell und nickte auf das Absperrband hinab, das sich kreuz und quer über die Haustür spannte. Charlie musste das Haus erst noch versiegeln.

»Die haben noch mehr davon«, antwortete Sara und riss das Band herunter, öffnete allerdings nicht die Tür. »Nell, ich muss dir noch mal sagen, dass das hier wirklich keine gute Idee ist. Es wird viel schlimmer, als du denkst. Es gab einen heftigen Kampf. Jared hat viel Blut verloren. Es wird überall am Boden und auf den Wänden sein, auf jeder Oberfläche … und es ist auch ein gesundheitliches Risiko. Der medizinische Abfall wurde noch nicht entsorgt. Du solltest das wirklich den Profis überlassen.«

Nell hob die Tüten an. »Ich glaube, ich weiß, wie man eine Sauerei wegputzt.«

»Ich kann dir das Geld leihen. Oder es dir schenken. Es ist mir egal, was es …«

»Nichts da«, sagte Nell, und der Tonfall machte deutlich, dass die Diskussion für sie beendet war. »Vielen Dank.«

Trotzdem zögerte sie. Schließlich war es Sara, die am Knauf drehte und die Tür aufschob.

In der Luft hing jener unverwechselbare Geruch, der über jedem Tatort hing – nicht der metallische von Blut, der von der Oxidation des darin enthaltenen Eisens stammte, sondern der Gestank der Angst. Sara hatte immer schon fest an die Intuition geglaubt. Es gab einen primitiven Teil des menschlichen Gehirns, der jedes Lebewesen vor einer Gefahr warnte. Dieser Teil schaltete sich jetzt bei ihr ein, als sie über die Schwelle zu Lenas und Jareds Haus trat.

Hier war ein Mann gestorben. Zwei waren fast getötet worden. Eine Frau hatte um ihr Leben gekämpft. Die Gewalt hing regelrecht in der schalen Luft.

Sara sah, wie dies alles auf Nell wirkte. Ihre Haltung verän derte sich. Beinahe hätte sie die Tüten fallen lassen. »Warum setzt du dich nicht kurz hin?«, schlug sie vor.

»Mir geht's gut …«

»Komm, setzen wir uns.«

Doch Nell schüttelte den Kopf. Sie sah sich im vorderen Bereich des Hauses um. Der Grundriss war in weiten Teilen offen angelegt, Küche und Wohnzimmer gingen ineinander über. Sonnenlicht fiel durch die Fenster. Der Deckenventilator über der Couch wimmerte leise vor sich hin, die Rotorblätter drehten sich noch immer. In diesem Zimmer war nichts passiert, die Möbel standen immer noch an ihrem angestammten Platz. Die Wände waren in einem gedämpften Hellgrau gestrichen. Der einzige Bereich, in dem eine gewisse Unordnung herrschte, war die Küche, die offensichtlich mitten in einem Umbau steckte. Flache Schachteln mit Schrankbauteilen lagen in einem ordentlichen Stapel am Boden. Statt eines Spülbeckens gab es einen Eimer, der in einem alten Waschgestell steckte. Die Spülmaschine stand in der Ecke, Kabel und Schläuche waren darum herumgewickelt wie eine Schleife. Der Herd war von der Wand weggerückt worden, doch Sara konnte sehen, dass er immer noch angeschlossen war.

Ohne nachzudenken, sagte sie: »Er ist genauso schlimm wie Jeffrey.«

Auch Jeffrey hatte sich ständig mit irgendeiner Bastelei beschäftigt. Er hatte ein altes Auto restauriert. Im Bad ein zweites Waschbecken einbauen wollen. Sachen zu reparieren hatte ihm das Gefühl vermittelt, etwas erreicht, wenn nicht sogar vollendet zu haben. Als er Sara den Hof gemacht hatte, hatte eine dicke Plastikplane als Außenwand seiner Küche gedient. Der Kühlschrank hatte im Esszimmer gestanden, und ein Gartenschlauch war durch das Küchenfenster gezogen und mit verschiedenen Ventilen an eine Eismaschine angeschlossen gewesen.

»Jeffrey hat schon immer gerne mit den Händen gearbeitet«, erwiderte Nell und stellte die Tüten auf die Arbeitsfläche – eine

Sperrholzplatte auf ein paar Kanthölzern. Sie strich mit den Fingern über das Holz. Ihr Blick wanderte zu dem Spüleimer, dem nackten, aber sauberen Boden. »Schätze, an ihrer Haushaltsführung kann ich nicht herummäkeln. Jared würde nie so putzen.«

Sara antwortete nicht. Ordentlich war Lena immer schon gewesen. Ihr Schreibtisch in der Dienststelle hatte ausgesehen wie aus einem Katalog für Bürobedarf.

»Sein Daddy soll das für ihn fertig machen.« Nell deutete zu den aufgestapelten Schachteln. »Die hat Possum doch an einem Tag zusammengebaut. Ich helfe ihm, die Oberschränke aufzuhängen. Den unteren Teil schafft er alleine. Ich schätze, eine Arbeitsplatte haben sie nicht, aber er wird schon irgendetwas finden, das …« Dann hielt sie inne.

Sara folgte ihrem Blick zur Couch. Dort lagen eine ordentlich zusammengelegte Decke und ein Kissen obenauf. Auf dem Couchtisch waren neben der Fernbedienung eine Brille, ein Glas Wasser und ein Plastiketui für eine Zahnspange aufgereiht.

»Hallo?« Faith Mitchel kam durch die offene Vordertür. Sie hatte Nell und Possum bereits im Krankenhaus kennengelernt. Sara hatte sie einander vorgestellt. »Eben erst angekommen?«

»Ja, Ma'am.« Nell konnte den Blick nicht von der Couch abwenden. Auch Faith schien das Arrangement zu bemerken, sagte aber nichts dazu. Sie lächelte Sara auf eine Art an, die ihr anzudeuten schien, dass es noch mehr Unannehmlichkeiten geben würde.

»Wir haben Charlie draußen getroffen«, sagte Sara.

»Er packt immer noch seinen Transporter ein.«

Nell fing an, lautstark die Tüten auszupacken, knallte die Flasche mit Bleiche und den Karton mit Handschuhen auf die Sperrholzanrichte.

Faith sah sich im vorderen Zimmer um, nahm Sachen zur Hand und versuchte offensichtlich, ein Gefühl für das Haus zu bekommen. Wills Partnerin war ein Jahr jünger als sie, aber sie hatte sich bei der Polizei von Atlanta hochgearbeitet, ehe sie zum GBI gekommen war, und war gleichermaßen pragmatisch und zynisch. Sie ging nicht gerne Risiken ein. Mit anderen Worten: Sie war das genaue Gegenteil von Lena.

Außerdem war sie verdammt neugierig. Fast schon hochnäsig schlenderte sie in dem Zimmer herum, musterte Vorhänge und Möbel mit dem gleichen scharfen Blick wie Nell. Schlagartig wurde Sara klar, wie schwer von Begriff sie doch gewesen war. Nell war gar nicht allein zum Putzen hier. Lena hatte sie quasi aus Jareds Krankenzimmer geworfen, und nun drang Nell in Lenas Haus ein.

Nell war inzwischen mit dem Auspacken fertig. Sie stützte die Hände auf die Holzplatte. »Wahrscheinlich sollte ich es mir erst einmal ansehen.«

Es brachte nichts, mit ihr zu diskutieren. Nell war offensichtlich fest entschlossen, die Sache durchzuziehen. Sara und Faith folgten ihr schweigend in den Flur.

Weit kam Nell nicht. Vor dem Gästebad blieb sie stehen. Der Duschvorhang stand offen. Ein schmutziges Stück Seife lag neben einer Flasche Axe-Shampoo. Der Toilettensitz war nach oben geklappt. Die Ablage war vollgestellt mit Toilettenartikeln für Herren – ein Deo, Rasierer und Rasierschaum, eine Zahnbürste, die schleunigst ausgetauscht werden musste, und eine halb leere Tube Zahnpasta. Kurze Haare klebten im Waschbecken. Offensichtlich hatte Jared sich hier rasiert und dann das Becken nicht hinter sich ausgespült.

Nell ging weiter den Flur entlang. »Schätze, sie hat ihn auch aus dem Bad geworfen«, murmelte sie, und Faith gab ebenso leise zurück: »Ich würde mein Bad nicht für alles Geld der Welt mit einem Mann teilen.«

»Amen«, sagte Sara und eilte Nell hinterher. Sie stieg über einen weißen Kreideumriss am Boden, wo Charlie offensichtlich eine DNS-Probe genommen hatte. Rein vom Aussehen her vermutete Sara, dass hier jemand auf den Boden gespuckt hatte, um irgendeiner Sache Nachdruck zu verleihen.

Was ein weiteres Argument für die Hypothese war, dass die Schützen ihre Opfer nicht willkürlich ausgesucht hatten.

Zu beiden Seiten des Flurs lag je ein zusätzliches Schlafzimmer. Das eine wurde offensichtlich als Büro genutzt. Das zweite schien ihnen ein weiteres unfertiges Projekt zu eröffnen. Die Wände waren fröhlich gelb gestrichen. Eine Schranktür lag auf zwei Sägeböcken. Nell schüttelte im Vorübergehen den Kopf und setzte das Zimmer in ihrem Kopf ebenfalls auf die Liste von Possums Aufgaben. Kurz vor Lenas und Jareds Schlafzimmer hielt sie inne.

Sara hörte Nell scharf einatmen. Mit zitternden Händen packte die Frau den Türrahmen.

Charlies Einschätzung war vielleicht zu konservativ gewesen. Trotz der bereits verstrichenen Zeit war die Blutlache, wo Jared zu Boden gegangen war, noch immer nicht vollständig getrocknet. Die feuchte Oberfläche schimmerte. Die Ränder waren zu einem dunklen Rostrand geronnen, der in die Holzdielen sickerte.

Der Rest des Bluts war schon vor Stunden getrocknet, hatte burgunderfarbene Flecken hinterlassen, die von der gewalttätigen Auseinandersetzung zeugten. Decke und Wände waren dabei nicht mal das Schlimmste. Große Stiefelabdrücke mischten sich mit Lenas nackten Sohlenabdrücken und verliefen kreuz und quer über den Boden. Große und kleinere Spritzer. Tropfen. Knieabdrücke. Handabdrücke. Schmierflecken, wo offensichtlich ein Teppichläufer unter Jareds Körper gerutscht war. Spuren, die zeigten, dass jemand auf das Bett zugekrochen war. Weitere Fußabdrücke, wo die Nachbarn und Ersthelfer herbeigestürzt waren, um Jared zu helfen. Sie mussten später alle völlig blutverschmiert gewesen sein. Lange rote Tentakel sickerten bis in die Fliesenfugen des Badezimmerbodens.

Es war der Bereich rund um die Tür zum Schlafzimmer, der die eigentliche Geschichte erzählte. An dieser Stelle war Jared angeschossen worden. Hier hatte Lena gegen die Eindringlinge gekämpft. Die getrockneten Blutspritzer an Wänden und Decke hätten ein ganzes Forensik-Lehrbuch füllen können. Sie unterschieden sich in Form und Größe, in Sättigung und Ausrichtung und würden helfen, jede Sekunde dieses offensichtlich überaus gewalttätigen Kampfes zu rekonstruieren. Und obwohl die Knochen- und Zahnfragmente nicht mehr da und sowohl Hammer als auch Schusswaffen als Beweismittel sichergestellt worden waren, lauerte der Schatten des Todes noch in jeder Ecke.

»Ich kann nicht ...« Nell brach die Stimme. »Ich weiß nicht, was ...«

Sara sagte nichts.

Nell schniefte, aber es kamen keine Tränen. »Glaubst du, dass hier ein Nasssauger ...« Erneut konnte sie ihren Satz nicht zu Ende bringen. Sie verstärkte ihren Griff um das gesplitterte Holz des Türrahmens.

Sara sah Faith an, die nur den Kopf schüttelte.

»Okay.« Nell gab sich einen Ruck und betrat das Zimmer. Sie bahnte sich einen Weg hinüber zu der Schlafzimmerkommode, doch obwohl sie vorsichtig war, konnte sie den Blutflecken nicht komplett ausweichen. Ihre Turnschuhe traten in getrocknete Fußabdrücke. Stiefelabdrücke. Schuhabdrücke. Handabdrücke.

Ihre Stimme klang jetzt schrill. »Jared hat sich in Pyjamas immer wohler gefühlt.« Sie zog Schubladen auf, die von Charlies Team wahrscheinlich fotografiert und inventarisiert worden waren. »Kein Mann mit einem Funken Selbstachtung sitzt in einem Krankenhauskittel herum. Ich weiß, dass er sich so bald wie möglich was Normales anziehen will.«

Sara war neben Faith vor der Tür stehen geblieben. Beide sahen stumm zu, wie Nell in Lenas und Jareds privaten Sachen stöberte. Die oberen drei Schubladen gehörten Lena. Ihre Unterwäsche war größtenteils einfach praktisch, aber Nell schaffte es trotzdem, entrüstet zu schnauben, als sie etwas fand, das aus ihrer Sicht die Grenze des Anstands überschritt. Die unteren Schubladen gehörten Jared. Sie waren vollgestopft mit Basketballshorts, T-Shirts und Boxershorts. Den Großteil des Tages verbrachte er in Uniform. Im Schrank hingen wahrscheinlich ein Anzug für Hochzeiten und Begräbnisse und ein paar Polohemden sowie Khakihosen für weniger förmliche Anlässe.

Nell unterbrach ihre Suche. Sie stemmte die Hände in die Hüften und sah sich im Zimmer um. »Ich weiß doch, dass er immer Pyjamas getragen hat.«

Sara schwieg – bis Nell sich dem Nachtschränkchen zuwandte. »Nell!«

Sie sah auf, behielt aber die Hand am Schubladenknauf.

»Das gehört wahrscheinlich Lena.« Sara deutete auf das flach gedrückte Buch, offensichtlich ein Liebesroman, daneben eine Handlotion und ein Tübchen Lippenbalsam.

Als Nell sich nicht rührte, sagte Faith: »Sie wollen doch nicht ernsthaft wissen, was die Frau Ihres Sohnes in ihrem Nachttisch aufbewahrt.« Dann fügte sie hinzu: »Oder Ihr Sohn in seinem.«

»Was um alles in der Welt soll das …«

Plötzlich war der Lärm von Motorrädern zu hören. Sara drehte sich um. Die Haustür stand weit offen, und von der Straße näherten sich mindestens sechs Motorradpolizisten. Soweit Sara es einschätzen konnte, waren sie gekommen, um sich um Jareds Mutter zu kümmern. Und zwar gerade rechtzeitig.

Faith nutzte die Gelegenheit und schlug Nell vor: »Warum reden Sie nicht mit Jareds Freunden? Die wollen doch sicher wissen, wie es ihm geht.«

»Ich hab keine Zeit, für jeden hier die Mama zu spielen«, grummelte Nell, marschierte aber dennoch zurück zur Eingangstür.

»O Mann!« Faith wartete, bis sie außer Hörweite war. »Die Frau hat vielleicht ein loses Mundwerk!«

Sara behielt ihre Meinung lieber für sich. »Haben Sie mit Charlie gesprochen?«

»Er hat mich eben informiert.« Faith warf einen nachdenklichen Blick ins Schlafzimmer. »Nell wird in ein paar Minuten einen Anruf aus dem Krankenhaus erhalten. Jareds Fieber ist gestiegen.«

»Eine Infektion?«

»Das hat zumindest die Krankenschwester gesagt.«

Schwestern täuschten sich in solchen Dingen selten. Sara musste an Nells eiserne Entschlossenheit denken, an all die Pläne, die sie in den vergangenen Stunden geschmiedet hatte für die Zeit, wenn Jared endlich wieder aufwachte. »Sie übersteht es nicht, wenn er jetzt stirbt.«

»Die Stärksten trifft es immer am schwersten.«

Sara ließ das Kinn auf die Brust sinken, und jetzt betrat erstmals auch Faith das Zimmer und marschierte mit der Nonchalance einer Polizistin quer über das angetrocknete Blut.

»Schätze, ich sollte nach diesen Pyjamas suchen … Vielleicht hat sie ja dann das Gefühl, dass sie ihm hilft.«

»Vielleicht.« Sara lehnte am Türstock, während Faith den Schrank durchsuchte. Sie starrte die Fußabdrücke auf dem Boden an. Das Blut war an einigen Stellen regelrecht zusammengeschnurrt, auch wenn Charlie sehr vorsichtig gewesen war. Sara konnte den Ablauf nur allzu deutlich nachvollziehen. Und es half, dass Lena so kleine Füße hatte. Sara vergaß immer wieder, wie zierlich sie war, kaum eins fünfundsechzig und wahrscheinlich maximal fünfzig Kilo, wenn sie mal ordentlich geschlemmt hatte.

Charlie Reed hatte behauptet, dass vier Ersthelfer aus der Nachbarschaft hier gewesen waren. Nach den blutigen Abdrücken am Boden zu urteilen hatten abwechselnd zwei an der Badezimmertür gewartet, während die anderen beiden Jareds Herz massiert hatten. Damit blieben noch zwei Abdruckpaare für die Angreifer. Beide hatten Cowboystiefel mit flachen Absätzen getragen, die deutliche Ausrufezeichen in all dem Blut hinterlassen hatten. Ein Paar hatte einen Totenkopf mit gekreuzten Knochen in die Sohle eingeprägt. Das andere Paar war ein No-Name-Produkt mit schwerlich identifizierbarem Sohlenmuster. Bei beiden Angreifern waren die Innenseiten der Sohlen stärker abgenutzt, wahrscheinlich weil sie Motorrad fuhren.

Aber damit waren noch nicht alle Fußabdrücke erfasst. Sara trat auf das Bett zu, kniete sich davor und fragte Faith: »Zwei Angreifer waren es, richtig?«

Faiths Stimme klang gedämpft. Ihr Oberkörper wurde regelrecht vom Schrank verschluckt. »Richtig.«

»Vier Ersthelfer?«

»Äh ...« Sie überlegte kurz. »Ja. Zwei Polizisten, eine dienstfreie Sanitäterin, eine Frau von der Feuerwehr.«

»Und was ist damit?«

Sara deutete auf einen Abdruck direkt neben Jareds Nachttisch. Er stammte ebenfalls von einem Stiefel, war aber größer als die beiden anderen, und der Absatz zeigte das charakteristische Logo einer rutschfesten Cat's-Paw-Gummisohle. Faith drehte sich wieder zum Schrank um. Sie schien nicht weiter daran interessiert zu sein. »Ich bin mir sicher, Charlie hat ihn aufgenommen.«

»Aber sehen Sie sich diesen Abdruck doch mal an! Lena war barfuß. Die Angreifer trugen Cowboystiefel.« Sie zeigte auf die anderen Abdrücke. »Zwei der Nachbarn trugen Turnschuhe, der dritte hatte wahrscheinlich Hausschuhe an, der vierte bloß Socken.«

Faith zog ein paar Jogginghosen aus einem Schrankfach und aus dem Schmutzwäschekorb ein T-Shirt. »Das kann man doch als Pyjama durchgehen lassen, oder?«

Sara stand nachdenklich auf. »Bereitet es Ihnen denn kein Kopfzerbrechen, dass in der vergangenen Nacht womöglich noch ein dritter Angreifer hier war?«

»Wollen Sie damit sagen, dass ich meinen Job nicht richtig mache?«

»Nein.« Sara fühlte sich zu Recht getadelt. »Natürlich nicht.«

»Sie dürfen die Sanitäter nicht vergessen.« Faith zählte sie an den Fingern ab. »Drei Teams, richtig? Jared wurde zuerst hinausgebracht. Der zweite Schütze war der Nächste, während der erste direkt in die Leichenhalle geschafft wurde. Das sind also mindestens noch sechs weitere Personen, was zwölf weitere Möglichkeiten für Abdrücke ergibt. Und wer weiß schon, wer vom Macon PD sonst noch hier reingestiefelt ist.«

»Charlie hat gesagt, die Beamten, die zuerst auf den Notruf reagiert haben, hätten das Schlafzimmer nicht betreten.«

»Wirklich?« Faith klang nicht sonderlich erfreut, aber Sara redete weiter.

»Er hat außerdem behauptet, der erste Krankenwagen hätte eine ganze Weile gebraucht, um herzukommen. Diese peripheren Blutflecke dort waren in fünf, maximal zehn Minuten trocken. Wenn ein Sanitäter nicht absichtlich in die Blutlache um Jareds Körper getreten ist, gibt es keinen Grund, warum einer von ihnen diesen Abdruck verursacht haben sollte.« Dann gab sich Sara einen Ruck. »Wer immer also diesen Stiefelabdruck hinterlassen hat, war hier, während das Verbrechen passierte.«

»Genau an dieser Stelle ging der erste Angreifer zu Boden«, sagte Faith. Sie versuchte unüberhörbar, sachlich zu klingen. »Ich bin mir ziemlich sicher, dass einer der ersten Sanitäter nach ihm gesehen hat. Oder? Sie würden doch niemals einfach so reinstürmen, einen Körper sehen und die anderen beiden dann einfach links liegen lassen.«

»Die Sanitäter trugen höchstwahrscheinlich 5.11 Tacticals.« Sara kannte diese Stiefel, die speziell für Sanitäter und Feuerwehrleute entwickelt worden waren. »Und unabhängig davon: Das Blut war größtenteils schon trocken, als sie hier ankamen. Man sieht schließlich auch keine anderen Abdrücke von den Sanitätern, oder doch? Nicht einmal in Jareds Nähe.« Faith seufzte schwer. »Letzte Nacht war in diesem Zimmer eine Menge los. Man kann wahrscheinlich nicht eindeutig sagen, woher dieser Abdruck stammte. Okay?«

Sara nickte, aber nur um des lieben Friedens willen. Es war absolut möglich, sogar wahrscheinlich, dass einer der Sanitäter nach dem zweiten Angreifer gesehen hatte, ehe sie das Haus verlassen hatten. Aber es war vollkommen ausgeschlossen, dass er über dem Körper gestanden und sich zu ihm hinuntergebeugt hatte. Der Sanitäter hätte sich hingekniet, um die Vitalfunktionen zu überprüfen. Sofern es sich nicht um einen Schlangenmenschen gehandelt hatte, gab es für ihn absolut keinen Grund, den Fuß am Nachttisch zu verkeilen.

»Hören Sie …« Faith schob die Tür zu. »Ich weiß, dass Sie das hier gut können, Sara, aber dies ist Charlies Tatort. Er ist praktisch seit dem Augenblick hier, als Jared hinausgetragen wurde. Vielleicht hat Charlie selbst den Abdruck hinterlassen – oder einer seiner Jungs. Oder vielleicht konnte er ihn einem der Sanitäter zuordnen, der irgendwo hingetreten war, wo er nicht hätte hintreten dürfen, oder was auch immer. Charlie wird ein Ausschlussverfahren durchführen und schon jemanden finden, dem er ihn zuordnen kann. Sie kennen das Verfahren. Kein Stein, der nicht umgedreht wird.«

»Sie haben recht«, pflichtete Sara ihr bei, aber sie hatte Faith schon häufig genug lügen sehen, um zu wissen, wie sie dabei aussah. Und hier war offenbar etwas im Busch.

»Kommen Sie«, sagte Faith schließlich. »Sehen wir mal, ob mein Plan funktioniert hat.« Sie verließ das Zimmer.

Sara verstand die Aufforderung, sah sich aber trotzdem den Abdruck ein letztes Mal an, bevor sie auf den Flur hinaustrat. Ihr forensischer Scharfsinn ließ sich nun mal nicht einfach abschalten, nur weil sie diesen Job seit Jahren schon nicht mehr gemacht hatte. Das Cat's-Paw-Logo sagte einiges über den Besitzer des Stiefels aus. Er war sparsam und würde einen Schuh lieber neu besohlen lassen, als ihn wegzuwerfen. Nach der

Schuhgröße zu urteilen war er mindestens eins achtzig groß, vielleicht sogar noch deutlich größer. Er arbeitete in einem Bereich, der eine nicht leitende, rutschfeste Sohle erforderte – wahrscheinlich ein Mechaniker, Elektriker oder Bauarbeiter. Die Analyse würde zeigen, ob Öl oder andere Rückstände von der porösen Gummisohle auf den Boden übertragen worden waren. Ausgehend von diesem Ergebnis konnte der Kreis möglicher Komplizen der Angreifer eingeschränkt werden. Und abgesehen davon konnte man mit einfachen Anrufen bei den Schuhreparaturwerkstätten in der Gegend eine Liste von Kunden erstellen lassen, die Cat's-Paw-Sohlen gekauft hatten.

Genau damit würde ein Mitglied aus Charlies Team wahrscheinlich gerade beschäftigt sein. Faith hatte ja recht. Charlie machte seine Arbeit verdammt gut. Und Faith im Übrigen auch. Wenn einer von ihnen hier etwas verheimlichte, dann wahrscheinlich aus gutem Grund. Auch wenn es Sara schwerfiel, musste sie sich eingestehen, dass sie hier eindeutig die Außenstehende war.

Faith stand in der offenen Tür. Auf der Straße hatten die Motorradpolizisten einen Kreis um Nell gebildet. Sara war sich sicher, sie erzählten Nell gerade von Jareds zahlreichen Heldentaten. Ob sie stimmten oder nicht, war zweitrangig. Es gab keinen besseren Lügner als einen Polizisten, der eine Anekdote erzählte.

»Bin richtiggehend schockiert, dass die Jungs auf mich gehört haben«, raunte Faith ihr zu. »Ich hab ihnen erzählt, sie sollen für einen Reinigungsdienst sammeln. Ich dachte mir, dass nicht einmal ein loses Mundwerk so unhöflich sein würde, das abzulehnen.«

Sara musste gegen ihren Willen lachen. »Das war ziemlich gerissen.«

»Einer von Amandas Tricks – verraten Sie ihr nicht, dass ich ihn auch benutze. Die Leute denken immer, sie kommen in Verruf, wenn sie jemanden anheuern, der ihren Dreck wegputzt.

Ich glaube, das ist typisch Süden.« Sie kehrte in die Küche zurück. »Mal sehen, ob ich sie auch dazu bringen kann, hier anzupacken und die Küche fertigzubauen. Mein Gott, ich hätte ihn umgebracht, wenn ich dieses Geschirr in einem Eimer hätte spülen müssen!«

»Es ist nicht halb so schlimm, wie es aussieht«, gab Sara zu bedenken. Der Eimer hatte unten ein Loch, von dem ein Schlauch zum Abfluss führte. Am Wasserhahn war ein Stück Gartenschlauch befestigt, um den Eimer leichter befüllen zu können. Genau so hätte es Jeffrey auch gemacht – provisorisch, aber zweifelsohne funktional.

Will dagegen wäre entsetzt gewesen über eine solche Bastelei. Er hatte einiges mit Jeffrey gemeinsam, aber er würde niemals die Hände in den Schoß legen, solange ein Projekt nicht abgeschlossen war. Es machte ihn schier wahnsinnig, dass der Bauarbeiter, der Saras Wohnung renoviert hatte, nicht auch die Oberkanten der Türen lackiert hatte.

»Tun Sie mir einen Gefallen?« Faith blätterte in dem Stapel Post auf dem Küchentisch. »Können Sie mal nachsehen, ob Nell noch draußen ist?«

Sara musste sich auf die Zehenspitzen stellen, um den Hügel hinabzublicken. Nell redete immer noch mit den Polizisten. »Ja. Warum?«

Faith riss einen der Umschläge auf.

»Ist das nicht illegal?«

»Nur wenn ich dabei erwischt werde.« Ihr Blick überflog etwas, das aussah wie eine Rechnung. »Jared hat sie bereits geöffnet, okay? Er kann sich wegen seiner Kopfverletzung nur nicht mehr daran erinnern.«

»Das kommt einer Einladung an schlechtes Karma gleich.«

»Und es hat sich nicht einmal rentiert.« Faith faltete die Rechnung wieder zusammen. »Sie hören sicher gern, dass Lenas Abstrich beim Frauenarzt unauffällig war.« Sie steckte das Blatt wieder zurück in den Umschlag. »Ich sollte Nell wegen Jared

Bescheid geben. Der Arzt sollte inzwischen angerufen haben.«

»Warten Sie«, ging Sara dazwischen. »Ich weiß nicht, ob das überhaupt zur Sprache kommt ... aber Nell weiß nichts von Will. Ich meine, von mir und Will ... zusammen ...« Ihr Herz machte einen Sprung, als würde sie ihre Mutter anflunkern. »Ich würde es fürs Erste gern dabei belassen.«

Sofern Faith überrascht war, zeigte sie es nicht. »In Ordnung. Von mir erfährt sie nichts.«

Sara sah sich zu einer Erklärung gezwungen. »Es geht nur darum, dass Will juristisch immer noch verheiratet ist und ...« Sie beendete den Satz nicht. Es gab keinen Grund zu lügen.

»Sie haben Jeffrey abgöttisch geliebt. Sie würden nicht verstehen, wie ich mich einem anderen Mann zuwenden konnte.« Sara hielt kurz inne. »Manchmal frage ich mich selber, wie ich das geschafft habe.«

»Ich bin froh, dass Sie es getan haben.« Faith lehnte sich an den Tisch. »Will liebt Sie, das wissen Sie hoffentlich? Ich meine, er ist verrückt nach Ihnen. Bei Angie war er nie so. Seit er Sie kennt, berühren seine Füße den Boden nicht mehr.«

Sara lächelte, auch wenn Wills schwer erreichbare Frau das Letzte war, woran sie jetzt denken wollte.

»Ernsthaft, so wie jetzt hab ich ihn nie zuvor erlebt. Sie haben ihn verändert. Sie haben ihn ...« Sie zuckte mit den Schultern, als könnte sie es selbst nicht so recht glauben.

»... glücklich gemacht.«

Ohne vernünftigen Grund stiegen Sara Tränen in die Augen. »Er hat auch mich glücklich gemacht.«

»Und das ist das Einzige, was wichtig ist.« Faith wackelte ein wenig mit den Augenbrauen. »Und jeder wird nicht sterben in Ewigkeit.«

Sara wischte sich über die Augen. »Heute zitiert eine beängstigende Menge Leute aus der Bibel.«

»Meine Mutter hat sich meinen Namen aus der Bibel ausgesucht. Angeblich soll ich die Zuversicht auf das sein, was man hofft. So viel zum Thema Wunschdenken.« Faith stieß sich vom Tisch ab. »Ich sollte jetzt wirklich zu Nell gehen und es ihr sagen. Wie schlimm ist eine Infektion in diesem Zustand?«

»Wahrscheinlich holen sie jemanden vom CDC dazu.« Das Center for Desease Control, die staatliche Behörde für Seuchen und Infektionskrankheiten, war im Großraum Atlanta mit einem überaus engagierten Team stationiert. »Nur gut, dass wir so nah dran sind.«

»Klingt nicht gerade aufmunternd.«

»Nein«, gab Sara zu. »Infektionen sind unberechenbar. Leute reagieren einfach zu unterschiedlich auf Behandlungen. Es gibt keine zwei Patienten mit ein und demselben Ausgang. Wenn die Infektion irgendwo in Herznähe oder im Gehirn sitzt, dann sind die Überlebenschancen eher gering, und selbst wenn nicht, wird die Genesung ziemlich schwierig.« Sie fühlte sich gezwungen hinzuzufügen: »Aber er ist jung und ansonsten gesund. Das bedeutet schon mal was.«

»Scheiße, da kommt sie!« Faith wartete, bis Nell an der Verandatreppe stand. Sie hielt eine wattierte Versandtasche von FedEx in einer Hand und einen kleinen Umschlag in der anderen.

»Schätze, Sie haben Ihren Kopf durchgesetzt.« Nell steckte sich den Umschlag in die Gesäßtasche. »Sie haben mir erzählt, wenn so etwas passiert, machen sie immer eine Sammlung. Ich wollte wirklich nicht unhöflich sein, aber es ist ja nicht so, als wäre ich behindert.« Sie klang erbarmungslos, aber Sara konnte die Erleichterung in Nells Gesicht sehen. Die tiefen Furchen auf der Stirn hatten sich ein wenig geglättet, und die Lippen waren nicht mehr ganz so fest zusammengepresst. »Es sind gute Jungs. Ich sollte mich nicht beklagen.«

»Sie kommen sich genauso hilflos vor wie Sie, Mrs. Long«, sagte Faith. »Etwas für Sie zu tun – selbst etwas, wozu Sie selber in der Lage wären –, macht es für sie ein bisschen einfacher.«

»Wahrscheinlich«, gab Nell zu. Sie hielt die Versandtasche in die Höhe. Auf der Rückseite stand in großen roten Buchstaben

»PERSÖNLICH«. »Ein Kurierfahrer hat das gerade abgegeben, als wir dort auf der Straße standen. Es ist an Lena adressiert. Hier steht, dass es persönlich ist. Ich weiß nicht, ob ich es aufmachen soll oder nicht.«

»Steht ein Absender drauf?« Faith bemühte sich, desinteressiert zu klingen, aber Sara wusste genau, dass es nicht so war. Nell starrte das Absenderetikett an. »Es ist ganz verschmiert. Soll ich es aufmachen?«

Faiths Achselzucken war fast überzeugend. »Wenn Sie wollen. Könnte was sein, das Lena braucht.«

Nell lachte laut auf. »Sagt man hier das Gleiche wie in Alabama – du kannst mir ins Gesicht pissen, aber erzähl mir nicht, dass es regnet?«

Faith grinste so breit, dass man ihre Zähne sehen konnte.

»Hab ich's mir doch gedacht.« Nell ging in die Küche und nahm ihre Handtasche von der Arbeitsfläche. Sara war nicht überrascht, als sie ein großes Allzweckmesser aus der Tasche zog – Faith schon. Ihre Augenbrauen schossen in die Höhe.

»Mal sehen, was für persönliche Sachen wir da haben …« Nell schnitt die Lasche der wattierten Tasche auf, spähte in den Umschlag und kniff die Augen zusammen, als wäre sie sich nicht sicher, was sie da vor sich sah.

»Was ist es?«, fragte Sara.

Nell griff in die Tasche. »Ich weiß nicht …«

Die Versandtasche fiel zu Boden, und Nell hielt ein winziges Jäckchen in die Höhe, wie man es für ein Baby kaufen würde. Es war dunkelblau, mit orangenen Paspeln an den Ärmeln und dem Logo der Auburn University auf dem Rücken.

Ihre Kinnlade klappte vor Überraschung runter. Sie starrte Sara an, dann Faith, dann wieder das Jäckchen. Zärtlich umfasste sie die hinten angenähte Kapuze.

Und dann rannte Nell wortlos hinaus auf den Flur. Rumpelte noch mit der Schulter gegen eine Ecke. Sara war dicht hinter ihr, als Nell in das zweite Schlafzimmer stürzte.

»Er hat gar nichts …« Nell versagte die Stimme. Sie stand mitten im Zimmer, das Jäckchen mit beiden Händen fest umklammert. »Wie konnte er mir nicht …« Ein erstickter Schrei drang aus ihrem Mund. Dann presste sie sich das Jäckchen aufs Gesicht. »O Gott!«

Faith war hinter Sara getreten. Sie kniff die Lippen fest zusammen, triefte förmlich vor Schuldbewusstsein.

»Das wird das Kinderzimmer«, flüsterte Nell und drückte sich das Jäckchen an die Brust. »Er hat an einem Kinderzimmer gearbeitet.« Sie strich mit den Fingern über die Schranktür. Mit Bleistift waren die Umrisse mehrerer Luftballons aufgezeichnet. Auf dem Boden standen Dosen mit leuchtend bunten Farben, daneben Pinsel und Schwämme und kleine Wannen für die Lacke.

Nell sah zu Faith hinüber. Ihr Ton war tödlich scharf, als sie zu ihr sagte: »Sie haben es gewusst.«

Diesmal log Faith nicht.

Ein Telefon klingelte. Nell suchte in ihren Taschen nach ihrem Handy. »Possum, was ist los?«, stieß sie zittrig hervor. »Ich bin gerade beschäftigt.« Sie hörte kurz zu, nickte ein paarmal, klappte dann das Handy zu und steckte es zurück in ihre Tasche. »Jared hat irgendeine Infektion.« Sie klang sehr sachlich. »Sie sagen, ich muss auf der Stelle zurück zu ihm.«

»Ich fahre dich«, bot Sara an.

»Nein.« Nell drückte sich das Babyjäckchen an die Brust. »Ich brauche jetzt ein bisschen Zeit für mich, okay? Können Sie sie mit zurücknehmen?« Sie hatte sich zu Faith umgewandt. »Ich brauche einfach ein bisschen Zeit, okay?«

Nell wartete nicht mal auf eine Antwort. Sie stapfte aus dem Zimmer, und mit ihr schien die ganze Luft zu entweichen.

Faith stieß einen langen Seufzer aus. »Das war ganz furchtbar …«

Sara konnte darauf nichts erwidern. Faith sah sie eindringlich an. »Sara?«

Doch sie schüttelte nur den Kopf und ließ den Blick durch das Kinderzimmer schweifen. Es gefiel ihr, wie das Sonnenlicht durchs Fenster auf den Boden fiel. Die gelben Wände wirkten fröhlich und warm. Sie stellte sich vor, wie Storen vor den Fenstern hängen könnten, die sich in der Sommerbrise bewegten. Aufgemalte Ballons an den Wänden genau wie auf der Schranktür. Das Jäckchen würde auf einem winzigen Bügel hängen – farbenfroh wie der ganze Rest. Dieses Jäckchen war nicht für ein Neugeborenes gedacht, doch in drei bis sechs Monaten wäre Lenas Baby alt genug, um es zu tragen.

»Es tut mir leid«, flüsterte Faith, »dass ich es Ihnen nicht gesagt habe.«

Sara konnte nur den Kopf schütteln. Sie traute ihrer Stimme nicht mehr.

Sara und Jeffrey hatten vorgehabt, ein Baby zu adoptieren. Sara konnte keine eigenen Kinder bekommen. Es hatte Jahre gedauert, bis sie und Jeffrey sich zu einer Adoption durchgerungen hatten und sich darin einig gewesen waren, dass sie bereit waren, gemeinsam ein Kind großzuziehen.

Dann war Jeffrey gestorben, und Sara war völlig zusammengebrochen. Die Adoptionsagentur hatte ihre Bewerbungsunterlagen zurückgeschickt. Zu jener Zeit hatte Sara die Absage kaum registriert. Sie war unfähig gewesen, sich um sich selbst zu kümmern, geschweige denn um einen Säugling.

»Sara?«, fragte Faith. »Können Sie jetzt bitte endlich etwas sagen?«

Säure füllte Saras Mund. Das war einfach nicht fair.

Am liebsten hätte Sara genau das gesagt. Es aus voller Lunge herausgeschrien.

Es war einfach nicht fair.

Lena war nicht so stark. Es würde sie hinabziehen, wenn auch nicht brechen. Sie würde sich von dieser Tragödie auf die gleiche Art erholen, wie sie sich bis jetzt von jeder Tragödie erholt hatte.

Auch wenn sie Jared verlieren sollte, würde Lena immer wissen, wie es gewesen war, sein Kind in sich wachsen zu spüren. Sie würde die Hand ihres Babys halten und sich daran erinnern, dass es Jareds war. Sie würde ihr Kind lachen und lernen und aufwachsen sehen, miterleben, wie es Sport trieb und Projekte für die Schule vorbereitete und das College abschloss, und sie würde sich immer, immer an ihren Mann erinnern. Sie würde Jared in ihren Enkeln und Urenkeln sehen können. Und noch auf dem Sterbebett würde sie Frieden in dem Wissen finden, dass sie miteinander etwas Wunderbares geschaffen hatten. Dass sogar im Tod sie beide weiterleben würden.

»Sara«, sagte Faith. »Was ist hier eigentlich los?«

Sara wischte sich über die Augen. Es ärgerte sie, dass sie schon wieder in der Dunkelheit versank, die sie schon heute früh umfangen hatte. »Warum geht bei ihr immer alles so verdammt einfach?« Das Sprechen bereitete ihr große Mühe. Die Wörter, die sie eigentlich sagen wollte, blieben ihr im Hals stecken. »Jede Tür öffnet sich für sie, und sie geht einfach hindurch, völlig unbeschadet und …« Sara atmete tief durch. »Es ist alles so einfach für sie. Sie hat es immer so verdammt leicht.«

Faith deutete zur Tür. »Kommen Sie.« Doch Sara konnte sich nicht bewegen.

»Gehen wir.« Faith packte Sara am Arm und führte sie aus dem Zimmer. Sara dachte schon, sie würden jetzt das Haus verlassen, doch Faith schob sie zum Küchentisch und hielt den Umschlag in die Höhe, den sie zuvor geöffnet hatte.

Sara wollte davon nichts wissen »Ihr Abstrich ist mir egal.«

»Sehen Sie sich an, woher der kommt.«

Sara starrte auf den Absender. Macon Medical Center, Driscoll Benedict, Frauenarzt und Geburtshelfer. »Na und?« Faith öffnete den Umschlag, faltete die Arztrechnung auf und hielt sie Sara hin. Das Behandlungsdatum lag zehn Tage zurück. Der Betrag war auf null gestellt mit dem Hinweis, dass das Krankenhaus Lena ihren Aufenthalt in der Notaufnahme separat berechnen würde. Darunter hatte jemand geschrieben: »Gott stehe Ihnen beiden bei. Wir werden Sie in unsere Gebete aufnehmen.«

Sara nahm Faith die Rechnung aus der Hand. Ihr wurden die Knie weich, und sie musste sich an den Tisch setzen. Auch ohne die Beileidsbekundung konnte Sara den medizinischen Abrechnungscode deuten.

Lena hatte das Baby verloren.

9.

Will fuhr auf seiner Maschine einen vernachlässigten Highway entlang. Er drehte den Kopf hin und her wie ein Turmgeschütz. Zwar fuhr über derlei Nebenstraßen hin und wieder auch ein Sattelzug, aber Sorgen machte ihm vor allem das Wild. Vor nicht einmal zehn Minuten war direkt vor ihm ein Bock auf die Straße gesprungen. Das Tier war überwältigend gewesen, er fand einfach kein anderes Wort dafür. Auf Brust und Rücken hatten sich die Muskeln abgezeichnet. Die schlanken Beine hatten denen einer Ballerina geglichen. Das Geweih war verzweigt gewesen wie ein alter Baum. Das Tier hatte nicht einmal in Wills Richtung geschaut, und das war auch gut so gewesen, weil Will sich gedemütigt gefühlt hätte, wenn irgendein Lebewesen die nackte Angst in seinem Gesicht gesehen hätte. Man brauchte kein Mathematiker zu sein, um sich auszurechnen, wie gering die Überlebenschancen waren, wenn ein Motorrad in hohem Tempo mit einem quer preschenden Hirschbock zusammenstieß. Der Coroner hätte bis ans Ende seiner Tage Wills Reste aus dem Brustkorb des Bocks klauben können.

Er nahm an, dass es in Atlantas näherer Umgebung alles mögliche Wild gab, doch der Gedanke lag ziemlich fern, wenn man zwischen den Wolkenkratzern stand und Busse und Autos und Züge an sich vorüberrasen sah.

Mit das Erstaunlichste, was Will in Macon erlebt hatte, war allerdings nicht die Tierwelt, sondern die Aufteilung in Arm und Reich gewesen. In Atlanta war Wills bescheidenes Haus nur ein paar Blocks von Saras Penthousewohnung entfernt, die wiederum in der Nachbarschaft einer Methadon-Klinik lag.

In Macon gab es dieses sprichwörtliche Jenseits der Gleise nicht. Stattdessen verlief dort eine mäandernde Avenue, die bis hinaus zum Stadtrand führte und dort das ausfransende Ende des engmaschig gewebten Teppichs zu markieren schien. Alte Herrenhäuser wichen dort deutlich bescheideneren Häuschen, die wiederum Pressspanbauten und Wohnwagensiedlungen und schließlich ungestrichenen Bretterbuden Platz machten. Will, der Fälle im gesamten Staat bearbeitet hatte, war durchaus schon mit Armut in Berührung gekommen, aber frische Wäsche vor einer Hütte, die offenbar nicht einmal über fließendes Wasser verfügte, hatte schon etwas besonders Deprimierendes.

Will bremste. Er blickte die Straße hinauf, suchte sie nach frei laufenden Tieren ab. Er näherte sich einem gelben VW Käfer – nicht dem neueren Modell, das aussah wie etwas, das George Jetson fahren würde, sondern einem alten, das Geräusche machte wie ein missmutig prustendes Kind. Auf dem Heck klebte eine Unmenge von Stickern. Anstelle von Bremsleuchten war die Warnblinkanlage eingeschaltet. Will schaltete herunter. Der Käfer bremste ab, legte eine scharfe Kehrtwende über die Gegenfahrbahn hin und hielt dann vor einer Reihe Briefkästen auf einem Streifen nackter Erde an. Eine Hand schnellte heraus, ein Briefkasten wurde geleert, und dann fuhr der Käfer erneut eine scharfe Kehre und hätte für Will zum tödlichen Hindernis werden können, wenn er zuvor nicht aufgepasst hätte.

Er schaltete erneut herunter und hielt am Straßenrand gegenüber den Briefkästen. Will hatte sich für die Fahrt, die eigentlich nur zwanzig Minuten dauerte, fast eine Stunde Zeit genommen. Er konnte Wegbeschreibungen nur mit Mühe folgen, und ein Handy, das einem sagte, wann man links oder rechts fahren sollte, war für einen Legastheniker ebenso wenig hilfreich. Außerdem steckte er im Treibsand seines schlechten Gewissens fest. Sara war nicht besonders glücklich darüber, dass er verdeckt ermittelte. Und dass er sich jetzt auch noch mit einer anderen Frau traf, würde sie mit Sicherheit vor den Kopf stoßen. Wobei er sich mit Cayla Martin nicht in amouröser Absicht traf. Dass sie genau das jedoch zu denken schien, machte das Ganze ein wenig anrüchig.

Nach seinem Gespräch mit Faith schien es ihm mittlerweile an der Zeit zu sein, diesem Big Whitey gegenüberzutreten. Fast eine Stunde lang hatte er nach Tony Dell gesucht. Cayla Martin war ihm als guter Ersatzplan erschienen. Mit dieser Frau umzugehen war deutlich einfacher – in mehrfacher Hinsicht. Will hatte in der Cafeteria zu Mittag gegessen, als eine flüchtige Hand einen Zettel unter sein Tablett geschoben hatte. Es war eine eingeübte Bewegung gewesen. Niemand sonst schien etwas bemerkt zu haben. Will hatte sich eingeredet, der Situation gewachsen zu sein, indem er sich den Zettel diskret wie Aldrich Ames in die Tasche gesteckt hatte. Andererseits war Will sich ziemlich sicher gewesen, dass der Meisterspion seine Nachrichten nie in einer Toilettenkabine gelesen hatte.

19:00 Uhr – Ausfahrt 12 links ab, rechts auf Feldweg.
Das einzige Haus mit Licht. Sei pünktlich!!

Cayla hatte unter die Ausrufezeichen noch einen Smiley gemalt, was Wills schlechtes Gewissen noch verstärkte. Manchmal hinterließ er Smileys für Sara. Simste ihr Smileys, und sie simste sie ihm zurück. Als sie eines Abends herumgealbert hatten, hatte sie ihm Smileys über den ganzen Bauch geküsst. Als Will von seinem Bike stieg, seufzte er gequält auf. Er rief die Tastatur seines iPhones auf und wählte die zwölf Ziffern, die ihm Zugriff auf seine geheimen Apps gewährten. Er hielt den Finger bereit, um das Programm zur Maskierung der Rufnummern zu aktivieren. Die App öffnete sich, und er wählte eine zehnstellige Nummer.

Die Oberkante des Geräts klickte gegen seinen Helm. Er öffnete den Kinnriemen und hängte den Helm an den Lenker. Nach vier unendlich langen Freizeichen meldete sich Sara. Im Hintergrund hörte Will Klaviermusik und das leise Murmeln von Gesprächen.

Anstatt Hallo zu sagen, fragte Sara: »Brunswick?«

Will nahm an, dass das Maskierungsprogramm seinen Zweck erfüllt hatte. »Nicht ganz.« Er versuchte, die Hintergrundgeräusche zu identifizieren, die eher nach Bar denn nach Krankenhaus klangen. »Wo steckst du gerade?«

»Wo ich stecke?« Ihre Aussprache war ein wenig gedehnter, was immer passierte, wenn sie nicht in der Großstadt war. »Ich trinke ein Glas Scotch in der Hotelbar des Macon Days Inn.« Wills Gedanken wanderten augenblicklich zu all den Mistkerlen, die wahrscheinlich versuchen würden, bei ihr zu landen. Er bemühte sich, gelassen zu bleiben. »Ach ja?«

»Ja.« Sie klang schroff. Unwillkürlich hatte Will ihren Mund vor Augen. Den Schwung ihrer Lippen. Und dann stellte er sich vor, wie irgendein Idiot mit einem Goldkettchen um den Hals sich an sie ranmachte und fragte, ob er sie zu einem Drink einladen dürfe.

»Das passt gar nicht zu dir.«

»Nein«, stimmte Sara ihm zu. »Aber ich hab heute schon diverse Dinge gemacht, die nicht zu mir passen.«

Will konnte ihren Tonfall nicht interpretieren. Sie klang nicht betrunken, was eine Erleichterung war. Aber Sara war auch keine Trinkerin.

»Ich könnte gegen Mitternacht bei dir sein, spätestens um eins.«

»Nein, Liebling. Ich will dich nicht hier in der Nähe haben.«

Sofort bekam Will es mit der Angst zu tun. Für gewöhnlich nannte Sara ihn nur Liebling, wenn er sich bescheuert verhielt. Hatte sie herausgefunden, dass er in Macon gewesen war? Will ging alle Möglichkeiten durch, versuchte, den Schwachpunkt in seiner Tarnung zu finden. Faith hätte keinen Ton zu ihr gesagt – zumindest nicht, ohne Will vorzuwarnen. Denise Branson war schlau genug, es nicht zu tun, und selbst wenn nicht, hatte sie keine Ahnung, wer Sara war. Lena hatte versprochen dichtzuhalten, aber was für ein Idiot musste man sein, um einer Frau zu trauen, die einen Mann getötet und dann die nachfolgenden Ereignisse nachweislich falsch geschildert hatte?

»Will?«

Er schob seine paranoiden Gedanken beiseite. Eines wusste er bei Sara genau: Sie trieb keine Spielchen. Wenn seine Tarnung aufgeflogen war, würde sie eine Erklärung von ihm verlangen und nicht in einer Bar Klaviermusik lauschen.

»Wie geht's Jared?«

»Nicht besonders gut.« Sie hielt inne, um einen Schluck zu trinken. Will hörte, wie sie das Glas mit einem Klicken auf der Bar abstellte. »Eine seiner Operationswunden hat sich entzündet, und er hat einen septischen Schock erlitten. Die Ärzte haben einen Spezialisten vom CDC dazugezogen. Er weiß, was er tut, aber ...« Sie brachte den Satz nicht zu Ende. »Lena war schwanger. Sie hat das Baby vor zehn Tagen verloren.«

Er konnte den Unterton in ihrer Stimme noch immer nicht deuten. Sara konnte keine Kinder bekommen, aber das hatte nichts mit Lena zu tun. »Weiß Faith Bescheid?«

»Sie war dabei, als ich's erfahren habe. Hab vor ihren Augen die Fassung verloren.«

Will starrte auf sein Bike hinab. Er sollte umkehren und sofort zu ihr fahren. Das Days Inn lag an der Interstate, nicht einmal eine halbe Stunde entfernt.

»Faith war sehr nett. Schätze, wenn man gerade drauf und dran ist, die Beherrschung zu verlieren, ist man bei ihr in guten Händen.«

»Ja.« Will hörte einen Sattelschlepper die Straße heraufdonnern. Die Scheinwerfer zerschnitten die Dämmerung. Der Motorenlärm ließ die Luft erzittern und übertönte, was Sara sagte.

»Wie bitte?«

»Egal.«

Er hörte Eiswürfel klimpern, ihre Kehle beim Schlucken arbeiten.

»Stehst du irgendwo am Straßenrand?«

»Ich wollte nur mal hören, wie's dir geht. Du warst heute Morgen ziemlich aufgeregt.«

»Tja, ich bin auch jetzt am Abend ziemlich aufgeregt«, blaffte sie ihn an. »Weißt du, mein Daddy hat mir schon vor langer Zeit gesagt, wenn man auf Rache aus ist, dann ist das gerade so, als würde man Gift schlucken und darauf warten, dass der andere stirbt.«

»Und das tust du gerade?«

»Ich weiß es nicht.« Wieder hielt sie inne. »Ich komme mir vor wie ein Eindringling. Als hätte ich Lena etwas gestohlen. Etwas Privates, das mir nicht gehört.« Sie lachte matt. »Und das ist kein annähernd so gutes Gefühl, wie ich dachte.«

Will starrte die Briefkästen an. Auf die Türchen waren von verschiedenen Besitzern Nummern in verschiedenen Farben aufgesprüht worden. Jemand hatte auf seinen Kasten ein Gänseblümchen gemalt, ein anderer das Logo der Georgia Bulldogs aufgeklebt.

»Du fehlst mir«, sagte Sara unvermittelt.

Will hatte sie vor nicht einmal zwölf Stunden zuletzt gesehen, aber als er dies hörte, spürte er, wie sehr auch er sich nach ihr sehnte. Er zerbrach sich den Kopf darüber, wie er aus diesem Schlamassel wieder herauskommen sollte. Er würde ihr erzählen, wie sehr ihm diese Geheimnistuerei zuwider wäre. Wie leid es ihm täte, dass er im Augenblick nicht bei ihr war. Dass er ein Lügner und ein Feigling wäre und Sara nicht verdient hätte, aber sehr genau wüsste, dass er ohne sie verdorren würde.

»Wie auch immer.« Abrupt hatte sie einen anderen Tonfall angeschlagen. »Nachdem ein Scotch eindeutig mein Limit ist, sollte ich jetzt ins Krankenhaus zurückfahren und Nell beistehen. Ich hab ihr gesagt, dass Lena das Baby verloren hat, aber sie wusste es bereits. Schätze, Lena hat es ihr selbst gesagt. Keine Ahnung. Sie redet nicht viel. Ich natürlich auch nicht – zumindest nicht mit Nell.« Sara lachte gekünstelt. »Tut mir leid, ich fasele dummes Zeug. Bin einfach nur müde. Ich bin seit gestern um diese Zeit wach. Ich hab versucht zu schlafen, aber ich konnte nicht.«

»Fährst du heute Abend noch nach Hause?« Will fing schon wieder an, Pläne zu schmieden. Er würde Cayla in aller Kürze abfertigen, auf sein Motorrad springen und direkt heim nach Atlanta fahren.

Doch Sara ließ den Traum zerplatzen. »Ich hab mir für heute Nacht ein Zimmer genommen. Die Hunde sind versorgt, und ich sollte im Augenblick wohl besser keine langen Strecken fahren.«

»Ich könnte dich dort abholen.« Er versuchte, nicht zu flehentlich zu klingen. »Lass mich dich abholen.«

»Nein.« Ihre Stimme hatte etwas Entschiedenes. »Ich will dich nicht hier haben, Will. Ich will dich von all dem hier fernhalten.«

Er fühlte sich gefangen in seinen eigenen Lügen. »Tut mir leid.«

»Ich will auch nicht, dass dir was leidtut.« Erneut hielt sie inne, als müsste sie erst wieder zu Atem kommen. »Ich will, dass du weiter das tust, was du eben tust und wo immer du es tust, und wenn das vorbei ist, will ich, dass du zu mir zurückkommst und wir beide gemeinsam essen und lachen, und dann will ich, dass du mich ins Schlafzimmer bringst und …« Wieder donnerte ein Lastwagen vorbei, doch diesmal konnte Will jedes einzelne pornografische Detail verstehen, das sie ins Handy flüsterte.

»Würdest du das tun?«

Plötzlich fühlte sich Wills Zunge an, als wäre sie zu dick für seinen Mund. Er räusperte sich. »Das werde ich alles tun.«

»Gut, weil ich nämlich genau das brauche, Will. Du musst mir das Gefühl geben, dass ich wieder fest in meinem Leben verwurzelt bin. In dem Leben, das ich mit dir teile.«

Die Klaviermusik hatte aufgehört. Eis klimperte in ein Glas. Jemand lachte.

»Denn was wir haben, ist doch gut, oder?«

»Ja.« Wenigstens diesmal konnte er ihr eine ehrliche Antwort geben. »Es ist wirklich gut.«

»Das glaub ich auch.«

»Sara …« Will hörte die Verzweiflung in seiner eigenen Stimme, aber ihm fiel nichts anderes ein, als ihren Namen auszusprechen.

»Ich muss jetzt Schluss machen.«

»Musst du nicht …«

»Denk einfach an später, okay? An uns beide daheim, was du essen willst, oder vielleicht gehen wir auch mal wieder ins Kino oder mit den Hunden spazieren. Leben einfach unser Leben. Genau daran denke ich nämlich gerade. Das lässt mich dies alles durchstehen.«

»Wir tun es. Wir tun das alles.« Er wartete darauf, dass sie noch etwas sagte. Stattdessen legte sie auf.

Will starrte das Handy an, als könnte er Sara wieder in die Leitung zaubern. Doch er hatte ihr nichts Tröstendes zu sagen. Wenn überhaupt, dann war er bei dem Anruf viel zu still gewesen. Das wurde ihm jetzt klar. Er hatte Sara gezwungen, das Reden zu übernehmen, obwohl es doch offensichtlich gewesen war, dass sie von Will etwas – *irgendetwas* – hatte hören wollen, das ihr ein wenig Frieden geschenkt hätte.

»Idiot«, murmelte er.

Erneut wählte Will den zwölfstelligen Code und rief die App noch einmal auf. Diesmal war er nicht schnell genug, als das Menü auf dem Display erschien. Er wiederholte den Code, brach aber nach zehn Ziffern ab.

Er hätte nicht gewusst, was er ihr hätte sagen sollen. Am

liebsten wäre er zu ihr gefahren. Er würde in zehn Minuten dort sein, wenn er sämtliche roten Ampeln ignorierte. Er würde alles tun, was sie von ihm wollte, und mehr.

Irgendwann würde sie ihn fragen, wie er es so schnell zu ihr geschafft hätte.

Will hatte zehn Minuten, um sich zu überlegen, wie er es ihr sagen wollte. Fünfzehn, wenn der Verkehr rund um das Days Inn dicht wäre. Er nahm den Helm vom Lenker. Ein Stück Lack war davon abgeplatzt. Er schnallte sich die Halbschale auf den Kopf. Als er wieder auf der Maschine saß, drehte er das Vorderrad in die Richtung, aus der er gekommen war.

Er hatte keine andere Wahl. Nach diesem Anruf konnte er nur mehr eines tun, nämlich zu diesem Hotel und zum Krankenhaus zu fahren, sich zu Sara zu setzen und ihr in allen Einzelheiten zu erzählen, was gerade vor sich ging. Faith hatte recht – es war hart an der Schmerzgrenze. Was als kleine Halbwahrheit angefangen hatte, hatte sich zu einer gigantischen Lüge entwickelt, die ihre Beziehung zerstören konnte. Und Will wollte nicht, dass Sara eines Tages seinetwegen Gift trank.

Er gab Gas und raste zur Interstate zurück. Er blickte empor in den sich verdunkelnden Himmel. Das Hotel lag in der Nähe eines Flughafens, und so konnte er die Maschinen als Orientierungshilfe benutzen. Zumindest nahm Will an, dass es sich um dasselbe Days Inn handelte, in dem Sara sich einquartiert hatte. Genau genommen war das Days Inn eine Hotelkette. Wahrscheinlich gab es in Macon mehr als einen Ableger.

Gerade rechtzeitig sah er wieder hinab, um einen schwarzen Pick-up mitten auf der Straße stehen zu sehen. Die Gegenfahrbahn wurde von einem weißen Honda blockiert. Will bremste, wünschte sich eine Hupe. Auf keiner Seite würde er vorbeikommen – zumindest nicht, ohne zu riskieren, in den Straßengraben zu rutschen. Will ließ seine Stiefelabsätze über den Boden scharren, als er seine Maschine zum Stehen brachte.

»He!«, rief Will. »Aus dem Weg!«

»Immer mit der Ruhe!« Der Pick-up-Fahrer lehnte sich aus dem Seitenfenster, doch Will hatte Tonys Stimme bereits erkannt, ehe er sein Gesicht sah. »Verdammt, Bud, warum fährst du denn in diese Richtung? Caylas Haus ist dort unten.«

Er deutete zu einer Kiesstraße, die im spitzen Winkel von der Straße wegführte. Hohe Bäume verdeckten die Abzweigung. Nirgends ein Schild, nicht der kleinste Hinweis darauf, dass sich dort mehr befand als bloß irgendein Feldweg. Will hätte die Zufahrt im Leben nicht gefunden, dabei war Cayla so schlau gewesen, ihm die Adresse zu geben statt einer Telefonnummer, die er anrufen konnte, um abzusagen.

»Na komm.« Tony bedeutete Will, ihm zu folgen.

Will gab Gas und tat so, als würde er sich den Fahrer des weißen Honda nicht genau ansehen. Er konnte den oberen Teil eines Kopfes erkennen, dunkles, welliges Haar und eine hohe Stirn, als das Fenster hochgekurbelt wurde.

Tony bog auf den Feldweg ein. Sein Radio plärrte so laut, dass Will den Song erkennen konnte. Lynyrd Skynyrds »Free Bird«. Keine große Überraschung.

Will blieb auf Abstand zu dem Pick-up, weil er so viel roten Staub aufwirbelte, dass ein Elefant daran erstickt wäre. Jetzt kam er aus der Sache nicht mehr raus. Will würde höchstens zwei Stunden bei Cayla verbringen und dann zu Sara fahren, um zu tun, was er von Anfang an hätte tun sollen.

Wahrscheinlich war sie gerade unterwegs zum Krankenhaus. Will würde sie kaum vor ihren Freunden überfallen können, und außerdem durfte all das, was er ihr zu sagen hatte, nur unter vier Augen gesagt werden. Er würde es ihr im Hotel erzählen. Sie hatten noch nie ernsthaft miteinander gestritten. Will hatte keine Ahnung, wie Sara reagieren würde. Vielleicht würde sie mit Sachen werfen oder ihn ausschimpfen wie einen Hund. Andererseits hatte er sie noch nie mit irgendetwas werfen sehen, und sie fluchte auch kaum je, ein Nebeneffekt ihrer täglichen Arbeit mit Kindern.

Vielleicht würde sie richtig still werden, wie sie es immer wurde, wenn sie sich große Sorgen machte. Will konnte es nicht ertragen, wenn sie still wurde. Aber besser als die Alternative wäre das allemal. Sicher wusste er nur, dass er sich vor einen fahrenden Zug werfen würde, damit sie ihn nicht verließ.

Die Hinterräder von Tonys Pick-up drehten durch, als er durch eine Furche fuhr. Will wich dem Schlagloch aus, das mit schlammigem Wasser gefüllt war. Der Kiesweg verengte sich zu einer einzigen Fahrspur. Will versuchte, sich die Umgebung genau einzuprägen, doch im Großen und Ganzen waren in einiger Entfernung nur eine Handvoll Umrisse von Häusern zu sehen. Inzwischen war es dunkel geworden. Tony war mittlerweile so weit vor ihm, dass seine Scheinwerfer Will keine Orientierung mehr boten. Der Mann fuhr mit dem Fuß auf der Bremse. Die Hecklichter tauchten den roten Weg in eisiges Schwarz.

Will fragte sich, ob Tony ihn gerade womöglich ans Ende der Welt lotste, um ihn dort umzubringen. Der Mann schien zwar zu einem Mord nicht fähig zu sein, aber Will war in dieser Hinsicht schon oft überrascht worden. Im Allgemeinen kündigte sich der Tod nicht an. Er hätte ein Vermögen drauf verwettet, dass der dreiundvierzigjährige Existenzgründer, der in der vergangenen Woche auf der Toilette gestorben war, nicht geplant hatte, mit heruntergelassener Hose aufgefunden zu werden.

Ein kleines Leuchtschild kündigte die Einfahrt zu einer Wohnwagensiedlung an. Palmen umrahmten den kursiven Schriftzug mit dem Namen des Geländes. Der Platz war ordentlich gepflegt und wurde offensichtlich von vielen Familien genutzt. Vor diversen Veranden standen Kinderfahrräder. Die Mülltonnen waren vom Straßenrand zurückgeholt worden. Autos parkten ordentlich auf den vorgesehenen Stellplätzen. Hinter geschlossenen Vorhängen sah er den weichen Schein von Fernsehern.

Die Straße verbreiterte sich wieder, als die Wohnwagensiedlung aus Wills Rückspiegel verschwand. Mit zusammengekniffenen Augen starrte er nach vorne. Tony hatte die Hand erhoben. Er schnippte zur Musik mit den Fingern. George Michaels »I Want Your Sex«. So ein Song konnte einen Mann fernab der Zivilisation das Leben kosten, doch Tony war das offenbar egal.

Unvermittelt ging der Kiesweg in eine Teerstraße über. Wills Maschine bockte kurz auf. Zum Glück fuhr er nicht schnell, ansonsten wäre er jetzt über die Lenkstange gesegelt. Straßenlaternen beleuchteten hier jeden Zentimeter des Teerbelags. Für Hunderte von Häusern waren Fundamente gegossen worden, doch entweder war dem Bauherrn das Geld ausgegangen, oder aber er war aus der Stadt verduftet. Wahrscheinlich beides. Rohre und Leitungen ragten aus den Betonplatten wie Zahnstocher. Merkwürdigerweise standen an einigen Einfahrten Briefkästen, aber keine Häuser. Vor anderen wuchs Unkraut aus dem weißen Beton des Bürgersteigs. Cayla Martins Haus war eines von vier fertiggestellten am Ende einer Sackgasse. Macon war nicht die einzige Stadt Amerikas mit aufgelassenen Neubauprojekten, aber Caylas hatte was besonders Deprimierendes. Der Rasen war von Unkraut überwuchert. Ein vereinzelter trauriger Baum neben der Haustür war verkrüppelt und ging offensichtlich langsam ein. Von Anfang an hatte sich niemand um dieses Haus gekümmert. Der Lack auf Fenster- und Türeinfassungen blätterte ab, weil das Holz nicht grundiert worden war. Einige Fenster waren schief eingesetzt. Selbst die Haustür hing in einem merkwürdigen Winkel, als hätte niemand sich die Mühe gemacht, sie auszurichten. Will fragte sich, ob der Bauherr mit dem faulen Mistkerl verwandt war, der in Saras Wohnung gearbeitet hatte.

Tony Dell fuhr in eine kurze Einfahrt und parkte den Pick-up hinter einem schwarzen Toyota. Die Tür ging auf, und Tony fiel fast aus der Kabine. Der F-250 war viel zu groß für ihn – er wirkte daneben fast wie ein kleiner Junge, der in den Schuhen seines Vaters herumstolperte. Mit schwungvollen Schritten kam er im Halbdunkel auf Will zu. »O Mann, Bud, frierst du dir auf diesem Ding da nicht die Eier ab?«

Will zuckte mit den Schultern. Allerdings hatte der Mann recht in Sachen Kälte. Er nickte zu dem Pick-up hinüber. »Wo hast du den denn her?«

»Von 'nem Freund geliehen.«

»Netter Freund«, bemerkte Will. Nach Tonys beschlagnahmtem Kia stellte der Pick-up eine deutliche Verbesserung dar.

»Hoffe, du hattest heute Abend nicht was Romantisches geplant.« Tony steckte die Hände in die Taschen und marschierte aufs Haus zu. »Ich hab mich selber eingeladen. Cayla hat einen Wasserhahn, der schon 'ne ganze Weile tropft. Ich hab gesagt, ich komm vorbei und reparier ihn.«

»Sie weiß also, dass du auch kommst?«

»Sicher«, sagte Tony, aber seine Stimme war zu hoch, um aufrichtig zu klingen. »Hast du heute früher Feierabend gemacht?«

»Ein bisschen.« Sein Chef würde in sechs Monaten in Rente gehen und hatte nebenher ein kleines Techtelmechtel laufen. Will wollte schon irgendwas Abfälliges über Salemis Arbeitsgewohnheiten sagen, doch dann trat Tony in den Schein des Verandalichts, und sein Anblick machte Will sprachlos.

Man hatte dem Mann die Seele aus dem Leib geprügelt. Eine bessere Beschreibung gab es nicht. Seine Nase stand schief. Beide Augen waren zugeschwollen und rundherum verfärbt. Ein langer, tiefer Riss in seiner Wange war mit dickem schwarzem Faden genäht worden.

Tony grinste trotz der Schmerzen, die es ihm bereiten musste. »Ein Bulle hat mich geschnappt.«

»Vickery?«, fragte Will.

Mit Faith hatte er noch Witze darüber gerissen, doch jetzt, da er Paul Vickerys Handschrift vor sich sah, war das Ganze alles andere als lustig.

»Alles cool, Bud.« Tony hob die Hände. »Ich hab ihm nichts gesagt. Schätze, der alte Knabe hatte es einfach nötig, mal wieder jemanden zu verprügeln. Hättest genauso gut du sein können. So war's halt ich.«

Will konnte kaum glauben, welche Lässigkeit dieser Mann an den Tag legte. »Zeigst du ihn an?«

Zur Antwort bekam er ein schallendes Lachen. »Scheiße, das ist echt witzig, Bud! Als würden sie für uns arbeiten oder so.« Er hob die Hand, um an die Tür zu klopfen. »Tu einfach so, als hättest du mich eingeladen, okay?«

»Als …«

Cayla hatte ein breites Grinsen auf dem Gesicht, als sie die Tür öffnete – bis ihr Blick auf Tony Dell fiel und sie schlagartig so aussah, als wolle sie ihn umbringen. »Was zum Teufel willst du hier?«

»Bud hat mich eingeladen.« Er klopfte Will auf den Rücken. »Oder, Bud?«

»Ja«, murmelte Will.

Cayla schien es nicht im Geringsten zu kümmern, dass Tony verprügelt worden war. Sie sah ihn abfällig an. »Du hinterhältiger kleiner Scheißer.«

»Ach, jetzt sei doch nicht so.« Tony schob sich unter Caylas Arm hindurch an ihr vorbei ins Haus.

Zum ersten Mal, seit er Tony Dell kennengelernt hatte, war Will froh, dass der kleine Spinner in der Nähe war. Allem Anschein nach hatte Cayla sich auf ihr Rendezvous gut vorbereitet. Sie hatte derart dick Make-up aufgetragen, dass es in den Augenwinkeln bereits Klümpchen bildete. Die Jeans schien sie optisch in zwei Hälften zu zerteilen, und unter ihrer weißen Bluse war deutlich ein weinroter BH zu erkennen. Noch von der Veranda aus konnte Will ihr Parfüm riechen. Er wusste nicht genug über solche Dinge, um sagen zu können, ob der Duft billig war oder nicht, doch angesichts der Menge, die sie benutzt haben musste, hoffte Will, dass sie Mengenrabatt dafür bekommen hatte.

Tony hielt theatralisch die Nase in die Luft. »Verdammt, Mädchen, du riechst aber gut!«

»Halt's Maul, Tony. Ich hab dir gesagt, du sollst nicht so mit mir reden.« Mit einem schiefen Grinsen winkte sie Will herein. »Er ist mein Bruder.«

»Stiefbruder«, korrigierte Tony sie und zwinkerte Will zu. »Nicht blutsverwandt.«

Mit einem Ächzen schloss Cayla die Tür. »Sein Daddy hat meine Ma geheiratet, als wir in der Junior High waren. Seitdem klebt er an mir wie ein Scheißhaufen, den ich nicht mehr vom Schuh abkriege.«

Tonys Lachen verhieß, dass er dies als Kompliment auffasste.

Will brummte – nicht weil das eine typische Bill-Black-Reaktion gewesen wäre, sondern weil er einfach nicht wusste, was er sagen sollte.

»Siehst hübsch aus«, sagte Cayla, obwohl Will sich extra für diesen Anlass noch zwangloser angezogen hatte als sonst. Seine Jeans war am Saum aufgerissen. Sein blaues Oxford-Hemd war vielleicht bis vor zwei Jahren noch halbwegs adrett gewesen. Das schwarze T-Shirt darunter hatte Löcher in den Achselhöhlen.

»Willst du ein Bier?«, fragte Cayla.

»Nein, danke.« Will trank oder rauchte nicht, was für ihn in seiner Rolle als Knacki ein deutliches Handicap darstellte.

»Also, ich könnte was Kühles vertragen«, gab Tony zurück.

»Dann schwing deinen dürren Hintern zurück in deinen Pick-up und besorg dir was«, schlug Cayla vor. Tony grummelte irgendetwas. Sie sprachen wirklich wie Bruder und Schwester miteinander.

Will sah sich währenddessen in dem Zimmer um. Das Haus war sauber, sogar aufgeräumt. Cayla liebte offenbar Figürchen: Große Puppen in festlichen Kleidern saßen auf fast jeder Oberfläche. Einige kauerten unter Glasglocken wie Käse, andere waren auf Podesten befestigt, die ihnen halfen, Schirme zu halten und Kinderwagen zu schieben. Cayla hatte ihr Zuhause in Pastelltönen dekoriert, vorwiegend in Rosa- und Blautönen.

Ein großer Flachbildfernseher hatte einen Ehrenplatz direkt gegenüber einer babyblauen Couchgarnitur.

Der Streit schien beigelegt zu sein, zumindest aus Tonys Sicht. Er schwang sich über die Sofalehne und setzte sich direkt vor den Fernseher. »Essen wir hier? Ich glaub, das Spiel geht gleich los.«

»Du kannst gerne allein hier essen.« Cayla winkte Will hinter sich her. »Nur damit du's weißt: Beim nächsten Mal wär's mir lieber, wenn es nur wir beide wären.«

Will brummte etwas vor sich hin und folgte ihr in die Küche. Das Haus war merkwürdig geschnitten, erst recht für einen Neubau. Die Wand zwischen Wohnzimmer und Küche sah aus, als hätte man sie nachträglich und provisorisch eingefügt. Die Schwingtüren in der Mitte waren nicht auf gleicher Höhe. Ein Flügel überragte den anderen um mindestens zwei Zentimeter. Es sah aus wie einzelne Farbflächen in einem Tetris-Spiel.

»Wir essen hier.« Cayla hielt die Schwingtür für ihn auf. Als Will sich in der kleinen, vollgeräumten Küche umsah, war er überrascht, wie gut es roch. Und tatsächlich knurrte ihm der Magen. Selbst der Gestank einer im Aschenbecher vor sich hin glimmenden Zigarette vermochte die köstlichen Aromen von gebratenem Hühnchen, frischen Brötchen und einem selbst gebackenen Kuchen nicht zu überdecken.

»Hast du Hunger?«

Will nickte. Ihm war so viel Wasser im Mund zusammengelaufen, dass er nicht einmal mehr sprechen konnte. Sara konnte vieles, aber kochen nun wirklich nicht.

»Ich hab dir doch gesagt, mein Hühnchen ist so richtig knusprig.« Cayla holte einen Teller aus dem Schrank. Auf dem Herd standen Töpfe zum Warmhalten. Sie nahm einen Löffel zur Hand und lud den Teller voll.

Will setzte sich an den Tisch.

»Hast du schon gehört? Diesem Bullen geht es gar nicht gut.«

Will antwortete nicht.

»Er hat wohl eine Blutvergiftung.« Sie nahm die Zigarette aus dem Aschenbecher, während sie den randvollen Teller vor Will hinstellte. Gebratenes Hühnchen, grüne und Augenbohnen, Kartoffelbrei und Soße und obendrein zwei frische Brötchen.

Sie steckte sich die Zigarette zwischen die Lippen und nahm einen tiefen Zug. »So eine Sepsis kommt bei Operationen häufiger vor. Diese ganzen Schläuche, die in den Patienten stecken – da geraten durchaus schon mal Bakterien ins Blut. Das Herz verkraftet so was meistens nicht. Das Gift strömt durch den Körper und verursacht irgendwann multiples Organversagen.«

Ihm fiel auf, dass ihre Sprache schlagartig besser geworden war. Cayla Martin schien sich je nach Gelegenheit einen extra Akzent zuzulegen. »Klingt übel.«

Sie nahm noch einen langen Zug, bevor sie die Zigarette ausdrückte. »Ja, kann ziemlich übel werden. Willst du jetzt ein Bier?«

Will nickte. »Wird er es denn schaffen?«

»Der Bulle?« Sie stand am Kühlschrank und sah über die Schulter. Unter dem ganzen Make-up war Cayla Martin nicht unattraktiv. Sie schien jene merkwürdige Eigenschaft zu besitzen, die ansonsten kluge Männer dazu brachte, dumme Dinge zu tun. »Könnte sein. Er ist noch jung. Ziemlich kräftig. Aber was kümmert dich das?«

Will zuckte mit den Schultern und nahm die Gabel in die Hand. »Nichts.«

Die Schwingtüren gingen auf. Tony beäugte sie argwöhnisch. Eifersucht loderte in seinen Augen wie der Lichtstrahl eines Leuchtturms, der durch die Küche wanderte.

Cayla warf ihm einen finsteren Blick zu. »Dachte, du guckst dir das Spiel an.«

»Das glaub ich dir gern.« Tony kam mit geballten Fäusten in die Küche. »Ich hab gehört«, wandte er sich an Will, »du warst heute oben auf der Intensiv.«

231

Will schob sich eine Gabel voll Bohnen in den Mund. Das Speckfett und das Salz kitzelten seine Geschmacksknospen.

»Und, hat sie dich erkannt?« Will starrte Cayla an.

»Ist schon okay.« Sie riss eine Bierdose auf und stellte sie Will hin. »Er erzählt mir alles, ob ich es hören will oder nicht.«

»Die Bullenschlampe meine ich«, fuhr Tony fort. Anscheinend war er genauso verwandlungsfähig wie seine Stiefschwester. Mit einem Mal klang er weitaus weniger wie eine Nervensäge, eher wie ein echter Krimineller.

Will ließ sich mit der Antwort Zeit. »Was ist mit ihr?«

»Hat sie dich erkannt?«

»Nein.« Will schaufelte sich eine weitere Gabel voll Bohnen in den Mund. Und weil er in seinen Wangen noch Platz hatte, stopfte er auch gleich noch ein halbes Brötchen hinterher, um das Fett aufzusaugen.

Tony zog einen Stuhl unterm Tisch heraus, setzte sich ein Stück entfernt hin, verschränkte die Arme und spreizte die Beine. Seine Verletzungen waren im grellen Küchenlicht noch deutlicher zu erkennen. Der Riss auf seiner Wange würde eine üble Narbe hinterlassen.

»Das ist gut, Bud. Sieh zu, dass sie dich nicht erkennt. Sieh zu, dass wir kein Problem kriegen.«

Will hatte Mühe mit dem Schlucken. »Ich weiß ja nicht, wie es bei dir ist, aber ich hab kein Problem.«

Cayla lachte. Doch genauso schnell verdüsterte sich ihre Miene wieder. »Was willst denn *du* hier unten?«

Will drehte sich um. In der Tür stand ein kleiner Junge. Sein Haar war verstrubbelt und der Schlafanzug viel zu groß für seinen dürren Körper. Er drückte sich ein Bilderbuch an die Brust. Er schien für diese Art Buch schon ein bisschen zu alt zu sein, aber in dieser Hinsicht war Will kaum ein Experte.

»Scheiße«, sagte Cayla. »Hab ich dir nicht gesagt, dass du oben bleiben sollst?« Der Junge klappte den Mund auf, aber sie kam ihm zuvor. »Hab ich's nicht gesagt, dass du Hunger kriegen würdest?« Sie stand vom Tisch auf, um noch einen zusätzlichen Teller zu befüllen. Dann stellte sie Will den Jungen vor. »Das ist Benji, der Sohn meiner Schwester. Benji, das ist Mr. Black.«

»Der Sohn ihrer echten Schwester«, ergänzte Tony. Er schob seinen Stuhl zurück, bis die Lehne die Küchenzeile berührte. Benji wagte sich nicht in seine Nähe. Er machte einen Umweg um den Tisch herum und setzte sich mit dem Buch auf dem Schoß Will gegenüber.

»Hier.« Cayla stellte ihm einen Teller hin, der deutlich weniger großzügig beladen war als der von Will. Dann wandte sie sich an Tony: »Schätze, dich muss ich auch durchfüttern, oder?«

»Eine von deinen Titten würd' mir schon genügen.« Er griff nach ihr und kicherte, als wäre es ein Spiel.

Cayla schlug seine Hand weg. »Mein Gott, Tony!« Sie drehte sich wieder zum Herd um und murmelte etwas in sich hinein.

Will sah Benji an, der auf seinen Schoß hinabstarrte, und versuchte, ihn nicht zu augenfällig zu mustern. Der Junge hatte eine vertraute Haltung an sich, als erwarte er jeden Augenblick, dass etwas Schlimmes passierte. Er ließ die Schultern hängen, hielt den Kopf gesenkt. Man konnte förmlich sehen, wie er die Ohren spitzte und auf jede Veränderung des Tonfalls, jede Andeutung von Gefahr lauschte. Will kannte diese Überlebenstaktik. Wenn Erwachsene sich stritten, wurden aus Kindern Kollateralschäden.

»Bist du aus Macon?«, fragte Will.

Der Junge antwortete nicht, sondern sah stattdessen seine Tante an.

»Baton Rouge«, antwortete sie für ihn. »Zumindest waren sie zuletzt dort. Seine Ma raucht Crack. Kommt nicht davon los. Die Polizei hat die beiden aufgelesen, als sie in einem Auto pennten.« Sie legte Benji die Hand auf die Schulter. Wenn Will nicht genau hingesehen hätte, hätte er nicht bemerkt, wie der Kleine leicht zusammenzuckte. »Ich konnte ja nicht zulassen, dass sie ihn wieder in ein Heim stecken. Beim letzten Mal wäre er dort fast umgebracht worden. Und ich meine wirklich umgebracht, nicht nur herumgeschubst.«

Will nahm an, dass Benji sich daran erinnerte, dass es ihm aber nicht gefiel, sich das alles noch mal anhören zu müssen.

»Wie alt bist du denn?«, fragte er.

Diesmal antwortete der Junge selbst und hielt neun Finger hoch.

»Und was für ein Buch liest du da?«

Benji hielt das Buch in die Höhe. Kursive Buchstaben konnte Will nicht lesen, aber das C am Anfang und der grinsende Affe verrieten ihm, dass es sich um einen Curious-George-Band handelte. Das Buch war offensichtlich schon oft gelesen worden. Die Seiten hatten Eselsohren. Der Umschlag war zerrissen. Will fragte sich, ob mit dem Jungen irgendwas nicht stimmte.

»In welche Schule gehst du?«

Benji legte sich das Buch wieder auf den Schoß und starrte auf seine Hände hinab.

Cayla seufzte gekünstelt. »Was ist denn in dich gefahren, Junge? Sag ihm, welche Schule du besuchst.«

Benjis Stimme klang piepsig. »Ich bin in Miss Wards vierter Klasse in der Barden-Grundschule am Anderson Drive.«

Will ließ einen anerkennenden Pfiff ertönen. »Klingt nach einer guten Schule. Gefällt es dir dort?«

Der Junge hob die schmalen Schultern.

»Was ist denn dein Lieblingsfach?«

Er sah Cayla an, aber ehe sie wieder für ihn antworten konnte, sagte er schnell: »Mathe.«

»Ich mochte Mathe auch«, sagte Will, und das stimmte tatsächlich. In der Schule hatten ihm die Zahlen eine gewisse Bestätigung geschenkt, eine Art Beweis dafür, dass es trotz seiner Unfähigkeit, zu lesen wie die anderen Schüler, zumindest irgendetwas gab, das er richtig machen konnte.

»Brüche«, flüsterte Benji. »Meine Ma macht sie mit mir.«

Er sah zu Will auf. Seine Augen waren tränenfeucht. Die Augenwinkel glänzten regelrecht im Neonlicht. Er schaute so verzweifelt drein, dass Will seinem Blick nicht standhielt.

»Iss jetzt auf, Liebling.« Cayla schob den Teller näher zu Benji hin. Sie hatte ihm einen Löffel Augenbohnen, ein Brötchen und einen Hähnchenschenkel gegeben. Keine ausreichende Portion, doch Benji beklagte sich mit keiner Silbe. Essen wollte er allerdings auch nicht. Er schien auf eine Erlaubnis zu warten.

Will spießte das große Stück gebratenen Hühnchens auf, das Cayla mit Bratensoße bedeckt hatte. Sie hatte recht gehabt, was die Knusprigkeit betraf. Die Haut schmolz regelrecht auf der Zunge. Nur schade, dass er keinen Hunger mehr hatte.

Will hatte während seiner Zeit im Atlanta Children's Home zahlreiche traumatisierte Kinder gesehen, doch Benji war das einsamste Kind, mit dem er je an einem Tisch gesessen hatte. Er schien auf einer anderen Frequenz zu schwingen, seine Bewegungen waren gekünstelt, der Gesichtsausdruck geradezu eine neutrale Maske – es gab auf dieser Welt keinen Neunjährigen, der den Schmerz, den Will in Benjis Augen erkennen konnte, besser hätte verbergen können.

Er vermisste seine Mutter. Sie hatte ihn offensichtlich vernachlässigt, wahrscheinlich misshandelt, und dennoch brauchte er sie. Sie hatte ihm beim Bruchrechnen geholfen. Vielleicht hatte sie sogar auch all die anderen Hausaufgaben mit ihm durchgearbeitet. Wahrscheinlich war sie oft mit ihm umgezogen, dem Jugendamt immer einen Schritt voraus, weil nicht einmal Crack-Huren sich nachsagen lassen wollten, dass sie schlechte Mütter waren.

Benjis fehlender Akzent war der deutlichste Fingerzeig. Wahrscheinlich war er nie lange genug an einem Ort geblieben, um sich einen anzueignen. Er klang gebildeter als die drei Erwachsenen im Haus. Und er hatte bessere Tischmanieren. Er zog die Haut an seinem Hähnchenschenkel mit Messer und Gabel ab.

»Wo hast du denn dieses Geziere her, Junge?«, schnaubte Tony.

»Lass ihn in Ruhe«, blaffte Cayla ihn an. Dann mäßigte sie ihren Ton, als sie sich an Will wandte: »Arbeitest du gern im Krankenhaus?«

Will nickte und redete mit vollem Mund. »Wie lange bist du denn schon dort?«

»Rund fünf Jahre«, antwortete sie, was eine Lüge war. Caylas Steuerunterlagen hatten ihm verraten, dass sie in Teilzeit für mehrere verschiedene Ärzte gearbeitet hatte, ehe sie vor gerade erst sechs Monaten die Stelle in der Krankenhausapotheke angetreten hatte. An ihren freien Tagen arbeitete sie nach wie vor stundenweise in den alten Praxen, vermutlich um ihre Strafe wegen alkoholisierten Fahrens abzuzahlen. Und eine Hypothek, die in einem solchen Missverhältnis zum Wert des Hauses stand, dass sie sich wahrscheinlich tagtäglich die Haare raufte.

»Im Krankenhaus ist es schon ganz okay, und die Arbeitszeiten in der Apotheke sind echt praktisch. Nachdem Benji jetzt hier ist, muss ich ja zu Hause sein, wenn er aus der Schule kommt.«

Benji sah sie an, als wäre er angesichts dieser Aussage vollkommen überrascht.

»Wie lange ist er denn schon hier?«, fragte Will.

»Diesmal?« Sie zuckte mit den Schultern. »Schätze, ein paar Wochen oder so. Habe ich nicht recht, Benji?«

»Einen Monat«, sagte Benji zu Will. Wahrscheinlich hakte er in seinem Kopf jeden einzelnen Tag ab, den er hier verbrachte. Und mit leiserer Stimme fügte er hinzu: »Vor einem Monat haben sie mich abgeholt.«

Nun meldete sich auch Tony zu Wort: »Ich bin seit einem Jahr im Krankenhaus. Kann nicht sagen, dass es mir dort gefällt. Den ganzen Tag Scheiße und Kotze aufputzen. Die Leute behandeln mich wie einen Handlanger.«

Caylas Stirn legte sich in zornige Falten. »Warum gehst du dann nicht zurück nach Beaufort, zusammen mit dem Rest dieser ganzen Sklavenbande?«

Will ignorierte den scharfen Ton. »Beaufort? Das ist doch auf den Sea Islands, oder? Drüben in Carolina?«

Tony sah Will mit zusammengekniffenen Augen an. »Warum fragst du?«

Will zuckte mit den Schultern. »Bin vor 'ner Weile mit meiner Maschine da durchgefahren. War in Charleston und Hilton Head, dann runter nach Savannah. Nette Gegend.«

Caylas Feuerzeug klickte, als sie sich eine neue Zigarette anzündete. »Na ja, Tony stammt nicht gerade aus dem hübschen Teil. Er hat die Sommer mit seiner Ma immer auf der falschen Seite des Broad River verbracht.«

Es überraschte Will zwar nicht, dass Tony auf der falschen Seite von irgendwas gestanden hatte, doch diese Information machte ihn neugierig. Das GBI hatte umfangreiche Hintergrundrecherchen über Anthony Dell angestellt. Er war knapp außerhalb von Macon zur Welt gekommen. Den Unterlagen zufolge hatte er sein ganzes Leben lang in dieser Gegend verbracht, aber in den Akten stand natürlich nichts darüber, wo Tony seine Schulferien verbracht hatte.

»Warst du schon mal in Hilton Head?«, fragte Will.

Anstatt zu antworten, starrte Tony Will nur an. Argwohn triefte ihm aus jeder Pore.

Will starrte zurück, fragte sich allerdings, wie weit er es noch treiben sollte. Big Whitey hatte nachweislich sowohl in Hilton Head als auch in Savannah sein Unwesen getrieben. Wahrscheinlich hörte Tony schon seit Jahren von dem Mann. Und jetzt war ihm auch klar, warum Tony so gerne mit ihm Kontakt aufnehmen wollte. Kleine wollten immer mit den großen Hunden spielen.

»Tony hat ungefähr drei Sommer in Hilton Head verbracht«, erklärte Cayla und sah Tony mit hochgezogenen Brauen an.

»Seine Ma war Kellnerin, wenn sie nicht gerade für Geld die Beine breitmachte.«

Tonys Blick verdüsterte sich, aber er widersprach ihr nicht.

»Sie ist von einer Spelunke zur anderen gezogen«, fuhr sie fort, »und arbeitete dort, bis sie den Leuten auf die Nerven ging oder sie merkten, dass sie zu viel mitgehen ließ.« Sie nahm einen tiefen Zug von ihrer Zigarette. »Tony war jeden Sommer mit ihr dort, seit er – hmm – vielleicht in Benjis Alter war? Warst du nicht acht oder neun, als sie sich haben scheiden lassen?«

Tony hob missmutig eine Schulter, doch jetzt wusste Will zumindest, warum dieser Teil seiner Biografie nicht bei der Hintergrundrecherche aufgetaucht war. Wenn ein Kind oder Jugendlicher nicht verhaftet wurde oder im Jugendstrafvollzug landete, gab es kaum öffentliche Aufzeichnungen, bis die Person irgendwann alt genug war, um sich ein eigenes Auto zu kaufen, eine Wohnung zu mieten oder Steuern zu zahlen.

»Mir gefällt's da oben«, stellte Will fest.

»Du meinst, da drüben«, entgegnete Tony. Er kniff die Augen zusammen. »Es liegt drüben, nicht oben.«

»Es liegt drüben und oben, du Idiot«, blaffte Cayla ihn an.

»Ich weiß, wie eine Landkarte aussieht.«

Will ließ sie streiten. Geografie war noch nie seine Stärke gewesen, aber er wusste, dass die untere Spitze von South Carolina in die Küste von Georgia hineinreichte. Er wartete, bis sich in dem Geschwisterstreit eine Flaute auftat, und sagte dann: »An dieser Küste gibt's auf jeden Fall bessere Strände als in Florida.«

»Was weißt du denn über Florida?«, wollte Tony wissen. Er wirkte wütender, als die Unterhaltung es rechtfertigte, was Will zu der Annahme brachte, dass er auf der richtigen Spur war.

»Florida ist ein Bundesstaat«, antwortete Will mit einem feisten Grinsen im Gesicht.

»Komm mir bloß nicht blöd, Mann!«

»Mein Gott, Tony ...« Cayla blies eine Rauchwolke aus.

»Was ist dir denn bitte schön über die Leber gelaufen?« Tony beugte sich vor und stemmte die Fäuste auf den Tisch.

»Wann warst du schon mal in Florida?«, fragte er Will.

»Er ist aus Georgia«, ging Cayla dazwischen. »Wohin sonst sollte er denn in den Urlaub fahren?«

Doch Tony ließ sich nicht besänftigen. Sein Zorn waberte regelrecht durch die Küche. Benji hatte völlig dichtgemacht und war auf seinem Stuhl nach unten gerutscht. Sein Hals verschwand mittlerweile fast zwischen seinen Schultern. Er starrte sein Buch an, als hätte er es noch nie zuvor gesehen.

Will nahm sich einen Bissen Hühnchen und kaute langsam darauf herum, um Zeit zu schinden, während Tony zusehends ungeduldig wurde. Geduld war offenbar nicht seine Stärke. Schließlich schluckte Will. »Ich war in MacDill.«

»Du warst bei der Army?« Cayla war sichtlich erstaunt.

»Air Force.« Will starrte Tony an und nahm sich noch einen Happen. Der Mann hatte einen verdammt guten Grund, argwöhnisch zu sein. Die Zufälle häuften sich allmählich. Die Mac-Dill Air Force Base befand sich in South Tampa, nicht weit entfernt von Sarasota, wo Big Whitey am Tamiami Trail angeblich seinen ersten Polizisten erschossen hatte.

»Warst du Offizier oder so was?«, erkundigte sich Cayla.

»Ich hatte dort ein paar Schießübungen.« Mit einem Brötchen tunkte Will das Fett auf seinem Teller auf. Er steckte es sich in den Mund, wandte dabei den Blick jedoch nicht von Tony ab.

»Haben Sie dich dort rausgeworfen oder was?«, hakte Cayla nach.

»Wir kamen überein, besser getrennte Wege zu gehen.«

Sie lachte, als hätte er einen Witz gemacht. »In Uniform hätte ich dich ja gerne mal gesehen! Hast du Fotos?«

Will tat so, als hätte er die Frage nicht gehört, während Tony unfähig zu sein schien, es ihm gleichzutun.

»Warum willst du denn Fotos von ihm sehen?«, schrie er sie an. »Von mir wolltest du noch nie ein Foto sehen.«

Cayla verdrehte die Augen. »Warst du auch schon mal in Miami?«, fragte sie dann.

Will schüttelte den Kopf. »War mir die Fahrt nicht wert.« Und nachdem Tony bekanntermaßen eine rassistische Ader hatte, fügte er hinzu: »Ein bisschen zu dunkel dort unten für meinen Geschmack.«

Tony nickte, war aber immer noch gereizt. Offensichtlich glaubte er, bei Cayla irgendwelche Chancen zu haben, was zugleich beunruhigend und abstoßend war. Doch Will war Tonys Eifersucht lieber als dessen Argwohn. So oder so würde er diesen Kerl nicht mehr aus den Augen lassen. Es waren die Kleinen, die am schmutzigsten kämpften.

»He, Tony«, versuchte Cayla, die Spannung zu lösen. »Du weißt doch noch, dass ich vor ein paar Jahren mal den Tamiami gefahren bin? War in Naples, Venice, Sarasota. Ich und Chuck sind auf seiner Harley den Trail hoch.«

»Dieser elende Trottel«, grummelte Tony. Die Erwähnung dieses Mannes ärgerte ihn offensichtlich.

Will schützte Desinteresse vor. Er zog das letzte Stück Hähnchen vom Knochen und steckte es sich in den Mund. Tonys Haltung zeugte inzwischen von einer aggressiven Härte, die Will zuvor an ihm noch nie gesehen hatte. Faith hatte einmal die Vermutung geäußert, dass Tony Dell deutlich gefährlicher sein könnte, als sie angenommen hatten. Will hatte das damals abgetan, weil ihm der Kerl einfach nur lästig vorgekommen war wie eine Mücke. Doch als er Tony jetzt betrachtete, fragte er sich, ob sie nicht doch recht gehabt hatte.

»Trinkst du das noch?«, fragte Tony.

Er meinte das Bier. Will zuckte mit den Schultern. »Greif zu.«

Tony stürzte das Bier hinunter. Sein Adamsapfel hüpfte auf und ab, als er es viel zu schnell in sich hineinkippte. Bier triefte ihm aus den Mundwinkeln. Dem anschließenden obligatorischen Rülpser folgte ein Krachen, als er die Dose auf den Tisch donnerte.

Cayla kommentierte es mit keinem Wort. Sie drehte ihre Zigarette im Aschenbecher um die eigene Achse, um die Glut zu einer Spitze zu formen. Dann wandte sie sich wieder an Will: »Warum bist du eingefahren?«

Sie meinte ins Gefängnis. Will zuckte bloß mit den Schultern.

Cayla sah ihn an. »Ich wette, du kannst ziemlich aufbrausend sein.« Es war als Kompliment gemeint. »Hat dich das vielleicht in Schwierigkeiten gebracht?«

Will zuckte auf eine Art die Achseln, die ihr zu verstehen geben sollte, dass sie richtiglag.

»Ich glaub, ich nehm mir noch eins.« Tony ging um den Tisch herum und drückte Benjis Kopf im Vorbeigehen hinunter, als er auf den Kühlschrank zusteuerte. Flaschen klirrten, als er die Tür öffnete. Cayla hatte genug Bier für ein anständiges Saufgelage hineingestellt. Lebensmittel indes waren Mangelware.

»Warum bist du aus der Air Force raus?«

Will nagte an dem Hühnerknochen, saugte das Mark heraus, und wieder versuchte Cayla zu intervenieren. »Ich liebe diese Strände am Golf mit ihrem weißen Sand! Du nicht auch, Tony? Der Atlantik ist einfach zu kalt.«

Tony war schlagartig wie verwandelt. Er brauchte wirklich nicht mehr als ein bisschen Aufmerksamkeit. Der harte Kerl war verschwunden, die Mücke wieder da. »Scheiße, Mädchen, du weißt gar nicht, wovon du redest.«

»Ich weiß genau, was für eine Sorte Strand ich mag.«

»Du weißt gar nichts.«

Will ließ Tony und Cayla über die Feinheiten von Sandqualitäten und Touristenbars diskutieren, während er sich insgeheim wieder Benji zuwandte. Der Junge zuckte wie ein Vogel, hielt die Arme eng an den Körper gelegt, um nur ja nichts umzuwerfen. Im Kinderheim hatten sie gefressen wie ausgehungerte Tiere, hatten das Essen in sich hineingeschaufelt und die Arme um die Teller geschlungen, um Diebe abzuwehren. Dieser Junge hatte offensichtlich gelernt, sich in der Öffentlichkeit zu bewegen. Er hatte eine Serviette auf dem Schoß. Er wischte sich die Hände und den Mund damit ab. Er kaute sorgsam jeden Bissen, bevor er schluckte.

Will war schon ein Teenager gewesen, als er begriffen hatte, dass er sich nur deshalb beim Essen immer verschluckte, weil er nicht hinreichend kaute.

Benji warf Will einen verstohlenen Blick zu. Er hatte gespürt, dass er beobachtet wurde. Als Will ihm zuzwinkerte, senkte Benji schnell den Blick. Wahrscheinlich musste er wieder an seine Mutter denken und fragte sich, wo sie gerade steckte, was sie von ihm hielt, was er falsch gemacht hatte und ob sie ihn deswegen alleingelassen hatte.

Will kannte diesen Gesichtsausdruck.

»He!« Tony schnipste mit dem Finger vor Wills Gesicht, und in diesem Augenblick waren Bill Black und er ein und derselben Meinung. Er schlug Tonys Hand weg.

»Verdammt, Mann.« Tony hielt sich die Hand an die Brust und nickte zum Wasserhahn. »Ich hab doch nur gefragt, ob du mir mit dem da helfen könntest.«

Erst jetzt dämmerte es Will, dass er das Tropfen des Hahns gehört hatte, seit er die Küche betreten hatte. »Braucht wahrscheinlich nur 'ne neue Dichtung.«

Caylas Stimme wurde schriller, wie es bei Frauen oft passierte, sobald sie einen Mann baten, ihnen zu helfen. »Du hättest doch nichts dagegen, das für mich zu reparieren, oder, Bud? Ich kann mit Werkzeug nicht so gut umgehen.«

Will zögerte. Sachen reparierte er für gewöhnlich für Sara. Er ersetzte kaputte Glühbirnen oder lackierte die Oberkanten ihrer Türen. »Ich hab nicht das richtige Werkzeug dabei.«

»Ich hab Werkzeug im Pick-up«, bot Tony an.

Und noch ehe Will etwas dagegen tun konnte, platzte es aus ihm heraus: »Ich dachte, du hättest dir den Pick-up nur geliehen?«

Tony grinste. »Aber mit allem drin, Mann.«

»Hast du auch eine Dichtung?«, fragte Will. »Das ist wahrscheinlich der Grund. Könnte eine aus Keramik sein. Das ist keine billige Armatur.«

Cayla schien das zu gefallen. »Ich hab sie von Home Depot. Dachte mir, ich gönn mir mal was.«

»Der Laden ist noch offen.« Tony spielte an dem Hahn herum. »Warum fahren wir nicht hin und besorgen uns so eine Dichtung und reparieren den Hahn dann gleich?«

Will lehnte sich zurück. Er fühlte sich gefangen zwischen seinem Job und Sara. Ihr Telefongespräch hatte er noch nicht vergessen. Seine Freundin brauchte ihn. Zumindest würde sie ihn brauchen, bis er die Wahrheit sagte. Andererseits wirkte Tony inzwischen schon wieder sehr viel entspannter und gesprächiger. Ohne Cayla redete er vielleicht noch freimütiger über seine Vergangenheit.

Tony drehte den Hahn ab. »Scheiße, Bud, na los, ist ja nicht so, als würd' ich dich um ein Rendezvous bitten.«

»Und nachdem wir gerade davon reden«, mischte sich Cayla ein. »Bud, warum fährst du Tony nicht auf deiner Maschine hinterher? Dann kannst du anschließend allein hierher zurückkommen.«

»Moment mal«, sagte Tony. »Das ist jetzt aber gar nicht nett.«

»Findest du?«, erwiderte sie. »Na, komm schon, Bud. Das Spülbecken macht mich schon seit Wochen wahnsinnig.«

Will sah zu Benji hinüber, und der Junge erwiderte seinen Blick. »Was meinst du?«, fragte er ihn.

Benji biss sich auf die Lippe. Die Haut war aufgerissen. Seine Lider waren schwer. Will sah die dunklen Schatten darunter. Vielleicht lag er schon seit mehreren Nächten wach, sah aus dem Fenster und wartete auf seine Mutter. Oder er konnte nicht schlafen, weil das Schuldgefühl, sie vertrieben zu haben, zu übermächtig war.

Will stand vom Tisch auf. Diesen Jungen vor sich zu sehen machte ihn ganz wirr im Kopf. »In Ordnung«, sagte er zu Tony. »Fahren wir.«

Will saß neben Tony im Pick-up. Seine Maschine stand auf der Ladefläche, gehalten von ein paar Bungee-Bändern, die Cayla in ihrer Garage gefunden hatte. In jeder Kurve protestierte das Motorrad mit einem lauten Ächzen, doch der Abend war kalt geworden, und Will war froh, in der warmen, trockenen Kabine zu sitzen.

Tony sollte ihn vor dem Baumarkt absetzen. Will konnte sich noch immer nicht entscheiden, ob er zu Cayla zurückkehren sollte oder nicht. Sie selbst schien sich sicher gewesen zu sein, dass Will zurückkehren würde. Immer wieder hatte sie ihn berührt – ihm über den Rücken gestrichen, am Arm angefasst. Bevor er gegangen war, hatte sie ihn sogar auf die Wange geküsst. Will hatte den Körperkontakt toleriert, aber er konnte den Gedanken kaum ertragen, in dieses beengte Haus mit all den Puppen und der verzweifelten Atmosphäre zurückzukehren.

Außerdem erschien ihm Tony als der bessere Zugang zu Macons sich ständig verändernder Drogenszene. Und während der Fahrt war er tatsächlich ein bisschen lockerer geworden. Er hatte von Hilton Head erzählt, von seinen Kindheitssommern, in denen er am Strand geschlafen und die Brieftaschen von bescheuerten Touristen gestohlen hatte, die ihre Sachen im Sand hatten liegen lassen, während sie im Ozean schwimmen gegangen waren.

Doch genau wie auch schon in der vergangenen Nacht, als sie zu Lenas Haus gefahren waren, war Tony zappelig – er spielte mit dem Radio, klopfte mit den Fingern aufs Armaturenbrett. Seine Musikauswahl war überraschend. Die Madonna-CD im Player stammte aus den Achtzigern. Bei »Like a Virgin« drückte er auf Replay.

»Die hab ich '87 im Atlanta Omni gesehen.« Tony nahm einen Schluck Bier. Zuvor hatte er bereits ein paar Pillen aus einem Tütchen im Handschuhfach hinuntergespült. »War echt winzig! Hatte diesen komischen BH an, in dem ihre Titten aussahen wie Kegel.«

Will starrte zum Fenster hinaus.

»Tut mir leid wegen vorhin«, sagte Tony. »Als ich wegen Florida so wütend geworden bin.«

Will zuckte mit den Schultern.

»Ich hatte in Sarasota ein paar üble Sachen laufen, als ich sechzehn war.«

Anstatt nachzufragen, zuckte Will nur noch mal mit den Schultern. »Kein Problem.«

»Wurde dort unten festgenommen. Wär beinahe im Knast gelandet.« Er rülpste. »Hab den Bullen den Namen meines Bruders genannt. Meines Halbbruders. Blöder kleiner Scheißer. Hat für einen Banküberfall zwanzig Jahre bekommen.« Tony lachte. »Der Trottel nimmt sich eine Bank vor. Kannst du dir das vorstellen?«

Will schüttelte den Kopf. Was Verbrechen anging, bot ein Banküberfall den geringsten Profit bei höchstem Risiko.

»Nicht gerade schlau.«

»Da hast du verdammt recht. Haben ihn direkt bei seiner Alten geschnappt.« Tony nahm den letzten Schluck aus der Dose, kurbelte das Fenster runter und warf sie hinaus. »Erzähl Cayla bloß nicht, was ich dir gesagt hab. Dass ich ihn damals bei den Bullen verpfiffen habe.«

»Von mir hört sie es nicht.«

»Das ist gut.« Er machte eine frische Bierdose auf. »Cayla reitet immer darauf rum, dass wir verwandt sind, dabei war mein Daddy nicht mal zwei Jahre mit ihrer Mutter zusammen. Das ist doch gar nichts. Und auch wenn's was wäre, soll mir das doch egal sein.«

Will verkniff sich eine Antwort.

»Ich hab gesehen, wie du sie ansiehst, Bud. Ich hab nichts dagegen. Ich weiß, dass sie hübsch ist. Viele Männer glotzen sie an.« Er deutete mit dem Zeigefinger in Wills Richtung.

»Aber rühr sie nicht an!«

In seiner Stimme lag eine Drohung, aber Will war an Cayla

245

Martin so wenig interessiert, dass er sie nicht einmal ernst nehmen konnte.

»Ihre Ma hat noch vier andere Kinder. Manchmal haben sie mich mit den anderen Jungs in den Keller gesteckt, und wenn sie besoffen war, kam sie runter und hat sich mit mir amüsiert.«

Der Schock stand Will so deutlich ins Gesicht geschrieben, dass Tony Bier in die Nase hochschnaubte und es aus dem Mund wieder aushustete. »Nein, Mann, nicht die Ma! Ich rede von Cayla. Sie kam in Slip und einem engen T-Shirt runter, und dann sah die Decke, unter der ich lag, ziemlich bald aus wie ein Zelt.« Er kicherte bei der Erinnerung. »Ich kann dir gar nicht sagen, was für Scheiße wir da unten angestellt haben. Haben richtig mit dem Feuer gespielt.«

Will hoffte, dass er es nicht wieder und vor allem nicht buchstäblich tun würde. »Wie lange kennst du sie schon?«

Tony musste nicht lange darüber nachdenken. »Bin verliebt in sie, seit wir fünfzehn waren.«

»Das ist eine lange Zeit.«

»Ist es wirklich.«

Will sah aus dem Fenster, während Tony weiter aus seiner Bierdose trank. Von seinem Sixpack waren noch drei Dosen übrig. Anhand von Form und Farbe der Pillen aus dem Tütchen hatte Will geschlossen, dass Tony Oxy genommen hatte.

»Fahr mal langsamer«, sagte Will.

Tonys Fuß lag bereits auf der Bremse. Er drückte das Pedal ein wenig runter, trotzdem änderte das Tempo sich kaum.

»Ich weiß, dass Cayla mich manchmal ziemlich zusammenscheißt, aber ich bin derjenige, den sie anruft, wenn sie was braucht.« Er warf Will einen kurzen Blick zu. »Und in einer solchen Situation merkt man dann, was eine Frau wirklich für einen empfindet. Wenn die Kacke am Dampfen ist – wen ruft sie an?«

Will versuchte, nicht an Sara zu denken.

»Hast du gehört, was ich gesagt habe?« Will nickte.

»Ich meine es ernst, Bud. Sie ist der einzige Grund, warum ich morgens aufstehe.« Er wischte sich mit dem Handrücken über die untere Lidkante. »Sie ist alles, was ich habe.«

Will hatte nicht viele Männerfreunde, aber er nahm an, dass herumzusitzen und über die Liebe zu reden, während man Madonna hörte, nicht zu den beliebtesten Männerbeschäftigungen gehörte. »Dir wächst noch eine Möse, wenn du so weiterquatschst.«

Tony lachte heiser. »Verdammt, Bud, genau das macht sie mit mir. Warst du noch nie verliebt?«

Will war so verliebt, dass er nicht geradeaus gucken konnte. »Wie war's eigentlich in MacDill?«

Will nahm sich Zeit mit der Antwort – nicht weil er sich die Details erst wieder in Erinnerung hätte rufen müssen, sondern weil einer wie Bill Black nicht gerne freiwillig Informationen preisgab. »Was willst du wissen?«

»Weiß nicht, Mann. Bin einfach nur neugierig. Ich kannte ein paar Piloten dort. Hab ihnen Amphetamin verkauft, das sie auf den langen Flügen wach gehalten hat.«

Das also hatte Tony Dell in Sarasota getan.

»Wie war's denn jetzt so?«

»Heiß.«

»Genau so ist Florida.«

Will starrte zum Fenster hinaus. Sie waren inzwischen auf dem Highway. Es waren immer noch einige Fahrzeuge unterwegs, Nachzügler, die einen längeren Nachhauseweg hatten.

»Was ist eigentlich mit deinem Neffen los?«

»Benji.« Tony sprach den Namen in einem Tonfall aus, der Will nicht behagte. Wahrscheinlich glaubte er, der Junge wäre ihm im Weg. »Seine Ma ist eine Nutte. Die Bullen haben sie dabei erwischt, wie sie vor seinen Augen Crack rauchte.«

»Das ist übel.«

»Er ist ein kleiner Scheißer. Stänkert dauernd in der Schule. Cayla musste von der Arbeit weg, um ihn abzuholen. Er wurde für zwei Tage vom Unterricht suspendiert.«

Will konnte sich Benji beim besten Willen nicht als Unruhestifter vorstellen. »Er ist so dünn ...«

»Ja, das passiert eben, wenn man zu sehr mit seinem Pfeifchen beschäftigt ist, statt dem Jungen was zu essen zu geben.« Tony schaltete den CD-Player wieder ein. Er scrollte durch die Songauswahl und entschied sich für Cindy Lauper.

»Im Ernst?«, fragte Will.

»Ich mag starke Frauen.« Tony blinkte und bremste, um abzubiegen.

»Wohin fahren wir?«, fragte Will. Das Home Depot lag neben dem Krankenhaus. Sie fuhren in die falsche Richtung.

Tony hielt die Bierdose in die Höhe. »Dachte, wir gönnen uns 'nen richtigen Drink.«

»Ich hab keinen Durst.«

»Du fährst doch nicht.« Tony bog ab. Seine Stimme hatte sich verändert. Jetzt war die Härte wieder da. »Hast du in Übersee gedient?«

»Warum?«

»Nur neugierig.« Tony nahm wieder einen Schluck. »Du bist jetzt in Macon seit – was – zwei Wochen?«

»Fast.«

»Und davor warst du in Atlanta?« Will antwortete nicht.

»Wie hast du diesen Job im Krankenhaus eigentlich bekommen?«

Will versuchte, die Kontrolle über das Gespräch zurückzugewinnen. »Du stellst Fragen wie ein Bulle.«

»Scheiße.« Tony lachte. »Glaubst du, ich bin ein Bulle?«

»Bist du einer?«

Er sah Will über seine Bierdose hinweg an. »Bist *du* einer?«

»Verdammt, nein, ich bin kein Bulle.« Im Gegensatz zu gewissen Gerüchten durften Polizeibeamte durchaus ungestraft lügen. »Ansonsten hätte ich dich schon vor zehn Tagen verhaftet, als ich gesehen hab, wie du die Pillen von diesem Rollwagen geklaut hast.«

Tony lachte darüber. »Hätte mir fast in die Hose gemacht, als ich dich gesehen hab.«

Will bezweifelte das. Tony hatte ihn offensichtlich testen wollen.

Wieder machte er das Fenster auf und warf die leere Dose hinaus. »Cayla hat sie für mich auf Craigslist verkauft.«

»Das ist für eine Frau ziemlich gefährlich.«

»Ich hab die Auslieferung übernommen.« Tony machte sich ein neues Bier auf. »Vorwiegend Collegekids. Wir verkaufen ja nicht die Billigware.«

Will fragte nicht nach Details, aber er sah Tony Dell jetzt in einem neuen Licht. Faith würde in Hilton Head und Sarasota anrufen müssen. Tony kam Will als genau der Kriminelle vor, der seine eigene Großmutter verkaufen würde, um nicht im Gefängnis zu landen.

»Wie auch immer«, sagte Tony. »Diese Craigslist-Scheiße machen wir nicht mehr. Big Whitey hat meinem Geschäft ziemlich Aufschwung gegeben. Ich krieg mehr Geld, als ich ausgeben kann.«

»Craigslist ist sicherer.«

»Das ist Kleinkram, Bruder.«

»Große Rechnungen, große Probleme.«

»Wenn die Rechnungen erst groß genug sind, kannst du dich aus den Problemen rauskaufen.« Tony bog scharf auf einen Parkplatz ein.

Will erkannte das Gebäude sofort. Das Tipsie's. Das Neonschild auf dem Dach zeigte eine Frau, die an einer Stange auf- und abrutschte. »Bist du dir sicher, dass du da wieder auftauchen willst?«

»Ist cool hier.« Tony stellte den Pick-up ab. »Hier war ich, bevor ich zu Cayla gefahren bin.«

Will spürte, wie sich ihm die Nackenhaare aufstellten. »Warum?«

»Aus dem gleichen Grund wie du, als du bei diesem Bullen auf der Intensiv warst. Wollt' sehen, ob mich jemand wiedererkennt.«

Will glaubte ihm kein Wort. »Und?«

»Und? Alles bestens.« Jetzt war der umgängliche Tony wieder da. Er zog den Schlüssel aus dem Zündschloss und drückte die Tür mit der Schulter auf. »Los geht's, Bud. Ich hab immer noch Durst.«

Will stieg aus, obwohl jedes Atom in seinem Körper ihm sagte, dass gleich etwas Schlimmes passieren würde. Aber er hatte keine andere Wahl. Jared Long lag im Krankenhaus, Lena wäre fast getötet worden. Irgendwo dort draußen war ein Drogendealer unterwegs, der es offensichtlich genoss, andere zu verletzen. Wenn Will seine Arbeit nicht richtig machte, würden noch mehr Leute im Krankenhaus landen. Oder unter der Erde.

»Jetzt komm schon, Bud.« Tony stolzierte vor ihm her wie ein Gockel. Offensichtlich verbarg er etwas vor ihm. Und er schien überaus zufrieden mit sich selbst zu sein.

Will wurde langsamer, versuchte herauszufinden, wohinein er gleich marschieren würde. Nicht zum ersten Mal ertappte er sich bei der Frage, ob nicht vielleicht sogar Tony Dell selbst Big Whitey war.

Faith hatte diese Möglichkeit von Anfang an in Erwägung gezogen. Sie hatte ein Talent, über Eck zu denken, doch in diesem Punkt hatte Will ihr widersprochen. Er hatte Tony Dell kennengelernt. Er hatte Zeit mit diesem Mann verbracht. Er kam ihm nicht vor wie ein Meisterstratege.

Vielleicht war aber genau das ja der Punkt.

Tony war der Inbegriff des Kleinkriminellen. Er hatte einen beschissenen Job. Er fuhr ein beschissenes Auto. Er lebte in einer Wohnung, die nur drei Schritte von einer riesigen Shoppingmall entfernt lag. Was sein Vorstrafenregister anging, war er zweimal wegen Alkoholkonsums in der Öffentlichkeit verhaftet worden – beides nur Bußgeldvergehen. Es hatte auch eine Anklage wegen Drogenbesitzes gegeben, die aber nach einer erfolgreichen Entziehungskur fallen gelassen worden war. Eine Anklage wegen Drogenhandels war wegen einer juristischen Lappalie ad acta gelegt worden. Herumlungern. Überqueren einer Straße bei Rot. Er war ein lästiger kleiner Gauner, kein kriminelles Schwergewicht.

Wenn Tony Dell wirklich Big Whitey sein sollte, dann wäre der Mann tatsächlich ein Genie.

Wills iPhone steckte in der vorderen Tasche seiner Jeans. Er fragte sich, ob die Lokalisierungs-App auch unter dem Metalldach des Clubs funktionierte. Sara hatte in ihrem Auto GPS, und ihr System schaltete sich ab, kaum dass sie ins Unterdeck eines Parkhauses fuhr. Will nahm an, dass der Stahl und der Beton das Signal störten. Wahrscheinlich würde im Tipsie's mit seinem Telefon das Gleiche passieren.

Sie waren noch gut zehn Meter von der Tür entfernt, doch die Musik dröhnte bereits so laut, dass Will spürte, wie der Asphalt unter seinen Sohlen vibrierte. Seine Trommelfelle verzerrten den Lärm zu einem einzigen langen Brummen.

Tony drehte sich zu Will um, bevor er die Tür aufzog. Sein Lächeln war verschwunden, was Wills erste Warnung hätte sein müssen. Die zweite Warnung war noch offensichtlicher. Kaum hatte sich die Tür hinter Will geschlossen, packte ihn eine Hand an der Schulter.

Will fuhr herum. Eigentlich war er es gewohnt, in einem Raum immer der Größte zu sein, doch der Mann hinter ihm hatte ungefähr die Größe einer Kühl-Gefrier-Kombi. Und zwar keiner normalen – eher die eines Sub-Zero-Modells, bei dem der Motor obenauf montiert war.

Es hatte keinen Zweck, Fragen zu stellen.

Der Kühlschrank nickte zum hinteren Teil der Bar, und Will

verstand die Botschaft. Der Mann hielt Wills Schulter fest umklammert und steuerte ihn durch die überfüllte Bar.

Tony ging voraus. Er schien nicht im Geringsten überrascht zu sein. Sorgen machte er sich auf jeden Fall nicht. Er hatte ein fieses Grinsen im Gesicht, das Will jedes Mal einen eiskalten Schauder über den Rücken jagte, sobald Tony sich umdrehte, um nachzusehen, ob Will ihm immer noch folgte. Die Stroboskoplichter und die Discokugel unter der Decke leuchteten die Schnitte und Verfärbungen auf seinem Gesicht umso deutlicher aus, sodass sie aussahen wie schlecht aufgetragenes Make-up.

Tony hatte all dies offenbar sorgfältig vorbereitet. Er hatte sich in Caylas Haus eingeschlichen. Er hatte Will überredet, mit ihm wegzufahren. Es war Tonys Idee gewesen, das Spülbecken zu reparieren. Und es war Tonys Idee gewesen, Wills Maschine auf die Ladefläche zu schnallen. Offensichtlich hatte er das Problem vorhergesehen. Zufällig hatten auf der Ladefläche eine Spannwinde und ein paar Kanthölzer gelegen, die sie als Rampe benutzt hatten. Wenn dies alles vorüber wäre, würde er sie wahrscheinlich benutzen, um die Maschine in den Fluss zu schieben.

Will atmete so tief durch, wie er konnte. Der säuerliche Geruch von Alkohol und Schweiß füllte seine Lunge. Er steckte die Hand in die Tasche. Sein Daumen fand den Einschaltknopf an seinem Telefon, und er drückte ihn dreimal, um die Mithör-App zu aktivieren. Amanda würde so entweder hören, wie Will mit ein paar Bösewichten sprach, oder aber, wie diese Bösewichte Will ermordeten.

Der Kühlschrank riss Will abrupt zur Seite, um ein paar ausgelassenen Betrunkenen auszuweichen. Der Weg in den rückwärtigen Teil war umständlich. Die Bühne für die Poletänzerinnen wand sich diagonal durch den Raum. An jeder Stange war irgendetwas Obszönes im Gange. Die Männer schoben einander davor zur Seite, stießen gegen die Bühne, bis ein Rausschmeißer sie zurückdrängte, und schoben sich dann wieder heran in der verschwindend geringen Hoffnung, dass es beim dritten oder vierten oder hundertsten Mal womöglich funktionieren könnte.

Vor einer geschlossenen Tür mit einem Schild darauf blieb Tony stehen. Er hatte immer noch sein fieses Grinsen im Gesicht. Er wartete, bis Will und der Kühlschrank zu ihm aufgeschlossen hatten, und machte dann die Tür auf. Sein Grinsen wurde noch breiter.

Das Zimmer hinter der Tür war dunkel. Die Hand auf Wills Schulter schubste ihn vorwärts. Da erst erkannte Will, dass es sich nicht um ein Zimmer, sondern um einen langen Gang handelte. Noch drang ein bisschen Licht durch die offene Tür herein, doch als der Kühlschrank die Tür zuschob, war dies das Letzte, was Will sah.

Dann raunte Tony dicht an Wills Ohr: »Beweg deinen Arsch.« Er schob Will den Gang entlang.

Will überlegte fieberhaft, welche Möglichkeiten er jetzt hatte. Mit Tony Dell alleine würde er fertigwerden. Er hatte ihn bislang bloß rumgeschubst wie eine alte Lumpenpuppe, aber das war der alte Tony gewesen, nicht der potenzielle Big-Whitey-Tony. Manchmal war eben die körperliche Größe eines Mannes nicht halb so entscheidend wie sein Kampfeswille.

Und Tony hatte Hilfe.

Er hatte viel Hilfe. Will fuhr mit der Hand über die Betonwand, während er den Gang entlangging. Plötzlich wurde ihm seine volle Blase schmerzhaft bewusst. Schweiß lief ihm den Rücken hinunter. Er stellte sich seine Glock vor, wie sie sich in seiner Hand anfühlen würde – dass der Sicherungsriegel eine in den Abzug integrierte Taste war, die durch Fingerdruck eingesenkt wurde und dabei den Abzug entriegelte. Nichts davon war jetzt mehr wichtig, denn die Waffe lag in einem Safe in seinem Wandschrank in Atlanta.

Der hintere Teil des Clubs musste schallgedämmt sein. Die Musik war hier nicht mehr annähernd so laut. Direkt vor sich spürte Will etwas. Er geriet kurz in Panik, merkte aber dann, dass er einen Vorhang berührt hatte. Will schob die Stoffbahn beiseite. In diesem Teil des Gangs war dank eines grünen EXIT-Schilds über einer Tür ein wenig mehr Licht, und Will wäre direkt darauf zugerannt, wenn da nicht ein zweiter Kühlschrank gestanden hätte, der ihm den Weg versperrte. Im Vergleich zu ihm sah der erste Kühlschrank regelrecht aus wie ein Kühlschränkchen. Die Oberarme wölbten sich unter den Ärmeln. Die Schultern waren fast so breit wie die Tür. Ein Bluetooth-Empfänger steckte in seinem Ohr. Als Will auf ihn zuging, drückte er auf das daran verkabelte Gerät und murmelte etwas Unverständliches.

Kühlschrank zwei zog einen weiteren Vorhang auf, dahinter erschien eine Tür mit einem Schild mit der Aufschrift »Büro«. Als er die Tür öffnete, verschwand der Knauf komplett in seiner riesigen Pranke.

Will schirmte die Augen gegen das unvermittelt grelle Licht ab. Das Hinterzimmer des Clubs sah den Hinterzimmern in Gangsterfilmen erstaunlich ähnlich: eine schwarze Decke, dunkelrote Wände. Werbeposter für Getränke mit nackten Frauen drauf. Ein langfloriger weißer Teppich. Ein großer Schreibtisch aus Stahl und Glas. Auf einer schwarzen Ledercouch lümmelten sich drei fette Rednecks. Sie aßen Pizza direkt aus Kartons, die vor ihnen auf einem gläsernen Couchtisch lagen. Bei dem Geruch von Käse und Wurst drehte sich Will der Magen um. Er schmeckte Galle, spürte, wie ihm Caylas Augenbohnen in die Kehle stiegen.

Die Rednecks gafften Will mit träger Neugier an. In einem Mafiafilm wären sie gut gekleidete Italiener gewesen. Die Macon-Version war beträchtlich schäbiger. Sie trugen T-Shirts, die sich um ihre Bäuche spannten. Die Jeans saßen tief auf den Hüften, aber wohl nur, weil sie sich weigerten, Übergrößen zu kaufen, um ihre üppigen Hüften darin unterzubringen.

Noch während Kühlschrank zwei die Tür wieder zumachte, erkannte Will, dass er etwas Wesentliches übersehen hatte. Es befand sich am entlegeneren Ende des Zimmers gegenüber der Couch.

Dort war ein Mann an einen Stuhl gefesselt. Die Seile schnitten ihm ins nackte Fleisch der Arme und der Brust. Der Kopf war nach vorne gekippt. Auf dem Scheitel war die Kopfhaut aufgerissen. Und diese Wunde war nicht die einzige. Auch Hände und Füße waren ihm aufgeschlitzt worden. Auf Brust und Bauch prangten Dutzende x-förmiger Schnitte.

Die Wunden waren nicht tief genug, um ihn zu töten, doch sie mussten ihm entsetzliche Schmerzen bereitet haben.

Der Mann war gefoltert worden.

»Verdammt«, sagte Tony. Es klang kein bisschen schockiert, eher bewundernd. »Wusste gar nicht, dass ihr Gesellschaft habt.«

»Schnauze«, blaffte ihn einer der Rednecks an, der sich gerade mit einem Klappmesser die Fingernägel säuberte. »Hast du gemacht, was ich gesagt hab?«

»Mach ich das nicht immer?«, erwiderte Tony.

»Pass auf, wie du mit mir redest, Junge.«

»Natürlich, Sir«, gab Tony unterwürfig zurück.

So viel dazu, dass Tony Big Whitey sein könnte. Will war klar, dass dieser Redneck hier das Sagen hatte. Und tatsächlich wirkte er wie einer, auf dem Verantwortung lastete. Die beiden Handlanger saßen neben ihm und aßen Pizza, als warteten sie darauf, an der Bowlingbahn an die Reihe zu kommen. Einer von ihnen hatte vor sich eine Flasche Bier zum Runterspülen, der andere eine Diet Coke.

Der Redneck säuberte sich weiter die Fingernägel. Es schien niemandem etwas auszumachen, dass er sich alle Zeit der Welt dafür nahm.

Will stand einfach nur da. Nicht zum ersten Mal an diesem Abend fragte er sich, ob Tony ihn gerade in den Tod geführt hatte, doch diesmal standen seine Chancen deutlich schlechter. Der Mann auf dem Stuhl lebte zwar noch. Er würde nicht mehr bluten, wenn sein Herz bereits aufgehört hätte zu schlagen. Doch sein Atem war flach, die Muskeln zuckten unkontrolliert – erst im Arm, dann in der Wade. Aus seiner Kehle kam ein leises Gurgeln. Wahrscheinlich flehte er Gott an, er möge ihn sterben lassen. Sie hatten ihm die Haut zerschnitten, sie hatten ihn verprügelt. Und dann hatten sie ein kleines Päuschen eingelegt, einfach nur, weil sie keine Eile hatten.

Tony war nicht annähernd so geduldig wie seine Kumpane. Oder vielleicht war er einfach nur dumm. Er zog eine Tüte mit Pillen aus der Tasche und warf sie auf den Schreibtisch. »Wo ist der Große Mann? Du hast doch gesagt, dass wir reden.«

»Schnauze«, wiederholte der Redneck, der gerade mit seiner Maniküre fertig geworden war. Die Klinge, mit der er seine Nägel gereinigt hatte, war etwa zehn Zentimeter lang – also nicht übermäßig lang, aber scharf und mit einer tückisch geschwungenen Spitze. Er schob die Klinge in den Griff und sah dabei die ganze Zeit zu Will hinüber. »Hast du ein Problem?«

Will schüttelte den Kopf.

»Kriegen wir ein Problem?«

Will schüttelte noch mal den Kopf.

Der Redneck stand mit einem angestrengten Ächzen auf. Er war ein großer, kräftiger Kerl, allerdings nicht muskulös wie die beiden Kühlschränke, sondern um die Mitte herum einfach nur fett.

Mit langsamen, schwerfälligen Schritten marschierte er zum Schreibtisch und nahm einen Ordner zur Hand. »William Joseph Black.«

Will blieb stumm.

Der Redneck nahm eine Lesebrille zur Hand, setzte sie allerdings nicht auf, sondern hielt sie wie eine Lupe über die Akte. »In Milledgeville, Georgia, geboren. Geschlossene Jugendstrafakte. Mit zweiundzwanzig zur Army, mit fünfundzwanzig rausgeflogen. Ein paar Frauen angetatscht, einen Sicherheitsmann verprügelt. Im Atlanta Jail gesessen. In Kentucky ein paar

Jungs vom FBI verärgert. Gesucht, um zu einem Überfall und ein paar Einbrüchen auszusagen ...« Der Redneck sah zu Will hinüber. »Fasst es das ungefähr zusammen?«

Will antwortete nicht.

Der Mann warf den Ordner wieder auf den Schreibtisch.

»Du hast ein Zimmer im Star-Gazer-Motel an der Interstate gemietet. Nummer fünfzehn. Du stellst deine nachtblaue Triumph auf dem Parkplatz zwei Türen weiter ab. Du isst bei RaceTrac. Du arbeitest im Krankenhaus. Du kommst hierher, um einen hochzukriegen. Deine Mutter starb, während du im Irak im Einsatz warst. Dein Vater ist unbekannt. Du hast keine Geschwister, insofern wohl keine nennenswerte Familie.« Will öffnete leicht die Lippen, um flach zu atmen. Für das Motorrad hatte er sich nur entschieden, weil er damit sicherstellen wollte, dass niemand ihm bis nach Atlanta folgte. Zu Sara. Wills Herz machte einen Satz, während er darauf wartete, dass der Redneck ihm gleich auch noch ihre Adresse nannte.

Stattdessen fragte der: »Zebdeeks?«

Diesmal antwortete Will nicht, weil er keinen blassen Schimmer hatte, wovon der Mann sprach.

»Zebdeeks?«, wiederholte der Redneck. »Kennst du ihn?«

Zeb Deeks. Ein Name also. Ein Mann.

Der Redneck wartete. Seine Geduld schien unerschöpflich zu sein.

Will ging in Gedanken Bill Blacks Leben noch mal durch. Er war nicht auf der Highschool gewesen, nicht auf dem College, nur bei der Air Force und im Gefängnis. Der Name klang irgendwie ausländisch, aber in seiner Militärakte wären solche Details nicht verzeichnet gewesen. Wahrscheinlich war Zeb auch nur ein Spitzname, was Will unter normalen Umständen nicht weitergeholfen hätte. Doch in Bill Blacks Leben hatte es einen Mann gegeben, dessen Vorname mit Z anfing.

Zebulon Deacon war im Atlanta Jail erstochen worden, weil er seine Leute verraten hatte. Bill Black war im selben Zellenblock gewesen. Er würde den Kerl kennen. Und mit Sicherheit würde er auch seinen Spitznamen kennen.

Und wichtiger noch: Bill Black würde wissen, dass man niemanden verriet, ohne mit Konsequenzen rechnen zu müssen.

Anstatt dem Redneck zu antworten, zuckte Will bloß mit den Schultern.

»Du kennst ihn nicht?«

Wieder zuckte Will mit den Schultern.

»Junior«, blaffte der Redneck zur Seite, und einer seiner Handlanger stemmte sich von der Couch hoch.

Junior war ungefähr so groß wie sein Chef, nur jünger. Und eindeutig stärker.

Ein Vorspiel gab es nicht. Junior schlug Will so fest ins Gesicht, dass er Sternchen sah. Sein Kopf schnellte nach hinten, sein Nacken knackste. Der Nasenrücken fühlte sich an, als wäre eine Axt auf den Knochen niedergesaust.

»Zeb Deeks«, wiederholte der Redneck.

Will schüttelte den Kopf – nicht um zu verneinen, sondern um den Kopf klarzukriegen. Er hatte im Leben mehr Schläge auf die Nase bekommen, als er zählen konnte. Das Schlimmste kam erst, wenn man schniefte und der Blutklumpen, der einem hinten im Gaumen klebte, in die Kehle rutschte. Will hatte Mühe, den Brechreiz zu unterdrücken, als er ihn hinunterschluckte.

Zum vierten Mal sagte der Redneck den Namen. »Zeb Deeks?«

Junior holte mit der Faust aus.

»Okay«, sagte Will. »Ja, ich kenn ihn. Das Vögelchen hat gekriegt, was es verdient hat.«

»Und wo?«

»Im Knast.«

»Was hat er gekriegt?«

»Ein paar auf die Eier«, sagte Will. »Sie haben ihn mit einer abgebrochenen Zahnbürste abgestochen. Ist im Hof ausgeblutet.«

Tony kicherte. »Ich wette, das hat wehgetan.«

Die Brust des Rednecks hob und senkte sich. Er musterte Will einen Augenblick lang und nickte dann dem zweiten Handlanger auf der Couch zu. Der Mann stand so langsam auf wie seine Vorgänger, seine Knie knacksten, der Bauch hing über den Hosenbund. Doch entgegen jeder Regel der Physik arbeiteten er und Junior schnell. Ehe Will wusste, wie ihm geschah, hatten sie ihm die Arme auf den Rücken gedreht und hielten sie dort fest.

Der Redneck stellte sich vor Will. Er roch nach Pizza und Alkohol. Er war Raucher. Er atmete wie eine Dampfmaschine. Er war *Big*, und er war *White*, aber Tony hatte durchblicken lassen, dass er nicht Big Whitey war. Will bezweifelte, dass er den Mann, der diese Bande gewalttätiger Hinterwäldler anführte, je zu Gesicht bekommen würde. Er bezweifelte überdies, dass er für den Rest seines mickrigen Lebens noch etwas anderes zu sehen bekommen würde als das modrige Hinterzimmer dieses Clubs.

Der Redneck hob die Hände, damit Will sehen konnte, was er vorhatte. Der Griff seines Klappmessers war aus Perlmutt und mit Goldbesatz verziert. Das Licht spiegelte sich auf der Klinge, als er das Messer aufschnappen ließ. Auf dem Scharnier war Blut, die Nieten waren verkrustet, wahrscheinlich weil er dem gefesselten Mann auf dem Stuhl die Wunden damit beigebracht hatte. Der Redneck war der geborene Messerschwinger. Er hatte seine Hand locker um den Griff gelegt, fast so, als würde er einen Finger oder seinen Daumen in der Faust umfassen.

Will zuckte zusammen, als er den scharfen Edelstahl an seinem Hals entlangfahren spürte. Dann an seiner Wange hoch. Unters Auge. Der Redneck drückte ein bisschen fester zu, und die Haut sprang auf. Will war so verängstigt, dass er nicht einmal Schmerzen hatte. Dass er blutete, wusste er nur, weil ihm ein Blutstropfen die Wange hinunterlief.

Will schloss die Augen. Er war nicht hier. Er war nicht in diesem Zimmer. Vielleicht hatte ihn ja das Gespräch mit Cayla und Tony darauf gebracht. Er konnte das Salz in der Luft riechen, die warme Brise spüren, die vom Meer herüberwehte.

Vor drei Monaten hatte Sara Will gezeigt, wie man Drachen steigen ließ. Sie waren an einem Strand in Florida gewesen und der Drachen gelb und blau und hatte einen langen weißen Schwanz gehabt. Will hatte noch nie zuvor im Leben Urlaub gemacht. Was er über Florida wusste, stammte aus Wikipedia und *Miami Vice*. Sara war eine gute Lehrerin gewesen. Geduldig, freundlich. Verdammt sexy in ihrem Badeanzug. Ihr Vater hatte ihr das mit dem Drachen beigebracht, als sie ein kleines Mädchen gewesen war. Er hatte sich Sorgen gemacht, dass Sara sich von ihrer jüngeren Schwester vielleicht ins Abseits gedrängt fühlte, und mit ihr Tagesausflüge gemacht, damit sie sich wie etwas Besonderes vorkam.

Will riss die Augen auf. Das Messer steckte mittlerweile in seinem Ohr – nicht an der weichen, fleischigen Stelle, sondern an der Stelle direkt an der Öffnung, wo eine dünne Knorpelschicht über dem Schädelknochen lag.

Der Redneck grinste. Er genoss dieses Manöver sichtlich.

Der Mann hatte perfekt weiße Zähne. Im Vergleich wirkte sein Zahnfleisch fast bläulich.

Will rührte sich nicht. Die Messerspitze war nadelscharf. Sie durchstach die Haut, schnitt in den Knorpel. Ein Blutstropfen lief ihm ins Ohr. Mit quälender Langsamkeit rutschte er den Gehörgang hinab. Will spürte, wie er unwillkürlich erschauderte. Das Schaudern fing klein an wie die Vibration eines von fern heranrasenden Zugs. Ein leichtes Zittern, dann eine Erschütterung, die immer stärker wurde, bis die Erde schließlich aufhörte, sich zu drehen, seine Zähne klapperten und er sich vorkam, als würde ihm der Boden unter den Füßen weggerissen.

Der Redneck zog das Messer gerade noch rechtzeitig heraus.

»Scheiße!« Will schüttelte heftig den Kopf. Der Griff um seine Arme wurde fester. Er schüttelte noch mal den Kopf. Noch immer schwappte Blut in seinem Ohr.

Der Redneck lachte und klappte die Klinge wieder in den Griff. »Zieh dich aus.«

Junior und Nummer drei ließen ihn los. Will steckte sich den Zeigefinger ins Ohr und bewegte ihn wie einen Klöppel in einer Glocke.

»Zieh dich aus«, wiederholte der Redneck.

Will starrte ihn nur böse an. »Leck mich doch.« Er ging auf die Tür zu, doch Junior hielt ihn auf.

»Wir können es auch auf die harte Tour machen.«

Junior stieß Will gegen seinen Partner, der ihn wiederum gegen die Wand schleuderte.

»Auf die harte oder auf die leichte Tour?«

Inzwischen war an Strand nicht mehr zu denken. Will durfte nicht an Sara denken oder an sonst irgendwas – nur mehr daran, dass er am Leben bleiben musste.

Bill Black kam mit so was zurecht. Er war nicht zum ersten Mal in ein derartiges Hinterzimmer geraten. Er hatte sich sein ganzes Leben lang mit Abschaum und Kriminellen herumgeschlagen. Den Akten zufolge war er sein ganzes Leben lang selbst Abschaum und kriminell gewesen.

Bootcamps kannte Will nur aus Filmen, aber er war durchaus vertraut mit den Initiationsriten im Atlanta Jail. Bill Black wäre nur einer von mindestens hundert neuen Insassen gewesen, die das Personal dort überwachte. Sie hätten ihn ausgezogen, durchsucht, rasiert, entlaust und ihn dann zusammen mit einem anderen Mann in eine anderthalb mal zwei Meter große Zelle mit einem offenen Gully als Toilette geworfen. Es gab nur Gemeinschaftsduschen. In unregelmäßigen Abständen untersuchten sie einem dort sämtliche Körperöffnungen. Nirgends konnte man sich verkriechen.

Sich für einen Haufen gewalttätiger Tölpel auszuziehen wäre nichts, was einen Kerl wie Bill Black aus der Fassung bringen würde.

Also riss Will sein Hemd auf. Ein paar der Knöpfe rissen ab. Dann kamen sein T-Shirt, seine Jeans. Mit der Spitze eines Stiefels stellte er sich auf den Absatz des anderen, um den Fuß herauszuziehen. Nach dem zweiten Stiefel stieg er aus der Jeans.

Im Zimmer war es bis auf das gedämpfte Stampfen der Club-Musik mucksmäuschenstill.

Sie starrten ihn an wie einen Affen im Zoo.

Will betrachtete seinen Körper nicht allzu häufig. So dankbar er Sara auch war – er wusste einfach nicht, wie sie das aushielt. Es gab keinen Teil von ihm, der nicht von seiner Missbrauchsgeschichte zeugte – die Brandnarben von Zigaretten über den Rippen, die schwarze Sprenkelung, wo man ihm blanken Stromdraht auf die Haut gedrückt hatte. Die Narben auf seinem Rücken stammten von einer Frau, die einen ganzen Vormittag lang Lack geschnüffelt und danach halluziniert hatte, unter Wills Haut würde Ungeziefer krabbeln. Und dann die Wunden, die er sich selbst zugefügt hatte.

Tony brach schließlich das Schweigen. »Scheiße, Bud, was zum Teufel ist mit dir passiert?«

Will sagte keinen Ton.

Zum ersten Mal schien der Redneck Will als menschliches Wesen zu betrachten und nicht als Problem, das er lösen musste. »Irak?«, fragte er.

Will überlegte, welche Möglichkeiten er hatte. Die Narben gehörten nicht zu seiner Tarnung. Der Redneck hatte es offensichtlich geschafft, Bill Blacks Polizeiakte in die Finger zu bekommen. Er hatte sich im Milieu ein wenig umgehört. Aber hatte der Mann wirklich genug Beziehungen, um auch an eine Militärakte zu kommen? Das GBI war gut, aber die Regierung der Vereinigten Staaten hatte für Bill Blacks Zeit in den Streitkräften nur dürftiges Material geliefert.

»Hat dich einer dieser Turbanwichser in die Finger gekriegt?«, fragte der Redneck jetzt.

Doch anstatt die Frage zu beantworten, wandte Will sich ab und starrte die Wand an. Bill Black würde in dieser Hinsicht wahrscheinlich ganz ähnlich empfinden wie Will selbst. Irgendjemand hatte ihn schwer verletzt, und er war nicht stolz darauf.

»Egal.« Der Redneck schien sich damit zufriedenzugeben. Doch mit seiner Durchsuchung war er noch nicht fertig. »Die Shorts müssen auch runter.«

Will funkelte ihn böse an.

Es klang fast wie eine Entschuldigung, als der Redneck erklärte: »Ich kannte mal 'nen Kerl, der wurde von einem Bullen mit einem Mikro an den Eiern geschnappt.«

Will wusste, dass er keine Wahl hatte. Entweder zog er sich selbst aus, oder aber die Handlanger würden es tun. Er schob die Unterhose bis zu den Knöcheln.

Der Redneck musterte ihn, schaute noch einmal hin, bevor er sagte: »Okay.«

Tony hob die Augenbrauen. »O Mann, Kumpel.«

Will zog die Unterhose wieder hoch und griff nach seiner Jeans, die ihm prompt aus der Hand gerissen wurde.

Junior durchsuchte die Taschen. Bill Blacks Brieftasche und Handy kamen zum Vorschein. Das Bündel Scheine, das er Tony am Vormittag abgenommen hatte, landete auf dem Schreibtisch.

»Mal sehen, was wir hier haben.« Der Redneck streckte die Hand aus. Er fing mit der Brieftasche an. Der Klettverschluss ratschte auf. Im Fotofach steckte der Zettel mit Caylas handgeschriebener Adresse. Er zog die anderen Fächer auf und fand zwei Zwanziger, zwei Kreditkarten und den Strafzettel, den Bill Black als Führerschein benutzte.

»Fünfzig in 'ner Schulzone.« Der Redneck schnalzte mit der Zunge.

Als Junior ihm das Handy reichte, schnappte sich Will die Jeans.

»Passwort?«, fragte der Redneck.

»Vier, drei, zwei, eins.« Will zog sich die Jeans an, während der Mann den Code eintippte.

Er ging geschickter mit dem Ding um als Will selbst. Im Handumdrehen hatte er sich durch die einzelnen Menüs geklickt. Seine Lippen bewegten sich beim Lesen.

»Wer ist die Frau in Tennessee?«

Will zog sich das T-Shirt wieder an. Das Loch im Ärmel war größer geworden, die Naht war aufgerissen.

»Er hat mit ihr ein Baby«, antwortete Tony für ihn, meinte dann aber doch, Will fragen zu müssen: »War das die, die auf Formschnitthecken stand?«

Will schlüpfte in sein Oxford-Hemd. Drei Knöpfe waren noch übrig. Er konzentrierte sich darauf, sie zu schließen, doch seine Finger wollten ihm nicht gehorchen.

Der Redneck schien sich durch jedes einzelne Menü zu klicken. Als Will das Handy überreicht bekommen hatte, hatte er natürlich alles ausprobiert, um herauszufinden, ob die versteckten Apps auch zufällig geöffnet werden konnten. Er hatte es kein einziges Mal geschafft, aber jedes System hatte irgendeine Schwachstelle. Will hatte das Handy noch nie mit eingeschalteter Aufnahmefunktion getestet. Vielleicht gab es ja irgendwo einen Softwaredefekt, der die Apps urplötzlich aufgehen und den Redneck sein Messer wieder ziehen ließ.

»Wo ist das?« Er zeigte Will ein Foto – eine der Aufnahmen, die er unterwegs geschossen hatte.

»An der 16«, antwortete Will. »Hat mir einfach gefallen.«

»Die Geotag-Daten sagen: an der 475.«

Will zuckte mit den Schultern. Sein Mund war staubtrocken. Die Geotag-Funktion hatte er völlig vergessen. Sie war Teil des Lokalisierungsdienstes des iPhones und zeigte Längen- und Breitengrade der Stelle an, wo das Foto aufgenommen worden war. Er hatte keine Ahnung, ob das GBI-Programm sie unterdrückte oder nicht.

»Hast du die aus dem Internet?« Er zeigte Will die nackten Frauen.

Wills Gefühl der Sicherheit war wie weggefegt. Er hatte die Fotos von seinem Computer in Atlanta heruntergeladen. Er wusste nicht, was genau Geotag alles aufzeichnete – wo Will sich aufgehalten hatte, als er die Fotos heruntergeladen hatte, oder wo sie ursprünglich aufgenommen worden waren.

Will blieb stumm, sah nur weiter zu, wie der Mann mit dem Finger über das Display wischte.

»Ich mag ja keine Asiatinnen.« Der Redneck blätterte weiter.

Will knöpfte die Manschetten seines Hemds zu und gab sein Bestes, damit ihm niemand anmerkte, dass er sich beinahe in die Hose gemacht hätte. Einer der Knöpfe hing nur mehr an einem dünnen Faden, der prompt riss. Will wusste nicht, was er jetzt damit tun sollte. Er steckte ihn sich in die Tasche. Wer wohl den Knopf in seiner Hose finden würde, falls er sterben würde? Wahrscheinlich der Medical Examiner. Pete Hanson war vor ein paar Monaten in den Ruhestand gegangen, aber Amanda hatte einen neuen eingestellt, der jung und eingebildet war und tatsächlich glaubte, was er vor sich hin brabbelte. Will fragte sich, wie er den Knopf interpretieren würde. Er fragte sich, ob Sara von dem Knopf erfahren würde. Würde sie an Will denken, sooft sie eine Bluse zuknöpfte?

Er fischte den Knopf wieder aus der Tasche und warf ihn auf den Boden.

Als Tony mit der Zunge schnalzte, sah Will zu ihm hinüber. Er zwinkerte ihm zu, als stünden sie auf derselben Seite. Als hätte nicht er Will diesen Männern ausgeliefert, damit sie ihn abschlachteten.

Warum hatte Tony sich gegen ihn gewandt? Es musste das Abendessen gewesen sein. Tony konnte von dieser Einladung nur von Cayla selbst erfahren haben. Sie musste gewusst haben, dass Tony auftauchen würde. Will konnte sich lebhaft vorstellen, dass es ihr ein großes Vergnügen bereitete, sie beide gegeneinander auszuspielen. Ob Stiefbruder oder nicht – offensichtlich ließ sie Tony schon seit Jahren zappeln.

Vielleicht war es aber auch etwas Gefährlicheres. Womöglich hielt Tony Will immer noch für einen Polizisten. In der vergangenen Nacht in Lenas Haus zu rennen war nicht der klügste Schachzug gewesen. Kein Knacki bei Verstand wäre mitten hinein in eine Schießerei gerannt, selbst wenn er hundert schwangere Freundinnen hätte, die ihm mit Klagen drohten.

»Okay«, sagte der Redneck schließlich und gab Will das Handy zurück.

Will wusste nicht, was er tun sollte, außer es entgegenzunehmen. Das Gehäuse fühlte sich warm an. Seine Hände waren so schweißfeucht, dass er das Gerät fast hätte fallen lassen, ehe er es schließlich in die Tasche stecken konnte.

Der Redneck beugte sich über den Schreibtisch und drückte einen Knopf auf dem Festnetztelefon. Ein Summen ertönte, dann drückte er den Knopf noch einmal. Es war irgendeine Art Signal. Nun warteten alle. Und warteten. Will zählte die Sekunden, verlor irgendwann den Faden und musste noch mal neu anfangen.

Nach einer Weile klingelte ein Handy. Auch diesmal ließ der Redneck sich Zeit. Das Droid war unter einen Papierstapel gerutscht, und bis er es darunter hervorgeangelt hatte, hatte es bereits sechsmal geklingelt. Er nahm ab, hörte eine Weile zu und nickte hin und wieder. Sein Blick wanderte zu Will. »Ja, ich glaube, du hast recht«, sagte er schließlich und legte auf.

»War das Big Whitey?«, fragte Tony neugierig wie ein Kind an Weihnachten. »Hat er dir bestätigt, dass wir okay sind?« Er klopfte Will auf den Rücken. »Ich hab dir doch gesagt, dass ich das korrekt durchziehe, Mann.«

Der Redneck zog ein Bündel Hunderter aus der Tasche. Er warf einen Blick auf das Pillentütchen, das Tony auf den Schreibtisch geworfen hatte, zählte zehn Scheine ab und hielt Tony das Geld hin. »Das ist mehr, als du verdient hast, weil du dieses

Arschloch da in unser Geschäft mit reingezogen hast. Werd' ihn wieder los.«

Will spürte erneut Panik in sich aufsteigen, doch dann dämmerte es ihm, dass der Redneck den Mann auf dem Stuhl gemeint hatte. Will blickte zu dem Kerl hinüber. Er hatte ihn schon völlig vergessen. Wenn er ehrlich zu sich war, hatte er ihn irgendwann einfach als tot betrachtet.

»Leg ihn irgendwo ab, wo er gefunden wird«, sagte der Redneck beiläufig.

»Kein Problem.« Tony trat auf den Stuhl zu und schlug dem Mann aufs Ohr. »Gehen wir, Alter.«

Der Mann stöhnte. Speichel tropfte ihm aus dem offenen Mund.

»Jetzt komm.« Tony schlug noch einmal zu, diesmal ein bisschen fester. »Aufstehen, Schwanzlutscher! Zeit zu gehen!«

Der Mann legte sich in die Fesseln. Selbst wenn er hätte aufstehen wollen, hätte er es nicht gekonnt.

»Ist das zu glauben?« Tonys Blick loderte jetzt regelrecht. Offensichtlich machte es ihm Spaß, anderen wehzutun. Er trat gegen den Stuhl. Nichts erinnerte jetzt mehr an die Mücke. Tony hatte sich in einen drahtigen, knallharten Hund verwandelt, der kein Problem damit hatte, auch über seiner eigenen Gewichtsklasse zu kämpfen.

Irgendwann hatte selbst der Redneck genug. »Hör auf mit der Scheiße und schaff ihn hier raus.«

Tony zog ein Messer aus dem Stiefel. Es war kein Klappmesser, sondern ein fünfundzwanzig Zentimeter langes Jagdmesser mit einer tückisch gezahnten Klinge. Er schnitt das Seil durch, das den Mann am Stuhl fixiert hatte, und der Verletzte kippte nach vorn und stöhnte laut auf. Tony fing ihn auf, ehe er zu Boden krachte. Er warf das Messer in die Luft, fing es an der Spitze und hielt Will den Griff hin. »Die Füße.«

Will ging in die Knie und zersägte das Seil auf Höhe der gefesselten Knöchel. Bei den letzten Fasern blickte er nach oben.

Die Augen des Mannes waren nur mehr zugeschwollene Schlitze, doch in den Winkeln sah Will blutunterlaufenes Weiß. Blut war ihm von der Stirn getropft und in den Wimpern verklumpt. Die Schneidezähne waren abgebrochen. Der Nasenrücken war zertrümmert. Trotzdem kam er Will vage bekannt vor.

»Aufwachen, Arschloch!« Diesmal war Tonys Faust von unten gekommen. Der Kopf des Mannes schnellte zurück. Blut spritzte. »Das ist kein Spielchen mehr, Alter. Steh jetzt verdammt noch mal auf!«

Der Mann versuchte, dem Befehl zu folgen. Seine nackten Füße schienen auf dem Teppich festzukleben. Die Beine zitterten, die Knie knickten immer wieder ein.

Irgendwann konnte Will nicht länger zusehen und schritt ein, schob dem Mann seine Schulter unter die Achsel und stemmte ihn hoch, trug praktisch sein ganzes Gewicht.

»Bitte …«, flehte der Mann kaum hörbar.

Will sah sich um, doch keiner von den anderen ließ sich von dem Flehen erweichen. Es schien sie höchstens zu verärgern.

»Schaff ihn raus«, befahl der Redneck, ging wieder zur Couch hinüber und setzte sich vor den offenen Pizzakarton. Will versuchte, den Mann zur Tür zu schleifen. Wenn er diesen Raum verlassen könnte – wenn er es aus diesem Club schaffen würde –, dann gäbe es vielleicht noch eine Möglichkeit, ihn zu retten.

Der Redneck griff nach einem Stück Pizza. »Ich melde mich, Bud. Wir haben einen Job, bei dem Mr. Whitey deine speziellen Fähigkeiten gut gebrauchen könnte.«

Will grunzte, allerdings vor Anstrengung. Dem Verletzten beim Gehen einfach nur zu helfen war unmöglich. Will trug dessen gesamtes Gewicht auf seinem Rücken. Anderthalb Meter bis zur Tür. Vielleicht einen Meter bis zum Notausgang. Um das Gebäude herum, dann zum Parkplatz. Will würde Tonys Pickup nehmen müssen. Er würde ihm einfach eins von hinten überziehen, ihm die Schlüssel wegnehmen. Er würde den Mann ins Krankenhaus fahren. Er würde Faith bitten, ihn in Schutzhaft zu nehmen. Und dann würde Will zu Sara fahren, vor ihr auf die Knie gehen und sie inständig um Verzeihung bitten.

»Mach die Tür auf«, raunte Will Tony zu.

»Was ist mit diesem Teppich?«, fragte Junior. »Das geht nicht mal mehr mit 'nem Dampfstrahler raus.«

»Scheiße«, beschwerte sich Tony. »Ich bin doch nicht die verdammte Reinigung!«

»Nimm ihn mit und verbrenn ihn.« Der Redneck stopfte sich den letzten Bissen seines Stücks Pizza in den Mund.

»Und lass den Typen einfach in seinem Vorgarten liegen. Das dürfte öffentlich genug sein.«

Tony war deutlich anzumerken, dass er tatsächlich daran glaubte, ihnen damit einen Gefallen zu erweisen. Er zog die Hosenbeine hoch. Er kniete sich hin und fing an, den Rand des Teppichs aufzurollen. Will drehte sich zu ihm um, weil er nichts weiter tun konnte, außer ihm zuzusehen und zu warten. In diesem Augenblick ging ein Ruck durch den Verletzten.

Ohne Vorwarnung stieß er sich von Will ab.

Er griff nach dem Türknauf, doch seine Koordination funktionierte nicht mehr, und seine Hände waren zu glitschig von all dem Blut. Anstatt die Tür aufzureißen, fiel er schwer dagegen. Er fing an zu schreien und gegen die Tür zu hämmern, als stünde auf der anderen Seite Hilfe bereit.

Augenblicklich übernahm Wills Instinkt die Führung. Von all den Männern hier in diesem Zimmer war er der am wenigsten gefährliche. Er packte den Mann an der Taille. Er versuchte, ihm den Mund zuzuhalten. Der Mann trat nach ihm, schlug nach ihm, bis Will es nicht mehr aushielt.

Sie konnten nirgends hin – es gab keine Fenster, keine Türen bis auf die, durch die sie gekommen waren. Der Mann war so von Sinnen vor Angst, dass er sich praktisch um sich selbst drehte. Der Teppich schob sich unter seinen Füßen zusammen. Er taumelte gegen den Couchtisch, den Schreibtisch. Tony packte ihn von hinten, warf ihn mit dem Gesicht zu Boden und setzte sich rittlings auf ihn. Binnen eines Sekundenbruchteils hatte er das Jagdmesser in der Hand, rammte dem Mann die Klinge in den Rücken, in die Schultern, in den Hals. Wieder und wieder schnellte das Messer auf und nieder wie ein Motorkolben. Es klatschte feucht, wenn es ins Fleisch eindrang. Blut spritzte um Tony herum auf wie in der Horrorversion einer Schneekugel.

Junior rammte Will einen Revolver in die Brust, damit er sich raushielt. Die Mündung fühlte sich an, als würde sie auf nacktem Knochen aufsetzen. Während Tony mit dem Messer immer weiterwütete, war Junior beklemmend ruhig. Er sah nur kurz zu dem Redneck hinüber und schüttelte kaum merklich den Kopf, als wolle er fragen: Was ist nur in diesen Kerl gefahren? Sein Sparringspartner saß reglos auf der Couch und betrachtete das Gemetzel, als würde er einem Kartenspiel zusehen.

Der Mann war längst tot, als Tony das Messer sinken ließ. Er hörte nur auf, weil er schon völlig außer Atem war. Er ging in die Hocke, keuchte schwer, schwitzte. Wischte sich mit dem Hemdsärmel übers Gesicht. Über die Stirn, den Mund, die Wangen. Überall verschmierte er das Blut des Toten.

Junior steckte die Waffe zurück ins Holster an seinem Gürtel. Endlich durfte Will sich wieder bewegen, doch er konnte nirgends hin. Zum zweiten Mal binnen zwei Tagen hatte er nun erlebt, wie ein menschliches Wesen ein anderes angriff.

Immerhin hatte Lena nur auf eine Bedrohung reagiert. Tony Dell hingegen war wie ein Schakal, der sein Opfer angriff und vernichtete. Er hatte jeden Augenblick genossen. Er hatte gestöhnt und geschrien, als das Messer ins Fleisch eingedrungen war. Das Blut, das ihm ins Gesicht gespritzt war, hatte ihm nur Lust auf mehr gemacht.

Und jetzt lachte er.

Blut war auf seinen Lippen verschmiert wie Lippenstift.

»Na, wie war das?«, rief er. »Buddy, haste gesehen, wie dieser Spinner rumgerannt ist? Das war vielleicht eine verrückte Scheiße!«

Der Redneck war alles andere als erfreut. »Siehst du die Sauerei, die du hier angerichtet hast?«

»Du wolltest den Teppich doch sowieso wegwerfen.«

»Aber es hat gerade nicht nur auf den Teppich gespritzt, oder?«

Sichtlich erstaunt blickte Tony sich um und sah sich an, was er angerichtet hatte. Er schüttelte den Kopf, wischte sich dann das Jagdmesser an der Hose ab und versuchte, es wieder in den Stiefel zu stecken. Die Klinge war verbogen, wahrscheinlich vom Kontakt mit dem dicken Schädelknochen. Er musste den Griff hin- und herdrehen, um das Messer wieder einzustecken. Dann entdeckte er die offene Wunde quer über seiner Handfläche. »Scheiße, bin anscheinend übers Heft gerutscht. Was dagegen«, wandte er sich an Will, »mich ins Krankenhaus zu fahren? Der Scheiß kann sich entzünden.«

Der Redneck klang eher verärgert als angewidert. »Junior, hol ein paar von den Mädchen, damit sie hier drinnen sauber machen.« Dann wandte er sich wieder an Tony: »Und du schaff jetzt die Leiche weg. Leg sie in seinem Vorgarten ab, wie ich's gesagt hab.«

»Bist du dir sicher?«

»Auftrag von Big Whitey. Leg ihn irgendwo ab, wo er gefunden wird. Eine Botschaft kann man nur senden, wenn sie auch alle lesen können.« Den nächsten Befehl richtete der Redneck an Will: »Behalt ihn im Auge. Kümmer dich darum, dass er es nicht vermasselt.«

»Ich werd's nicht vermasseln«, schrie Tony. »Sag Big Whitey, dass ich es war, der das für ihn bereinigt hat.«

»Du willst wirklich ein Lob dafür?«, gab der Redneck zurück, schüttelte den Kopf und sah dann Junior an, der die Geste erwiderte.

»Wir kümmern uns darum«, sagte Will in der Hoffnung, so schneller von hier wegzukommen. Er kniete sich auf den Boden. »Roll die Leiche auf den Teppich.«

»Nimm dir ein Beispiel an deinem Kumpel, Tony. Gute Soldaten befolgen Befehle.« Der Redneck lehnte sich auf der Couch zurück und holte wieder sein Messer heraus, um sich erneut die Nägel zu säubern. »Wie gesagt, Mr. Black. Wir bleiben in Kontakt.«

Will hatte nicht die geringste Lust, noch länger zu warten. Er bedeutete Tony, in die Gänge zu kommen. »Beeil dich. Roll ihn auf den Teppich.«

Tony stemmte sich gegen die Leiche, doch die Schwerkraft arbeitete gegen ihn. Der Mann war totes Gewicht. Tonys Stiefel rutschten über den Betonboden. Sein Gesicht verzerrte sich zu einer Fratze nackter Entschlossenheit. Irgendwann kippte der Mann auf den Rücken. Ein Arm lag ihm quer überm Gesicht, als wolle er sich dieses Elend nicht länger ansehen.

Tony griff nach den Handgelenken und überkreuzte die Unterarme vor der Brust des Mannes. Dabei starrte er die andere Seite des Teppichs an.

»Nein«, sagte Will. »Wir müssen die Leiche rollen.« Er packte sie an den Schultern, weil dies das schwerere Ende war und er nicht länger zusehen konnte, wie Tony die Leiche herumschubste.

»Bereit?«, kam es von Tony.

Will sah auf das Gesicht des Mannes hinab. Und in diesem Augenblick erkannte er ihn, obgleich seine Gesichtszüge sogar noch im Tod schmerzverzerrt waren. Erst ein paar Stunden zuvor hatte Faith ihm auf dem Handy ein Foto des Mannes gezeigt.

Detective Eric Haigh.

10.

Freitag

Es war kurz nach Mitternacht, und Sara saß schon wieder auf der Couch im Wartezimmer der Intensivstation. Sie blätterte in einer Zeitschrift, versuchte, die Gespräche um sich herum auszublenden. Im Lauf des Nachmittags waren weitere Patienten aufgenommen worden. Angehörige bevölkerten den winzigen Raum. Die neuen schienen ein geselliger Haufen zu sein, tauschten untereinander Geschichten aus. Verglichen das Ausmaß von Tragödien. Nell hatte das nicht ertragen können – die Neugier, die Enge. Sie hatte sich von Sara überreden lassen, in ihr Hotelzimmer zurückzukehren und ein bisschen zu schlafen. Und im Augenblick gab es für sie auch keinen Grund, im Krankenhaus zu sein. Jareds Zustand war nach wie vor unverändert, trotz der Antibiotika, mit denen man ihn vollpumpte. Sara hatte schon häufiger mit postoperativen Infektionen zu tun gehabt. Sie waren so erbarmungslos wie willkürlich. Es gab nur sehr wenige Antibiotika, mit denen man sie noch erfolgreich behandeln konnte.

So fand Sara sich nun, wie schon so oft an diesem Tag, an ein und demselben Punkt wieder, an dem sie am Morgen angefangen hatte. Die Uhr war nach vierundzwanzig Stunden quasi wieder auf null gestellt worden. Jared hatte die Operation überlebt. Nur die Zeit würde zeigen, ob ihm dies auch mit der Infektion gelingen würde.

Sara legte die Zeitschrift wieder auf den Tisch. Sie hatte die Promiklatschgeschichte schon dreimal gelesen und verstand noch immer nicht alle Details. Sie befand sich in einer Art Dämmerzustand. Wieder einmal bereute sie den großen Scotch, den sie sich am frühen Abend genehmigt hatte. Selbstmedikation war nie eine gute Idee, aber Stress, Alkohol und dreißig Stunden ohne Schlaf waren eine regelrecht tödliche Kombination. Jetzt hatte sie einen Kater, ohne zuvor von ihrem leichten Schwips etwas gehabt zu haben. Ihr tat der Kopf weh, und sie war zittrig. Dass Sara zu jenem Zeitpunkt, als sie den Scotch getrunken hatte, bereits gewusst hatte, dass es ein Riesenfehler sein würde, machte es auch nicht besser. Ihr einziger Trost war, dass sie nach ihrem Gespräch mit Will keinen zweiten mehr bestellt hatte.

Es war eines jener Gespräche gewesen, das sie lieber nie geführt hätte. Entweder war Sara mit unglaublich wenig Einsatz betrunken, oder aber ihre Beziehung lief gerade nicht in die Richtung, die sie sich wünschte. Ihr verzweifelter Verführungsversuch war komplett aus dem Ruder gelaufen. Zum Glück hatte sie ihm nicht auch noch gesagt, dass sie ihn liebte. Sie wollte sich nicht mal ausmalen, wie peinlich es für sie geworden wäre, wenn er ihr Geständnis mit Schweigen quittiert hätte. Will wollte sich ganz offenbar von ihr zurückziehen. Sara hatte irgendetwas Falsches getan oder gesagt. Wahrscheinlich war er sogar erleichtert gewesen, dass sie ihn nicht gebeten hatte, sich auf seine Maschine zu setzen und zu ihr runterzukommen. Oder hoch. Oder rüber. Sara hatte noch immer keine Ahnung, wo er gerade steckte.

Sie war einfach nur froh, dass er nicht hier war.

Und doch wünschte sie sich nichts mehr, als dass sie es nicht wäre.

Allmählich konnte Sara nicht mehr sitzen. Sie stand auf, streckte den Rücken. Ihre Wirbel fühlten sich an, als wären sie miteinander verschmolzen. Die anderen im Wartezimmer reagierten mit höflichem Lächeln. Sie trat auf den Gang hinaus, um ungestört zu sein.

Angesichts der späten Stunde war das Licht gedämpft. Possum stand immer noch an ein und derselben Stelle wie vor dreißig Minuten. Er hatte Sara den Rücken zugedreht, stand an der geschlossenen Tür zur Intensivstation und starrte durch das Fenster. In Jareds Zimmer würde er aus seiner Position nicht sehen können, weil der uniformierte Beamte ihm im Weg stand. Dem jungen Mann schien Possums Wachestehen langsam, aber sicher auf die Nerven zu gehen. Immer wieder sah er zu ihm hinüber und dann zum Schwesternzimmer, als könnte die arme Frau dort ihm in irgendeiner Weise helfen. Possum konnte kaum mit Sara sprechen – nicht weil er unhöflich gewesen wäre, sondern weil sich seine Augen mit Tränen füllten, sobald er sie nur ansah. Sie wusste nicht, ob er immer noch Jeffreys Verlust betrauerte, die Gefahr, in der Jared schwebte, oder die unerträgliche Kombination aus beidem.

Sie wusste nur, dass sie es leid war, hier zu sein.

Sie ging zum Aufzug, entschied sich dann aber für ein bisschen Bewegung. Sie brauchte frische Luft, musste irgendwohin, wo es nicht schal nach Angst und Tragödien roch. Und vermutlich sollte sie sich allmählich auch ernsthaft über Will klar werden. Vielleicht war sie blind gewesen für die tiefere Wahrheit hinter seinem Schweigen. Sie hatte ihm nie ausdrücklich gesagt, dass sie ihn liebte, doch auch Will hatte dieses Wort Sara gegenüber nie benutzt. Und ihrer Erfahrung nach war die einfachste Erklärung normalerweise die beschissenste. Sie war bereits zwei Stockwerke hinuntergelaufen, als sie das rosa-blaue Schild entdeckte. Die Neugeborenenstation. Diesen Abstecher machte sie immer gerne. Jedes Mal, wenn sie im Grady einen besonders fürchterlichen Tag gehabt hatte, ging sie die Babys besuchen. Einfach nur zu sehen, wie Augen erstmals aufgeschlagen wurden, zahnlose Münder sich zu einem Lächeln kräuselten, hatte etwas unendlich Beruhigendes. Neugeborene waren der Beweis dafür, dass das Leben nicht nur weitergehen, sondern auch blühen und gedeihen konnte.

Sara nahm an, dass zu dieser frühen Morgenstunde nicht allzu viele Leute dort sein würden, und sie behielt recht. Die Besuchsstunden waren vorüber. Eine Schwester, die letzte Nachzügler fortschickte, war nirgends zu entdecken. Offenbar hatte keiner daran gedacht, die Jalousie vor dem großen Fenster herunterzulassen, damit die Babys in Frieden schlafen konnten.

Die gedämpfte Gangbeleuchtung tauchte die Reihen der Babybettchen in ein warmes Licht. Die Neugeborenen trugen entweder rosafarbene oder blaue Strickmützchen. Sie waren fest in farblich passende Decken gepackt. Ihre Gesichter waren winzig wie Rosinen und einige noch so jung, dass ihre Köpfe sich sanft hin- und herwiegten, als würden sie noch immer im Mutterleib schwimmen.

Sara presste die Stirn an die Scheibe. Das Glas war kalt. Eines der Babys war offenbar wach und spähte mit zusammengekniffenen Augen zur Decke empor. Dort waren farbenfrohe Bilder aufgemalt worden – Regenbogen, flauschige Wolken, mollige Hasen. Natürlich galten sie eher den Eltern als den Babys. Neugeborene waren extrem kurzsichtig. Die grundlegende Struktur des Auges war zwar bereits angelegt, aber es dauerte Monate, bis ein Baby lernte, wie man die Augen richtig einsetzte. Im Moment kam die Deckenkunst für das wache Kind einfach nur Gekleckse gleich.

Die Tür ging hinter Sara auf, wahrscheinlich kam die Nachtschwester gerade von der Toilette zurück – doch es war Lena Adams.

Sie hielt ein Taschentuch in der Hand. Sara konnte ihr den Kummer ansehen, als ihre Blicke sich trafen, aber auch so etwas wie Resignation.

Lena machte sofort kehrt und ging weiter zum Aufzug.

»Warten Sie!«, sagte Sara.

Lena blieb stehen, drehte sich aber nicht um.

Sara bedauerte ihre Bitte augenblicklich. Sie wusste nicht, was sie ihr hätte sagen sollen. Hatte sie Mitgefühl? Natürlich tat es ihr leid, dass Lena ihr Baby verloren hatte. Aber das änderte nichts daran, was zuvor passiert war.

»Meinetwegen müssen Sie nicht gehen«, sagte sie schließlich leise, und langsam drehte Lena sich um. Sie sah an Sara vorbei und stellte sich dann vor das Sichtfenster und stützte die Finger auf den Sims. Die Stirn drückte sie ans Glas, genau wie Sara es nur wenige Momente zuvor getan hatte. Sie schien alles um sie herum abzublocken. Die Art, wie sie die Neugeborenen betrachtete, hatte etwas geradezu Tragisches. Ihre Sehnsucht schien das Glas durchbrechen zu wollen, und Sara beschlich das Gefühl, fehl am Platz zu sein. Sie machte den Mund auf, um sich zu verabschieden, doch Lena gab ihr keine Gelegenheit zu sprechen.

»Ist es immer noch unverändert?«

»Jared?«, fragte Sara. »Ja.«

Lena nickte nur, ohne den Blick von den Babys abzuwenden. Unwillkürlich legte sie die Hand flach auf ihren Bauch. Erneut kämpfte Sara gegen den Instinkt an, sie zu trösten, der Situation irgendeine positivere Note zu verleihen. Doch letztlich brachte sie die Energie dafür nicht auf. Tief in ihrem Innern verbarg sich immer noch die Fähigkeit, Mitleid mit dieser Frau zu empfinden, und hin und wieder regte sie sich wie ein Automotor, den man an einem kalten Tag zu starten versuchte. Er stotterte und eierte, doch am Ende ging er nur doch wieder aus.

Sara wandte sich zum Gehen. »Ich sollte besser …«

»Mir war nie bewusst, dass sie so klein sind.« Lenas Züge waren weicher geworden, während sie die Neugeborenen vor sich betrachtet hatte. »Es muss beängstigend sein zu wissen, wie zerbrechlich sie sind.« Ihr Atem hatte sich auf dem Glas niedergeschlagen. Sie schien auf eine Antwort zu warten.

»Man lernt schnell, was man tun muss.« Sara war mit Babys

aufgewachsen. Sie konnte sich ein Leben ohne sie nicht vorstellen.

»Ich hab noch nie ein Baby im Arm gehalten«, flüsterte Lena.

»Haben Sie keine Cousins oder Cousinen?«

»Nein. Und ich war auch nie Babysitter oder so etwas.« Sie lachte leise auf. »Ich war wohl nie die Art von Teenager, dem die Leute ihre Babys anvertrauten.«

Das wiederum konnte Sara sich nur allzu gut vorstellen.

»Tut mir leid«, sagte sie schließlich. »Was immer das wert sein mag.«

»Was immer das wert sein mag«, echote Lena. »Zumindest hasst Nell mich nicht mehr ganz so sehr.«

Sara hatte die Veränderung ebenfalls bemerkt, aber sie wusste nicht recht, wie lange sie anhalten würde.

»Es war besser, als sie mich noch gehasst hat«, fuhr Lena fort. »Damit konnte ich umgehen. Wir konnten es beide.« Sie wandte sich zu Sara um. »Es ist fast, als würde sie glauben, dass der Verlust des Babys mich zu einem besseren Menschen macht.«

Sara fragte sich, was Lena damit sagen wollte, und versuchte verzweifelt, deren Motive zu ergründen. Irgendetwas wollte sie von ihr. Sie wollte immer irgendwas.

»Danke, Sara.« Sie wandte sich wieder dem Fenster zu. »Ich wusste, ich kann mich darauf verlassen, dass Sie kein Mitleid mit mir haben würden.«

Sara verspürte das dringende Bedürfnis zu fliehen. Auch wenn sie jetzt in diesem Augenblick die alte Abneigung nicht aufzubringen vermochte, wusste sie doch, dass man sie im Handumdrehen wieder dazu bringen konnte. »Ich sollte nach Possum sehen.«

»Sie zu sehen, bringt ihn beinahe um.«

»Trotzdem …«

»Haben Sie den Brief eigentlich je bekommen?« Den Brief. Vor vier Jahren hatte Sara ihren Briefkasten geöffnet und einen handgeschriebenen Brief von Lena vorgefunden. Sara hatte den verschlossenen Umschlag in ihre Handtasche gesteckt. Sie hatte ihn nicht lesen wollen. Aber anscheinend hatte sie ihn auch nicht wegwerfen wollen. Fast ein Jahr lang hatte sie ihn mit sich herumgetragen. Zur Arbeit, zum Einkaufen, ins Restaurant, wieder nach Hause. Sie hatte ihn umgepackt, wenn sie die Handtaschen wechselte. Sie hatte ihn in ihrer Tasche stecken sehen, wann immer sie das Portemonnaie gezückt oder nach ihren Schlüsseln gesucht hatte.

Lena musterte sie. »Sie haben ihn gelesen.«

Sara wollte es eigentlich nicht zugeben, sagte dann aber: »Irgendwann schon.«

»Ich habe mich geirrt.«

»Wirklich?« Der Brief hatte aus drei Notizblockseiten bestanden. Drei ermüdende, tränenfleckige Seiten voller Ausflüchte, Lügen und Schuldzuweisungen. »In welcher Hinsicht haben Sie sich geirrt?«

»Bei allem.« Sie lehnte sich mit der Schulter an das Glas. »Ich wusste, dass Jeffrey kommen würde, um mich zu retten. Und ich wusste, dass ich damit sein Leben in Gefahr brachte.«

Sara spürte, wie sie errötete. Ihr Herz flatterte wie ein Vogel in einem viel zu kleinen Käfig. Sie hatte so lange auf dieses Eingeständnis, diese Bestätigung gewartet, und doch war jetzt ihr einziger Gedanke, dass Lena irgendwas im Schilde führte.

»Man kann kein Streichholz anzünden und dann überrascht sein, wenn das Haus abbrennt.«

Sara bemühte sich um einen neutralen Ton. »Sie haben versucht, ihn zu warnen.« Zumindest hatte Lena das in ihrem Brief geschrieben. Vier endlose Absätze lang hatte sie ihrem Bedauern gewidmet, dass Jeffrey ihren guten Rat einfach nicht hatte annehmen wollen. »Sie haben geschrieben, Sie hätten ihm geraten, die Finger von der Sache zu lassen.«

»Ich wusste, dass er es nicht tun würde.« Lena starrte Sara offen an. »Ich sollte jetzt tot sein, nicht er.«

Sara wollte ihr diesen plötzlichen Sinneswandel nicht abkaufen. In dem Versuch, Lena auszutricksen, zitierte sie, was Jared zu Nell gesagt hatte: »Er wusste um das Risiko, als er die Marke anlegte.«

»Glauben Sie, dass Will genauso denkt, wenn er zur Arbeit geht?«

Unvermittelt packte Sara der Wunsch, ihr Wills Namen aus dem Gesicht zu prügeln. Er hatte vor fast zwei Jahren gegen Lena ermittelt, als sie einen Verdächtigen in ihrem Gewahrsam hatte sterben lassen und untätig daneben gestanden hatte, während ein anderer Polizist fast erstochen worden wäre. Sara war noch enttäuschter gewesen als Will, als er ihr letztlich nichts hatte nachweisen können.

»Das Einzige«, brachte sie schließlich hervor, »was Sie über Will Trent wissen, ist, dass er Sie fast ins Gefängnis geworfen hätte.«

»Fast.« Lenas Lippen kräuselten sich zu einem schiefen Lächeln. Allmählich bekam ihre Maske Risse. »Wissen Sie, woran ich mich in Bezug auf meine Zeit mit Will Trent noch erinnere?« Sie klang jetzt merkwürdig beschwingt. »Ich konnte ihm ansehen, dass er Ihretwegen längst den Kopf verloren hatte. Und Sie sind auch in ihn verliebt, nicht wahr? Das kann ich Ihnen ansehen. Verliebt sein konnten Sie schon immer gut.«

Sara schüttelte den Kopf. Sie ahnte, wohin dies alles führen würde. »Das macht es nicht wett.«

»Sie haben sich offensichtlich weiterentwickelt«, erwiderte Lena. »Wir beide haben uns weiterentwickelt.«

»Ich hatte keine Wahl, Lena. Ich musste mich weiterentwickeln. Mein Mann war ermordet worden.« Sara schluckte das Gift, das ihr die Kehle emporstieg, wieder runter. »Ich hatte keine Wahl.«

»Egal was Sie denken, ich bin kein schlechter Mensch. Ich habe mir das selber lange eingeredet. Von Ihnen habe ich mir einreden lassen, dass ich nicht gut genug wäre. Dass ich nicht würdig wäre.«

»Na, das tut mir aber leid«, gab Sara sarkastisch zurück. »Sagen Sie mir, wie ich das wiedergutmachen kann.«

»Irgendwann werden Sie herausfinden, dass ich mich geändert habe.«

»Sie haben sich nicht geändert. Keine von uns wäre jetzt hier, wenn Sie es getan hätten.« Sara bemühte sich, nicht noch verbitterter zu klingen. »Für Sie ist alles immer nur ein Spiel. Was wir jetzt gerade treiben, ist ein Spiel. Sie lassen einfach nicht locker. Sie lassen nicht zu, dass andere die Oberhand gewinnen. Sie halten sich für eine gute Polizistin, aber der Job oder die Leute, die ihn tun, sind Ihnen egal. Wichtig ist Ihnen doch nur, dass Sie am Ende gewinnen, koste es, was es wolle.«

Lena grinste. »Ganz, wie Sie meinen, Doc.«

»Ich will das hier nicht weitertreiben.« Erneut wandte sich Sara zum Gehen.

»Ich kann nicht glauben, dass ich mal neidisch auf Sie war.« Sara wirbelte herum und starrte sie fassungslos an.

»Auf Ihre Familie. Ihr Leben. Ihre Ehe. Jeder in der Stadt respektierte Sie. Verehrte Sie.« Lena zuckte mit den Schultern. »Aber eines Tages erkannte ich, dass ich gar nicht so sein wollte wie Sie. Niemals so sein *könnte* wie Sie, selbst wenn ich es noch so sehr versuchen würde. Das kann niemand. Sie sind zu perfekt. Zu anspruchsvoll. Niemand kann Ihren hohen Standards genügen. Jeffrey konnte es nicht.« Sie schüttelte den Kopf, als täte es ihr aufrichtig leid. »Und Will hat nicht die klitzekleinste Chance.«

Im ersten Augenblick war Sara zu verblüfft, um etwas zu erwidern, allerdings nicht wegen alledem, was Lena gerade gesagt hatte, sondern weil diese Frau es so meisterhaft geschafft hatte, das Gespräch in die entgegengesetzte Richtung zu drehen.

»Sie wollen, dass ich ein schlechtes Gewissen habe«, gab Sara zurück, »nur weil ich mit dem Leben weitergemacht habe?«

Das Grinsen auf Lenas Gesicht sprach Bände. Und dann wiederholte sie, was Sara am Mittag zu ihr gesagt hatte: »Jetzt wissen Sie, wie sich das anfühlt.«

»Wollen wir jetzt so weitermachen? Wollen wir das wirklich tun?«

»Haben Sie Angst, dass ich gewinnen könnte?«

Sara verschränkte die Arme und wartete.

»All die Jahre hab ich damit vergeudet zu glauben, dass Sie besser wären als ich. Die arme Sara – die tragische Witwe ... Und dann finde ich heraus, dass Sie gleich mit dem nächstbesten Polizisten, den Sie finden konnten, in die Kiste gesprungen sind.«

Sara wurde regelrecht überschwemmt von ihren Schuldgefühlen. Lena war immer schon ein Hai gewesen, der selbst den kleinsten Tropfen Blut im Wasser aus meilenweiter Entfernung witterte.

»So war es nicht.«

»O doch, genau so war es«, entgegnete Lena. »Sie sind nichts anderes als 'ne Bullenschlampe, wissen Sie das?«

Sara lachte auf, erleichtert, dass dies der schlimmste Vorwurf war. Was war so verwerflich daran, dass sie sich wieder in einen Polizisten verliebt hatte? »Na und?«

»Wissen Sie, was Sie an Jeffrey geliebt haben? Dass er Risiken einging. Dass er dort rausging und jeden umhaute, der sich ihm in den Weg stellte.«

»Das glauben Sie? Oder kommt da noch mehr?«

Lena trat einen Schritt näher. »Sie hätten ihm nicht einmal Guten Tag gesagt, wenn er ein Weichei gewesen wäre, das zugelassen hätte, dass andere die Kohlen für ihn aus dem Feuer holen.«

»Sie meinen – wie Sie?«

Lena schürzte die Lippen – der einzige Hinweis darauf, dass sie die Spitze verstanden hatte. »Ich hab gesehen, wie Sie ihn angesehen haben – Ihren Helden. Ihren großen, toughen Polizisten. Ich wette, bei Will ist es genauso. Schon komisch, wie Sie einfach einen Polizisten durch einen anderen ersetzt haben. Frage mich nur, was Jeffrey dazu gesagt hätte.«

Sara schüttelte den Kopf, als würden die Schläge sie nicht treffen. »Führt das noch irgendwohin?«

»Sie wollten, dass Jeffrey draußen seinen Mann steht. Sie haben es geliebt, wenn er seine Muskeln spielen ließ, anderen in den Arsch trat und sich beschimpfen ließ. Ich sag Ihnen eins, Sara: Er ist all diese Risiken eingegangen, weil Sie es von ihm wollten. Es hat Ihnen ganz einfach Spaß gemacht, ihn zum Äußersten zu treiben. Ich hab ihm eine Aufgabe gegeben, aber Sie – *Sie* – waren diejenige, die ihn dafür belohnte.«

»Seien Sie still«, fauchte Sara. Dieser Schlag war zu hart gewesen. »Seien Sie einfach still.«

»Fühlt sich nicht gut an, was? Die Schuld für etwas zugewiesen zu bekommen, das man nicht kontrollieren kann.«

»Dieses Gespräch ist vorbei.« Sara hatte kaum den ersten Schritt in Richtung Ausgang gemacht, als Lena sie am Arm packte. »Nehmen Sie Ihre Hände weg.«

»Ich dachte mir, wir ziehen das jetzt durch.«

Sara riss sich los.

»Sie halten sich immer für so besonders schlau, aber Sie sehen nicht einmal, was sich direkt vor Ihren Augen abspielt.« Sie stieß ein gekünsteltes Lachen aus, das durch den Gang hallte. »Schau einer an. Sie machen ja doch Fehler.«

»Sie glauben, ich mache keine Fehler?« Saras Stimme zitterte vor Wut. »Ich war diejenige, die Jeffrey gesagt hat, er soll Sie einstellen. Ich war diejenige, die ihm gesagt hat, er soll Sie fördern. Ich war diejenige, die dachte, Sie könnten Ihren verdammten Job machen und ihm den Rücken freihalten.«

Lena hatte sich ans Fenster gestellt, und Sara stand jetzt direkt vor ihr. Sie konnte sich nicht einmal daran erinnern, sich auf sie zubewegt zu haben, verstand nicht, wie es dazu hatte kommen können, dass sie Lena den Finger in die Brust rammte, dass sich ihre Hand zur Faust geballt hatte.

Lena drehte langsam den Kopf und bot ihr die Wange an.

»Na los«, sagte sie mit einer Stimme weich wie Seide. »Geben Sie Ihr Bestes.«

Sara spürte ein merkwürdiges Kribbeln in den Füßen. Sie fühlte sich, als würde sie am Abgrund zu einer bodenlosen Tiefe stehen. Sie zwang sich, über Lenas Schulter zu den Reihen der in Decken gehüllten Neugeborenen zu blicken. Zu den fröhlichen Regenbogen und Wolken an der Decke.

Sara konnte Lena nicht gewinnen lassen. Nicht dieses Mal. Nicht so. Sie trat vom Rand zurück. Sie ließ die Hand sinken und streckte den Rücken durch. Mit hoch erhobenem Kopf ging Sara den langen Gang hinunter.

»Ist das alles?«, rief Lena ihr nach.

Sara musste es nur noch nach unten schaffen. Wenn sie erst einmal draußen wäre, frische, kalte Luft einatmen könnte, würde sie schon einen Weg finden, diese Konfrontation hinter sich zu lassen. Die letzten fünf Minuten würden die letzten fünf Jahre nicht auslöschen. Lena hatte keine Ahnung, was Sara durchgemacht hatte. Wie sie mit sich gerungen hatte. Wie sie sich ein neues Leben erkämpft hatte. Sie hatte Jeffrey nicht gekannt, und mit Sicherheit kannte sie Will ebenso wenig.

Plötzlich hallte ein langsames Klatschen den Gang entlang. Sara bemühte sich, nicht zusammenzuzucken. Jedes Klatschen klang wie ein Schuss.

»Gut für Sie, Doc.« Dann klatschte Lena noch ein wenig lauter. »Reiten Sie auf Ihrem hohen Ross einfach davon.«

Sara weigerte sich, sich umzudrehen. Sie konnte es nicht zulassen. Sonst würde sie Lena die Gelegenheit zu einer Schlägerei liefern, auf die sie offenbar versessen war.

Sie stieß die Tür zur Treppe auf. Ihre Faust wollte sich immer noch nicht wieder öffnen. Sie umrundete den Treppenabsatz im Laufschritt. Mit jedem Schritt wurde ihre Wut größer. Natürlich hatte Sara Jeffrey geliebt, weil er tough war. Es gab kaum eine Frau, die sich in ihrem Leben nicht einen starken Mann an ihrer

Seite wünschte. Doch das machte Sara noch lange nicht verantwortlich für Jeffs Ermordung. Sie hatte ihn angefleht, Lena nicht zu vertrauen, sie dieses eine Mal die Suppe, die sie sich eingebrockt hatte, selbst auslöffeln zu lassen. Und der Gedanke, dass Sara Jeffrey einfach durch Will ersetzt hätte, war schlicht grotesk. Die beiden Männer hatten nichts gemein, außer dass sie beide Lena in die Wüste geschickt hätten, wenn sie sie mit Sara hätten reden hören, wie sie es soeben getan hatte.

Sara weinte beinahe vor Erleichterung, als sie das Erdgeschoss erreichte. Wieder stand sie in einem nur schwach erhellten Gang. So spät nachts kamen keine Nachzügler mehr, keine Besucher. Sara folgte der grünen Linie am Boden, die sie zu den Aufzügen und letztlich zum Ausgang führen würde.

Zu anspruchsvoll. Zu perfekt.

Wenn es nur so wäre.

Sara konnte nicht verhindern, dass sie Fehler machte. Sie lag geradezu begraben unter Fehlern. Kleinen. Großen. Lebensverändernde, weltbewegende Fehlentscheidungen hatten sie in den letzten fünf Jahren tagtäglich verfolgt und ihren Höhepunkt in der Fahrt zu diesem gottverdammten Krankenhaus erreicht.

Als ihr Handy anfing zu klingeln, ließ Sara die Mailbox rangehen. Sie marschierte an dem geschlossenen Geschenkeladen vorbei. An der Decke klebten Luftballons. Der Kühlschrank mit den Take-away-Getränken war mit einer Kette gesichert. Kaum hatte das Handy aufgehört zu klingeln, fing es von Neuem an. Wieder ließ sie die Mailbox rangehen. Ein paar Sekunden Stille, dann fing das Klingeln wieder an.

Sara warf einen Blick auf die Ortskennung. Jasper, Georgia. Will.

Noch vor wenigen Stunden hatte sein Telefon ihr verraten, dass er sich irgendwo in Küstennähe befand. Jetzt sagte es, er wäre in den Bergen.

Sara meldete sich. Sie bemühte sich um einen neutralen Ton. »Ich kann im Augenblick nicht reden.«

»Wo bist du?«

»Im Krankenhaus.«

»Oben?«

»Nein.« Sie wischte sich die Tränen weg. Der Haupteingang lag direkt vor ihr. Die Parkplatzbeleuchtung tauchte die Lobby in einen ätherischen Schein. »Bin unterwegs in Richtung Ausgang.«

»Um ins Hotel zurückzufahren?«

»Um nach Hause zu fahren.« Erst als sie die Worte ausgesprochen hatte, merkte sie, dass sie tatsächlich stimmten. Ihre Handtasche lag bereits im Kofferraum des Wagens. Der Schlüssel steckte in ihrer Hosentasche. Den Rest ihrer Sachen hatte sie ins Hotel gebracht. Sie hatte Kleider zum Wechseln dabeigehabt und eine Handvoll Toilettenartikel, die sie in ihrem Spind im Grady aufbewahrt hatte. Nichts davon war es wert, ihre Flucht hinauszuzögern. Von ihr aus konnte das Zimmermädchen die Sachen wegwerfen oder behalten, es war Sara egal. Sie würde die Rezeption von unterwegs anrufen.

»Sara?«

»Ich kann jetzt nicht reden.« Ihre Faust öffnete und schloss sich wieder. Die Kiefer taten ihr weh, weil sie die Zähne so fest aufeinandergebissen hatte. »Ich ruf dich später an.«

»Leg nicht auf!«

Sie schüttelte den Kopf. »Ich kann das jetzt nicht.«

»Ich will, dass du stehen bleibst. Jetzt sofort.«

»Will, ich …«

»Sara, bleib stehen.« Sara blieb stehen.

»Ich muss mit dir reden.«

Sara blickte auf das Handydisplay hinab. Dann hob sie den Kopf. Woher wusste Will, dass sie eben noch gegangen war? Sie sah sich in der leeren Lobby um. »Wo bist du?«

»Ich muss dir erzählen, was passiert ist.« Er klang fast schon verzweifelt. »Nicht gerade eben, sondern gestern Nacht. Letzte Nacht.«

Endlich hatte sie ihn entdeckt. Er stand vor den Glastüren, hatte eine dunkle Hose und ein graues Hemd an. Sara kannte diese Uniform – es war die des Wartungspersonals im Krankenhaus.

Er bewegte seine Hand auf die Glastür zu.

Sie lieferte ihm einen Ausweg. Es war wirklich verrückt – sie lieferte ihm allen Ernstes einen Ausweg. »Du arbeitest mit Faith zusammen.«

Will antwortete nicht, und da endlich fiel es Sara wie Schuppen von den Augen. Die ständig wechselnde Ortskennung. Die verdeckte Ermittlung, über die er nicht hatte reden dürfen. Sein schuldbewusster Gesichtsausdruck an diesem Morgen. Seine Weigerung, ihr zu erzählen, was er vor ihr geheim hielt. Der einzige Grund, warum er sie je anlügen würde.

»Du ermittelst wieder gegen Lena.«

»Nein. Aber sie weiß, dass ich hier bin«, antwortete Will. »Es tut mir leid, Baby. Es tut mir so unendlich leid.«

In Saras Augen brannten Tränen. Lena hatte nicht nur gewusst, dass Will hier war. Sie hatte auch gewusst, dass er Sara völlig im Dunkeln gelassen hatte.

Sie halten sich immer für so besonders schlau, aber Sie sehen nicht einmal, was sich direkt vor Ihren Augen abspielt.

»Du Arschloch«, zischte Sara ins Telefon. Lenas Gelächter hallte ihr immer noch in den Ohren. »Du hast zugelassen, dass sie mich derart vorführen konnte.«

»Es tut mir leid.« Will hob erneut die Hand und legte sie auf die Glastür. »Ich habe nicht so weit vorausgedacht. Ich hab nicht ...« Er brachte den Satz nicht zu Ende. »Du darfst mir das nicht vorwerfen. Bitte.«

»Du hast mich angelogen.« Wieder zitterte ihre Stimme. Alles an ihr zitterte. Sie hatte sich schlecht gefühlt, weil sie ihn von sich weggestoßen hatte, dabei hatte Will selbst sie die ganze Zeit über auf Armeslänge entfernt gehalten. »Du hast mir in die Augen gesehen und mich angelogen.«

»Ich hab dir doch nur deshalb nichts gesagt, weil ich dachte, dann verlässt du mich.«

Irgendetwas zerbrach in ihr. »Da hattest du wohl recht.«

»Sara ...«

Der Schmerz war einfach viel zu überwältigend. Sie umklammerte das Telefon in ihrer Hand, wünschte sich, sie könnte es zerbrechen. Und dann dämmerte es ihr, dass sie es konnte. Sara schmetterte das Gerät gegen die Wand. Plastik- und Glassplitter stoben ihr ins Gesicht. Sie hob die Reste auf und warf sie erneut gegen die Wand.

»Sara!«, rief Will. Er stand noch immer draußen und zerrte an der verschlossenen Eingangstür. »Sara!«

Was für eine Idiotin sie gewesen war! Sie hatte diesem Mann ihr Herz geöffnet. Sie hatte mit ihm ihr Bett geteilt. Sie hatte ihm Dinge erzählt, die sie noch nicht mal ihrem Ehemann erzählt hatte.

Und er hatte Lena Adams ein Messer gereicht, das sie Sara in den Rücken rammen konnte.

»Sara!« Die Schlösser der verriegelten Türen klirrten.

Sie machte auf dem Absatz kehrt und marschierte zur Treppe zurück.

»Warte!«

Sara ging einfach weiter. Sie wollte nicht auf ihn warten. Sie würde nie wieder auf ihn warten. Sie musste dieses Gebäude so schnell wie möglich verlassen. Und diese Stadt. Sie musste weg von Lena. Weg von Will und seinen Lügen. Sara konnte nichts anderes mehr tun, als davonzulaufen. Sie war dumm und blind gewesen. Er hatte sie verraten. Sie hatte ihm alles gegeben, und er hatte sie verraten.

»Sara!« Wills Stimme klang jetzt lauter. Irgendwie war es ihm gelungen, in das Gebäude einzudringen.

Sie ging schneller. Wills Schritte hallten durch die leere Lobby, dann den Gang entlang. Er kam hinter ihr her.

Sara fing an zu rennen. Sie konnte den Gedanken nicht ertragen, sein Gesicht noch mal zu sehen. Sie winkelte die Arme an, beugte die Knie. Hinter ihr wurden Wills Schritte lauter. Die Tür krachte gegen die Wand, als sie ins Treppenhaus rannte. Sie lief nicht nach oben, sondern nach unten. Im Keller befanden sich die Umkleideräume des Personals. Die Technikräume. Lagerräume. Die Leichenhalle. Irgendwo würde es dort eine Laderampe geben oder einen Nebenausgang, den sie benutzen konnte, um hier rauszukommen.

»Sara!«

Sie hatte bereits den nächsten Treppenabsatz erreicht, als über ihr die Tür erneut mit einem Krachen aufschlug.

»Warte!«

Sie stolperte, hielt sich am Geländer fest, während sie die letzten Stufen hinabrutschte. Dann zog sie die nächstbeste Tür auf. Noch ein Gang. Das helle Licht stach ihr wie Nadeln in die Augen.

»Bleib endlich stehen!«

Jetzt hatte auch Will den unteren Absatz erreicht. Er war schneller als sie. Niemals würde sie es bis zum Ausgang schaffen, bevor er sie einholte. Ihre Schuhe schlitterten über den Boden, als sie durch eine offene Tür rannte.

»Lass mich erklären … Sara!«

Sie knallte die Tür hinter sich zu und suchte hektisch nach einer Möglichkeit, sie zu verriegeln.

Als die Tür erneut aufsprang, fiel sie nach hinten. Will packte sie am Arm, riss sie an sich. Sara schlug nach ihm, so fest sie konnte. Als er eine ihrer Fäuste zu packen kriegte, boxte sie ihn mit der anderen. Sie hasste ihn. Sie wollte ihm am liebsten die Augen auskratzen. Ihm das Herz aus der Brust reißen, so wie er ihres herausgerissen hatte.

»Sara, bitte …«

Sie schlug noch einmal nach ihm, konnte einfach nicht aufhören. Ihn zu schlagen war das Beste, um auszudrücken, was sie fühlte. Sie schlug ihm ins Gesicht. Ihre Fingernägel ritzten seine Haut auf. Irgendwann gelang es ihm, ihre Hände mit nur einer Hand zu fixieren, sodass sie sich nicht mehr befreien konnte. Er stieß sie gegen die Wand, und sie schlug hart mit dem Kopf gegen den Waschbeton. Sie riss ihr Knie hoch, doch Will stand zu nahe vor ihr, als dass sie hätte Schaden anrichten können.

Als er sie küssen wollte, krachten ihrer beider Zähne aufeinander. Mit den Fingern zwang er ihre Kiefer auf. Dann füllte seine Zunge ihren Mund. Sara rammte ihm die Faust in die Brust. Statt sich zu wehren, riss er ihr die Jeans auf, und Sara hielt ihn nicht davon ab. Jetzt half sie ihm sogar. Sie fühlte sich wie benebelt, jedes Gefühl war aus ihr herausgesickert – bis auf eines. Sie hatte es satt, sich um andere zu kümmern. Sie hatte es satt, eine gute Freundin zu sein, das Richtige zu tun, Sachen auf sich beruhen zu lassen.

Wills Spucke reichte nicht – und Sara keuchte laut auf, als er hart in sie eindrang. Und er drang tief ein. Zu tief. Es raubte ihr den Atem. Trotzdem packte sie ihn an beiden Schultern, drückte ihn fest an sich und reagierte auf jeden seiner Stöße, bis ihr Körper irgendwann die Führung übernahm und sie sich ihm ergab.

Sara presste ihren Mund auf seinen, saugte an seiner Zunge. Biss ihm in die Lippe. Ihre Fersen gruben sich in die Rückseiten seiner Beine. Will zuckte zusammen, als ihre Hand unter sein Hemd glitt, doch es war ihr egal. Sie zerkratzte die narbige Haut auf seinem Rücken. Die Worte strömten nur so aus ihrem Mund – sie sagte ihm genau, was er tun sollte. Wieder und wieder begegnete sie seinen Stößen, bis sie die Zähne zusammenbeißen musste, um nicht laut aufzuschreien.

Es gab keinen langsamen Aufbau, nur unkontrollierbaren Rausch, der sie durchströmte. Die Lust war fast unerträglich. Sie biss ihn in die Schulter. Sie schmeckte seinen salzigen Schweiß. Jedes Molekül in ihrem Körper pulsierte vor Intensität. Sie schrie seinen Namen. Sie konnte nicht anders, konnte den Sturm köstlichster Erlösung nicht aufhalten.

Irgendwann sackte Will schwer gegen sie. Sie konnten beide nicht mehr stehen, glitten zu Boden, beide atemlos, beide schockiert über das, was sie gerade getan hatten.

»Sara ...«

Sie schlug die Hände vors Gesicht, konnte ihn jetzt nicht ansehen. Konnte sich nicht eingestehen, was soeben passiert war.

»Sara ...« Wills Mund war dicht an ihrem Ohr. Die sanfte Berührung seiner Lippen ließ sie unwillkürlich erschaudern.

»Gott«, flüsterte er. »Sara, bitte ...«

Sie stieß ihn von sich weg. Noch immer spürte sie ihn zwischen ihren Schenkeln pulsieren. Sie fühlte sich feige. Pervers.

»Sara ...«

Sie schüttelte den Kopf, hätte sich am liebsten in Luft aufgelöst. »Geh«, flehte sie ihn an. »Bitte, geh einfach.«

»Sara ...«

»Geh!«, schrie sie.

Will rappelte sich auf. Sie hörte, wie er den Reißverschluss seiner Hose hochzog und das Hemd in den Bund stopfte. Dann hallte ein lautes Klicken durch den Gang, als die Tür aufging, und noch eines, als sie wieder zufiel.

Sara hob den Blick. Er war verschwunden.

11.

Vier Tage vor der Razzia

Mit den Händen tief in den Jackentaschen saß Lena in dem beengten Überwachungstransporter. Vor ihr standen drei Monitore. Die Computer unter dem Tisch verströmten unerträgliche Hitze. DeShawn und Paul trugen Kurzarmhemden. Sie schwitzten beide, während Lena so sehr fröstelte, als säße sie in einem Iglu. Sie war erst seit sechs Wochen schwanger, doch schon spielte ihr Körper vollkommen verrückt. Wahrscheinlich war das auch der Grund, warum Schwangere immer so gereizt waren. Bei ihnen hüpfte das Thermometer auf und ab wie ein Tischtennisball.

DeShawn suchte mit dem Blick die Bilder sämtlicher Überwachungskameras ab. »Wo steckst du, Mr. Snitch?«

»Mr. Snitch?«, wiederholte Paul mit ironischem Unterton. All ihre Informanten hatte Codenamen. Der Schutz ihrer Identität gehörte zum Pakt mit dem Teufel nun mal dazu. Nur der Spitzname tauchte in sämtlichen Unterlagen auf. Man benutzte ihn im Einsatz, wo ein falsches Wort den Tod des Informanten nach sich ziehen konnte. Zwar war »Mr. Snitch« – Mr. Spitzel – nicht gerade der allerkreativste Name, trotzdem passte er zu dem Junkie, den sie vor ein paar Tagen umgedreht hatten. Der Mann hatte etwas Schlüpfriges an sich wie eine Schlange. Womöglich, dachte Lena, lag es aber auch an seiner schuppigen Haut und an den kleinen Knopfaugen.

»Na, komm schon, Snitchy!« DeShawn hackte etwas in seine Tastatur und rief dann die Überwachungsbilder vom Chick-fil-A-Imbiss auf. »Hierher, Snitchy-Snitchy ...«

»Die zusätzliche Stunde haben wir übrigens aus einem ganz bestimmten Grund eingeplant«, rief Paul ihm in Erinnerung. Lena sah zu, wie DeShawn sich durch die diversen Blickwinkel schaltete. Sie hatte Junkies immer schon gehasst – wahrscheinlich weil ihr Onkel einer war. Hank war inzwischen clean, aber das änderte nichts an seiner unverrückbaren Junkie-Mentalität. Immerzu stellte er die unausgesprochene Frage: *Was springt für mich dabei heraus?*

»Da kommt er.« Paul deutete auf einen der Monitore. Ein weißer Pkw fuhr auf einen Stellplatz neben dem Eingang. Die Handbremse wurde angezogen, und die Fenster fuhren hoch.

»Hat er das Mikro am Körper?«, erkundigte sich Lena.

DeShawn drehte an der Wählscheibe des Empfängers, der das Signal von Snitchs Sender übertrug. Aus seinem Autoradio war Werbung für einen Pizzaladen zu hören. Dann brach das Geräusch ab, und Schlüssel klirrten. Die Autotür ging auf. Snitch war klein, drahtig und hätte dringend eine Rasur gebraucht. Die Baseballkappe hatte er sich tief ins Gesicht gezogen. Eine dunkle Sonnenbrille verdeckte seine Augen. Er trug schwarze Jeans und ein schwarzes T-Shirt. Während er zu dem Imbiss hinüberging, sah er sich immer wieder in sämtliche Richtungen um.

»Trottel«, stöhnte Paul. »Da kann er sich ja gleich ein Neonschild umhängen.«

Als er das Restaurant betrat, sah Snitch sich wieder um und stellte sich dann in die Schlange vor der Theke. Eine Frau schlug auf dem Weg zum Ausgang einen weiten Bogen um ihn. Lena hatte das Treffen bewusst in die Zeit nach der mittäglichen Hektik gelegt, doch ein paar Nachzügler saßen immer irgendwo herum und warteten darauf, dass man ihre Kaffeebecher nachfüllte. Über das Rascheln von Klamotten hinweg konnten sie leise Gespräche hören. Snitch machte in der Schlange ein paar Schritte vorwärts. Dann bestellte er sich einen Eistee. Immer wieder kratzte er sich und trat von einem Bein aufs andere.

»Der Junkie braucht seine Pillen«, bemerkte DeShawn.

»Der Junkie tut jetzt erst einmal, was man von ihm erwartet«, blaffte Lena zurück, »sonst heb ich seine Immunität auf.« Inzwischen wartete Mr. Snitch an der Ausgabe. Er zappelte weiter nervös herum, und Lena hätte am liebsten durch den Monitor gegriffen und es ihm ausgetrieben.

Ihre gesamte Operation hing von diesem Scheißkerl ab. Seit fast zwei Wochen überwachte Lenas Team nach einem anonymen Tipp einen gewissen Fixertreff. Sie wollten ihn nicht einfach nur dichtmachen. Sie wollten Sid Wallers Geschäfte zunichtemachen. Ihre Operation hatte sich allmählich zu einer Übung in Vergeblichkeit entwickelt. Normalerweise gab es immer irgendeinen Penner, der bereit war, für Geld und Vergünstigungen die Fronten zu wechseln. Doch diesmal war es anders gewesen. Niemand war bereit gewesen, sich gegen Sid Waller zu stellen. Niemand war bereit gewesen, beim Drogenkauf ein Mikrofon zu tragen. Niemand war bereit gewesen, eine offizielle Aussage in Sachen Drogen und Waffen abzugeben.

Niemand – bis auf Mr. Snitch.

Paul schien ihre Gedanken lesen zu können. »Glaubst du immer noch, dass Snitch für beide Seiten arbeitet?«

»Ich weiß es nicht«, antwortete Lena. Mr. Snitch hatte namentlich nach ihr gefragt. Sie war eben aus der Arztpraxis gekommen, als der Anruf sie erreicht hatte. Aus ihrem feierlichen Abendessen mit Jared war Fast Food auf dem Revier geworden. »Schon komisch, dass er gerade dann auftaucht, wenn uns der Fall zerbröselt.«

»Woher hätte er denn wissen sollen, dass er zerbröselt?« Lena zuckte mit den Schultern. »Snitch war keine zwei Stunden eingesperrt, als er die Wache bat, nach mir zu rufen. Woher kannte er überhaupt meinen Namen?«

Paul und DeShawn lachten beide auf. Lena nahm ihre Verdächtigen gerne hart ran. Jeder Junkie in der Stadt kannte ihren Namen.

»Okay, okay.« Sie winkte ab. »Aber wir sind lange genug dabei, um zu wissen, dass uns keiner einfach so einen Gefallen tut.«

»Ich weiß nicht«, sagte Paul. »So ein dürrer Kerl, das erste Mal im Gefängnis – zwei Stunden scheinen mir für den Wichser gerade lang genug, um durchzudrehen.«

Und DeShawn fügte hinzu: »Im Knast kommt man nur schwer an Oxy ran.«

»Ach was. Wenn man nur genügend Schwänze lutscht ...« Paul hielt DeShawn die Hand für ein High Five entgegen, und DeShawn tat ihm den Gefallen.

»Wo ist er denn jetzt hin?« Lena suchte die Monitore ab.

DeShawn wandte sich wieder seinen Kameras zu und ging die verschiedenen Blickwinkel durch. »Da ist er.«

Lena konnte den oberen Teil einer sich schließenden Tür erkennen. Snitch war auf den Spielplatz hinausgegangen. Bunte Plastikrutschen und -schaukeln standen im Kreis um einen Sandkasten. Zwei Kinder spielten auf einem Klettergerüst aus Seilen: ein Junge und ein Mädchen. Auf den Spielplatz waren mehr Kameras gerichtet, als in dem Imbiss verfügbar waren. Jeder Winkel war deutlich zu sehen.

Snitch setzte sich auf eine Bank. Die Sonne schien ihm ins Gesicht, und er machte es sich mit auf der Lehne ausgestreckten Armen bequem, als hätte er alle Zeit der Welt. Durch das Mikrofon, das auf seiner Brust klebte, hörten sie ihn summen.

»Der wird dort gleich verjagt«, stellte Paul fest. »Ein erwachsener Mann darf sich ohne Kind nicht auf dem Spielplatz aufhalten.«

»Ich glaube, das wird schon gehen.« Lena beobachtete, wie sich die Angestellten träge hinter der Theke hin- und herbewegten. Sie hatten nach der Hektik des Mittagsgeschäfts sichtlich einen Gang heruntergeschaltet. Einer hielt unschlüssig einen

Pappbecher in der Hand, die anderen betrachteten ihn mit einer Mischung aus Langeweile und Erschöpfung.

»Wie's aussieht, dürfte Mom dort kein Problem werden.« DeShawn zeigte auf eine Frau, die alleine in einer Sitznische saß. Sie tippte auf ihrem iPad herum und telefonierte gleichzeitig. Vor sich auf dem Tisch hatte sie Unterlagen ausgebreitet. Offensichtlich arbeitete sie.

»Ich wette, sie hat ihrem Mann erzählt, dass sie Zeit mit den Kindern verbringt«, witzelte Paul.

Lena verkniff sich eine Erwiderung. Jetzt, da sie selbst Mutter wurde, war sie diesbezüglich weniger kritisch. »Wir haben fünfundvierzig Minuten, war's nicht so?«

»Mehr oder weniger«, gab DeShawn zurück. »Waller kommt gerne mal ein bisschen zu spät.«

Wie immer musste Paul ihm widersprechen. »Vielleicht kommt er aber auch früher und inspiziert zuerst den Laden.«

»Ruft mich auf dem Handy an, wenn er es tut.« Lena stieß die Tür auf. »Bin gleich zurück.«

Mit gesenktem Kopf lief sie über den Parkplatz. Das Risiko, entdeckt zu werden, war hier ziemlich gering. Sie hatten vor dem Target-Laden geparkt, etwa fünfzig Meter vom Chickfil-A-Eingang entfernt. Indem sie sich in das drahtlose Überwachungssystem des Restaurants eingeklinkt hatten, bewegten sie sich zwar am Rande der Legalität, aber da hätte der Manager seinen Hotspot eben ein bisschen besser sichern müssen. Verwenden würden sie das Videomaterial ohnehin nicht. DeShawn zeichnete es nicht auf. Sie wollten Mr. Snitch lediglich an der kurzen Leine halten – zumindest Lena wollte das. Die Übertragung von Snitchs Mikrofon reichte ihr nicht. Sie wollte alles, was gleich geschehen würde, auch mit eigenen Augen sehen.

Doch irgendetwas stimmte mit dem Kerl nicht. Sie kannte ihn erst seit wenigen Tagen, aber ihr Bauchgefühl sagte ihr, dass er nicht sauber war. Sie hatte es gespürt, sowie sie ihm noch im

Gefängnis zum ersten Mal gegenübergesessen hatte, vor allem, als er behauptet hatte, er könne ihnen Sid Waller liefern.

Sidney Michael Waller.

Lena war der Name mehr als vertraut. Jedem auf dem Revier. Waller war nicht nur Drogenhändler. Er war nicht nur Zuhälter und Waffenschieber. Im letzten Jahr hatten sie alle rund um die Uhr gearbeitet, um im Fall der Vergewaltigung seiner Nichte und des Mordes an seiner Schwester gegen ihn zu ermitteln. Doch dann hatte die Nichte widerrufen. Zeugen waren spurlos verschwunden. Leute hatten ihre Geschichten abgeändert. Drei Tage vor Prozessbeginn war der Fall in sich zusammengebrochen, und bei Lena und den anderen war ein schaler Geschmack im Mund zurückgeblieben.

Und urplötzlich war Mr. Snitch mit seinem Glückslos aufgetaucht. Sie hätten für den Mann kein besseres Drehbuch schreiben können. Er hatte Details über den Fixertreff an der Interstate bestätigt. Die Waffen. Die Nutten. Die Unmenge Drogen, die in der Stadt kursierten, während Sid Waller sich zurücklehnte und Scheinchen zählte. Der Fall hatte sich praktisch von alleine wieder aufgebaut. Waller würde Jahre hinter Gittern verbringen. Für die Waffen würde er noch deutlich mehr aufgebrummt bekommen, als er für die Vergewaltigung gekriegt hätte.

Das alles allerdings nur, sofern Lena nicht auf ihren Bauch hörte. Immer wieder musste sie die Stimme in ihrem Kopf zum Verstummen bringen, die ihr einflüsterte, dass dies alles zu einfach wirkte. Seit einem Jahr war sie hinter Waller her, und auf einmal sollte er ihr einfach in den Schoß fallen? Was hatte Mr. Snitch von dieser Sache? Die Immunitätszusicherung war zwar nicht übel, aber riskierte man wirklich sein Leben, nur um acht Monaten Gefängnis zu entgehen?

Doch Lena wollte sich nicht länger als nötig mit diesen Fragen beschäftigen. Sie durfte die Operation nicht gefährden.

In Wahrheit war Sid Waller Lena unter die Haut gegangen.

Und sie war fest entschlossen, sich an ihm zu rächen. Sie holte ihn zu Befragungen aufs Revier, sooft sie einen plausiblen Grund dafür fand. Sie konnte ihn zwar nicht hinter Gitter werfen – noch nicht –, aber zumindest konnte sie ihm vorrechnen, was er strafrechtlich zu erwarten hätte. Erst letzte Woche hatte Waller sie bei einer Befragung Fotze genannt. Zwei Wochen davor hatte er ihr beschrieben, auf welcherlei Arten er sie ficken würde. Dass dies alles für die Nachwelt aufgezeichnet worden war, schien ihn nicht im Mindesten gestört zu haben. Waller hatte einen hervorragenden Anwalt – einen, der geltendes Recht besser durchblickte als die meisten Polizisten.

Vielleicht war das auch der Grund, warum der Richter sich so widerspenstig gezeigt hatte. Lena hatte mehrmals versucht, ob des Durchgangsverkehrs während der ganzen Nacht einen Durchsuchungsbeschluss für den Fixertreff zu beantragen, doch jedes Mal hatte der Richter Nein gesagt. Denise Branson hatte Beweise vorgelegt, dass Mr. Snitch, ein Informant, die Örtlichkeit genannt und beschrieben hätte. Und wieder hatte der Richter Nein gesagt. Nur mit blinder Beharrlichkeit hatten sie den Mann schließlich dazu gebracht, dass er sie dieses heutige Treffen überhaupt aufzeichnen ließ. Und auch da hatte er lediglich die Tonaufnahmen genehmigt. Es war ihre letzte Chance. Lena wusste, der Richter würde unmöglich Nein sagen können, sobald sie es auf Band hätten. Mr. Snitch müsste Waller nur dazu bringen, über das Haus zu sprechen und irgendwas über die Waffen oder die Drogen und das Geld zu sagen, dann könnten sie endlich losstürmen und diverse böse Jungs in Haft nehmen.

Wenigstens hoffte Lena das. Sid Waller war der letzte große Fall, den sie für eine ganze Weile bearbeiten würde. Vor ihr lagen Monate, die von ihrer Schwangerschaft geprägt sein würden, dann einige Wochen, vielleicht ein Monat mit dem Baby zu Hause, ehe sie wieder zur Arbeit zurückkehren würde. Allein der Gedanke, weg zu sein von diesem Job, machte sie nervös. Lena war schon immer Polizistin gewesen. Diesen Teil ihrer

Identität mochte und konnte sie einfach nicht aufgeben. In letzter Zeit sah es allerdings eher so aus, als hätte sie gar keine Wahl. Sie war zu müde, um zu schlafen, zu schläfrig, um sich zu konzentrieren. Sie musste ständig pinkeln. Ihr war kalt. Ihr war heiß. Ihr war wieder kalt. Wenn eine Schwangerschaft so aussah, dann wusste Lena nicht, ob sie damit umgehen konnte. Und obendrein war ihr dauerhaft übel. Warum sprach eigentlich jeder nur von morgendlicher Übelkeit, wenn sie doch den ganzen Tag anhielt?

Lena setzte sich vor dem Target-Markt auf eine Bank. Sie musste den Reißverschluss ihrer Jacke öffnen, weil sie auf dem kurzen Weg über den Parkplatz angefangen hatte, wie verrückt zu schwitzen. In der Tasche fand sie ein Papiertaschentuch und schnäuzte sich. Sie konnte sich nicht erklären, warum ihr derzeit die Nase ständig lief. Jared hatte angemerkt, sie würde jetzt eben Rotz für zwei produzieren.

Lena checkte die Uhrzeit auf ihrem Handy. Sid Waller sollte erst in vierzig Minuten kommen. Sie würde sich eine Weile ausruhen und dann zum Transporter zurückgehen. Sofern sie nicht vorher einschlief. Ihre Lider wurden schwer, als sie sich auf dem Parkplatz umsah.

Sie fragte sich, ob die Welt schon immer so voller Kinder gewesen war oder ob sie sie inzwischen nur sah, weil sie nun selbst schwanger war. Eine Mutter zerrte ihren kreischenden Knirps hinüber in einen Laden. Ein anderes Kind rannte brüllend um einen Minivan herum, während seine gehetzte Mutter hinter ihm herhastete. Direkt vor dem Ladeneingang wiegte eine weitere arme Frau ein weinendes Baby auf der Hüfte.

Den Höhepunkt dieser glücklichen Szenerie bildete eine hochschwangere Frau, die Tüten in den Kofferraum ihres Autos lud. Ihr Bauch sah aus wie ein Wasserball. Sie hatte schweißnasse Haare. Das Auto stand auf einem der ausgewiesenen Schwangerenparkplätze, über die Lena sich immer geärgert hatte, die sie mittlerweile jedoch für legitim befand. Es war nur gerecht, dass diese Frau in der Nähe der Eingangstür parken durfte. Sie sah elend aus, drückte sich die Faust in den Rücken, als sie die letzte Tüte aus dem Einkaufswagen hievte. Ihr Kleid saß viel zu eng. Auch aus einiger Entfernung sah Lena den Stringtanga, der ihr wie Zahnseide zwischen den Arschbacken steckte.

»O Gott«, flüsterte Lena und kam sich vor wie eine Kuh, die beim Metzger über die Ladentheke spähte.

Dann fröstelte sie. Ihre Hände waren schlagartig kalt geworden. So fing es meistens an. Die Temperaturschwankung schlich sich von außen an sie heran. Sie steckte die Hände in die Jackentaschen. Ihre Finger schlossen sich um das Foto. Zumindest nahm sie an, dass man eine Ultraschallaufnahme durchaus Fotografie nennen konnte. Zumindest war es ein Schnappschuss dessen, was sich in ihrem Innern abspielte.

Im Lauf der Jahre hatte Lena eine ganze Menge Röntgenaufnahmen und Arztberichte vor Augen gehabt. Sie hatte Ultraschallaufnahmen gesehen, die auf Kühlschranktüren klebten, über Bildschirme flimmerten und sogar als Beweisstücke in Prozessen vorgelegt wurden, in denen die Mutter zum Mordopfer geworden war.

Lena hatten diese Aufnahmen nie sonderlich angerührt. Für sie waren es nur schwarze und weiße Kleckse gewesen. Sie nahm an, dass ihr die Fähigkeit, angesichts solcher winziger Klumpen in Begeisterung auszubrechen, schlicht und einfach gefehlt hatte. Außerdem hatte es etwas Verstörendes, sich das Innenleben eines Menschen vor Augen zu führen. Vielleicht war sie ja prüde, aber sie konnte doch nicht die Einzige sein, die den Eindruck hatte, dass das Herumzeigen einer Ultraschallaufnahme fast schon einer Beweisführung gleichkam, dass man zuvor Sex gehabt hatte.

Doch das war gewesen, ehe Lena die Ultraschallaufnahme ihres eigenen Babys gesehen hatte. Vor zwei Tagen hatte sich schlagartig alles verändert. Sie konnte es selbst nicht nachvollziehen. Wie hatte dieses winzige, pulsierende Böhnchen einen derart großen Raum in ihrem Herz öffnen können? Und wie hatte es Lena dazu gebracht, Jared so sehr zu lieben? Sie konnte sich dieses abrupte Umschalten nicht erklären. Natürlich hatte sie Jared auch vorher schon geliebt, aber die neue Tiefe ihres Gefühls war schier beängstigend. Noch nie zuvor hatte Lena so viel für einen Mann empfunden. Sie war regelrecht außer Kontrolle, unfähig, ihre Verletzlichkeit zu überspielen. Nachts klammerte sie sich geradezu an ihn.

Tagsüber konnte sie nicht aufhören, ihn zu berühren. Anfangs war Jared leicht irritiert gewesen. Im Allgemeinen war er kein großer Freund von Körperkontakt, außer er führte zu mehr … aber in den vergangenen Wochen war auch er dafür empfänglicher geworden. Es musste irgendein Hormon sein, das Lena verströmte. Sogar die Jungs bei der Arbeit sahen sie mit anderen Augen an.

Arbeit.

Lena wollte sich lieber gar nicht vorstellen, was passieren würde, wenn man es ihr erst einmal ansähe. Wobei man es tatsächlich bereits sehen konnte. Wahrscheinlich dachten die anderen einfach, sie hätte zugenommen – was den Fakten entsprach. Ihr Hosenbund schnitt in die Taille. Ihre Brüste quollen aus den BHs. Von dieser Entwicklung im Speziellen war Jared begeistert, während Lena immerzu daran denken musste, dass sie unmöglich einem Verbrecher hinterherjagen konnte, wenn ihre Brüste derart herumschwabbelten. In ein paar Monaten würde sie wahrscheinlich an einem Schreibtisch sitzen müssen. Sie würde Papierkram erledigen und Zeugenaussagen nachgehen, während alle anderen draußen auf der Straße ihren Spaß hatten.

War es das wirklich wert?

Lena blickte auf die Ultraschallaufnahme hinab. Sie fuhr mit der Fingerspitze über das winzige Böhnchen, das in einer Art Paar aus weißen Armsicheln ruhte.

Natürlich war es das wert.

In ihrer Tasche klingelte das Handy. Denise Branson. Wahrscheinlich marschierte sie gerade in der Dienststelle auf und ab und wartete auf Neuigkeiten.

»Was gibt's, Dee?«

»Schon was Neues?«

Lena sah auf die Uhr. Sie sollte langsam zum Transporter zurückgehen. »Er hat noch dreißig Minuten, allerdings kommt er in der Regel zu spät.«

»Ich hab bereits eine Besprechung nach hinten verschoben«, sagte Denise. »Du weißt, dass wir hier beide unseren Arsch riskieren.«

»Ich weiß.« Lena stemmte sich von der Bank hoch. »Ich weiß es zu schätzen.«

»Hör zu.« Denise schien es eilig zu haben. »Ich hab ein weiteres Teil für das Big-Whitey-Puzzle gefunden.«

»Denise ...«

»Lass mich einfach ausreden, so wie ich es bei dir auch tue, okay?«

Das war Lena ihr schuldig. »Okay.«

»Ich hab in der *Savannah Tribune* einen Artikel entdeckt. Vor achtzehn Monaten wurden dort zwei Mädchen tot hinter einer Kirche gefunden. Ausreißer aus soliden Verhältnissen. Beide mit Heroinüberdosen. In weniger als einem Monat von Einserstudentinnen zu Volljunkies. Die Nadeln steckten noch in ihren Armen. Klingt das vertraut?«

»Einserstudenten setzen sich andauernd den goldenen Schuss«, erwiderte Lena. »Ich könnte für denselben Tag Hunderte vergleichbarer Fälle finden. Womöglich sogar Tausende.«

»Es ist nur so ähnlich wie das, was hier gerade passiert ...« Diskutieren würde sie nicht weiterbringen. »Denise, ich sage dir das jetzt als Freundin. Du bist besessen von dieser Sache. Du bist zu nahe dran.«

»Na und?«

Lena schüttelte den Kopf, während sie über den Parkplatz zurückschlenderte. Nur in der Verbrechensbekämpfung wurde Besessenheit als Vorzug betrachtet.

»Und du bist von Sid Waller besessen.«

»Und kurz davor, ihn zu verhaften«, entgegnete Lena. »Ich hab 'nen Fall. Ich habe 'nen Zeugen. Ich habe Spuren, Fotos, Zeitschienen. Du hast nichts weiter als ein Gespenst.«

»Aber hattest du das alles von Anfang an vor dir, oder hast du diese ganze Sache nicht auch Stück für Stück zusammengesetzt?«

Lena wollte ungern zugeben, dass Denise natürlich recht hatte. Bevor Mr. Snitch auf so magische Weise aufgetaucht war, hätte Denise Lena die gleichen Fragen zu Sid Waller stellen können. Aber sie hatte es nicht getan. Sie hatte Lena die Unterstützung und die Zeit gewährt, damit sie hatte tun können, was zu tun gewesen war. »Hast du die Anwaltskanzlei ausfindig gemacht?«

»Ich arbeite daran. Es gibt da irgendeine Verbindung.«

»Wenn du recht hast, könnten wir uns vielleicht gegenseitig helfen. Sid Waller ist der große Fisch auf dem Campus. Wenn wir ihn festgenagelt haben, könnte er uns womöglich Big Whitey liefern.«

Denise lachte auf. »Glaubst du wirklich, Sid Waller würde einknicken? Er hat im Knast genauso viel Einfluss wie draußen.«

Auch damit hatte sie recht. In den Gefängnissen hatten die Gangs das Sagen, und Waller wäre dort der Platzhirsch. Trotzdem erwiderte sie: »Könnte doch passieren.«

»Ich lasse mich mit Waller auf keine Deals ein. Dieser perverse Arsch soll im Knast verfaulen. Big Whitey kriege ich auch so.«

Plötzlich stellte Lena fest, dass sie sich die Faust in den Rücken gedrückt hatte wie die schwangere Frau vom Parkplatz. Sie ließ die Hand sinken. »Okay. Wenn du wirklich glaubst, dass du den Fall zusammenbekommst, dann solltest du dir Hilfe suchen.

Das hier ist zu groß für eine Person. Zwei, wenn du mich dazuzählst. Aber du weißt ja, dass du auf mich zählen kannst.«

Denise schnaubte. »Du weißt genau, dass ich das alles hier auf eigene Rechnung mache. Wie soll ich Lonnie um Hilfe bitten, wenn er mir schon vor Monaten gesagt hat, ich soll diese Geschichte ruhen lassen? Er wird keinen Cent vom Budget des Departments mehr für Big Whitey ausgeben. Zumindest nicht, bis es zu spät ist.«

Und wieder hatte sie recht. Aus Budgetgründen agierte die Polizei heutzutage eher reaktiv als präventiv.

Doch Lena hatte eine Idee. »Ich kenne da jemanden beim Staat, der uns helfen könnte.«

»Ich werde nichts über Lonnies Kopf hinweg machen …«

»Das weiß ich«, erwiderte Lena. Gray war zwar relativ neu in Macon, aber in den vergangenen fünfzehn Jahren hatte er Polizeitruppen überall im Staat geleitet. Sie beide respektierten ihn zu sehr, als dass sie ihm in den Rücken fallen würden – ganz zu schweigen davon, dass Gray, sofern es hart auf hart käme, ihnen einen Strick daraus drehen würde. »Du könntest ja mal informell Kontakt aufnehmen. Ich kenne da einen Agenten, der diskret ist.« Dass dieser Mann vor knapp zwei Jahren gegen sie ermittelt hatte, erwähnte sie mit keiner Silbe. »Er ist ein Cop, aber er verhält sich nicht wie einer. Er wird dir die Unterstützung geben, die du brauchst. Zumindest kann er dir helfen, ein paar Teile zusammenzufügen.«

»Glaubst du ernsthaft, ich lasse das GBI durch mein Revier marschieren und dann die Lorbeeren einheimsen?« Sie lachte auf, klang aber fast schon verärgert. »Weißt du eigentlich, wie viele Stunden ich schon in diese Sache investiert habe? Wie viele Meilen in meinem Auto? Wie viele schlaflose Nächte? Ich bin mit Herzblut dabei, Lee. Das hier lasse ich mir nicht mehr aus der Hand nehmen.«

Lena hatte die Empörung in ihrer Stimme natürlich wahrgenommen. Vor fünf Jahren hätte sie genauso reagiert und auch genauso geklungen. Vor Jeffreys Tod war sie unendlich selbstsicher gewesen. Sie war diejenige gewesen, die immer recht behalten hatte. Sie hatte keine Hilfe gebraucht. Sie hatte kein Arschloch gebraucht, das ihr den Ruhm streitig machte. Lena hatte es jeden Tag im Alleingang mit der Welt aufgenommen – bis zu jenem Tag, da man ihr den Boden unter den Füßen weggezogen hatte.

»Wenn du mit diesem Mädchen gesprochen und ihre Mutter reden gehört hättest, würdest du genauso denken wie ich.«

»Ich weiß«, sagte Lena. Sie war froh, dass sie mit den beiden nicht gesprochen hatte. Sonst hätte sie sich ganz genau wie Denise in die Sache hineinziehen lassen. »Du bearbeitest den Fall. Lass nicht zu, dass der Fall dich bearbeitet ...«

»Was soll das denn heißen?«, blaffte Denise zurück.

»Dieses Gespenst, dem du nachjagst ... Das beeinträchtigt dich.«

»Inwiefern?«

Lena enthielt sich der Antwort. Denise brauchte dringend einen Punchingball. Lena wusste aus Erfahrung, dass dieser Job nicht nett zu einsamen Frauen war. Er konnte einen zur Getriebenen machen. Machte einen zu hart. Vergraulte jeden in der näheren Umgebung.

Für Lena war erst alles anders geworden, als Jared in ihr Leben getreten war. Er hatte einen Teil der Last geschultert. Er hatte ihr das Gefühl gegeben, dass man ruhig auch mal loslassen durfte.

Und dann war da jetzt auch noch das Baby. Unwillkürlich legte Lena sich wieder die Hand auf den Bauch. Ihr Kopf fühlte sich heiß an. Ein idiotisches Grinsen hatte sich auf ihr Gesicht gelegt. Sie war heilfroh, gerade nicht mit DeShawn und Paul in ihrem Transporter zu sitzen. Niemals hätten sie dieses verdammte Glühen auf ihrem Gesicht übersehen.

»Na, komm schon, Adams«, sagte Branson jetzt. »Raus mit der Sprache.«

Lena zuckte mit den Schultern. »Schon gehört«, fragte sie stattdessen, »dass DeShawn sich wieder scheiden lässt?«

»Und du glaubst, dass wir, nur weil er schwarz ist und ich schwarz bin, das ideale Paar wären?«

»Ach, bitte, das hätte er doch gar nicht verdient.« Und auf die Gefahr hin, dass sie scheinheilig klang, fuhr sie fort: »Ich will damit nur sagen, dass man nicht beides haben kann – mit dem Job und mit einer Frau verheiratet zu sein. Wofür arbeitet man denn, wenn man niemanden hat, zu dem man heimkehren kann?«

Denises Erwiderung klang ziemlich spitz. »Du meinst, mit einem Mann.«

Plötzlich herrschte in der Leitung Stille. Denise Branson ging Sonntag für Sonntag in die Kirche. Wann immer ein gut aussehender Mann an ihr vorüberging, quittierte sie das mit den erwartbaren Geräuschen. Aber das hatte Lenas Schwester auch getan, und Sybil war eine Lesbe gewesen, wie sie im Buche gestanden hatte.

Denise wurde wieder geschäftsmäßig. »Ruf mich an, sobald das Treffen vorbei ist. Wenn du Waller nicht auf Band kriegst, faltet Lonnie uns zusammen. Und ich werde dann nicht länger mit ihm diskutieren – weil er unter diesen Umständen nämlich recht hat.«

»Jetzt mal halblang …«

»Halblang is' nich', wenn die Kosten explodieren. Weißt du, wie viel diese Aktion das Department kostet? Vierundzwanzig Stunden Überwachung, und das zehn Tage lang. Alle schieben Überstunden, selbst die Uroma. Die halbe Million haben wir schon letztes Wochenende überschritten. Ich kann nicht mal mehr ausrechnen, wo wir inzwischen stehen. Ich hoffe sehr, dass dieses Treffen sich bezahlt macht, denn ansonsten kickt Lonnie mich zur Hintertür hinaus.«

»Ich weiß, dass du für mich den Kopf hinhältst.«

»Scheiße«, murmelte sie. »Wenn's nur der Kopf wäre! Meine ganze Karriere steht auf dem Spiel.«

Mittlerweile hatte Lena den Transporter erreicht. Sie drehte sich noch einmal um, versicherte sich, dass sie auch nicht beobachtet wurde. »Ich kriege ihn. Du hast mein Wort.«

»Wenn nicht, besorg uns ein paar Zeitungen. Dann müssen wir uns nämlich beide nach neuen Jobs umsehen.«

Lena hörte noch, wie sie den Hörer auf die Gabel knallte. Sie schob die Hand in ihre Tasche, strich an der Kante der Ultraschallaufnahme entlang und drehte sich dann zu dem weißen Van mit dem AT&T-Logo um. Soweit sie wusste, hatte sich niemand um die Genehmigung vonseiten der Telefongesellschaft gekümmert. Aber die sollte auch lieber still sein und sich über die kostenlose Werbung freuen.

»He, Boss.« DeShawn kam um den Transporter herum. Er war so groß, dass sie in seinem Schatten völlig verschwand.

Lena fuhr sich unwillkürlich an die Kehle. »Für einen Riesen bewegst du dich ziemlich leichtfüßig.«

»Das sagen die Damen alle.« Er zwinkerte ihr zu. »Alles in Ordnung bei dir?«

Lena war augenblicklich in der Defensive. »Warum?«

Er zuckte mit den Schultern und schüttelte leicht den Kopf. »Einfach so.«

»Einfach so lässt du die Monitore allein und wartest hier draußen auf mich?«

Immerhin hatte er den Anstand zuzugeben, dass sie ihn eiskalt erwischt hatte. »Ich weiß, dass diese Waller-Geschichte dich belastet.«

»Warum? Hat Lonnie irgendwas gesagt?« Lena wusste, dass DeShawn als verlängertes Sprach-, aber auch Hörrohr für Lonnie agierte. Allerdings war er nie eine Petze gewesen.

»Also, was hat er gesagt?«

»Nichts – und ich hab ihm auch nichts erzählt.« DeShawn sah sie an, als wäre sie vollkommen grundlos paranoid. »Na, komm schon, Mädchen. Du weißt doch, dass ich zu deinem Team gehöre.«

»Was ist hier eigentlich los?«, fragte Lena. Jetzt, da sie ihn genauer musterte, wirkte er nervös, als hielte er etwas vor ihr geheim. »Warum verhältst du dich so komisch?«

DeShawn seufzte schwer. »Mir ist nur aufgefallen, dass du in letzter Zeit ziemlich oft müde bist.«

»Und? Wir sind alle müde. Wir hängen seit Wochen zusammen rum und schuften wie die Wilden.«

Er seufzte noch einmal. »Ich wollt' dich doch nur wissen lassen, dass es für mich okay ist, wenn du in die zweite Reihe trittst.«

»Leck mich mit deiner zweiten Reihe! Ich bin in meinem Leben noch nicht ein einziges Mal in die zweite Reihe getreten.«

»Okay, okay.« Er hob abwehrend die Hände. »Hab mir nur Sorgen um dich gemacht, das ist alles.«

»Und warum solltest du dir Sorgen um mich machen?«

Er verzog den Mund, als überlege er, ob er ihr etwas sagen sollte oder lieber nicht. Lena wusste, dass DeShawns Schwester zwei Töchter hatte. Vielleicht ahnte er, dass Lena schwanger war. In diesem Fall musste sie dies alles hier erst recht schleunigst zu Ende bringen.

»Jetzt mach dir nicht gleich ins Höschen«, erwiderte sie. »Ich freue mich ja über deine Besorgnis, aber für uns beide ist es jetzt das Beste, wenn du deinen Job machst und ich meinen. Okay?«

Wieder hob er die Hände. »Du bist der Boss.«

Sie klopfte an die Seitenwand des Transporters. »Ich bin's.« Eric Haigh zog die Tür einen Spaltbreit auf. »Wir haben gerade einen Anruf von Wallers Schatten bekommen. Er ist noch ungefähr fünf Minuten entfernt.«

»Dann hatte ich doch recht«, sagte Paul, wie zu erwarten gewesen war. »Wahrscheinlich kommt er früher, um den Imbiss zu inspizieren.«

Lena hatte keine Lust darauf, ihm dafür den Kopf zu tätscheln. Sie wollte schon die Hand ausstrecken, damit ihr jemand in den

Transporter half, doch dann hielt sie es für besser, DeShawn gegenüber unter Beweis zu stellen, dass sie sehr wohl allein zurechtkam. Trotzdem stöhnte sie leise, als sie sich hochzog.

DeShawn sprang mühelos und ohne Hilfe hinein, wahrscheinlich um ihr das Gegenteil zu beweisen. Dann knallte er die Tür hinter sich zu.

»O Gott.« Lena schlug beide Hände vors Gesicht. Der Gestank war ekelerregend. »Was habt ihr Jungs denn hier drin getrieben?«

»Tut mir leid«, sagte Eric. »Ich hatte Mexikanisch zu Mittag.«

»Na, vielen Dank, Stinktier!« Paul boxte ihn auf den Oberarm, und Eric revanchierte sich mit dem am feuchtesten klingenden Furz, den Lena je gehört hatte.

»Gott …« Sie hielt sich die Nase zu und atmete durch den Mund. »Bitte sagt mir, dass Snitch noch drinnen ist.«

»Snitchy sitzt immer noch auf der Bank und sieht den Kindern zu«, gab Paul zurück.

»Wie, er sieht ihnen zu?« Lena warf einen Blick hinüber zu dem Monitor, um sich ein eigenes Bild zu machen. Snitch saß immer noch mit einer Sonnenbrille auf der Nase und beiden Armen über der Rückenlehne auf der Bank. »Sicher, dass er nicht eingeschlafen ist?«

»Sieh dir seinen Fuß an.«

Er hatte recht. Snitchs Absatz wippte so schnell, dass die Kamera die Bewegung kaum aufnehmen konnte.

»Wo ist die Mom von vorhin?«

DeShawn setzte sich wieder auf seinen Stuhl und holte das entsprechende Bild auf den Monitor. Die Mutter telefonierte immer noch. Sie hatte sich in der Sitznische ausgebreitet, als wollte sie noch eine ganze Weile bleiben.

»Nur gut, dass er kein Pädophiler ist.« Sie bedeutete Eric, seinen Platz für sie zu räumen.

»Könnte sein, dass der Sitz ein bisschen warm ist …«, murmelte Eric, und Paul lachte wieder.

Sie schlug ihm auf den Hinterkopf. »Warum ist eigentlich jeder in diesem Transporter ein Arschloch außer mir?«

»Alles okay, Chefin?«, fragte Paul unvermittelt.

Lena warf ihm einen finsteren Blick zu. »Seit wann bin ich die Chefin?«

»Du trägst hier die Verantwortung, oder nicht?« Paul deutete auf seinen leeren Stuhl. »Was ist eigentlich los mit dir? Dein Gesicht ist feuerrot.«

Sie hielt sich die Hand an die Wange. Die Haut war glühend heiß. »Wahrscheinlich eine Gasvergiftung.«

»Bist du dir sicher?« Er sah sie mit hochgezogener Braue an, fragte aber nicht weiter nach.

»Okay, Ladys ... und Lena.« DeShawn rieb sich die Hände. »Mr. Waller ist soeben eingetroffen.«

Eine rote Corvette rollte langsam auf den Parkplatz. Die Fenster waren heruntergelassen. Sid Waller kreiste zweimal um den Platz, ehe er sich für eine Lücke direkt an der Straße entschied. Er hatte Verstärkung dabei. Diego Nuñez saß auf dem Beifahrersitz. Er streckte den Arm aus dem Fenster. Zwischen seinen Fingern klemmte eine Zigarette.

Eric starrte mit zusammengekniffenen Augen auf den Monitor. »Ist das ein Joint?«

Nun sah auch DeShawn genauer hin. »Sieht ganz so aus.«

»Verdammt«, raunte Paul. »Chick-fil-A mag keine Freaks. Was machen die wohl mit 'nem Latino mit 'ner Tüte im Mundwinkel?«

»Seid still.« Lena versuchte, die Stimmen auszublenden, als sie Sid Waller aus dem Auto steigen sah. Die Metallkette an seiner Brieftasche schwang hin und her, als er über den Parkplatz stolzierte. Seine langen, fettigen Haare waren zu einem Pferdeschwanz zusammengebunden. Er trug zerrissene Jeans und ein Flanellhemd mit abgetrennten Ärmeln. Tattoos bedeckten beide Arme. Wie Paul war auch er unfähig, eine Tür einfach nur aufzumachen – er warf sie auf, um seinen Auftritt anzukündigen.

Alle vier drehten gleichzeitig den Kopf, um auf den zweiten Monitor zu blicken, der die Bilder aus dem Eingangsbereich übertrug. Waller sorgte umgehend für diverse hochgezogene Augenbrauen. Andererseits waren sie hier in Macon, und in dieser Gegend war es nicht ganz einfach, einen harmlosen langhaarigen Redneck von einem gewalttätigen zu unterscheiden. Die Mädchen hinter der Verkaufstheke schienen indes sofort zu reagieren. Lena war überzeugt davon, dass Frauen Gefahr schneller witterten als Männer. Das war auch der Grund, warum ihr Bauchgefühl ihr immer noch einflüsterte, dass mit Mr. Snitch etwas nicht stimmte.

Auch der Junkie hatte Wallers Eintreffen bemerkt. Er setzte sich auf und hob die Hand zu einem Gruß. Und dann winkte er einfach immer weiter, weil Waller nicht in seine Richtung sehen wollte. Irgendwann stand Snitch auf und schlenderte zum Eingang hinüber, doch anstatt hineinzugehen, winkte er Waller auf den Spielplatz heraus.

Lena checkte die Frau in der Sitznische. Ihr war die Kinnlade runtergeklappt, als sie Sid Waller gesehen hatte.

»Na komm, Mama«, sagte DeShawn. »Zeit, nach den Kindern zu sehen.«

Wieder riss Waller die Eingangstür auf, und Lena erschrak, als seine Stimme aus den Lautsprechern im Transporter plärrte. »Was soll der Scheiß, du Arschloch?«

Snitch sah nervös zu den Kindern hinüber.

Zum Glück war die Mutter mittlerweile zu der Tür am jenseitigen Ende des Spielplatzes geeilt. Im Transporter konnten sie den scharfen Tonfall durch Snitchs verstecktes Mikro hören: »Britney! Randall! Sofort!«

Sie musste es den Kindern nicht zweimal sagen. Wo immer Sid Waller auftauchte, leerte es sich um ihn herum in Sekundenschnelle.

»Rutsch rüber«, sagte Waller, und Snitch setzte sich ans Ende der Bank. »Was soll das hier? Ich dachte, die lassen hier keine Schwuchteln rein.«

Snitch kicherte, als würde er den Witz ebenfalls lustig finden.

»Schnauze, Schlappschwanz!« Waller zog ein Päckchen Zigaretten aus der Tasche, schüttelte eine heraus und suchte nach einem Feuerzeug.

Snitch sah sich nach allen Seiten um.

»Bist du wegen irgendwas besorgt?«, fragte Waller. Nur wenige Zentimeter vor der Zigarette hielt er mit der Flamme inne.

Snitch schüttelte den Kopf.

»Nimm die verdammte Sonnenbrille ab.« Snitch nahm die Sonnenbrille ab.

Waller zündete sich die Zigarette an. Er nahm einen tiefen Zug und blies eine lange Rauchschwade aus. »Was machen wir hier?«

»Ich hab mehr Pillen.« Snitch griff in seine Tasche.

Mit einem einzigen Blick gebot Waller ihm Einhalt. »Seh ich für dich etwa aus wie ein Drogendealer?«

Snitch erstarrte, die Hand halb in der Tasche. Sie hatten ihm eingeschärft, die Pillen auf jeden Fall zu übergeben, damit sie Waller wenigstens drankriegen konnten für die Entgegennahme gestohlener Narkotika.

Im Transporter waren alle schlagartig angespannt.

»Schau ihn dir an«, raunte Eric. »Er dreht gleich durch.« Er hatte recht. Snitch schien allmählich in Panik zu geraten. Waller stand auf, um zu gehen.

»He, komm schon«, rief Snitch. »Sei doch nicht so …«

Anstatt die Autotür wieder aufzuziehen, lehnte Waller sich bequem dagegen und verschränkte die Arme vor der breiten Brust. Die Zigarette hing ihm aus dem Mundwinkel.

Lena hielt den Atem an. Sie ließ die beiden Männer keine Sekunde aus den Augen. Die beiden schienen sich ein Blickduell zu liefern.

Unglaublich – aber Snitch gewann. Waller senkte den Blick, als er Asche von seiner Zigarette klopfte.

»Ich will weiterkommen«, sagte Snitch jetzt, und Waller steckte sich die Zigarette wieder in den Mund. »Ich kann noch mehr davon beschaffen.«

»Wie kommst du darauf, dass ich so etwas brauche?«

Snitch stand ebenfalls auf. Er nahm seine Baseballkappe ab und fuhr sich durchs Haar.

»War das ein Signal?«, fragte Lena.

»Ich glaube, er schwitzt einfach nur«, antwortete Paul.

»Guck dir an, wie er sich andauernd die Hose vom Sack zupft.« Er hatte recht: Snitch schien die Finger nicht von seinem Schritt lassen zu können.

»Und?«, fragte Waller. »Willst du mir jetzt deinen Fall vortragen?«

Erstaunlicherweise erinnerte sich Snitch an seinen Text.

»Ich hab da eine Quelle im Krankenhaus. Ich komm an das richtig gute Zeug dran, an die Markenware – nicht diese Scheiße aus China.«

Waller stieg Rauch in die Augen, während er über das Angebot nachdachte. Lena wusste genau, dass er darüber nachdachte.

»Na los«, murmelte sie, während alle im Transporter näher an den Monitor heranrückten. Dies war der entscheidende Moment – womöglich ihre einzige Chance, ihn zu schnappen.

Doch im selben Augenblick drehte Waller sich um.

»Scheiße.« DeShawn schlug mit der Faust auf den Tisch. »Ich kann nicht glauben, dass er es platzen lässt!«

Snitch schien das Gleiche zu denken. Er nahm seine Kappe wieder ab. »Trottel.«

Waller erstarrte.

»Heilige Scheiße«, flüsterte Eric.

»Schnauze!«, befahl Lena.

Waller drehte sich um. »Wie hast du mich gerade genannt?«

»Ich habe nur gesagt, du wärst ein Trottel.«

Lena glaubte schon, ihr Herz würde aufhören zu schlagen. Waller war aufs Äußerste gereizt. Sie würden ihn von Snitch wegzerren müssen, damit er ihn nicht umbrachte.

»Du hältst mich für einen Trottel, ja?«, fragte Waller, als wollte er sich rückversichern.

Anstatt zurückzuweichen, sagte Snitch: »Ich biete dir an, meine Lieferungen zu verdoppeln, dir ein Spitzenprodukt zu organisieren, und du lässt mich einfach stehen?« Er machte einen Schritt auf Waller zu. Ihm schien gar nicht bewusst zu sein, dass er gerade sein Leben riskierte. »Ich will weiterkommen, Sid. Ich war ein guter Soldat, aber ich will jetzt endlich General werden.«

Waller schien beinahe amüsiert zu sein. »Ach, ist das so?«

»Ja, das ist so.« Snitch setzte sich die Kappe wieder auf. »Ich glaube, ich hab ein bisschen Respekt verdient.«

Waller angelte sein Zigarettenpäckchen wieder hervor und zündete sich eine neue an der alten Zigarette an. »Und was hab ich davon?«

»Du weißt, dass ich ein guter Arbeiter bin«, erwiderte Snitch. »Du weißt, dass ich die Drecksarbeit erledigen kann.«

»Anscheinend magst du Drecksarbeit.«

»Soll ich mir die Hände blutig machen?«

Waller schwieg, und Lena schüttelte den Kopf. Snitch trieb es wirklich zu weit. Er hatte Waller soeben allen Ernstes gefragt, ob er jemanden für ihn töten sollte.

Waller schnippte die alte Zigarette in den Sandkasten.

»Bleiben wir bei dem, was du kannst. Doppelte Menge. Bring sie zum Haus an der Redding. Die Junkies rennen uns die Türen ein.«

DeShawn hielt den anderen die Hand für ein High Five entgegen. Das Haus an der Redding war der Fixertreff. Damit war ihr Verdacht hinreichend bestätigt.

Doch Snitch konnte es einfach nicht dabei belassen. »Wann willst du die Ware?«

»Sobald du kannst. Die übliche Lieferung ist diese Woche spät dran. In Miami wurde ein Laster überfallen. Diese Scheißkubaner haben sich Oxy im Wert von zweihundert Riesen geschnappt.«

Jetzt übernahm Snitchs innerer Junkie. »Ich werd' bei Lieferung bezahlt. Das ist der Deal.«

Waller lachte. »Schau sich einer den großen Macker an, wie er Befehle gibt!« Er klopfte Snitch so fest auf den Rücken, dass der fast gegen die Schaukel flog. »Ich bin jeden Morgen gegen drei im Haus. Komm nicht zu spät.«

»O Mann.« Als Sid Waller den Spielplatz wieder verließ, lachte Lena ungläubig. »Heilige Scheiße …«

Und auch Paul konnte sich das Lachen jetzt nicht mehr verkneifen. »Wir haben dich am Arsch, Waller. Jetzt wirst du richtig gefickt.«

Eric furzte, was die Männer noch lauter lachen ließ, woraufhin Lena stöhnte und an ihnen vorbei zur Fahrerkabine vorkroch. »Ihr seid echt widerlich.« Es ging in ihrem Gejohle unter.

Sie ließ sich auf den Fahrersitz fallen, kurbelte das Fenster runter und füllte ihre Lunge mit frischer, sauberer Luft. Sie betete zu Gott, dass sie keinen Jungen in sich trug oder, schlimmer noch, zwei Jungs. Zwillinge lagen bei ihr in der Familie. Dr. Benedict hatte zu ihr gesagt, sicher wüssten sie es erst nach dem nächsten Ultraschall.

Lena zog ihr Handy heraus und wählte Denise Bransons Nummer. Durch die Windschutzscheibe betrachtete sie das Gebäude des Chick-fil-A. Sie war zu weit entfernt, um Details erkennen zu können, sah aber zumindest, dass Snitch sich immer noch auf dem Spielplatz befand. Er saß wieder auf der Bank, Arme über der Lehne ausgebreitet, Beine gespreizt. Er hatte die Sonnenbrille wieder aufgesetzt. Seinen Gesichtsausdruck konnte Lena nicht erkennen, aber sie nahm an, dass er zufrieden mit sich war. Er wusste, dass er jetzt in Sicherheit war. Sobald er Waller dazu gebracht hatte, über das Haus zu reden, war Snitchs Immunität in Stein gemeißelt gewesen.

Lena hörte, wie Denise Bransons Bandansage ansprang, und

legte wieder auf. Wahrscheinlich saß sie mittlerweile in ihrer Besprechung. Lena öffnete eine SMS und tippte eine schnelle Nachricht ein: *Baldy kriegt das Paket in der nächsten Stunde.* Baldy war ihr Spitzname für den Richter, der in einem fort Nein gesagt hatte. Wahrscheinlich war Lena paranoid, aber sie wollte seinen Namen nicht ausschreiben für den Fall, dass man ihr Handy gehackt hatte.

Sie warf einen Blick über die Schulter. Die Männer feierten noch immer ihren Durchbruch und überboten einander mit Witzen über Gefängnisvergewaltigungen.

Lena verdrehte die Augen und sah wieder nach vorne. Mr. Snitch saß immer noch auf der Spielplatzbank. Die Sonne schien ihm ins Gesicht. Ein paar Meter von ihm entfernt schaukelten Kinder. Er wirkte völlig sorgenfrei.

Sie hasste diesen Teil des Jobs. Der Junkie war dabei erwischt worden, wie er Pillen an Jugendliche verkauft hatte, und er würde sie ihnen wieder verkaufen, jetzt, da die Polizei ihn hatte laufen lassen. Doch sie würde ihm nicht länger im Nacken sitzen und auf den unvermeidlichen Patzer warten. Kein Krimineller der Welt würde sich je wieder mit Lena auf einen Deal einlassen, wenn bekannt würde, dass man ihr nicht vertrauen konnte. Sie würde einfach still sitzen und darauf warten müssen, dass Mr. Snitch von ganz alleine Mist baute.

Vielleicht musste sie das aber auch gar nicht.

Lena rief ihre E-Mails auf, dasselbe Google-Konto, das sie auch für Internetbestellungen verwendete. Wahrscheinlich konnte man diese E-Mails zu ihr zurückverfolgen, aber das war ihr letztlich egal. Sie würde den Rat befolgen, den sie zuvor Denise Branson gegeben hatte. Kein Polizist sollte je alleine agieren, und es war keine Schande, um Hilfe zu bitten. Außerdem hatte Mr. Snitch seine Immunität mit Macon ausgehandelt, nicht mit dem Staat Georgia.

Lena würde an Anthony Dell nicht rankommen. Will Trent schon.

12.

Will taumelte aus dem Krankenhaus. Sogar draußen konnte er Sara noch weinen hören. Konnte die Kratzer spüren, die sie auf seiner Haut hinterlassen hatte. Konnte sie riechen. Schmecken.

Er lief an seinem Motorrad vorbei, überquerte den Parkplatz. Sein Stiefel stieß gegen die Bordsteinkante. Er schritt darüber hinweg und lief hinüber zu dem Waldstück hinter dem Gebäude. Doch Will kam nicht weit. Er fiel auf die Knie. Er riss den Mund auf, versuchte, die Säure hochzuwürgen, die ihn innerlich zerfraß.

Was hatte er getan?

Er presste die Stirn auf den kalten Boden. Die vergangenen vierundzwanzig Stunden liefen noch einmal vor seinem inneren Auge ab. Die Gewalt. Der Schmerz. Was Will gesehen hatte. Was er mit ausgelöst hatte. Lena mit dem Hammer. Tony mit dem Messer. Und dann Sara.

Was hatte er Sara bloß angetan?

Er hatte sie verloren. In diesem einen brutalen Augenblick hatte er sie für immer verloren.

»He, Arschloch!«

Will hob den Kopf. Paul Vickery kam auf ihn zugerannt. Noch ehe Will reagieren konnte, trat der Mann ihm gegen den Kopf.

Will wurde zu Boden geschleudert, und ihm wurde schwarz vor Augen. Die Luft blieb ihm weg.

Vickery sprang auf ihn drauf, prügelte mit beiden Fäusten auf ihn ein. Will bäumte sich auf, versuchte, ihn abzuwerfen, doch dann packte Vickery ihn am Hals, drückte mit ganzer Kraft zu, quetschte Wills Luftröhre. Er riss und zerrte an Vickerys Fingern. Sein Mund klappte auf. Vickery drückte fester zu, erdrosselte ihn fast. Wills Zunge schwoll an, sein Blick flimmerte, und wieder wurde ihm schwarz vor Augen. Würde es jetzt passieren? Würde er nach allem, was er überlebt hatte, auf diese Weise sterben?

Plötzlich ließ der Druck nach. Will hatte kaum wieder Luft geholt, um zu husten, als Vickery von ihm heruntergeschleudert wurde und hart auf dem Asphalt landete. Sein Kopf schlug auf den Bordstein.

Der Husten schüttelte Will so heftig, dass selbst die Füße zuckten.

»Alles okay?«

Es war Faith. Sie hielt einen fünfzig Zentimeter langen stählernen Schlagstock in der Hand.

»Alles okay?«, fragte sie erneut, warf immer wieder einen Blick auf Vickery, dann zurück auf Will. »Können Sie mich sehen?«

Will sah sie doppelt, dreifach.

Als Vickery versuchte, sich hochzustemmen, jagte Faith ihm den Schlagstock in die Nieren. Zwei brutale Schläge, einer nach dem anderen.

»Blöde Schlampe!«, schrie er und wand sich auf der Erde. »O Gott …«

Faith drückte ihm den Schlagstock ins Gesicht. »Unten bleiben!«

»Er hat einen Polizisten ermordet!«

Der Schlagstock verharrte in Vickerys Gesicht. Sie zog ihre Glock und richtete sie auf Will. »Aufstehen.«

Will blinzelte die Waffe an. Ihr Finger lag am Abzugsbügel. Er hatte keine Ahnung, ob er sich würde bewegen können. Er hatte höllische Schmerzen. Alles an ihm tat weh.

»Black«, fauchte Faith. »Ich sagte, aufstehen, verdammt noch mal!«

Black.

Will verstand nicht, was sie von ihm wollte. War das eine Art Code?

»Hoch«, wiederholte Faith in derselben Stimme, die sie immer benutzte, wenn sie jemandem gegenüber andeuten wollte, dass sie schon mehr als ein Mal Verdächtige mit einer Waffe bedroht hatte und durchaus bereit war, sie auch einzusetzen. »Ich sagte, aufstehen, verdammt noch mal!«

Endlich schaffte es Wills Gehirn, wieder Kontakt mit seinen Armen und Beinen herzustellen. Er stemmte sich ein Stückchen hoch. Es kostete ihn all seine Kraft.

»Bleiben Sie so«, befahl Faith, als hätte Will eine andere Wahl. »Bill Black, ich verhafte Sie wegen Verstoßes gegen die Bewährungsauflagen.«

»Bewährung?«, rief Vickery. »Er hat einen verdammten Polizisten getötet!«

»Haben Sie dafür Beweise?« Als Vickery ihr keine Antwort gab, fauchte Faith Will an: »Sie haben das Recht zu schweigen.«

»Blöde Fotze!«, murmelte Vickery, doch Faith reagierte nicht auf ihn.

»Alles, was Sie sagen oder tun, kann vor Gericht gegen Sie verwendet werden.«

Will beugte sich vor und kotzte. Augenbohnen. Irgendwas Weißes. Grüne Bohnen. Er konnte sich nicht einmal mehr daran erinnern, irgendwas davon gegessen zu haben.

»Sie haben das Recht auf einen Anwalt.«

Will schniefte. Bei dem Gefühl musste er sich fast noch einmal übergeben.

»Wenn Sie sich keinen Anwalt leisten können, wird das Gericht einen für Sie bereitstellen.«

»Okay, okay.« Will hob die Hand. Der Klang ihrer Stimme

war wie ein Eispickel in seinem Hirn. »Ich verzichte auf meine Rechte.«

Faith steckte die Schusswaffe wieder in das Holster, behielt aber den Schlagstock in der Hand. Dann warf sie Will ein Paar Handschellen zu. »Legen Sie sich die an.«

Vickery sah seinen Moment gekommen und versuchte aufzustehen.

Faith schlug ihm mit dem Stock gegen den Fußknöchel. Es klang wie ein zerbrechender Zweig.

»Schlampe!« Vickery schrie vor Schmerz laut auf. »Du verdammte Schlampe!«

»Aufstehen!« Faith packte Will am Arm, doch sie bekam ihn nicht auf die Beine. »Kommen Sie.« Sie bückte sich, um ihm aufzuhelfen. Ihr Flüstern in seinem Ohr hörte sich an, als würde sie unter Wasser reden. »Bitte.«

Irgendwo tief in seinem Innern nahm Will die Kraft zusammen, um sich aufzurappeln. Er taumelte wie ein Fohlen, das seine ersten Schritte machte. Faith packte ihn am Arm und zog ihn hinüber zum Parkplatz. Wieder stolperte er über den Bordstein, und Faith hatte alle Mühe, ihn aufrecht zu halten.

»Weitergehen«, raunte sie ihm zu. »Einfach weitergehen.« Will tat, wie ihm geheißen. Seine Füße fühlten sich schlaff an, als hätten die Sehnen sich gelöst. Der Boden sah irgendwie komisch aus, alles war zu groß oder zu klein, als liefe er an Zerrspiegeln vorüber. Wenn Faith ihn nicht gestützt hätte, wäre er der Länge nach aufs Gesicht gefallen.

»Ich hab 'nen Zeugen«, rief Paul Vickery ihnen hinterher, »der ihn heut' Nacht im Hinterzimmer vom Tipsie's gesehen hat.« Er humpelte ihnen nach, blieb aber auf Distanz. »Da waren auch die Schützen, die es auf Lena abgesehen hatten.«

Statt zu antworten, zerrte Faith nur weiter an Will, drängte ihn, schneller zu gehen.

»Fragen Sie ihn, wo er vom Tipsie's aus hingefahren ist«, forderte Vickery sie auf. »Fragen Sie ihn, wo er war, als mein verdammtes Team angegriffen wurde.«

Faith hob zur Warnung den Schlagstock, und Vickery wich ein Stück zurück.

»Spätestens auf dem Revier schnapp ich ihn mir.«

»Er kommt nicht aufs Revier.« Faith lehnte Will gegen einen schwarzen Suburban. »Ich bringe ihn ins örtliche GBI-Büro. Er ist in staatlichem Gewahrsam.«

»Dort werden Sie ihn nicht lange festhalten dürfen.« Faith zog die hintere Tür auf. Sie musste Vickery den Rücken zudrehen, während sie versuchte, Will auf die Rückbank zu helfen. Er war zu schwer für sie. Letztlich konnte Will nichts anderes tun, als sich einfach quer über die Sitzbank fallen zu lassen.

»Sie müssen ihn irgendwo registrieren«, warnte Vickery sie. »Egal ob im Bezirksgefängnis oder in Fulton. Irgendwie komme ich schon an ihn ran.«

Mit gefesselten Händen musste Will die Bauchmuskeln anspannen, um sich im Sitz aufrichten zu können. Der Schmerz war unerträglich. Unwillkürlich riss er wieder den Mund auf – gleich würde es ihm wieder hochkommen.

»Bleiben Sie zurück, Vickery! Ich meine es ernst.« Faith drückte die Tür zu und verriegelte sie per Fernbedienung. Mit dem Schlagstock in der Hand ging sie vorne um den Suburban herum.

»Du bist tot, Black!« Vickery hämmerte gegen die Tür, schlug mit den Fäusten gegen die Scheibe. »Hast du mich verstanden? Ich mach dich fertig!«

Will schloss die Augen. Um ihn herum drehte sich alles. Das Auto schwankte, als Vickery die Schulter dagegenrammte, als wäre er tatsächlich überzeugt davon, dass er ein mehr als zwei Tonnen schweres Fahrzeug zum Umkippen bringen könnte.

»Zurück, verdammt!«, schrie Faith. Sie stand jetzt vor dem Auto. Dann sprach sie weiter, doch Will konnte sie nicht mehr verstehen, er hörte nur noch, wie Vickery sie weiter mit allen möglichen Schimpfwörtern belegte, die ein Mann gegen eine Frau nur verwenden konnte. Irgendwann hörte er, wie auch Faith fluchte und schimpfte. Sie stand Vickery in nichts nach.

Dann ging die Fahrertür auf.

»Da kannste Gift drauf nehmen!«, rief Faith noch und knallte die Tür hinter sich zu. In Wills Ohren klang es wie ein Kanonenschuss. Der Motor sprang an, das Auto machte einen Satz nach vorne, als sie den Gang einlegte, und endlich quietschten die Reifen über den Asphalt.

Will beugte sich vor, legte den Kopf auf die Knie. Seine Hände waren immer noch fixiert. Sie klemmten zwischen Brust und Beinen. Speichel und Blut tropfte ihm aus dem offenen Mund. Er wartete darauf, dass Faith irgendetwas sagte. Ihn anschrie. Ihn fragte, was zum Teufel er getrieben hätte.

Doch sie ließ lediglich das Fenster ein paar Zentimeter runter. Will spürte die kühle Abendluft auf seiner Haut und schloss wieder die Augen. Atmete durch den Mund. Das Licht wurde allmählich weicher. Die Reifen surrten über die Straße. Faith fuhr einfach drauflos und immer weiter. Sie sagte kein Wort. Drehte sich nicht einmal um.

Langsam, aber sicher wurde Wills Atmung wieder gleichmäßiger. Irgendwann war auch die Übelkeit abgeklungen. Die Taubheit allerdings auch – und in seinem Körper erwachte von Neuem der Schmerz. Seine Nase fühlte sich an, als wäre sie gebrochen. Seine Lider pochten. Seine Lippe war aufgeplatzt. Sein Hals fühlte sich an wie mit einem Rasiermesser bearbeitet, und sein Herzschlag hämmerte bis unter die Schädeldecke.

Als sie den Highway erreichten, gab Faith Gas. Will hörte es lediglich am stetigen tiefen Schnurren des Motors. Er hatte keine Ahnung, wie viel Zeit vergangen war, als sie schließlich abbremste, um irgendwohin abzubiegen. Das Geräusch im Innenraum des Suburban veränderte sich, aus dem sanften Surren wurde ein zerhacktes Knirschen. Dann quietschten die Bremsen, und Faith hielt an, schaltete auf Parken, und die Feststellbremse rastete ein, als sie auf das Pedal trat.

Als Faith die Fahrertür aufstieß und um das Auto herumlief, versuchte er, sich wieder aufzurichten. Er konnte sich nur quälend langsam bewegen. Vor Kopfschmerzen verzog er das Gesicht. Seine Kehle war wund, und der Geschmack von Blut in seinem Mund wollte nicht verschwinden.

Die Hintertür ging auf. Faith sagte noch immer nichts, schaltete aber die Innenbeleuchtung ein. Will blinzelte, kniff die Augen zusammen. Dann wurden seine Handschellen aufgesperrt, und Will massierte sich die Handgelenke, damit die Hände wieder halbwegs durchblutet wurden. Faith zog den Erste-Hilfe-Kasten unter dem Sitz hervor und machte ihn auf, nahm eine Rolle Baumwollkompressen heraus, verschiedene Päckchen, eine antibiotische Salbe, Pflaster. Zu beiden Seiten des Suburban schienen Autos vorbeizurasen. Faith hatte auf dem verbreiterten Mittelstreifen des Highway geparkt, zwischen ein paar Bäumen und inmitten kaputter Bierflaschen und benutzter Kondome.

»Sehen Sie mich an.«

Will drehte ihr den Kopf zu und schlug die Augen nieder. Päckchen wurden aufgerissen. Alkoholgetränkte Tücher. Desinfizierende Tupfer. Er hielt die Lider geschlossen, während Faith seine Schürfwunden und Schnitte versorgte. Sie ging zielsicher, wenn auch nicht sanft zu Werke, und Will war dankbar dafür. Sara hatte ihn schon oft verarztet. Sie hatte ihn immer zärtlich berührt, ihn gestreichelt und die Stellen geküsst, die zusätzliche Heilung benötigten, wie sie sich ausgedrückt hatte.

Als Faith ihm mit einem Tuch über die Haut unter seinen Augen wischte, musste Will den Mund aufmachen, um wieder tief durchzuatmen. Er wollte ihr danken, ihr sagen, wie viel ihr Schweigen ihm bedeutete. Faith war sonst immer der Elefant im Porzellanladen gewesen. Und er war im Augenblick zu schwach und zu verstört, um ihr zu erzählen, was in der Nacht mit Sara geschehen war.

Faith schrubbte ihm Blut von der Nase. »Eric Haigh ist tot.«

»Ich weiß.« Will konnte kaum sprechen. Er räusperte sich, um das wattige Gefühl in seiner Speiseröhre loszuwerden.

»Wir haben seine Leiche vor einer Stunde gefunden.«

»In seinem Vorgarten«, flüsterte Will. »Ich habe Tony Dell geholfen, ihn dort abzulegen.«

Faiths Hand erstarrte, und Will schlug die Augen auf.

»Ich hab mit angesehen, wie er ihn umgebracht hat. Wie Tony Dell Eric umgebracht hat.« Will hustete. Aus der Watte waren mittlerweile Rasierklingen geworden. »Es war im Tipsie's. Jagdmesser ... Dell trägt es in seinem Stiefel ... trug es in seinem Stiefel.« Will versuchte zu schlucken, doch seine Kehle weigerte sich. »Wir haben das Messer in den Fluss geworfen. Keine Ahnung, in welchen. Betonbrücke. Keine Häuser in der Umgebung.«

»Wir finden es.«

»Sie müssen Tony finden.«

»Er ist wie vom Erdboden verschluckt. Sein Auto steht auf dem Asservatenhof.« Faith öffnete ein Tübchen mit antibiotischer Salbe. »Er hat seine ATM-Karte benutzt, um sein Konto abzuräumen.« Sie drückte ein wenig Salbe auf ein Wattestäbchen. »Wir haben ihn zur Fahndung ausgeschrieben.«

Will konnte immer noch nicht schlucken. Es kam nur ein trockenes, klickendes Geräusch. »Da waren drei Männer. Rednecks. Riesenkerle. Fett.« Will wusste nicht mehr, ob er ihr bereits gesagt hatte, wo es passiert war. »Im Tipsie's. Dort hat Tony Eric Haigh umgebracht.«

Sie tupfte mit dem Wattestäbchen über seine Stirn. »Ich setze jemanden auf den Club an.«

»Sie waren im Hinterzimmer. Dell hat mich dort hingebracht. Erst als wir drin waren, wurde mir klar, dass das von Anfang an seine Absicht gewesen war.«

Faith drückte mehr Salbe auf das Wattestäbchen.

»Sie kannten mich als Bill Black. Meine ganze Tarngeschichte.

Sie hatten mich beobachtet. Nicht, als ich nach Atlanta fuhr – auf dem Motorrad konnten sie mich nicht verfolgen –, aber sie kannten mein Hotel, meine Gewohnheiten …« Will tastete in seiner Tasche nach seinem Handy. Er starrte auf das zerbrochene Display hinab.

Sara hatte ihr Handy gegen die Wand geworfen. Will hatte gesehen, wie es zerbrach. So hatte er sie noch nie erlebt.

»Will?«

Er hielt das Telefon noch immer in der Hand. Das Display war zerschmettert. Er steckte es sich wieder in die Tasche. »Einer von ihnen wird Junior genannt.« Endlich gelang es ihm zu schlucken, doch vor Schmerz wäre er fast ohnmächtig geworden. »Er hat mich mit einer Schusswaffe in Schach gehalten. Smith & Wesson mit Perlmuttgriff. Auch das Messer hatte einen Perlmuttgriff. Das Messer dieses Rednecks, nicht das von Tony. Das haben wir von der Brücke geworfen.«

Faith zwirbelte das Wattestäbchen unter Wills Auge. Erst jetzt erinnerte er sich wieder daran, dass der Redneck ihn dort mit dem Messer verletzt hatte. Das war der erste Stich dieses Abends gewesen.

»Meine Sachen liegen in einem Müllbeutel in meinem Spind. Ich musste mich umziehen, duschen. Tony war in der Notaufnahme. Er hatte sich in die Hand geschnitten, als er Haigh erstochen hat.« Dann meinte er, noch hinzufügen zu müssen: »Keine Ahnung, mit wie vielen Stichen er genäht werden musste.«

»Seine Frau hat ihn gefunden.«

»Tony hat eine Frau?«

»Eric Haigh. Seine Ehefrau hat die Leiche vor ihrem Haus gefunden. Zuerst herrschte dort einige Verwirrung. Sie hat ihn nicht einmal erkannt.«

»Sie haben uns befohlen, ihn in seinem Vorgarten abzulegen. Der Befehl kam von Big Whitey.« Er sah die Frage in ihren Augen. »Per Telefon. Persönlich hab ich ihn nicht getroffen. Der Redneck hat den Anruf entgegengenommen und dann Dell befohlen, wo er die Leiche ablegen soll. Und er hat gesagt, dass der Befehl von Big Whitey gekommen wäre.«

»Mal sehen, ob wir den Anruf in den Club zurückverfolgen können.«

»Es war ein Handy, höchstwahrscheinlich Prepaid.«

»Wir überprüfen es trotzdem.« Faith warf das Wattestäbchen in den Erste-Hilfe-Kasten. Die Baumwollspitze war leuchtend rot. »Haigh wurde seit zwei Tagen vermisst. Seine Frau hatte es nicht gemeldet, weil er sich seit der Razzia irgendwie komisch verhalten hatte. Sie wusste wohl, dass irgendwie die Innenrevision beteiligt war, und wollte ihn nicht in Schwierigkeiten bringen.«

»Die Razzia«, wiederholte Will. Faith hatte schon früher davon gesprochen, doch Will konnte sich an die Unterhaltung nicht mehr erinnern. »Sie haben ihn gefoltert.«

»Ich weiß.«

»Der Redneck hat zu Dell gesagt …« Will hatte den Faden verloren. »Was hab ich gerade gesagt?«

»Der Redneck hat zu Dell gesagt … Wir haben über Eric Haigh gesprochen.«

Doch es half nichts. »Er hat gemeint, er würde sich bei mir melden. Er hätte einen Job für mich.«

»Zu welcher Zeit waren Sie in dem Club?«

»Zeit?« Die Frage ergab für ihn keinen Sinn.

»Welche Zeit?«

Wieder zog Will das Handy aus der Tasche. Das Display war zwar zerschmettert, trotzdem leuchtete es auf, als er es einschaltete. »Es ist jetzt ein Uhr einunddreißig.«

Faith hob seinen Kopf an, damit sie ihm in die Augen sehen konnte. »Sollte ich Sie vielleicht ins Krankenhaus bringen? In ein anderes Krankenhaus, meine ich.«

Will schüttelte den Kopf. Er würde in kein Krankenhaus gehen.

»Sie haben wahrscheinlich eine Gehirnerschütterung.«

»Warum?«

»Paul Vickery hat Ihnen gegen den Kopf getreten.«

»Wann?«, fragte Will, obwohl er genau wusste, dass Vickery ihn getreten hatte. »Ich meine, warum war Paul im Krankenhaus?«

»Er ist beschossen worden.« Dann formulierte Faith es deutlicher: »Paul Vickery war im Krankenhaus, weil in der Nacht jemand versucht hat, ihn umzubringen.«

»Tut mir leid, dass ich immer wieder Sachen vergesse …«

»Schon gut.« Faith sprach langsamer als nötig. »Vickery war bei sich zu Hause. Durch eines der vorderen Fenster wurde ein Schuss abgefeuert. Deshalb hatte er einen Verband am Arm.«

An einen Verband konnte Will sich nicht erinnern. »Ist er okay?«

»Offenbar okay genug, um über Sie herzufallen.« Sie runzelte die Stirn. »Er kämpft wie eine Frau. Sie haben Kratzer im Nacken.« Faith drehte seinen Kopf zur Seite. »Hat er Sie gebissen?«

Will schlug erneut die Augen nieder. Diese Spuren stammten mitnichten von Paul Vickery. Dort hatte Sara ihn gekratzt. Sie hatte ihn getreten und gebissen, und doch hatte Will nicht aufgehört, weil alles, was sie getan hatte, ihn nur stärker angestachelt hatte, sie zu ficken.

Faith legte ein weiteres Wattestäbchen beiseite, schmierte ein bisschen Salbe auf den Finger und verrieb sie über Wills Gesicht. »Anschließend haben sie sich DeShawn Franklin vorgenommen. Er wurde heute Abend vor einem Kino überfallen. Seine Freundin fing an zu kreischen wie am Spieß, sodass der Notruf sie kaum mehr verstehen konnte.«

»Ist er auch im Krankenhaus gelandet?«

»Will, sehen Sie mich an.« Sie sorgte dafür, dass sie seine volle Aufmerksamkeit hatte. »Irgendjemand hat sich Franklin und Vickery in ein und derselben Nacht vorgenommen, in der Eric

Haighs Leiche in seinem Vorgarten abgelegt wurde.« Die Einzelheiten hatte Will zuvor gehört, aber erst als Faith sie so prägnant zusammenbrachte, ergaben sie für ihn mit einem Mal einen Sinn. »Eine koordinierte Aktion.«

»Genau. Da wollte jemand eine Botschaft hinterlassen.« Sie riss eine Pflasterverpackung auf.

»Genau das hat der Redneck gesagt – es bringt nichts, eine Nachricht zu verschicken, wenn niemand sie versteht.«

»Tja, wenn Sie ihn je wiedersehen, dann sagen Sie ihm, dass diese Nachricht klar und deutlich angekommen ist. Drehen Sie den Kopf.«

Will tat, wie geheißen, und Faith klebte ihm ein Pflaster auf die Kratzer in seinem Nacken.

»War das auch der Grund, warum Sie im Krankenhaus waren? Weil sie alle angegriffen wurden?«

»Ich habe Sie gesucht.«

»Wegen DeShawn Franklin?« Will schüttelte den Kopf. Nein, das konnte nicht stimmen. »Sie waren wegen Eric Haigh im Krankenhaus. Sie haben ihn gesehen und vermutet, dass sie mir das Gleiche angetan hätten.«

»Ich dachte wirklich, Sie wären das«, erwiderte Faith. »Seine eigene Frau hat ihn nicht mehr erkannt. Ich bin ins Krankenhaus gefahren mit der Befürchtung, ich müsste Ihre Leiche identifizieren.«

»Tut mir leid.«

»Nur gut, dass Sara nicht ans Telefon gegangen ist.« Sie bedeutete ihm, den Kopf wieder zu heben. Die Kratzer waren zu breit für ein Pflaster. »Danach gab's eine richtig kleine Party. Paul Vickery und DeShawn Franklin wurden reingeschoben, als ich gerade aus der Leichenhalle kam. Ich telefonierte gerade mit Amanda.«

»Mussten Sie ihnen sagen, dass Haigh tot ist?«

»Ja«, antwortete Faith mit angespannter Stimme. »Aber dann sahen sie, wie Tony Dell die Hand genäht bekam, und beschlos-

sen, es an ihm auszulassen.« Sie wartete nicht, bis Will nach-
fragte. »Sechs Polizisten waren nötig, um sie von ihm runterzubekommen.«

»Und warum haben sie sich ihn vorgeknöpft?«

»Ich vermute, weil Dells Auto in der Nacht, als Lena und
Jared angegriffen wurden, vor dem Haus gestanden hatte. Ich
bin mir ziemlich sicher, dass Vickerys Zeuge, der Sie in diesem
Club gesehen hat, auch Tony gesehen hatte. Da liegt die Annahme doch nahe, dass Sie beide etwas mit dem Mord an Haigh
zu tun haben.«

Sie lag nicht nur nahe, sie traf zu. »Was hat Tony gesagt?«

»Was er gesagt hat?« Faith klang fast schon entrüstet. »Ich
hab Ihnen doch gerade erst vor fünf Sekunden erzählt, dass
sechs Polizisten nötig waren, um DeShawn und Vickery von
Tony Dell runterzubekommen. Und als dann jemand auf die
Idee kam nachzuschauen, war Dell verschwunden. Wir haben
das Krankenhaus auf links gedreht. Trotzdem ist es ihm irgendwie gelungen davonzukommen.«

»Wahrscheinlich hatte er bereits zehn Fluchtrouten geplant.«
In diesem Moment fiel Will etwas ein. Er zog seine Brieftasche
heraus. Cayla Martins handgeschriebener Zettel steckte immer
noch im Fotofach. »Das ist Tonys Stiefschwester. Sehen Sie bei
ihr nach.«

Mit skeptischem Blick nahm Faith den Zettel entgegen.

»Bei der Überprüfung von Dells Background haben wir
keine Geschwister gefunden.«

»Die Eltern waren offenbar nicht lange liiert«, erklärte Will.
»Er ist in sie verliebt.«

Er konnte ihr ansehen, dass sie sich überlegte, ihn jetzt end-
gültig in ein Krankenhaus zu befördern.

»Ich weiß, es klingt komisch, aber es stimmt – und sie arbeitet
in der Klinikapotheke.«

»Ich schicke einen Wagen dort vorbei.«

Will hustete und blickte auf seine Handfläche hinab, weil er dort Blut erwartete. »Vickery hat mich einen Polizistenmörder genannt.«

Faith schüttelte den Kopf, als würde sie das genauso wenig verstehen. »Vielleicht hat er Sie Eric Haighs Grundstück verlassen sehen?« Doch dann beantwortete sie sich ihre Frage selbst. »Nein. Wenn er Sie dort gesehen hätte, hätte er Sie gleich dort auf der Straße erschossen. Können Sie sich noch daran erinnern, Vickery heute Abend irgendwo gesehen zu haben? Oder irgendeinen von ihnen?«

Will versuchte, sich zu konzentrieren, doch die Frage kullerte in seinem Kopf herum wie eine Murmel, die nicht zur Ruhe kommen wollte.

»Ich werde jetzt Sara anrufen.«

»Tun Sie es nicht.«

»Sie hat ein Recht zu …«

»Nein!« Will packte sie am Arm, ließ aber sofort wieder los. »Sie weiß alles.«

Faith musterte sein Gesicht. Er fragte sich, was sie darin erkennen konnte. Die Prellungen würden erst in ein paar Stunden sichtbar werden. Wahrscheinlich prangte auf einer Seite seines Schädels ein Abdruck von Paul Vickerys Schuh. Sein Nasenrücken dürfte brandrot sein und seine aufgeplatzte Lippe blutig. Der Biss. Die Kratzer. Wie sie die wohl interpretierte?

»Wir müssen aufs Revier.«

Will wollte einfach nur noch zurück nach Atlanta. Er musste seinen Hund aus Saras Wohnung holen. Seine Zahnbürste, seine Sachen aus den Schubladen, die sie für ihn freigeräumt hatte. Sie sollte nichts mehr vorfinden, was sie an Will erinnerte. Das war das Mindeste, was er für sie noch tun konnte.

»Es ist vorbei«, sagte er zu Faith. »Mit Sara. Es ist vorbei.«

»Sind Sie sich da sicher?«

»Ja.« Will war sich in seinem ganzen Leben noch nie so sicher gewesen.

Faith klappte den Erste-Hilfe-Kasten zu und ließ den Plastikverschluss einrasten. »Tja. Das ist ein riesiger Verlust für sie.«

»Sie hat ihre Gründe.«

»Nein, hat sie nicht«, entgegnete Faith. »Egal was Sie getan haben – Sara ist nicht die Frau, für die ich sie gehalten habe, wenn sie Ihnen nicht verzeihen kann.«

Will entschied sich dafür, den Mund zu halten. Sie würde die Wahrheit früh genug herausfinden.

»Steigen Sie vorne ein. Wir kommen sonst zu spät.«

»Wofür?«

»Branson.« Faiths Tonfall weckte in Will den Verdacht, dass sie das schon einmal erwähnt hatte. »Ich hab sie im Krankenhaus getroffen. Sie ist bereit zu reden.«

»Warum gerade jetzt?«

»Irgendjemand hat versucht, zwei ihrer Detectives auszuschalten – drei, wenn man Lena mitzählt. Eric Haigh wurde gefoltert und erstochen. Jared Long wurde beinahe ermordet. Verdammt, ja, sie will jetzt mit uns reden. Wir bekommen ihre Akten. Wir treffen sie im Regionalbüro …« Sie sah kurz auf die Uhr. »Vor zehn Minuten.«

»Was für Akten?«

»Die über den Fixertreff.« Faith scheuchte Will mit einer Handbewegung nach vorne. »Denise Branson hat uns angelogen, aber jetzt will sie uns endlich diese Akten über die Razzia zeigen.«

Will starrte in den Toilettenspiegel im Regionalbüro des GBI und betrachtete sein verunstaltetes Gesicht. Das Leben hatte ihn zu einem Wundenexperten gemacht. Er kannte den Unterschied zwischen einem Schnitt, der eine dünne weiße Narbe hinterlassen würde, und einem Schnitt, von dem nichts als eine schwache Erinnerung zurückblieb. Nach seiner Einschätzung würde die einzig bleibende Erinnerung an diese Nacht vom Messer des Rednecks stammen. Der winzige Schnitt unter Wills Auge hätte eigentlich genäht werden müssen, doch dazu hätte er ein Krankenhaus aufsuchen müssen, und Will würde nie wieder im Leben ein Krankenhaus betreten.

Wenigstens war die Übelkeit verflogen. Sein Kopf schmerzte nicht mehr allzu sehr. Das Zittern hatte aufgehört, was er als Zeichen dafür ansah, dass er keine Hirnverletzung davongetragen hatte. Das Schlucken bereitete ihm allerdings noch immer Schwierigkeiten – das hatte er auf die harte Tour feststellen müssen, als Faith ihn dazu gezwungen hatte, zwei Flaschen Coke zu trinken. Sie hatte neben ihm gestanden, während er eine Packung Käsecracker hinuntergewürgt hatte, und Will hatte sich darüber geärgert, dass sie ihn derart herumkommandierte, was aber vermutlich nur bedeutete, dass ihre Anweisungen Wirkung zeigten.

Er musterte seinen Hals, strich behutsam über die rötlichen Quetschungen, die sich allmählich auf der Haut abzeichneten. Wenn Will ein Talent hatte, dann war es das Überleben. Er hatte es durch die Nacht geschafft. Der Redneck hatte ihm nicht mehr als nötig zugesetzt, und Tony Dell hatte ihn nicht ermordet, obwohl er offenkundig dazu fähig gewesen wäre. Von Paul Vickery hatte er einige heftige Schläge und Tritte kassiert, doch Faith hatte ihm wiederum anscheinend den Knöchel gebrochen, was eine ziemlich fiese Vergeltung darstellte.

Will hatte also überlebt. Und er hatte das Recht, sich darüber zu freuen.

Nur war da immer noch Sara.

Als Will noch ein kleiner Junge gewesen war, hatte er sich immer vorgestellt, dass die sprichwörtlichen Pfeil' und Schleudern, die ihm entgegengeworfen wurden, leicht zu parieren wären. Sie hatten ihn nie wirklich getroffen, er hatte sie vielmehr stets abschütteln und quasi in Aufbewahrungsboxen versenken können. Mit der Zeit waren es allerdings eine ganze Menge Boxen geworden. Im Kinderheim hatten sie über seinem Bett geschwebt. Sie waren ihm zur Schule gefolgt, hatten hinter ihm hergejagt wie Schlägertypen, sobald er hinaus auf die Straße getreten war.

Je älter Will geworden war, umso größer war das Lagerproblem geworden. Womöglich aber hatte sich auch die Metapher selbst mit ihm weiterentwickelt. Aus den Boxen waren Unterlagen geworden. Die Unterlagen waren in Ordnern gelandet. Die Ordner waren in Aktenschränke geschoben und diese wiederum verschlossen worden, sodass er die Unterlagen nie wieder hatte sehen müssen.

Als Sara in sein Leben getreten war, hatte Will die Aktenkammer letztlich vergessen. Er hatte die unendlich vielen Blätter Papier vergessen, die rostigen Schrankschlösser, die sich mitunter nicht einmal mehr öffnen ließen.

Doch das alles war jetzt vorbei.

In diesem Augenblick, auf dieser Toilette, legte Will auch Sara in einem seiner Ordner ab und schloss den Schrank.

»Will?« Faith klopfte leise an die Tür. »Alles in Ordnung?« Er drehte das Wasser auf, um sie wissen zu lassen, dass er noch am Leben war. Das Wasser war eiskalt. Am liebsten hätte er sich etwas davon ins Gesicht geschüttet, doch die Flüssigkeit wäre wahrscheinlich sofort abgeperlt. Faith hatte so viel Salbe auf seiner Haut verteilt, dass er glänzte wie eine Speckschwarte.

Als Will die Tür aufzog, stand Faith mit zwei Wasserflaschen in der Hand vor ihm.

Seine Stimme klang wie die eines alten Mannes. »Hatten Sie Angst, dass ich auf der Toilette mein Leben aushauchen könnte?«

»Das ist nicht lustig, Will.«

»Könnte jederzeit passieren«, krächzte er. »Ich hab jüngst erst in der Zeitung von so einem Fall gelesen.«

Sie hielt ihm eine der Flaschen hin. »Sie mussten aber gerade nicht schon wieder kotzen?«

»Nein.« Er bedauerte es insgeheim, dass sie ihr Schweigen von zuvor gebrochen hatte, aber das hätte er ihr nie gesagt, so grausam war er nicht. »Mir geht's gut. Vielen Dank.«

»Trinken Sie die ganze Flasche.« Sie führte ihn den Gang entlang. »Ich hab eine Streife zu Cayla Martins Haus geschickt. Die haben ewig gebraucht, bis sie die Adresse finden konnten. Sie ist weder auf MapQuest, Google noch sonst wo hinterlegt.«

Will nickte. Ohne Tonys Hilfe hätte er die Straße im Leben nicht gefunden.

»Wie auch immer, am Ende haben sie das Haus gefunden. Sie war zu Hause, meinte aber, ihretwegen könne Tony Dell sich zum Teufel scheren. Und dann fragte sie, ob es für die Mithilfe bei der Suche eine Belohnung gäbe.«

Will nickte erneut. Das klang eindeutig nach Cayla Martin.

»Die Streife fährt bis Schichtende noch ein paarmal dort vorbei, um nachzusehen, ob Dell vielleicht doch noch mal auftaucht. Ich hab in der Zwischenzeit Amanda Bericht darüber erstattet, was heute Nacht alles passiert ist. Wir versuchen, sie über Skype in den Konferenzraum zuzuschalten, aber es gibt da ein paar technische Probleme.«

Die Probleme bestanden wohl kaum auf dieser Seite, mutmaßte Will.

»Lonnie Gray ist ebenfalls gekommen. Der Polizeichef von Macon.«

»Hat Amanda ihn alarmiert?«

»Nein, Denise Branson. Ich ziehe allmählich vor ihr den Hut, weil sie vor ihrem Chef nicht kuscht. Sie sind draußen und unterhalten sich, während wir immer noch versuchen, die Verbindung einzurichten. Und mit Unterhaltung meine ich, dass sie hauptsächlich seinem Gebrüll zuhört. Der macht sie richtig fertig.«

Will nahm einen Schluck Wasser. »Verliert sie ihren Job?«

»Wenn sie Glück hat, verliert sie *nur* ihren Job. Gray hatte keine Ahnung, dass Branson ihn belogen hatte. Sie muss sich auf ein Verfahren wegen Behinderung der Ermittlungen oder auf Schlimmeres einstellen.« Faith warf einen Blick über die Schulter. »Bis jetzt hab ich Gray noch nicht gesagt, was Vickery mit Ihnen gemacht hat.«

Will schüttelte den Kopf. »Tun Sie's nicht. Ich kläre das mit Vickery persönlich.«

»Da müssen Sie allerdings schneller sein als Amanda. Sie ist drauf und dran, ihn eigenhändig zu skalpieren.«

Will schüttelte immer noch den Kopf. »Wär mir lieber gewesen, wenn Sie es ihr nicht gesagt hätten.«

»Tja, und mir wär lieber gewesen, wenn ich meine Jungfräulichkeit nicht in einer Spätvorstellung von *Stirb langsam* verloren hätte. Finden Sie sich damit ab.«

Faith stieß eine Tür auf.

Der Konferenzraum sah aus wie jeder andere Konferenzraum in jeder verdammten Dienststelle des GBI im ganzen Staat Georgia. Die Wände waren mit Eichenfurnier vertäfelt. In der Mitte des Zimmers stand ein langer Tisch. Bürostühle mit abgewetzten Kunstlederbezügen standen zu beiden Seiten so dicht beieinander, dass zwei kräftige Männer niemals bequem nebeneinandersitzen konnten. Ein kleiner Plasmafernseher stand auf einem Rollwagen aus Metall. Kabel führten zu den diversen Elektrogeräten in darunterliegenden Fächern. Auf dem Monitor prangte ein Bild, offenbar Amandas privates Skype-Benutzerfoto. Die Aufnahme stammte unter Garantie aus den Achtzigern. Sie trug Tenniskleidung und hatte sich einen hölzernen Schläger auf die Schulter gelegt. Ein Stirnband à la Jane Fonda hielt ihr die Haare aus dem Gesicht. Sie lächelte – und das war vermutlich das Verstörendste an der Aufnahme.

Ihre Stimme krächzte aus dem Lautsprecher auf dem Tisch.

»Können Sie mich winken sehen?«

»Nein, Ma'am.« Agent Nick Shelton, Leiter des Regionalbüros, hatte den Laptop auf dem Tisch nicht einmal angerührt. Stattdessen drückte er sich die Finger über die geschlossenen Augen und schüttelte den Kopf. »Ich hab alles versucht. Sind Sie sich sicher, dass das Problem nicht auf Ihrer Seite liegt?«

»Ja, da bin ich mir ganz sicher«, blaffte Amanda. »Ich kann nichts sehen außer dem GBI-Logo. Ein Bild wird hier nicht übertragen.«

Nick sah zu Faith hinüber und schüttelte den Kopf. Dann streckte er Will die Hand hin. »Agent Trent ...«

»Ach, ist Will da?«, fragte Amanda. »Ich kann nichts sehen!«

Will bemühte sich um eine kräftige Stimme. »Ja, Ma'am.«

»Warum flüstern Sie?«

»Weil er beinahe erwürgt worden wäre«, antwortete Faith an seiner Stelle.

Amanda legte ihre gewohnte Besorgnis an den Tag. »Dann setzen Sie sich näher ans Mikrofon. Ich will Sie nicht alle zwei Minuten bitten müssen zu wiederholen, was Sie gesagt haben.«

»Ja, Ma'am.«

»Ich werd' wohl mal ein Wörtchen mit diesem Vollidioten reden, der meinen Computer eingerichtet hat«, beschwerte sie sich dann. »Er war schon dreimal hier, und kaum ist er wieder weg, funktioniert rein gar nichts mehr.«

Faith konnte sich nicht länger beherrschen. »Sie wissen, dass man mit Honig mehr Fliegen fangen kann ...«

»Ja, Faith, vielen Dank für den Hinweis. Mehr Fliegen sind genau das, was ich jetzt brauche.«

Will setzte sich auf einen Stuhl, während die beiden Frauen noch eine Weile nützliche Anregungen austauschten. Der Tisch war für eine offizielle Besprechung vorbereitet: Vor fünf Stühlen standen fünf Flaschen Wasser. Daneben lagen Notizblöcke und Stifte. Will war schon bei vielen Besprechungen dabei gewesen, bei denen zahlreiche Polizisten ihre Jobs verloren hatten. Heute aber tat es ihm aufrichtig leid. Denise Branson hatte einen Fehler begangen und sich selbst damit ins Aus befördert, aber sie hatte diesen Fehler wahrscheinlich nur deshalb gemacht, weil sie ihre Entscheidung als einzig richtige Vorgehensweise betrachtet hatte.

Es war nur eine Frage der Zeit, bis Lena das Gleiche tun würde.

Will warf einen Blick auf die Digitaluhr an der Wand. Es war eine Minute nach drei. Er hätte eigentlich zutiefst erschöpft sein müssen. Vielleicht hatte das Koffein in den zwei Flaschen Coke ihn wieder munter gemacht. Oder womöglich hatte sein Körper endlich akzeptiert, dass er weiterleben würde.

Er starrte die Wasserflasche an, die Faith ihm in die Hand gedrückt hatte. Sie war zu einem Viertel leer. Wills Mund fühlte sich staubtrocken an, doch allein bei dem Gedanken, schlucken zu müssen, tat ihm der Hals wieder weh. Er kam sich vor, als würde er in einem Meer verdursten müssen.

Die Tür ging auf, und Nick stand auf. »Ma'am. Chief Gray und Major Branson haben gerade den Raum betreten.«

Die prächtige Uniform hatte Denise Branson eingetauscht gegen eine Jeans und eine weite Bluse. Von ihrer gestern noch so strammen Haltung war nichts mehr übrig. Sie hatte die Ausstrahlung der Besiegten. Ihre lederne Aktentasche war der einzige Hinweis, der auf die Frau geblieben war, mit der sie gerade erst am Vortag in Atlanta diskutiert hatten.

Lonnie Gray hingegen trug vollen Ornat. Seine goldenen Epauletten funkelten im Licht der Deckenlampen. Die Mütze hatte er sich unter den Arm geklemmt. Er war schon etwas älter, sah aber aus wie jemand, der den Tag noch vor Sonnenaufgang mit hundert Liegestützen begann. Und außerdem sah er stinkwütend aus. Die Lippen unter dem Schnurrbart hatte er zu einer kaum sichtbaren weißen Linie zusammengepresst, und seine Stirn war gefurcht wie ein gepflügter Acker.

Man gab sich reihum die Hand. Will blieb sitzen und hoffte, dass sie es verstehen würden.

»Chief Gray«, sagte Amanda. »Ich muss mich für die technischen Schwierigkeiten entschuldigen. Ich skype von zu Hause aus.«

Will wusste nicht, was schlimmer war – das Foto von Amanda

im Tennisdress oder die Vorstellung, dass sie im Morgenmantel zu ihnen sprach.

»Schon okay.« Er setzte sich Will gegenüber. Als er ihm ins Gesicht blickte, erschrak er sichtlich, genau wie Denise Branson. Zögerlich und mit offenem Mund ließ sie sich neben ihrem Chef nieder.

Will war sich im Klaren darüber, dass alle ihn jetzt für eine Weile anstarren würden.

»Ma'am«, stellte Nick fest, »wir sitzen jetzt alle am Besprechungstisch.«

»Vielen Dank«, sagte Amanda. »Lonnie, mein Beileid zum Verlust Ihres Sohns. Ich hatte bislang noch nicht erfahren, dass er gestorben ist.«

»Danke.« Doch über sein Privatleben wollte Gray im Augenblick nicht sprechen. Er kam direkt zum Thema. »Mandy, ich muss mich bei Ihnen, Ihren Agenten und Ihrer Behörde entschuldigen für die Handlungsweise einer unfähigen Beamtin. Seien Sie versichert: In diesem Stall werde ich für Ordnung sorgen.« Er warf Branson einen finsteren Blick zu. »Und zwar mit sofortiger Wirkung.«

»Das weiß ich zu schätzen, Lonnie.« Amanda klang überhaupt nicht so, als wüsste sie es zu schätzen. »Major Branson, ich muss Sie darüber informieren, dass dieses Gespräch aufgezeichnet wird, da jetzt offiziell gegen Sie ermittelt wird. Alles, was Sie sagen, kann später gegen Sie verwendet werden. Sie haben das Recht auf einen Anwalt ...«

»Ich brauche keinen Anwalt«, entgegnete Branson, obwohl allen klar war, dass sie einen brauchen würde. »Her mit dem Formular.«

Nick war offenbar gut vorbereitet. Er schob Branson ein Blatt Papier hin, mit dem sie offiziell bestätigen musste, dass man ihr die Rechtslage erklärt hatte.

Branson las das Formular nicht einmal durch. Wahrscheinlich hatte sie derlei Unterlagen schon tausendmal in der Hand gehabt. Sie klickte bloß auf ihren Kugelschreiber und setzte ihren Namen auf die Linie, bevor sie das Blatt wieder zu Nick zurückschob.

Lonnie signalisierte ihr mit einem Nicken, dass sie loslegen sollte. Doch Branson fing nicht sofort an – nicht weil sie wieder irgendein Spielchen spielen wollte, sondern weil sie wahrscheinlich genau wusste, dass dies das letzte Briefing war, das sie je abhalten würde.

Schließlich atmete sie einmal tief durch und kam zur Sache: »Vor etwa dreieinhalb Wochen kam Detective Adams wegen eines Fixertreffs an der Redding Street zu mir. Ich ermächtigte sie zu Ermittlungen. Sie observierte das Haus einige Tage lang und entschied am Ende, dass ihre Beobachtungen hinreichend solide waren.« Branson hielt kurz inne und fing an, mit ihrem Kugelschreiber zu spielen und ihn zwischen den Fingern hin- und herzudrehen. »Im Verlauf der Überwachung stellte Detective Adams fest, dass dieser Fixertreff von einem Mann namens Sidney Waller betrieben wurde.«

»Waller ist ein extrem gewalttätiger Großdealer«, erklärte Gray. »Als ich vor zwei Jahren hierherkam, hatte es für mich oberste Priorität, ihn ein für alle Mal dingfest zu machen und strafrechtlich zu belangen. Doch trotz der Arbeitsleistung des gesamten Departments waren wir nie in der Lage, ihm konkret etwas nachzuweisen.«

Will fand es anständig von dem Mann, dass er die Niederlage eingestand, und auch Branson schien dies anzuerkennen. Sie nickte ihm zu, bevor sie fortfuhr: »Wir wussten, den Fixertreff an sich würden wir verhältnismäßig schnell dichtmachen können, aber nachdem Sid Waller damit zu tun hatte, sah ich eine Gelegenheit: Ich sprach mit Detective Adams und beschloss, unsere Operation zu erweitern mit dem Ziel, Waller in Haft zu nehmen und ihn zu verurteilen.«

»An diesem Punkt kam ich dazu«, ergänzte Gray. »Der Bezirksstaatsanwalt teilte unsere Ansicht, und wir bildeten eine interne Sondereinheit. In dieser Sache war eine Menge Bewegung, und Denise und ich mussten uns kontinuierlich abstimmen.«

Will sah, wie Branson zusammenzuckte, als Gray ihren Vornamen und nicht ihren Rang nannte. Dann ergriff sie erneut das Wort: »Wir hatten bereits zehn Tage dieser Operation hinter uns, als wir uns eingestehen mussten, dass eine Ergreifung Wallers immer unwahrscheinlicher wurde. Es war uns einfach nicht gelungen, einen Informanten anzuwerben. Die Leute hatten offensichtlich eine Heidenangst vor ihm, die Junkies tauchten ab, und niemand war bereit, sich für unsere Sache verkabeln zu lassen. Es sah aus, als bliebe uns nur mehr, das Haus zu stürmen und zu verhaften, wen immer wir dort eben antreffen würden. Wir hätten es natürlich zeitlich so legen können, dass Waller mit einer gewissen Wahrscheinlichkeit dort sein würde, aber das wäre kein allzu großer Trost gewesen.«

»Weil Sie nicht hätten beweisen können, dass Waller wirklich das Sagen dort hat«, unterbrach Amanda sie, »wäre er zusammen mit dem Rest der Junkies auf Kaution wieder auf freien Fuß gekommen.« Sie klang ungeduldig. »Aber offensichtlich hat sich dann etwas verändert.«

»Detective Adams wurde von einem potenziellen Informanten kontaktiert«, erklärte Branson. »Er saß ein, weil er Pillen an Mercer-Studenten verkauft hatte. Nicht auf dem Campus, sondern in einem der Cafés.«

Die Unterscheidung war wichtig. Der Verkauf oder die Verbreitung illegaler Substanzen auf dem Gelände einer Schule oder Universität hätte das Strafmaß beträchtlich in die Höhe getrieben.

»War das einer von Adams' üblichen Informanten?«, erkundigte sich Amanda.

»Nein, sie hatte ihn noch nie zuvor gesehen. Er war noch keine zwei Stunden in der Zelle, da fragte er schon namentlich nach ihr.« Branson fügte hinzu: »Adams hat einen gewissen Ruf bei den Junkies in der Stadt. Das war also noch nicht unbedingt ein Warnsignal.«

Amandas Hirn arbeitete offenbar schneller als das von Will.

»Und dieser Spitzel war Tony Dell?«

Branson zögerte. »Ja, Ma'am. Er versprach ihr, Sid Waller zu verpfeifen, wenn er im Gegenzug den Straferlass für seine Drogengeschäfte bekommen würde.«

Will sah zu Faith hinüber. Jetzt wussten sie wenigstens, warum Lena ihm diese E-Mail geschickt hatte. Sie hatte nicht gewollt, dass Dell so einfach davonkommen würde.

»Und dann bekamen Sie Waller auf Band, was Ihnen einen hinreichenden Grund für einen Haftbefehl gab?«, hakte Amanda nach.

»Genau«, bestätigte Branson. »Wir setzten die Razzia vier Tage später an. Der Informant hatte von einer großen Lieferung erzählt. Detective Adams und ihr Team drangen zum vereinbarten Zeitpunkt in das Haus ein – und fanden das.« Sie nickte Nick zu.

Mit einem Klick auf seinen Laptop wurde Amandas Tennisfoto ersetzt durch ein Tatortfoto.

Will starrte den Bildschirm an. Zwei tote Männer. Latinos. Mit nacktem Oberkörper. Sie saßen auf einer verschlissenen, alten Couch. Man hatte ihnen die Kehlen durchgeschnitten.

»Können Sie das Foto sehen, Ma'am?«, erkundigte sich Nick.

»Ja«, kam es von Amanda zurück.

»Rechts sehen wir Elian Ramirez. Ein Oxy-Konsument, der zur falschen Zeit am falschen Ort war. Links sehen wir Diego Nuñez. Er war Wallers rechte Hand. Ein professioneller Schläger. Er verbrachte seine Zwanziger wegen Totschlags im Knast und einige Zeit zusätzlich wegen schlechter Führung.« Branson bedeutete Nick, zum nächsten Foto zu schalten, und er schob ihr den Laptop zu, damit sie es selbst tun konnte.

Branson erklärte das nächste Foto, das einen Mann mit abgeschlagenem Schädeldach zeigte. »Thomas Holland. Neu in der

Szene, kam in seinem letzten Schuljahr auf Crack. Wir wissen nicht, warum er dort war, außer – wahrscheinlich – um sich einen Trip zu besorgen. Er wurde mit einer Axt getötet.« Ein Foto von Hollands Schädeldecke blitzte auf, dann sein Gesicht aus einem anderen Blickwinkel. Er war jung, wahrscheinlich gerade erst siebzehn gewesen. Blonde Haare, stechend blaue Augen. Wenn nicht ein Teil des Schädels gefehlt hätte, hätte er auch das Plakat eines Disney-Films zieren können.

Branson zappte durch ein paar harmlosere Fotos, die die Schlafzimmer, das Bad, das Esszimmer zeigten. Will war schon häufiger in Fixertreffs gewesen. Der Anblick war ihm vertraut: Crack-Pfeifen und Nadeln lagen auf dem Boden verstreut herum. Matratzen in jedem Zimmer. Er hatte nie begriffen, woher diese Matratzen stammten oder warum jemand, der sich Gift in die Venen jagte, ein bequemes Plätzchen zum Wegdämmern benötigte.

»Hier.« Branson hielt bei einem Foto an. Es zeigte eine offene Kellertür. Links und rechts davon waren Metallhaken zu sehen. Auf dem Boden lag ein Kantholz. »Der Keller. Dort hatte Sid Waller sich verschanzt.«

Unwillkürlich fragte sich Will, ob er immer noch wirr im Kopf war. Sich zu verschanzen und in einen Keller gesperrt zu werden waren schließlich zwei Paar Schuhe.

»Zwei Detectives drangen in den Keller ein: Mitch Cabello und Keith McVale.«

Faith erstarrte. Sie kannte die Namen der Detectives ebenfalls. Am Tag der Razzia hatte McVale seine Beurlaubung beantragt, und Cabello war ins Krankenhaus eingeliefert worden.

»Die Detectives Adams und Vickery blieben in der Küche«, fuhr Branson fort. »Cabello und McVale gaben aus dem Keller erst Entwarnung und riefen dann Detective Adams zu, sie hätten einen größeren Geldbetrag gefunden. Wir nehmen an, dass Sid Waller kurze Zeit später sein Versteck verlassen hat.« Sie schaltete zum nächsten Foto, das ein schief hängendes Stück

Wandverkleidung zeigte, dahinter ein dunkles, feuchtes Loch, das jemand in die Erde gegraben hatte. Das Foto war nicht erstklassig, trotzdem erkannte Will, dass das Loch groß genug für einen erwachsenen Mann war.

»Waller streckte Cabello mit einem Schlag auf den Schädel nieder und nahm McVale als Geisel – und zwar vollkommen lautlos. Kurz darauf betrat Detective Adams den Keller, um bei der Sicherstellung des Geldes zu helfen. Sie lief quasi direkt in die Geiselnahme hinein, zog ihre Dienstwaffe und richtete sie auf Sid Waller, der McVale wiederum seine Waffe an den Kopf hielt. Es war eine Pattsituation. Um nicht von Detective Adams verhaftet zu werden, schoss Waller sich schließlich lieber selbst in den Kopf.«

Will wiederholte in Gedanken, was Branson soeben gesagt hatte. Das alles war für ihn vollkommen unerwartet. Dann konnte er sich nicht länger beherrschen: »Waller hat sich selbst erschossen?«

»Alle drei Detectives erzählen exakt dieselbe Geschichte.« Sie hob die Hände, um die offensichtliche Frage abzuwehren. »Und die Spurensicherung stützt jedes Wort ihrer Aussage. Die Autopsie bestätigt, dass er sich die tödliche Verletzung selbst beigebracht hat. Die toxikologische Untersuchung zeigt, dass Waller genug Pillen intus hatte, um einen buddhistischen Mönch ausrasten zu lassen. An keinem einzigen Punkt sind die Fakten widersprüchlich. Alles spricht dafür, dass Waller sich das Leben nahm.«

»Lonnie?« Amanda wollte offenkundig eine zweite Meinung hören.

Gray lehnte sich zurück. »Nachdem unser Informant verkabelt gewesen war, wussten wir, dass Waller Nachschubprobleme hatte. Einer seiner Lkws war in Miami von Kubanern ausgeraubt worden. Ich hab mit ein paar alten Kontakten aus Florida telefoniert. Waller drohte ein regelrechter Krieg mit dem kubanischen Kartell.«

»Sid wusste«, fügte Branson hinzu, »dass er im Gefängnis nicht länger als einen Tag überleben würde. Da fraß er lieber Blei, als sich von irgendeinem Kubaner abstechen zu lassen.«

»Und wie passt Big Whitey in diese ganze Geschichte?«, wollte Amanda nun wissen.

Gray sah Branson fast schon traurig an, als hätte eines seiner Kinder ihn maßlos enttäuscht.

»Diesen Fall bearbeitete ich sozusagen inoffiziell«, gab Branson zu. »Chief Gray hatte mir aufgetragen, ihn nicht weiterzuverfolgen – auch nicht in meiner Freizeit. Aber ich war besessen davon, Big Whitey aufzuspüren.«

»Hat das mit Waller zu tun?«, ging Amanda dazwischen.

»Nur marginal …«

»Gibt es einen Grund, warum Sie uns an dieser Marginalie nicht teilhaben lassen wollen?«

Branson griff in ihre Aktentasche und zog eine Akte daraus hervor, die mehrere Zentimeter dick war. Dann holte sie noch eine heraus. Und noch eine. Sie legte sie vor sich auf einen Stapel.

Kaum dass Branson sich wieder zurückgelehnt hatte, schnappte Faith danach und zog den ganzen Stapel zu sich heran.

»Big Whitey ist vor achtzehn Monaten erstmals auf meinem Radarschirm aufgetaucht«, erklärte Branson. »Ich mag Statistiken. Ich sehe mir die Zahlen an, spüre Verbrechen nach, um herauszufinden, wo wir Leute anders positionieren müssen, um der Kriminalität Einhalt zu gebieten.« Sie hielt kurz inne, und Will ahnte, dass ihr erst in diesem Augenblick vollends bewusst geworden war, dass sie dies nie wieder tun würde.

»Wie auch immer«, sagte Branson. »Es ist genau, wie Sie gestern gesagt haben: In Savannah und in Hilton Head ist haargenau das Gleiche passiert. Und für mich fühlte es sich an, als würde es da einen größeren, einen übergeordneten Faktor geben. Unsere üblichen Kleingangster steigen plötzlich alle auf. Jeder nutzt ein und dieselbe Anwaltskanzlei – die richtig billige, schlampige Nummer: als würden sie den Polizeifunk abhören und sich jeden Verdächtigen gleich als Klienten sichern. Und diese Anwaltskanzlei tut sich auf einmal mit einer seriösen Kanzlei aus Florida zusammen.«

»Vanhorn und Gresham.« Faith blickte von dem Bericht auf, den sie gerade überflogen hatte. »Der Schütze, der es auf Jared Long abgesehen hatte, wird ebenfalls von der Kanzlei vertreten.«

»Richtig«, sagte Branson. »Und plötzlich kamen selbst Kleingangster wie Fred Zachary trotz vermeintlich wasserdichter Anklagen auf freien Fuß. Da hab ich angefangen, mich mit ein paar Leuten zu unterhalten, mich mit meinen Detectives zu treffen, und kam irgendwann zu dem Schluss: Da ist ein neuer Spieler in der Stadt.«

»Big Whitey«, sagte Faith.

»Richtig«, gab Branson erneut zurück. »Whitey hat mithilfe diverser Schmerzkliniken sein Geld gewaschen. So läuft es immer: Die Junkies lösen die Rezepte ein. Vorwiegend Rednecks. Sie kontrollieren den Meth-Handel, also war es für Whitey naheliegend, einen bestehenden Markt anzuzapfen.« Gray meinte, sich rechtfertigen zu müssen. »Ich war nicht überzeugt, dass Big Whitey überhaupt existierte. Es gab ein paar flüchtige Details aus Florida, aber keinen Namen, keine Beschreibung, keine Verbindungen. Er war ein Phantom.«

Gray zuckte mit den Schultern. »Gleichzeitig waren eine Menge Leute von uns draußen unterwegs. An einer unserer Privatschulen gab es plötzlich jede Menge Heroinüberdosen. Junge Frauen aus guten Familien. Nicht die Art Opfer, die wir in derlei Situationen üblicherweise zu Gesicht bekommen.«

»Reiche weiße Mädchen«, sagte Faith, ohne auf die politisch korrekte Formulierung zu achten. »Sind sie gestorben oder nur im Krankenhaus gelandet?«

»Drei sind gestorben«, antwortete Branson. »Sechs kamen in die Notaufnahme und wurden dann in den Weiße-Mädchen-

Knast geschafft.« Allen war klar, dass sie damit eine Entzugsklinik meinte. »Sie stammten aus einigen unserer besser bekannten Familien. Es herrschte ein enormer Druck, um zu gewissen Arrangements zu kommen ... Wie gesagt, Whitey verkaufte seine Pillen über die Rednecks. Die meisten unserer nicht pharmazeutischen Dealer sind Schwarze und Latinos. Man findet da leicht raus, wer für wen arbeitet.«

Faith formulierte es lapidarer: »Die Weißen rasteten also aus und verlangten Gerechtigkeit. Und Sie verhafteten eine Horde Schwarzer und Latinos.« Ihre Schlussbemerkung triefte regelrecht vor Sarkasmus. »Ich bin mir sicher, das kam sehr gut an.«

Gray behagte Faiths Direktheit offensichtlich nicht, oder vielleicht dachte er auch einfach nur daran, dass das Gespräch aufgezeichnet wurde. »Wir verhafteten diejenigen Dealer, von denen bekannt war, dass sie Heroin verkauften. Mein Department hat mit ethnischem Profiling nichts am Hut, und so wird es auch bleiben.«

Will schloss aus Grays Tonfall, dass er diese Vorwürfe schon öfter gehört hatte. Atlanta hatte genug politische Skandale aufzuweisen, um die lokalen Schlagzeilen zu füllen, doch Will erinnerte sich auch vage an eine Handvoll Artikel über das Chaos unten in Macon. Lonnie Gray war wahrscheinlich täglich zur Arbeit gegangen, ohne zu wissen, ob er am Abend seinen Job noch hatte.

Branson sprach zögerlich weiter: »Durch unser rigoroses Durchgreifen haben wir einerseits Whiteys Konkurrenz auf der Straße quasi ausgemerzt, gleichzeitig aber auch eine ethnische Feuersbrunst angeheizt, die die Stadt regelrecht zerriss, sodass die Politiker irgendwann Köpfe rollen sehen wollten.«

»Und zu diesem Zeitpunkt«, fiel Gray ihr ins Wort, »stoppte ich Denises Ermittlungen. Auf den Straßen war einfach zu viel los, um noch Ressourcen auf einen Mann zu verschwenden, von dem wir nicht mal wussten, ob er tatsächlich existierte.«

»Und da ...« Will räusperte sich, um nicht zu sehr zu krächzen. »Und da schlug schließlich Big Whiteys Stunde? Da übernahm er den Heroinhandel?«

»Er übernahm alles«, antwortete Branson. »Hier ging es um den ganzen Kuchen, nicht nur um ein Stück. Er kommt in die Stadt, macht sich ein paar Freunde, schießt Leuten wie Sid Waller Geld zu, damit alle glücklich sind. Whitey hat genügend Kapital. Er eröffnet ein paar Schmerzkliniken, setzt die Junkies auf seine Gehaltsliste, damit sie anfangen zu dealen. Dann expandiert er in die Einkaufszentren, in die Vorstädte. Er fixt die Kids mit Geld an, und wenn sie mehr wollen, bringt er sie auf Heroin.« Sie schüttelte den Kopf, doch Will merkte, dass sie insgeheim durchaus beeindruckt war. »Sobald sein Geschäftsmodell eingerichtet ist und funktioniert, macht er die Konkurrenz fertig.«

»Wie kommen Sie darauf, dass da ein Muster vorliegt?«, fragte Amanda.

»Weil ich in Savannah war und dort mit ein paar pensionierten Cops gesprochen habe, die zu viel Angst hatten, um mir von alledem am Telefon zu berichten.«

Gray ballte die Fäuste. Offenbar hörte er das soeben zum ersten Mal. Er warf Branson einen vernichtenden Blick zu.

Trotzdem ließ Will eine Sache nicht mehr los. »Chief Gray, Sie glaubten nicht, dass Whitey existierte?«

Gray wandte seine Aufmerksamkeit widerwillig von Branson ab. »In unserer kriminellen Unterwelt sind wir diesen Grad von Raffinesse nicht gewohnt. Mandy, Sie wissen, dass ich überall im ganzen Staat gearbeitet habe. Aber so was sieht man eher in Miami oder in New York.«

Dass Whitey sich die kleineren Städte vorgenommen hatte, hieß nichts anderes, als dass sich der große Fisch in einem kleinen Teich tummelte. Trotzdem hatte er es geschafft, sich zwei Gegenden in Georgia herauszupicken, in denen die Bevölkerung vorwiegend afroamerikanisch war. Es war, als würde er Konzessionen für sein Geschäftsmodell verteilen.

»Major«, fragte Will, »wie konnten Sie sich sicher sein, dass Whitey existierte?«

»Darf ich?«, fragte Denise Branson Faith und streckte die Hand nach einem ihrer Ordner aus.

»Bitte.« Faith schob den ganzen Stapel wieder über den Tisch.

Branson blätterte in einem der Ordner, bis sie ein Foto gefunden hatte. Sie legte es auf den Tisch. Das Mädchen auf dem Schnappschuss war jung, hübsch, blond und posierte auf jene verführerische Art für die Kamera, von der Teenagermädchen gar nicht wussten, wie gefährlich sie war.

»Marie Sorensen, sechzehn Jahre alt. Sie arbeitete in einem Käseladen in River Crossing, einem unserer besseren Einkaufszentren. Viele gelangweilte Vorstadtkinder hängen dort herum. Sorensen war bei Weitem die Hübscheste. Sie schaffte es, Big Whiteys Aufmerksamkeit zu erregen.«

»Ich scanne es für Sie ein«, wandte sich Nick an Amanda.

»Nicht nötig«, kam es von ihr zurück. »Big Whitey brachte Sorensen auf Heroin, nehme ich an?«

»Er brachte sie dazu, in sein Auto zu steigen.« Branson zückte ein weiteres Foto. Es zeigte eine zehn Jahre ältere Sorensen, die gut und gerne zehn Kilo abgenommen hatte. Die Augen waren verquollen. Sie hatte offene Wunden im Gesicht. Auf dem Kopf fehlten büschelweise Haare.

»Noch so eins von Big Whiteys Mustern«, führte Branson aus, »aber das hier macht er selbst, weil er Spaß daran hat.« Sie legte die Fotos nebeneinander auf den Tisch. »Er erzählt ihnen, er würde für eine Modelagentur arbeiten. Sie kaufen es ihm ab, weil man ihnen schon ihr ganzes Leben lang erzählt hat, wie hübsch sie sind. Er lockt sie in sein Auto, sperrt sie in den Kofferraum und fährt sie dann zu einem Hotel an der Küste – Tybee, Fort King George, Jekyll. Er vergewaltigt sie. Seine Freunde vergewaltigen sie. Er pumpt sie voll mit Heroin. Er schickt sie auf den Strich.« Branson hielt abrupt inne und wandte dann den Blick von den Fotografien ab. »Anfangs war

Sorensen aufsässig. Er sperrte sie in eine Hundebox, um ihr eine Lektion zu erteilen. Er brauchte ungefähr eine Woche, um ihren Widerstand zu brechen. Dann stellte er sie im Internet zum Verkauf. Hundertsechzig für eine schnelle Nummer mittags, zweihundertfünfzig für eine Stunde. Vierhundert für zwei Stunden. Sie hatte zehn, fünfzehn Freier am Tag. Die Sucht kostet ein paar hundert Dollar. Kein schlechtes Geschäftsmodell. Rechnen Sie es nach.«

Faith starrte ins Leere. Auch sie konnte die Fotos nicht mehr ansehen. Will fragte sich, ob sie an ihre Tochter dachte.

»Was ist mit ihr passiert?«, erkundigte er sich.

»Sorensen wurde schnell alt. Das ist das Problem mit diesen Mädchen – sie bleiben nicht lange genug jung. Nach zwei Monaten wurde sie in die nächste Szene abgeschoben. Genau das machen diese Kerle – sie schieben sie herum, lassen nicht zu, dass sie irgendwo heimisch werden.« Wieder machte sie eine Pause. Offensichtlich war der Schmerz noch frisch. »Nach einer Weile werden sie dann nach Kalifornien geschickt, wo sie auf den Straßenstrich gehen. Sorensen landete in L.A., schaffte es immerhin, ein paarmal ihre Mutter anzurufen und ihr zu erzählen, was passiert war. Die Mutter engagierte einen Privatdetektiv, der sie aufspüren sollte.«

»Hat sie sie hier in Macon nicht als vermisst gemeldet? Das Mädchen war doch gerade einmal sechzehn.«

Bransons Gesicht sprach Bände. Den Fall Sorensen hatte sie vermasselt. Er war der Grund, warum sie derart besessen von Big Whitey war.

»Wir legten eine Vermisstenakte an, als sie verschwand. Als die Mutter mir von den Anrufen berichtete, rief ich in L.A. an. Dort hieß es allerdings, es wäre aussichtslos – dort strömten so viele Mädchen in die Stadt, dass sie irgendwann sogar den Busbahnhof Hollywood zumachen mussten.«

Faith presste die Lippen zusammen, als würde sie ihren Lippenstift korrigieren.

Branson zog ein weiteres Foto hervor. Das Lineal entlang Marie Sorensens Kopf war eines, wie es ein Medical Examiner bei einer Autopsie verwenden würde.

»Der Privatdetektiv machte in L.A. schließlich eine Adresse aus. Die Polizei durchsuchte die Wohnung dreimal, bevor man sie entdeckte. Sie steckte in einem Koffer unter dem Bett. War noch am Leben.« Branson atmete langsam aus. »Noch.« Sie starrte auf das Autopsiefoto hinab. Niemand wagte es, sie zum Weitersprechen aufzufordern.

Branson atmete noch einmal tief durch. »Die Mutter nahm die erste Maschine nach Kalifornien. Marie blieb drei Wochen im Krankenhaus. Sie flickten sie zusammen, fütterten sie ein bisschen an, brachten sie vom Heroin runter. Aber ihre Seele konnten sie nicht mehr heilen. Zwei Wochen nachdem die Mutter sie zurück zu sich nach Hause geholt hatte, schlich sie sich davon und brachte sich um. Mit Heroin. Die Polizei fand sie hinter der Kirche. Das war auf den Tag genau sechs Monate, nachdem sie mit Big Whitey aus dem Einkaufszentrum spaziert war.«

Schweigen legte sich über den Raum. Will betrachtete von Neuem die drei Fotos. Branson hatte nicht übertrieben. Sorensen war wunderschön gewesen. Er konnte sich gut vorstellen, dass ein solches Mädchen wirklich geglaubt hatte, eine Modelagentur habe Interesse an ihr. Das Autopsiefoto bildete einen heftigen Gegensatz, eine düstere Mahnung daran, dass die einzige Person, die sich jetzt noch nach ihr sehnte, die trauernde Mutter war.

»Sie haben mit Sorensen gesprochen, als sie nach Macon zurückkehrte?«, wollte Amanda wissen.

»Ja.« Branson starrte auf ihre Hände hinab. »Er hatte ihr nie einen Namen genannt. Von Anfang an hatte er zu ihr gesagt, sie solle ihn einfach Big Whitey nennen. Sie kannte seine wahre Identität nicht, konnte uns keine brauchbaren Informationen liefern. Die meiste Zeit über hatte sie eine Augenbinde auf, und wenn sie nicht gerade mit einem Freier zugange sein musste, wurde sie in einen Wandschrank oder einen Koffer gesperrt. Die Beschreibung, die sie uns gab, war ziemlich vage – dunkle Haare, dunkle Augen. Keine unverwechselbaren Kennzeichen.«

»Aber Sie glauben, dass sie Sie angelogen hat?«

»Ja«, gab Branson zu. »Sie hatte eine Heidenangst vor ihm. Konnte nicht in ihrem eigenen Bett schlafen. In der ganzen Zeit, die sie zu Hause war, kauerte sie sich in den Wandschrank, und zwar mit dem Rücken zur Wand, und wartete nur darauf, dass er sie sich zurückholte.«

»Sie wurde aus diesem Einkaufszentrum entführt«, hakte Faith nach. »Gab es dort keine Überwachungskameras?«

»Die Kameras waren aus. Ob er jemanden vom Sicherheitspersonal auf seiner Gehaltsliste oder einfach nur verdammtes Glück hatte, wissen wir nicht.« Und nach einer Weile fügte Branson hinzu: »Er hatte immer schon verdammtes Glück.«

»Und kein Mensch in diesem Einkaufszentrum hat irgendwas gesehen? Kein Mensch draußen auf dem Parkplatz? Kein Kunde, keine Freunde?«

»Nein. Und auch auf ihrem Handy beziehungsweise in ihren E-Mails war nichts – als hätte er sie dazu gebracht, alles geheim zu halten. Das kann er gut«, fügte Branson hinzu, »sich unsichtbar machen.«

Als Amanda sich wieder zu Wort meldete, hörte Will sofort, dass sie nicht aus Respekt geschwiegen hatte. Sie war stinksauer. »Ich möchte schon gern wissen, Ms. Branson, wie es kommen kann, dass Sie in Ihrer Stadt in einem Fall von Zwangsprostitution ermitteln und das Georgia Bureau of Investigation nichts davon weiß.«

Bransons Wangen röteten sich. »Sie haben recht. Das geht alles auf meine Kappe. Ich habe mich einfach so sehr dafür geschämt, dass ich rein gar nichts tun konnte, um sie zu retten – und ich war wütend, weil ich die Anweisung bekommen hatte, Big Whitey nicht weiterzuverfolgen.« Sie wandte sich an Chief Gray. »Ich hätte es Ihnen sagen müssen, Lonnie. Ich war versessen darauf, Ihnen zu zeigen, dass Sie falschlagen. Aber anstatt hinter Ihrem Rücken herumzurennen, hätte ich Sie um Hilfe bitten müssen.«

»Da haben Sie verdammt recht«, gab Gray ohne jede Nachsicht zurück.

»Es tut mir leid.«

»Das reicht jetzt«, sagte Gray. »Erzählen Sie uns, was Sie in dem Haus gefunden haben.«

»Sie meinen den Fixertreff?« Faith klang überrascht. Sie war offensichtlich davon ausgegangen, dass dieser Teil der Geschichte abgeschlossen war.

Will hatte das ungute Gefühl, dass er den weiteren Verlauf der Ereignisse schon erahnte. Trotzdem fragte er: »Was war hinter dieser Wandverkleidung?«

Branson wandte sich wieder dem Laptop zu, aktivierte den Monitor und schaltete zum nächsten Bild.

Auf dem Monitor erschien das Foto eines Jungen. Die Aufnahme war grobkörnig, offensichtlich mit einem Handy aufgenommen. Die Augen des Jungen sahen aus wie schwarze Schlitze. Sein Gesicht war ausgezehrt, genau wie das von Marie Sorensen. Die Lippen waren trocken und spröde, Schrunden überzogen seine Haut. Es waren die Augen, die letztlich dazu führten, dass Will den Blick abwenden musste. Er konnte den hohlen Blick des Jungen nicht länger ertragen.

Amanda unterbrach die Stille. »War die Todesursache Dehydrierung? Unterernährung?«

Branson wirkte überrascht. »Nein, er lebt noch.«

Zum ersten Mal seit Beginn dieser Konferenz war Will ernsthaft geschockt.

»Wir haben keine Ahnung, wer er ist«, fuhr Branson fort.

»Er könnte theoretisch reden, aber er will einfach nicht.« Faith sah aus, als wollte sie gleich quer über den Tisch springen und Branson am Kragen packen. »Er hat seit einer ganzen Woche nichts gesagt?«

Branson antwortete nicht. Sie hatte dies alles so lange für sich behalten, dass sie schlicht die Perspektive verloren hatte. Jetzt darüber zu sprechen hatte ihr offensichtlich ihre katastrophalen Fehler aufgezeigt.

»Ich hab in den Nachrichten nichts über ihn gesehen«, murmelte Faith.

»Ich hab ihn in die Datenbanken des FBI eingegeben, aber Macon herausgehalten.« Branson sah kurz zu Chief Gray hinüber. Der Mann knetete so fest die Hände, dass es aussah, als wollte er sich selbst die Knochen brechen. »Wenn die örtlichen Sender von der Geschichte Wind bekommen, dann erfährt Whitey, dass der Junge noch am Leben ist. Das Einzige, was wir über diesen Kerl ganz sicher wissen, ist die Tatsache, dass er jeden ermordet, der ihm in die Quere kommt. Dass er den Jungen töten würde, ist so sicher wie das Amen in der Kirche.«

»In welchem Krankenhaus liegt er?«, wollte Faith wissen.

»Er steht unter strengster medizinischer Beobachtung.« Weitere Erklärungen lieferte Branson nicht. »Es besteht immerhin die Möglichkeit, dass er in einem anderen Staat gekidnappt wurde. Woher er auch stammt – die lokalen Polizeieinheiten sind informiert. Was immer das bringen mag.«

Will wusste, dass allen in diesem Raum klar war, was das bedeutete: Sämtliche Vermisstenanzeigen durchzugehen, um sich die entsprechende Meldung vorzunehmen, wäre ein Ding der Unmöglichkeit. Jahr für Jahr wurden an die 800 000 Kinder als vermisst gemeldet. Zweitausend Meldungen pro Tag.

»Der Junge weist keine auffälligen Merkmale auf. Wir wissen weder, aus welcher Region er stammt, noch, wann er verschleppt wurde. Wir haben sämtliche Entführungsanzeigen durchgekämmt, aber …« Branson schien selbst zu bemerken, wie dürftig ihre Entschuldigungen klangen. Ihre Stimme klang schwach, als sie fortfuhr: »Er ist der einzig lebende Zeuge, der Big Whitey jetzt noch identifizieren kann.«

»Woher wissen Sie das, wenn er doch nicht redet?«, hakte Faith nach.

»Ich weiß es, weil er reagierte, als ich Big Whiteys Namen erwähnte. Weil er … bestimmte … Spuren am Körper aufweist, die denen von Marie Sorensen ähneln.«

»Moment«, sagte Faith, »noch mal zurück. Wer weiß sonst noch von dieser Sache?«

»Nicht mehr, als ich an einer Hand abzählen kann.« Branson listete sie auf. »Detective Adams war dabei, während ich alle anderen vom Tatort wegschickte. Es wurden nur zwei Sanitäterinnen in den Keller gelassen. Die beiden bewachen den Jungen abwechselnd rund um die Uhr. In ein Krankenhaus konnten wir ihn nicht bringen, deshalb haben wir ihn an einem geheimen Ort untergebracht. Dr. Dean Thomas behandelt ihn. Ich kenne Dean seit unserer Kindheit. Es gibt noch eine weitere Polizistin, die ihn beschützt, wenn ich nicht kann. Nur die Menschen, denen ich mein Leben anvertraue, wissen, wo sich dieser Junge aufhält.«

Will sah zu Lonnie Gray hinüber und schloss aus dem Gesichtsausdruck des Mannes, dass er von Bransons geheimen Umtrieben erst wenige Augenblicke vor den anderen erfahren hatte. Sein Gesicht hatte sich dunkelrot verfärbt, und sein Schnurrbart sah darin aus wie ein Stück Kreide.

»Und wer genau ist diese Beamtin, die den Jungen jetzt bewacht?«, fauchte er sie an.

»Sie gehört zum Sheriff's Department. Sie ist eine gute Freundin.« Branson vermied es sichtlich, Gray ins Gesicht zu sehen. Ihre Wangen hatten sich wieder gerötet. Will nahm an, dass diese Deputy mehr war als bloß eine Freundin. »Ich vertraue ihr.«

»Offensichtlich mehr als mir.«

»Es tut mir leid, Sir. Ich wusste, wenn Sie das herausfinden, sind Sie verpflichtet, es dem Staat zu melden. Dann würden es andere im Department herausfinden. Wir würden nicht mehr für seine Sicherheit sorgen können. Big Whitey hat viel zu viel Einfluss. Der Junge wäre innerhalb von wenigen Stunden tot.«

»Schon wieder …« Dann beugte Gray sich direkt über das Mikro auf dem Tisch. »Denise hat nämlich die Theorie, dass Big Whitey einen Maulwurf in mein Department eingeschleust hat.«

Unwillkürlich sah Will die Akte auf dem Tisch des Rednecks vor sich. Bill Blacks Vorstrafenregister hatte ihnen vorgelegen. Sie hatten seine militärischen Unterlagen gehabt. Da lag die Annahme doch durchaus nahe, dass Big Whitey den einen oder anderen Polizisten geschmiert hatte, damit der für ihn arbeitete. Und wenn Will ehrlich mit sich war, dann rechnete er nicht nur mit einem oder zwei Maulwürfen.

Faith interpretierte die Situation anders. »Sie glauben wirklich«, wandte sie sich an Branson, »dass irgendjemand Big Whitey wegen der Razzia einen Tipp gegeben hat?«

Branson zuckte mit den Schultern. »Das Razzia-Team dringt in das Haus ein und findet dort drei tote Kerle vor. Sid Waller hat sich zusammen mit dem entführten Jungen unten im Keller eingesperrt. Es sieht für mich zumindest ganz danach aus.«

»Und wer, glauben Sie, ist der Maulwurf?«, fragte Gray.

»Vickery und Franklin wurden heute Nacht beinahe getötet. Adams wurde angegriffen. Eric Haigh wurde gefoltert, bevor er ermordet wurde.« Nach einer kurzen Pause fügte er hinzu: »Was glauben Sie – warum ist das passiert, Denise? Warum, frage ich Sie, wurde Eric Haigh gefoltert?« Er beantwortete sich die Frage selbst: »Sie suchen nach dem Jungen. Wenn er einen Insider hätte, müssten sie nicht erst einen Polizisten foltern, um an diese Information zu gelangen.«

Branson starrte auf den Tisch hinunter. Es wurde still im Raum.

Wills Gedanken wanderten zurück zu Lena in der Intensivstation. Sie hatte Will prophezeit, dass er irgendwann herausfinden würde, dass alles, was sie jetzt tat, verdammt richtig war. Sie hatte sich dabei angehört, als würde sie so all ihre Sünden sühnen. Glaubte sie allen Ernstes, dass die Rettung dieses Jungen den Verlust ihres Babys wettmachte? Oder war es einfach nur Lenas ewige Überzeugung, dass alles, was sie tat, nur einem übergeordneten Wohl diente?

»Weiß Lena, wo der Junge ist?«, fragte er aus einem Impuls heraus.

»Ich weiß es jedenfalls nicht«, warf Gray ein.

»Weiß sie es?«, wiederholte Will seine Frage.

Branson schüttelte den Kopf. »Lena hat keine Ahnung. Ich hab sie in dem Glauben gelassen, dass der Staat eingeweiht wäre und wir über die Vorfälle Stillschweigen vereinbart hätten, um für seine Sicherheit zu sorgen. Ich hab es nicht mal Jared erzählt.«

Mit einer gewissen Verblüffung in der Stimme stellte Gray fest: »Dann hat sie der Innenrevision gegenüber ebenfalls gelogen. Nichts von alledem wurde bei ihrer Befragung erwähnt.« Er klang zutiefst empört. »Mein Gott, Denise – Sie haben sie wirklich dazu gezwungen, bei einer offiziellen Befragung zu lügen!«

»Lena wollte den Jungen beschützen«, entgegnete sie aufgebracht. »Ihr war klar, was Big Whitey tun würde, sobald er herausfände, dass ein Zeuge überlebt hat.«

»Und ich nehme an, Sie haben ihr gegenüber so getan, als würde ich Ihnen den Rücken decken?« Gray wischte Bransons Rechtfertigungsversuche mit einer Handbewegung beiseite. »Um Himmels willen, ich kann nicht glauben, dass ich Ihnen mal vertraut habe.«

»Offensichtlich hat aber ja doch noch jemand herausgefunden, dass der Junge noch am Leben ist«, gab Faith zu bedenken. »Warum sonst wäre Lena mitten in der Nacht angegriffen worden? Warum sonst wäre irgendwer hinter dem Rest des Teams her, das die Razzia durchgeführt hat?« Und an Branson gewandt sagte sie: »Danke, dass Sie meine verdammte Zeit verschwendet und beinahe meinen Partner haben umbringen lassen.«

»Wo ist der Junge?«, mischte sich Amanda wieder ein. Gray drehte sich mit großer Geste seiner früheren Vertrauten zu, doch Branson ließ sich nicht festnageln. Direkt ins Mikrofon antwortete sie: »Das möchte ich über eine ungeschützte Verbindung lieber nicht erörtern. Ich führe Ihre Leute gerne zu ihm, sobald dies hier vorbei ist.«

Überraschenderweise hatte Amanda dagegen nichts einzuwenden. »Denise, sagen Sie Ihren Sanitäterinnen, sie sollen sich auf einen Transport vorbereiten. Es wird in aller Stille stattfinden – aber wir müssen den Jungen nach Atlanta bringen.«

»Für die Logistik dürften Sie eine Weile brauchen«, antwortete Branson geschäftsmäßig. »Wir müssen erst einen Krankenwagen besorgen. Die beiden Frauen arbeiten in Wechselschichten. Und Dr. Thomas muss ihn vorbereiten.«

Amanda reagierte einen Sekundenbruchteil schneller als Will: »Ist Sara Linton noch vor Ort?«

Faith sah kurz zu Will hinüber und antwortete dann: »Ja.«

»Will, dann tun Sie, was nötig ist, um Sara in diesen Krankenwagen nach Atlanta zu schaffen. Wenn es hier unten ein Leck gibt, müssen wir so weit wie möglich unsere Leute einsetzen.«

Sein Mund war jetzt noch trockener als zuvor. Auch schlucken konnte er nicht mehr.

Amanda interpretierte sein Schweigen als Zustimmung.

»Wir fahnden noch immer mit Hochdruck nach Tony Dell. Selbst wenn der Junge nicht reden will, schaffen wir es vielleicht, Dell umzudrehen. Zum wiederholten Mal. Will, wann fängt Ihre Schicht an?«

Will hatte Bill Blacks Job im Krankenhaus schon ganz vergessen. »Um acht.«

»Gehen Sie nicht früher hin. Wahren Sie Ihre Tarnung. Sie sind ein Knacki. Dell ist flüchtig. Es wimmelt dort von Polizisten. Da wäre es naheliegend, dass Sie anfangen, Fragen zu stellen.«

»Es gibt da eine Schwester, die ich mir vorknöpfen könnte. Dells Stiefschwester. Sie weiß, dass ich wegen Körperverletzung eingesessen haben soll. Wenn ich es richtig angehe, kann ich sie womöglich ein bisschen einschüchtern, sodass sie redet.«

»Terrorisieren Sie sie, wenn's nötig ist.« Amanda schien augenblicklich in Aktion treten zu wollen. »Lonnie, wir bleiben in Kontakt.«

»Vielen Dank«, sagte Gray. »Ich weiß Ihre …«

»Sir.« Nick klang zaghaft. »Sie hat die Verbindung bereits beendet.«

Chief Gray hielt sich nicht lange mit Formalitäten auf. Er stürzte sich wie ein wütender Löwe auf Branson. »Sie haben vielleicht Nerven, Lady! Bestellen mich mitten in der Nacht hierher, als wäre ich irgendein verdammter Schuljunge, der ins Büro des Direktors gerufen wird. Lassen mich vor einer der angesehensten Gesetzeshüterinnen des Staates dastehen wie einen Trottel! Und ich nehme an, Sie weigern sich noch immer, mir den Aufenthaltsort des Jungen zu verraten?« Er erwartete tatsächlich eine Antwort von ihr. Als klar wurde, dass sie nichts sagen würde, murmelte er: »Wertloser Haufen Scheiße! Mir wird übel bei dem Gedanken, dass Sie je Uniform getragen haben.«

Mit Tränen in den Augen hob Branson an: »Sir, bei allem gebotenen Respekt …«

»Sie kennen die Bedeutung dieses Wortes doch gar nicht.« Gray schnappte sich seine Mütze. »Die Personalabteilung wird sich bei Ihnen melden. Versuchen Sie gar nicht erst, sich noch mal bei mir oder meinen Beamten einzuschmeicheln. Versuchen Sie gar nicht erst, sich zu rechtfertigen. Nehmen Sie meinen Namen nicht mehr in den Mund. Was mich betrifft, ist Ihre Zusammenarbeit mit mir und meinem Department beendet.«

Bransons Kehlkopf zuckte auf und ab. Sie neigte den Kopf und drückte die Hände flach auf den Tisch, als müsste sie sich sammeln, doch Faith ließ ihr nicht die Zeit. »Sind Sie wirklich lesbisch?«

Die Unverblümtheit dieser Frage überraschte Will. Branson wirkte beschämt. Sie wandte sich ab.

»Sie haben Jared Long Minuten vor dem Angriff auf dem Handy angerufen.«

Branson schien zu dämmern, worauf Faith hinauswollte. Sie wischte sich eine Träne aus dem Augenwinkel. »Sie denken, ich hätte eine Affäre mit ihm gehabt.«

»Warum sonst sollten Sie Lenas Mann mitten in der Nacht anrufen?«

»Ich hab mir Sorgen um sie gemacht. Irgendetwas stimmte da nicht.«

»Wegen der Razzia?«

»Nein, davor. Lena war ...« Branson suchte nach den richtigen Worten. »Wir sind Freundinnen, mehr nicht. Aber irgendetwas stimmt schon seit einer ganzen Weile nicht mehr mit ihr. Sie war glücklich, freute sich darauf, Waller endlich dranzukriegen – aber als sich dann alles zusammenfügte, war sie auf einmal nur noch traurig. Und sie wollte mit mir nicht darüber reden. Ich dachte mir, vielleicht würde Jared mir ja erzählen, was passiert war.«

Offensichtlich hatte Lena Denise Branson nichts von ihrem Baby erzählt.

»Wo ist der Junge?«, fuhr Faith fort.

Branson atmete tief ein und hielt kurz die Luft an. Will konnte ihr regelrecht ansehen, in welchem Zwiespalt sie steckte. In den vergangenen acht Tagen hatte sie jede wache Sekunde dem Schutz dieses Jungen gewidmet. Sie hatte riskiert, Freunde vor den Kopf zu stoßen, ihren Job zu verlieren, ihren Chef zu düpieren. Kein Polizist wollte je einen Fall aus der Hand geben, vor allem keinen, der einem so zu Herzen ging.

»In Ordnung«, sagte Branson schließlich. »Wir haben ihn auf der Farm meiner Freundin versteckt.«

»Die Farm der Deputy?«

»Ja. Sie arbeitet zwei Bezirke entfernt. Wir sind seit einem Jahr zusammen. Keiner weiß etwas von uns.«

»Okay«, sagte Faith. »Wie weit weg ist diese Farm?«

»Nicht weit, aber es wird eine Weile dauern, das alles zu organisieren. Wir telefonieren nicht miteinander. Wie Sie wissen, können Telefonate abgehört werden – sogar verschlüsselte. Ich will nicht, dass die Nummern der Beteiligten auf meinem Anschluss auftauchen. Wir halten über ein Forum für schwule und lesbische Polizisten Kontakt.« Branson sah auf die Uhr. »Dr. Thomas schaut dort um sechs vorbei, bevor er weiter zur Arbeit fährt. Meine Ex ist bereits dort – eine der Sanitäterinnen. Ihre Partnerin kommt sie um sechs ablösen. Meine Freundin ist für mich eingesprungen. Eigentlich hätte ich die Nachtschicht machen sollen, aber da war die Kacke ja bereits am Dampfen.«

Nun sah Faith ebenfalls auf die Uhr. »In gut zwei Stunden werden also alle dort sein?«

»Außer sie rufen um vier Uhr nachts das Forum auf ...« Dann wandte sie sich an Nick: »Darf ich mal Ihren Laptop benutzen?«

»An meinem Bürorechner sind Sie ungestört.« Er nahm die Big-Whitey-Akten unter den Arm und sagte zu Faith: »Da setz ich mich gleich dran.«

Branson folgte ihm zur Tür, drehte sich dann aber noch mal um. »Tut mir leid, dass ich Ihre Zeit verschwendet habe. Ich versuche immer, so tough zu sein wie möglich, aber nie tougher als nötig.«

Will nickte, doch Faith gab sich unerbittlich. Sie wartete, bis Branson gegangen war, und stieß dann geräuschvoll die Luft aus.

»Was denken Sie?«, fragte Will.

»Tony Dell ist näher an Big Whitey dran, als wir dachten.« Er nickte, obwohl sie beide wussten, dass dies nicht die Antwort auf seine Frage gewesen war.

»Wer immer dieser Big Whitey ist – er ist ein verdammtes Genie.« Gegen ihren Willen klang es anerkennend. »Er spielt mit allen wie mit Marionetten.«

»Die beiden Männer im Haus ...« Will musste ein paarmal husten, ehe er weiterreden konnte. »Ich kann mir bildhaft vorstellen, wie er den beiden die Kehlen aufschlitzte und sich dann mit der Axt auf diesen dritten stürzte. Er ist ein Killer. Er benutzt gern seine Hände. Er bringt die drei um, hängt den Sperrriegel vor die Kellertür, sodass Waller eingesperrt ist, und schlendert dann einfach davon.«

»Irgendjemand hat ihm Informationen zugespielt. Er wusste, wann die Razzia stattfinden würde.« Faith wartete seinen erneuten Hustenanfall ab. »Sie glauben immer noch, dass Tony nicht Big Whitey ist?«

Will würgte einen Schluck Wasser hinunter. »Ehrlich gestanden weiß ich nicht mehr, was ich noch glauben soll. Irgendwie erscheint er mir eher wie das Schwert in der Hand eines anderen.« Will hustete noch einmal. »Und ich weiß, dass er diese komische Geschichte mit seiner Schwester am Laufen hat ... Stiefschwester. Aber mit kleinen Jungs kann ich ihn mir nicht recht vorstellen. Er hat es kaum ertragen können, mit seinem eigenen Neffen in ein und demselben Zimmer zu sitzen.«

»Man weiß nie, wozu Leute in der Lage sind«, sagte Faith. »Glauben Sie, dass die Stiefschwester irgendetwas weiß?« Will zuckte mit den Schultern, um seine Stimme zu schonen. Er musste einen Weg finden, Cayla Martin zum Reden zu bringen. Eine andere Möglichkeit gab es nicht.

Faith wandte sich wieder dem grobkörnigen Handyfoto auf dem Monitor zu. »Armes kleines Lämmchen. Der kann doch nicht älter sein als sieben.«

Will wollte den Bildschirm eigentlich nicht noch mal ansehen, aber als er es doch tat, konnte er den Blick nicht mehr von dem Jungen abwenden. Es erschien ihm schier unmöglich, dass er am Leben war. Wie hatte er in diesem dunklen, feuchten Loch nur überleben können? Und was war ihm dort drinnen angetan worden?

»Ich rufe Sara an.« Faith kramte ihr Handy aus der Tasche und wählte die Nummer.

Will klappte den Mund auf, aber es hatte keinen Zweck – er brachte nichts heraus. Er konnte nicht sprechen, und zwar nicht wegen seines rauen Halses. Dann kam ihm der Gedanke, dass der Junge vielleicht nicht redete, weil er gar nichts zu sagen hatte.

Sein Gesichtsausdruck auf dem Foto sprach allerdings Bände. Der Junge würde nie wieder so werden, wie er früher einmal gewesen war. Er würde nie wieder so tief schlafen oder mit derselben alten Versunkenheit spielen. Einem Ball nachjagen, einen Drachen steigen lassen, seiner Mutter beim Tischdecken helfen – nichts davon würde er je wieder tun, ohne sich beständig nach einer Bedrohung umzusehen. Der Junge würde nicht wieder zu seinen Eltern zurückwollen. Sie würden ihn ohnehin nicht wiedererkennen. Sie würden ihn anstarren und sich fragen, wer dieser geschädigte Junge war und was dieser Mistkerl mit ihrem Sohn getan hatte. Dies alles war in dem körnigen Foto auf dem Bildschirm eingefangen – die Angst, die Einsamkeit, die überwältigende Scham.

Marie Sorensen hatte den gleichen Ausdruck in den Augen gehabt. Sie war verschleppt worden. Sie war missbraucht worden. Sie war auf den Müll geworfen worden. Selbst als sie wieder zu Hause gewesen war, hatte sie sich nicht mehr sicher gefühlt. Sie hatte die einzige Entscheidung getroffen, die wirklich ihre eigene gewesen war.

Will konnte es ihr nicht verdenken.

Es gab auf der ganzen Welt keine Box, die groß genug gewesen wäre, um dieses Grauen in sich aufzunehmen. Alles, was sie überlebt hatte, hatte ihren Todeswunsch nur verstärkt. Wer konnte es diesem Jungen also verdenken, wenn er das Gleiche empfand?

»Sie geht nicht ran.« Faith schaltete ihr Handy ab. »Glauben Sie, dass sie noch im Krankenhaus ist?«

Er antwortete nicht.

Sara war fertig mit ihm. Das lag auf der Hand. Trotzdem hatte sie es in ihrer kurzen gemeinsamen Zeit geschafft, ihn zu verändern. Sie hatte seine Gespenster verjagt. Sie hatte ihm Sicherheit gegeben. Sie hatte ihm ein Gefühl der Ganzheit geschenkt. Sara hatte die Aktenkammern nicht für alle Zeit verriegelt, aber sie hatte sie ein Stück weiter ins Abseits geschoben – wie die Erinnerungen eines anderen, das Leben eines anderen.

Will musste es ihr sagen, er musste ihr erklären, warum sie so verzweifelt gebraucht wurde.

»Ich finde sie«, sagte er zu Faith.

Wenn irgendjemand diesen Jungen zum Sprechen bringen konnte, dann Sara Linton.

13.

»Sara?«

Sara drehte sich von dem Geräusch weg. Sie war gestern Nacht weniger eingeschlafen, als vielmehr vor Erschöpfung auf dem Bett zusammengebrochen.

»Sara?«, fragte Nell. »Sara?«

Nur langsam erwachte sie aus tiefem, traumlosem Schlaf. Sie hielt sich die Hand vor die Augen. »Wie spät ist es?«

»Kurz nach halb fünf.«

Sara ließ die Hand sinken und sah zu Nell hoch. Sie war in ihrem Hotelzimmer. Nach allem, was am Vorabend mit Will passiert war, hatte Sara nicht mehr die Kraft gehabt, nach Atlanta zurückzufahren. »Wie geht's Jared?«

Nell lächelte sie an. »Possum hat eben angerufen. Er sagt, sie wollen ihn jetzt aufwecken. Ich will gleich ins Krankenhaus fahren.«

Mit einem Ächzen setzte Sara sich auf. Ihr tat alles weh.

»Ich komme mit.«

»Du musst erst an die Tür, da steht ein Mann, der mit dir reden will.«

Irgendwann gelang es Sara, dem Satz einen Sinn zu geben. In Macon gab es nur einen Mann, der mit ihr würde reden wollen. Sie war sich allerdings nicht sicher, ob sie mit ihm reden wollte. Sie strich sich nachdenklich durchs Haar, als sie zur Tür hinüberging. Und dann fiel ihr die Kinnlade runter, als sie Will vor sich sah.

Im ersten Augenblick dachte Sara, sie wäre verantwortlich für die Verletzungen in seinem Gesicht.

Dann dämmerte es ihr, dass er verprügelt worden war.

»Was ist passiert?« Sie hob die Hand, aber es gab in seinem Gesicht keine unverletzte Stelle, die Sara hätte berühren können. Sogar die Blutgefäße in seinen Augen waren geplatzt.

»Hat dich jemand gewürgt?«

Er schluckte schwer und verzog vor Schmerzen das Gesicht. Seine Stimme klang heiser. »Amanda hat mich geschickt.«

Sara konnte ihn kaum verstehen. »Komm rein.«

Will rührte sich nicht. Sie packte ihn am Arm und zog ihn ins Zimmer.

»Nell, das ist ein Freund von mir.« Unwillkürlich redete Sara sich ein, sie würde gewisse Details vor Nell zurückhalten, weil Will undercover war. »Er lebt in Atlanta.«

»Sehr erfreut.« Nell steckte die Hand in ihre Handtasche, aber ihr Blick ruhte auf Saras Hand, die Wills Arm umfasste.

Sara ließ ihn los.

»Schon gut, Sara. Ich freue mich für dich.« Sie angelte ihre Schlüsselkarte aus der Tasche. »Ich bin dann mal im Krankenhaus.«

Sie nickte Will zu, bevor sie ging. Die Tür fiel automatisch zu, schlug hart gegen den Metallrahmen.

Sara wusste, dass es zwecklos gewesen wäre, ihr hinterherzulaufen. Sie drehte sich zu Will um. »Was ist passiert?«

Er legte eine Hand an den Hals, als fiele ihm so das Sprechen leichter. »Wir haben etwa eine Stunde.«

Sie starrte ihn ungläubig an. »Wofür?«

»Ich weiß, dass du mich nicht hier haben willst.« Er hustete. Das Sprechen schien ihn fast übermenschliche Anstrengung zu kosten. »Amanda hat mich gebeten …« Er hustete wieder. Und noch einmal. Sein Gesicht lief rot an.

»Setz dich hin.« Sara war noch immer wütend, aber sie konnte nicht zulassen, dass er vor ihren Augen ohnmächtig wurde. In der Minibar fand sie ein winziges Fläschchen Tennessee-Whiskey. »Trink die Hälfte davon.«

Will setzte sich, wollte aber das Fläschchen nicht anrühren. Er hasste Alkohol.

»Davon wirst du nicht betrunken«, erklärte Sara, doch er nahm es noch immer nicht entgegen. Sie hielt es ihm vors Gesicht. »Betrachte es als Medizin. Es wird deine Kehle betäuben.«

Widerwillig griff Will nach dem Whiskey, schraubte die Kappe ab, doch anstatt zu trinken, roch er bloß daran. Und rümpfte die Nase. Er starrte das Etikett an, obwohl Sara wusste, dass er die kursive Schrift nicht würde entziffern können.

»Will, trink jetzt diesen verdammten Whiskey!«

Ihr Ton war schärfer, als sie es beabsichtigt hatte, aber es funktionierte.

Er nahm einen Schluck, dann würgte er.

»O Gott …« Er hustete tief aus der Brust. Tränen traten ihm in die Augen. Er schüttelte den Kopf wie ein Hund.

Sara verschränkte die Arme, um nicht in die Verlegenheit zu kommen, ihn zum Trost zu berühren. Am vergangenen Abend war sie zu erschöpft gewesen, um an irgendetwas anderes zu denken als an Schlaf, aber in diesem Augenblick kehrte alles zurück. Die Sorge um ihn wurde überdeckt von Wut.

Will hustete noch ein paarmal. Er schraubte die Kappe wieder auf die Flasche und warf sie in den Mülleimer.

»Reden wir darüber, was passiert ist?«, fragte sie.

Er blinzelte, um wieder klar zu sehen. »Amanda …«

»Wenn du ihren Namen noch einmal sagst, muss einer von uns gehen. Und das werde nicht ich sein.« Er kniff die Lippen zusammen, doch Sara ließ nicht locker. »Ich meine es ernst, Will. Du kommst mit einem zerschlagenen Gesicht hierher. Dieser Schnitt dort sollte genäht werden. Du hast Blut im Ohr. Bestimmt brauchst du ein MRT. Und ich soll einfach so tun, als wäre nichts davon da, so, wie ich so tue, als hättest du keine Kindheit gehabt und keine Narben auf dem ganzen Körper und ...« Sie konnte nicht weiterreden. Die Liste wäre endlos gewesen. »Rede mit mir, Will! Mit heftig komme ich zurecht. Schweigen halte ich nicht mehr aus.«

Wie zu erwarten, tat er das genaue Gegenteil. Er legte einen Fuß aufs Knie, und sie starrte hinab auf die Sohle seines Stiefels. Auf dem Absatz prangte das Cat's-Paw-Logo.

Sara musste für einen Augenblick die Augen schließen, um nicht die Beherrschung zu verlieren. Sie zählte bis zehn, dann bis zwanzig, erst danach konnte sie ihn wieder ansehen. »Will, du redest nicht mit mir über die Dinge, die uns überhaupt erst in diesen Schlamassel gebracht haben.«

Er schluckte. Der Alkohol hatte funktioniert. Diesmal verzog er nicht das Gesicht. »Es tut mir leid.«

Sara kam sich vor wie eine Oberlehrerin, aber sie musste einfach fragen: »Was tut dir leid?«

Er zupfte an der Naht seines Stiefels. »Als ich dir nachgerannt bin ... als ich ... Was ich getan habe, nachdem ich dich eingeholt hatte.«

Sara errötete bei der Erinnerung.

»Ich war außer Kontrolle.«

Sie konnte nicht zulassen, dass er die ganze Schuld auf sich nahm. »Wir waren beide außer Kontrolle.«

»Ich hab dir wehgetan.«

»Ich bin nicht aus Zucker, Will. Wir hatten schon öfter harten Sex.«

Sein überraschter Blick sagte ihr, dass er tatsächlich geglaubt hatte, es ginge ihr um etwas anderes.

»Ich hab dir nicht gesagt, du sollst aufhören.« Sara konnte nicht verstehen, wie er sich bei etwas so Offensichtlichem derart täuschen konnte. »Ich hatte nie Angst vor dir. Ich war wütend. Ich wollte dir wehtun. Aber ich hatte keine Angst.«

Seine Augen schimmerten feucht. Sie wusste nicht, ob es noch immer vom Whiskey kam.

»Will, ich war sauer auf dich – ich bin es immer noch –, weil du mich angelogen hast. Nicht ein Mal, sondern immer wieder. Und offensichtlich ist gestern Abend auch mit dir etwas passiert. Wir haben es aneinander ausgelassen. Das tun Erwachsene manchmal. Aber du sollst wissen, dass du mir nicht einfach das Hirn rausvögeln kannst und damit alles wiedergutmachst.«

Er war noch immer aufgewühlt. Seine Stimme war voller Selbsttadel. »Ich wollte mit dir nie so sein …«

»Baby …« Das Kosewort war ganz natürlich aus ihrem Mund geschlüpft, und Sara konnte im selben Augenblick erkennen, welche Wirkung es auf ihn hatte. In diesem Moment begriff sie auch, dass Will – so schlimm es für sie gestern Abend auch gewesen sein mochte – noch sehr viel Schlimmeres erlebt hatte.

Sara setzte sich auf die Bettkante. »Bitte, rede einfach mit mir.«

Er sah sie nicht mal an. Er beugte sich vor, stützte die Ellbogen auf die Knie. Sie sah, wie sein Unterkiefer sich bewegte. Seitlich auf dem Gesicht prangte ein dunkelrotes Muster. Ein Muster aus kleinen Quadraten – als hätte ihn jemand getreten.

»Ich bin für jemand anderen da.«

»Für wen?«

Will hielt seine Hand mit der anderen umklammert und starrte zu Boden. Als er endlich wieder die Stimme erhob, war sie so leise, dass sie ihn kaum hören konnte. »Ich fühle mich, als würde ich verschwinden …«

Für Sara kam dieser Satz völlig unerwartet. Sie wusste nicht, wie sie darauf reagieren sollte, doch Will erwartete offensichtlich keine Reaktion. Sein Unterkiefer bewegte sich wieder. Sie spürte, dass jede Faser seines Körpers aufhören wollte zu reden.

»Mein ganzes Leben lang war ich unsichtbar«, fuhr er nach einer Weile fort. »In der Schule. Im Heim. Bei der Arbeit. Ich mache meinen Job. Ich gehe nach Hause. Ich stehe am nächsten Morgen auf und mache es wieder so.« Er umklammerte die Hände noch fester. »Du hast all das verändert. Du hast mich dazu gebracht, am Morgen aufstehen zu *wollen*. Du hast mich dazu gebracht, zu dir nach Hause kommen zu *wollen*.« Endlich sah er sie wieder an. »Du bist der erste Mensch in meinem Leben, der mich je richtig angesehen hat.«

Sara konnte nicht reden, diesmal aber, weil sie zu überwältigt war. Die Verzweiflung in seiner Stimme drohte sie schier zu zerreißen.

»Ich kann jetzt nicht mehr zurück.« Seine Stimme klang schroff. »Ich kann es einfach nicht.«

Und Sara durfte es nicht zulassen. Ihre Wut verflüchtigte sich wie Sand, der ihr zwischen den Fingern hindurchrieselte. Sanft legte sie ihm die Hand ans Gesicht. Sie kannte diesen Mann. Sie kannte sein Herz. Will hatte sie noch nie absichtlich verletzt. Er war dumm und stur gewesen, aber nie böswillig. Und Sara war nicht die Frau, für die Lena Adams sie hielt. Sie wollte keine Perfektion verlangen. Sie wollte ihre Ansprüche nicht so hoch schrauben, dass niemand sie je erfüllte.

Die erste Liebe ihres Lebens hatte sie bereits verloren. Sie konnte jetzt nicht auch noch die zweite riskieren.

»Okay.« Sie legte ihm die Hand in den Nacken. »Wir kriegen das schon wieder hin.«

Sein Blick wanderte über ihr Gesicht, suchte nach Signalen der Unschlüssigkeit. »Meinst du das ernst?«

Sie nickte.

Er nickte ebenfalls, als müsste er sich selbst überzeugen. »Tut mir leid, dass ich dich verletzt habe. Ich hatte unrecht.«

»Bitte mach das nie wieder.« Sara rückte ein Stück näher an ihn ran, legte ihm die Arme um die Schultern. »Ich bin deine Freundin. Es geht hier nicht nur darum, dass du mir Sachen verschweigst. Es geht auch darum, dass du mir vertrauen musst. Vielleicht verstehe ich ja mal was nicht, oder ich bin anderer Meinung, aber du musst mir so sehr vertrauen, dass du mir die Wahrheit sagst.«

»Du hast recht.« Er drückte sie an seine Brust. Seine Finger streichelten ihr Haar. Sie spürte seine Lippen auf ihrer Kopfhaut. »Ich will, dass du mir etwas versprichst.«

Sie löste sich von ihm, damit sie ihn ansehen konnte.

»Okay.«

»Versprich mir, dass wir uns nie wieder trennen werden.« Sie fing an zu lachen, doch in seinem Ton lag eine Ernsthaftigkeit, die sie verstummen ließ.

»Genau genommen will ich dir das versprechen. Ich will dich nie verlassen.« Er klang überzeugter, als sie ihn je gehört hatte. »Du kannst mich wegschicken, aber ich werde nicht gehen. Ich werde im Auto vor deinem Haus schlafen. Ich werde dir zur Arbeit folgen. Ins Fitnessstudio. Wenn du zum Essen ausgehst, werde ich am Nachbartisch sitzen. Wenn du im Kino bist, werde ich in der Reihe hinter dir sein.«

Unwillkürlich legte sich ihre Stirn in Falten. »Du willst mein Stalker werden?«

Er zuckte die Schultern, als wäre es somit beschlossene Sache. »Ich liebe dich.«

Sie musste lachen. »Tja, das ist wohl eine ziemlich verquere Art, so was zu sagen.«

»Ich liebe dich.«

Diesmal kam ihre Antwort so natürlich wie das tiefe Einatmen vor dem Sprung ins Wasser. »Ich liebe dich auch.«

Er beugte sich vor, küsste sie aber nicht. Diesmal wartete er auf ihre Erlaubnis. Sara drückte ihre Lippen auf seine, so sanft und zart sie nur konnte. Es war bloß ein züchtiger Kuss, aber er genügte.

»Wir kriegen das hin.«

Sie nickte. »Wir kriegen das hin.«

Er nahm ihre Hand und küsste ihre Finger. Dann drehte er ihr Handgelenk herum und sah auf ihre Uhr. »Wir müssen los.«

»Wohin?«

Er stand abrupt auf. »Das erzähle ich dir unterwegs. Lena hat etwas gefunden.«

»Einen Lottoschein mit sechs Richtigen?«

»Nein.« Er half ihr vom Bett hoch. »Sie hat einen kleinen Jungen gefunden.«

Sara stellte ihren BMW in dem großen, offenen Schuppen ab, der als Garage diente. Zwei weitere Wagen parkten unter einer Metallkonstruktion, die einige Meter von einem weitläufigen einstöckigen Haus entfernt stand. Sie waren auf einer Pferdefarm. Neben einer roten Scheune entdeckte sie ein paar Stuten und ein Fohlen. Die Sonne brach gerade über den Horizont. Die Pferde kauten schweigend Gras und warfen ihnen Blicke zu, als das Garagentor hinter ihnen zuging.

Der schwarze Suburban, neben dem sie ihren Wagen abgestellt hatte, war ein G-Ride, ein von der Regierung ausgegebener Dienst-SUV. Sie nahm an, dass entweder Faith oder Amanda bereits hier war. Der Streifenwagen auf dem entfernteren Stellplatz gehörte wahrscheinlich der Besitzerin der Farm.

Pferde zu halten war ebenso kostspielig wie riskant. Normalerweise mussten Farmer sich irgendwann einen profitträchtigeren Geschäftszweig suchen. Sara war zweimal in ihrem Leben von einem Pferd abgeworfen worden. In ihrer Vorstellung war die Pferdezucht nur marginal weniger gefährlich als ein Job als Sheriff's Deputy.

Will stieg aus, zog die Tür zur Rückbank auf und nahm die Arzttasche vom Sitz. Statt sie Sara zu geben, trug er die Tasche für sie.

»Hier entlang«, sagte Will und ging auf einen Seiteneingang zu.

Sara folgte ihm, vorbei an diversen kleineren Maschinen, die den letzten Stellplatz belegten. Sie nahm Wills Hand, um sich abzustützen, als sie über eine Egge steigen musste, die aussah wie ein riesiger Rechen, den man an einen Traktor anhängte. Er hielt sie länger fest als nötig. Sie streichelte seine Finger mit ihrem Daumen und wünschte sich, sie könnte die vergangenen vierundzwanzig Stunden einfach ausradieren und noch einmal von vorn anfangen. Oder vielleicht auch nicht. Auf verschiedene merkwürdige Arten fühlte sie sich Will näher denn je.

Faith machte die Tür auf, noch ehe Will sie erreicht hatte. Sie mied Saras Blick. »Gut hergefunden?«

»Das GPS hat uns direkt hierhergeführt«, antwortete Sara.

»Gut.« Sie griff in ihre Handtasche und zog eine Handvoll Jolly-Rancher-Bonbons heraus. »Der Junge schläft noch. Wir wollen ihn erst wecken, wenn es sich nicht länger vermeiden lässt. Denise und ihre Freundin sind mit einer der Sanitäterinnen im Haus. Der Arzt hat die Nachricht im Forum gelesen, er weiß also, dass er nicht kommen muss.«

»Klingt gut.« Will nahm sich die Bonbons und steckte sie sich in die Tasche. »Ich habe ungefähr zwei Stunden, bis ich wieder im Krankenhaus sein muss. Wie sieht der Plan aus?« Bei dem Gedanken, dass er bald wieder verdeckt arbeiten würde, drehte sich Sara der Magen um, aber sie behielt ihre Gedanken für sich.

»Die zweite Sanitäterin ist mit dem Bus unterwegs. Ich wollte eben in die Telefonzentrale fahren. Ich will neben dem Dienstleiter sitzen, damit keiner in Panik gerät, wenn sie den Funk abschalten. Wir wissen nicht, wie weit diese Sache reicht – ich will dort bleiben, bis ich höre, dass der Junge sicher in Atlanta angekommen ist.«

»Wer wird dem Krankenwagen folgen?«, erkundigte sich Will. »Ohne Verstärkung fährt Sara nicht mit.«

»Denise wird auf dem ganzen Weg hinter ihnen sein. Sie hat ihre Pistole und ein Gewehr bei sich. Amanda glaubt, dass eine größere Eskorte Big Whitey bloß hellhörig machen würde.«

Will hielt Sara sein Handy hin. »Benutz das hier, um dich alle halbe Stunde bei Faith zu melden.«

Sara versuchte, sich nicht darüber aufzuregen, dass sie schon wieder herumkommandiert wurde. »Ich hab mein Krankenhaus-Blackberry.«

»Die 689er-Nummer?« Als sie nickte, steckte er sein Handy

wieder ein. »Ich meine es ernst. Diese Leute geben nichts auf Kollateralschäden. Ruf Faith alle dreißig Minuten an, bis du sicher im Krankenhaus bist.«

Sara war unschlüssig, ob das wirklich notwendig sein würde. Doch Will gab ihr keine Gelegenheit zum Widerspruch.

Er ging auf das Haus zu. Sie sah ihn ein Bonbon aus der Tasche ziehen. Anstatt die Folie abzuwickeln, riss er sie mit den Zähnen ab.

Sara ging ihm nach. Er war wieder in Topform – hatte wieder Oberwasser und das Kommando übernommen. Selbst in seiner grässlichen Hausmeisteruniform wirkte er endlich wieder wie er selbst. Sie sah ihn gehen, seinen geschmeidigen, athletischen Gang, den Umriss seiner muskulösen breiten Schultern. Er war ein großer, tougher Bulle. Und wenn Sara eine Bullenschlampe war, dann eine, die nicht kuschte.

Faith ging neben Sara her. Sie schwieg, während sie über den Hof trotteten. Die Spannung knisterte zwischen ihnen wie statische Elektrizität.

»Sie sind eine fantastische Lügnerin«, stellte Sara fest. Faith grinste.

»Das bin ich wirklich.«

Sara konnte nicht anders, sie musste ebenfalls lächeln.

»Hat Will Ihnen gesagt, worum's geht?«, erkundigte sich Faith.

»Er hat mir alles erzählt.« Faith hob eine Augenbraue.

»Alles, was in Macon passiert ist«, korrigierte sie sich. Will hatte angefangen zu reden, kaum dass sie ihr Hotelzimmer verlassen hatten. Sie hatte ihn noch nie so lange am Stück reden gehört. Er hatte ihr von Lenas E-Mail erzählt, von den Rednecks, dem Jungen, den man im Keller gefunden hatte, und davon, dass Denise Branson ihn beschützte. Das einzige Detail, das sie lieber nicht gehört hätte, war die Tatsache, dass Will Motorrad fuhr. Aber nicht mal ihr schockiertes Aufkeuchen hatte ihn vom Reden abgehalten. Irgendwann war sie sogar langsamer gefahren und hatte seine neue Offenheit regelrecht genüsslich in sich aufgesogen und sich insgeheim gewünscht, sie würde irgendwann auch den Rest seines Lebens umfassen. Seine Kindheit. Seine Familie. Seine schlimme Ehe.

Doch dazu war der Weg nicht lang genug gewesen.

»Wissen Sie noch, wie Sie vor einer Weile gesagt haben, Sie müssten Will beistehen?«, fragte Faith nach einer Weile.

Sara konnte sich noch gut an das Gespräch erinnern. Faith hatte nach Details aus Wills Vergangenheit gefragt. Sara hatte es nicht für richtig gehalten, ihr das bisschen zu verraten, was sie selbst wusste. »Ich verstehe schon. Sie müssen ihm ebenfalls beistehen.«

Faith lächelte. Sie war offensichtlich erleichtert.

»Hat der Arzt Ihnen irgendwelche Details der Behandlung mitgeteilt?«

»In den ersten Tagen hat er dem Jungen Flüssigkeit gegeben, einen Zyklus Antibiotika, sonst nichts. Er hat vorwiegend immer wieder vorbeigeschaut, um dem Jungen ein Gefühl der Regelmäßigkeit zu geben und zu kontrollieren, ob sein Zustand stabil ist.«

»Das hat wahrscheinlich mehr geholfen als sonst irgendwas. Kinder brauchen eine Struktur.«

»Er ist immer noch im Überlebensmodus. Denise glaubt, dass seine Mahlzeiten während der Gefangenschaft möglicherweise mit Medikamenten versetzt waren. Er trinkt keine Cola, aber er trinkt Wasser aus Flaschen. Er zerpflückt alles, als würde er darin nach Pillen suchen. Er nimmt einen Bissen und wartet dann ab, ob ihm übel oder ob er müde wird, und dann erst isst er weiter. Sie haben ihm Lebensmittel angeboten, die augenscheinlich schwer zu manipulieren sind: Fruchtröllchen, abgepackter Aufschnitt. Doch auch das alles hat er zerlegt, bevor er es gegessen hat.«

Sara nickte. Diesbezüglich war kein weiterer Kommentar notwendig. Einmal mehr überwältigte sie das Wissen, zu welchen Entsetzlichkeiten gegenüber Kindern manche Erwachsene fähig waren, und Faith schien es ganz ähnlich zu gehen. Sie schwieg, bis sie das Haus erreichten.

Als die Tür aufging, trat ihnen eine zierliche afroamerikanische Frau entgegen. Sie trug Jeans und ein T-Shirt, hatte sich aber eine Waffe an die Hüfte geschnallt und erweckte den Eindruck, als sei sie durchaus fähig, sie auch zu benutzen. Ihre muskulösen Arme deuteten darauf hin, dass Farmarbeit ihr nicht fremd war. Ihre Stimme war erstaunlich sanft.

»Sind Sie die Ärztin?«

»Ja«, antwortete Sara.

Die Frau legte die Hand auf den Waffengriff, als sie beiseitetrat, um sie einzulassen.

Die Küche war warm und gemütlich. Offensichtlich war die Besitzerin keine große Freundin von Dekoartikeln, und trotzdem war es ihr gelungen, mit vielen weichen Holztönen eine wunderbar einladende Atmosphäre zu schaffen. Sara nahm an, dass die Frau am Tisch Denise Branson war. Sie sah aus wie jemand, der alles verloren hatte, was ihm wichtig war. Sie kauerte zusammengesunken auf ihrem Stuhl. Vor ihr stand ein Becher Tee. Anstatt ihn zu trinken, zog sie den Teebeutel ziellos am Faden durch die Flüssigkeit.

»Denise?«, sagte Faith.

Sie hob den Kopf und brachte ein gequältes Lächeln zustande. »Dr. Linton?«

»Sara.« Sie streckte der Frau die Hand hin. »Wie ich höre, haben Sie sich gut um meinen Patienten gekümmert.«

Denise blickte skeptisch drein, als fragte sie sich, ob Sara gerade einen grausamen Witz gerissen hatte.

In die verlegene Stille hinein verkündete Faith: »Ich fahre jetzt rüber in die Telefonzentrale. Rufen Sie mich an, wenn Sie so weit sind.« Sie machte die Küchentür auf. »Will, haben Sie Ihr Handy die ganze Zeit bei sich?«

Er nickte. Sara gefiel der Blick nicht, den sie dabei wechselten. Die Deputy verriegelte die Tür mit einem Schlüssel, den sie sich in die Tasche steckte. »Ich bin übrigens Lila. Jasmine ist hinten bei dem Jungen. Und Sie sind Will?«

»Ja«, antwortete er, stellte Saras Arzttasche auf die Anrichte und gab Lila die Hand.

Die Deputy musste den Kopf in den Nacken legen, um ihm ins Gesicht zu sehen. »Ich hab das zwar schon Ihrer Partnerin gesagt, aber vielen Dank, dass Sie das hier für uns tun. Wir waren jetzt schon eine ganze Weile auf uns allein gestellt.«

»Jetzt sind Sie nicht mehr allein«, entgegnete Will. Und dann leuchteten seine Augen auf, als er einen Karton mit Pop-Tart-Keksen neben dem Herd entdeckte. »Was dagegen …?«

Sie hielt ihm den Karton entgegen. »Bedienen Sie sich.« Will schluckte das Bonbon, das er im Mund hatte, hinunter, und musste heftig husten, was ihn nicht davon abhielt, die Keksverpackung aufzureißen.

»Der Junge schläft noch«, erklärte Lila an Sara gewandt.

»Ich hab ihm heute Nacht noch nichts zu essen gegeben. Ich wollte eigentlich Crêpes backen. Meine Pfannkuchen von gestern wollte er nicht. Ich glaube, sie waren ihm zu dick.«

»Essen Sie mit ihm, oder bringen Sie ihm das Essen nur?«, erkundigte sich Sara.

Lila stand am offenen Kühlschrank. Schlagartig schien sie von sich selbst enttäuscht zu sein. »Verdammt! Wenn er uns essen sieht, weiß er, dass es sicher ist.« Sie schüttelte den Kopf, als sie einen Eierkarton und eine Packung Milch herausholte.

»Ich bringe ihm immer nur ein Tablett, wie es seine Kidnapper wahrscheinlich auch getan haben.«

Sara versuchte, ihr Gewissen ein wenig zu erleichtern. »Sie sind schon eine Weile mit ihm hier. Für mich ist es viel einfacher – ich hab noch einen frischen Blick auf die ganze Angelegenheit.«

»Er will das Zimmer nicht verlassen«, erklärte Lila. »Ich hab ihm einen Fernseher hineingestellt. Er schaltet den Ton ab, liest die Untertitel. Denise hat ihm Bücher gebracht, aber die rührt er nicht an. In dem Alter können Kinder doch schon lesen, oder?«

»Ja«, antwortete Sara. »Wahrscheinlich liest er Bücher noch laut vor sich hin.«

»Er hat seiner Mom vorgelesen«, flüsterte Denise eher zu sich.

Will hatte das erste Päckchen Pop-Tarts aufgegessen und riss ein zweites auf. »Haben Sie es mal mit Videospielen versucht?«

Wieder machte Lila ein langes Gesicht. »Videospiele?« Sie drehte sich zu Denise um. »Warum sind wir nicht darauf gekommen?« Sie ließ einen Klecks Butter in der Bratpfanne zergehen. »Ich hätte die Xbox meines Bruders mitnehmen sollen. Er ist sowieso zu alt, um noch damit zu spielen.«

»Wir hätten ihn von Anfang an Experten überlassen sollen«, murmelte Denise.

»Sie haben ihn zuallererst einmal in Sicherheit gebracht«, sagte Sara beschwichtigend. »Nur das zählt.«

Denise starrte wieder auf ihren Tee hinunter, während Lila anfing, Eier in einer Schüssel zu verquirlen.

Sara fragte sich, was aus diesen Frauen werden würde. Denise Branson standen disziplinarische Maßnahmen bevor, womöglich sogar eine Anklage, doch genau genommen lag ihr Schicksal in Lonnie Grays Händen. Soweit Sara gehört hatte, war der Mann fair, aber auch ein großer Freund davon, mit harter Hand für Ordnung zu sorgen. Sie hoffte, dass Lila nicht in Mitleidenschaft gezogen würde. Wenn niemand sie an den Sheriff verriet, würde von ihrer Beteiligung an dieser Unternehmung niemand je erfahren.

»Er ist jetzt wach.« Aus der Sanitäteruniform der Frau schloss Sara, dass Jasmine zu ihnen in die Küche gekommen war. Sie war zierlich, genau wie ihre Freundinnen, aber irgendetwas signalisierte ihr, dass man sich mit dieser Frau besser nicht anlegte. Faith hatte genau die gleiche Ausstrahlung. Wenn man einen sicher hundert Kilo schweren Ex-Marine wie Paul Vickery mit einem Schlagstock niederstrecken konnte, mutmaßte Sara, dann gab einem das ein gewisses Maß an Selbstsicherheit.

»Ich möchte ihn mir gern gleich ansehen«, sagte Sara und stand auf.

Lila schob die Pfanne von der Herdplatte. »Wir kommen mit.«

»Vielleicht nicht alle ...« Sara wählte ihre Worte mit Bedacht. »Sie waren so gut zu ihm. Sie haben sich um ihn gekümmert. Denise, Sie haben ihn buchstäblich gerettet.« Sie hielt kurz inne. »Vielleicht befürchtet er ja, dass Sie ihn nicht mehr mögen, sobald er Ihnen erzählt, was mit ihm passiert ist.«

Wieder war es Lila, die sich sofort in Selbstkritik übte. »Wir haben sein Schweigen noch verstärkt, indem wir wie auf rohen Eiern um ihn herumgeschlichen sind ...«

»Sie haben ihm eine sichere Umgebung geboten«, stellte Sara richtig, »in der er erstmals wieder atmen konnte.«

Lila wandte sich wieder dem Herd zu. Sie wirkte alles andere als beschwichtigt.

»Du kommst auch mit«, sagte Sara zu Will. Dieser Gedanke schien sie alle zu entsetzen.

»Ich weiß«, erklärte sie, »das läuft jeder Intuition zuwider, aber manchmal fühlen Opfer sich sicherer, wenn Männer in der Nähe sind. Sie glauben, dass rohe Kraft sie beschützen kann.«

»Ich hatte schon Vergewaltigungsopfer, die nach einem männlichen Detective verlangt haben«, gab Lila zu. »Einige, nicht alle.«

Doch Will schien noch unschlüssiger zu sein als alle anderen. »Bist du dir da wirklich sicher?«

»Setz dich einfach, wenn du ins Zimmer kommst. Lass ihn sich erst an dich gewöhnen. Siebenjährige sind anpassungsfähig. Außerdem sind sie extrem wissbegierig. Er wird genau wissen wollen, was passiert. Was als Nächstes auf ihn zukommt.«

»Wir haben ihm nie etwas gesagt«, sagte Lila. »Wir haben einfach immer nur wiederholt, dass er hier in Sicherheit ist.«

»Genau das hat er gebraucht, Lila«, warf Jasmine ein. »Du hast die Ärztin doch gehört. Er musste sich erst sicher fühlen, und wir haben ihm diese Sicherheit gegeben.« Sie sah Will an. »Bei Ihnen bin ich mir allerdings nicht sicher. Es tut mir leid, aber er ist doch nur ein kleiner Junge – und die Leute, die ihm wehgetan haben, sahen Ihnen verdammt ähnlich.«

Sara wollte nichts erzwingen, sagte aber: »Ich würde ihn wirklich gerne dabeihaben. Ich glaube, das würde helfen.«

Zusehends lag eine gewisse Spannung in der Luft. Lila brach als Erste das Schweigen. »Bei allem anderen hatte sie recht. Ich würde sagen, wir probieren es einfach aus. Wenn der Junge durchdreht, muss Will eben wieder verschwinden.«

Damit war auch Will einverstanden. »So machen wir's.« Denise und Jasmine tauschten einen Blick. Die beiden waren es offensichtlich gewohnt, in Übereinstimmung zu handeln.

»Dee, wenn irgendwas nicht funktioniert«, wandte sich Lila an ihre Freundin, »dann hörst du eben auf damit und versuchst was anderes.«

»Die Seele dieses Jungen ist doch schon gebrochen ...«, gab Denise zurück.

Lila deutete mit dem Pfannenwender auf sie. »Vielleicht ist es ja endlich an der Zeit, dass die Profis sie wieder zusammensetzen.«

Denise legte die Hände um den Becher und starrte weiter in den dunklen Tee. Schließlich sagte sie: »Okay. Aber sobald er auch nur alarmiert guckt, müssen Sie wieder gehen.«

»Versprochen«, sagte Will, der trotz allem immer noch skeptischer zu sein schien als die anderen.

Denise stemmte sich vom Tisch hoch. »Ich stelle mich an die Tür, damit er weiß, dass ich da bin.«

»Danke.« Sara nahm ihre Arzttasche von der Anrichte. Denise führte sie den Gang entlang. Sara spürte deren Widerwillen nur allzu deutlich – am liebsten hätte Denise Sara und Will wieder hinausgeworfen, um das zu tun, was sie seit dem Augenblick der Rettung des Jungen aus dem dunklen Keller getan hatten. Inzwischen beschützten sie das Kind seit mehr als einer Woche. Sie hatten ihn gepflegt, ihm Essen gebracht, wie Schutzengel über ihn gewacht. Einen über eins neunzig großen Mann in das Zimmer walzen zu lassen war ihrer Ansicht nach das Letzte, was der Junge jetzt brauchte.

Und anfangs sah es auch so aus, als würde die Reaktion des Jungen ihr recht geben. Er riss die Augen auf, als er Will sah, setzte sich stocksteif im Bett auf, drückte den Rücken ans Kopfende.

Behutsam redete Denise auf ihn ein: »Es ist okay, Baby. Diese Leute sind Freunde von uns. Sie sind hier, um dir zu helfen.«

Der Junge zog sich die Decke an die Brust. Sie hatten ihm einen Spiderman-Schlafanzug angezogen und das Bett mit dazu passender Bettwäsche bezogen. Auf jeder verfügbaren Oberfläche stand Spielzeug – Matchboxautos, ein riesiger Transformer, genug Legosteine, um eine kleine Stadt zu bauen. Auf der Kommode stapelten sich Bilderbücher. Nichts davon sah aus, als wäre es je angerührt worden. Offensichtlich war irgendjemand in den örtlichen Spielzeugladen gefahren und hatte den Verkäufer gefragt, womit ein Siebenjähriger denn für gewöhnlich spielte, doch dieser spezielle Siebenjährige war an nichts davon interessiert.

»Guten Morgen«, sagte Sara mit bewusst neutraler Stimme, als sie das Zimmer betrat. Sie hatte sich angewöhnt, mit Kindern nie von oben herab zu sprechen. »Ich bin Dr. Linton. Das ist Agent Trent. Er ist Polizist, aber er arbeitet für den Staat Georgia. Das ist auch der Grund, warum man ihn Agent und nicht Detective nennt.« Sie winkte Will ins Zimmer. »Dr. Thomas kommt heute nicht, lässt dich aber herzlich grüßen. Wenn du einverstanden bist, kümmere ich mich gleich um dich.«

Der Junge rührte sich nicht, aber er protestierte auch nicht. Sara nahm ihn kurz in Augenschein. Dr. Thomas hatte gute Arbeit geleistet. Der Junge sah in jeder Hinsicht aus wie ein gesunder Siebenjähriger. Seine Hautfarbe war rosig, sein Gewicht schien im unteren Normalbereich zu liegen. Es gab keine Hinweise mehr auf Austrocknung oder Vernachlässigung. Die Wunden in seinem Gesicht verheilten gut. Abgesehen von seinem ängstlichen, kuschenden Verhalten wäre sie nie auf die Idee gekommen, dass dieser Junge entführt worden war.

Sara winkte Will zu einem Stuhl in der Ecke. »Agent Trent hatte einen Streit mit ein paar ziemlich bösen Männern. Deshalb ist sein Gesicht voller Wunden. Siehst du die roten Flecken an seinem Hals? Die werden in ein paar Wochen abheilen. Hast du auch schon mal solche Quetschungen gehabt?« Der Junge starrte Will an. Er zog sich die Decke bis zum Hals hoch.

»In ungefähr zwei Tagen werden Agent Trents Quetschungen dunkellila oder sogar schwarz aussehen.« Sie öffnete ihre Arzttasche. »In zehn Tagen sind sie dann grün, anschließend braun, und in etwa zweieinhalb Wochen verschwinden sie ganz einfach.« Sie fragte den Jungen: »Du hattest auch schon mal solche Flecken, oder?«

Er antwortete noch immer nicht, blickte jetzt aber von Will zu Sara.

»Ich lege dir gleich die Finger aufs Handgelenk, okay?« Der Junge zuckte kein bisschen zusammen, als Sara seinen Puls maß. Mit seinen sieben Jahren war er vermutlich schon ein Dutzend Mal in einer Arztpraxis gewesen. Er kannte die Abläufe einer solchen Untersuchung.

»Weißt du, was einen solchen Fleck verursacht?«

Der Junge antwortete nicht, aber sie merkte, dass er ihr zuhörte.

»Das ist Blut, das unter der Haut gefangen ist. Sieht irgendwie übel aus, was?«

Er starrte Sara an.

»Also, ich finde, es sieht übel aus. Und ich bin Ärztin.«

Der Blick des Jungen wanderte wieder zu Will, aber jetzt war es eher ein interessiertes Mustern denn ein Anstarren. Sara zog ihr Stethoskop heraus, ein altes, das sie als Reserve immer bei sich trug. Ihre Eltern hatten es ihr gekauft, als sie mit dem Medizinstudium angefangen hatte. Sara hielt sich das Bruststück an den Mund und wärmte es mit ihrem Atem. Sie musste dem Jungen nicht mal sagen, was er zu tun hatte.

Er beugte sich im Bett vor, damit Sara ihm die Lunge abhören konnte.

Sara schob den Rücken seines Schlafanzugoberteils hoch. Er hatte Verbrennungen auf der Haut. Sara tat so, als würde sie sie gar nicht sehen.

»Tief einatmen«, sagte Sara und lauschte dann länger als nötig seinen Atemzügen. Dr. Thomas hatte die Verbrennungen behandelt, sie aber offen gelassen, um einer Infektion vorzubeugen. Sie würden Narben auf seinem Rücken hinterlassen, die denen ganz ähnlich sehen würden, die Wills Haut überzogen.

»Junge, Junge«, sagte sie schließlich, »deine Lunge ist echt kräftig!«

Er richtete sich wieder auf, damit sie sein Herz abhören konnte. Das Laken hielt er immer noch über der Taille fest in beiden Händen, doch sein Kopf bewegte sich weiter hin und her. Er sah erst Denise an, die in der Tür stand, dann wieder Will und schließlich hoch zu Sara. In einem fort kontrollierte er seine Umgebung. Seine Finger umklammerten den Saum des Lakens, als wollte er in Alarmbereitschaft bleiben, um sich sofort wieder unter der Decke zu verstecken.

»Du weißt doch, dass du im Staat Georgia gelandet bist, oder? Georgia liegt direkt über Florida.«

Der Junge antwortete nicht, aber sein Gesichtsausdruck sagte ihr, dass sie ihm Dinge erzählte, die er bereits wusste.

»In ein paar Minuten werden wir in einen Krankenwagen steigen. Du bist doch schon mal in einem Krankenwagen gefahren, oder? Nur bringen wir dich diesmal nach Atlanta.« Sie hielt inne. Sie hatte jetzt seine volle Aufmerksamkeit. »Die Fahrt wird ungefähr anderthalb Stunden dauern. Wenn wir dort ankommen, bringen wir dich in ein Krankenhaus. Ich bleibe die ganze Zeit über bei dir.«

Der Junge sah zu Denise hinüber.

»Jasmine und Vivica kommen ebenfalls mit. Und fahren im Auto hinter dem Krankenwagen her. Lila kommt später, um nach dir zu sehen.« Sie lächelte, als würden sie beide ein Geheimnis teilen. »Ich hab dir doch gesagt, wir lassen dich nicht allein.«

Sara nahm an, dass Vivica die zweite Sanitäterin war. Sie wandte sich wieder an den Jungen: »Die Sirene schalten wir ab, weil dies hier ja kein Notfall ist. Du bist nicht mehr krank. Du bist wahrscheinlich nur müde und hast große Angst. Und du sprichst nicht. Deshalb muss ich dir jetzt auch in den Mund gucken, damit ich weiß, dass da nichts ist, was dich daran hindert.« Der Blick des Jungen schnellte wieder zu Sara. Ihm war offensichtlich klar, dass sie für sein Schweigen keine medizinische Erklärung finden würde.

»Gib mir nur eine Sekunde.« Sara stöberte in ihrer Tasche, so, wie Nell es zuvor getan hatte, um geschäftig auszusehen.

»Hmm, ich hab keinen Zungenspatel dabei«, flunkerte sie und drehte sich dann zu Denise um. »Hätten Sie vielleicht ein Eis am Stiel?«

Denise verstand sie offensichtlich nicht. »Ein Eis am Stiel?«

»Den Holzstiel könnte ich als Zungenspatel benutzen. Vielleicht sind noch welche im Gefrierschrank?« Sie starrte Denise mit weit aufgerissenen Augen an. »Könnten Sie vielleicht mal nachsehen?«

Widerwillig sagte Denise zu dem Jungen: »Ich bin kurz in der Küche, okay?«

Der Junge nickte zwar nicht, aber offenkundig gab es zwischen den beiden eine Art stumme Verständigung. Er hatte Denise seine Erlaubnis erteilt.

Sara stöberte wieder in ihrer Tasche. »Ich mag Denise sehr«, brummelte sie vor sich hin. »Du doch auch, Agent Trent?«

383

Will musste sich räuspern, bevor er antworten konnte. »Ja. Das sind alles wirklich gute Menschen.«

»Agent Trent klingt nur deshalb so komisch«, erklärte Sara dem Jungen, »weil er einen rauen Hals hat.«

Der Junge sah wieder Will an, betrachtete wahrscheinlich die Quetschungen an dessen Hals.

»Agent Trent gibt nicht gern damit an, aber er kennt ein paar echt gute Witze. Nicht wahr, Agent Trent?«

Will stand die Verblüffung ins Gesicht geschrieben. Dann geriet er leicht in Panik.

Sie versuchte, einen anderen Tonfall als mit dem Jungen zu benutzen. »Warum erzählst du ihm nicht einen Witz?«

Will wusste nicht, was er sagen sollte. Ihr erzählte er immer blöde Witze. Er hatte keine Ahnung, warum ihm jetzt kein einziger einfiel.

Sara half ihm auf die Sprünge. »Was war mit SpongeBob? War er nicht neulich erst in Schwierigkeiten?«

Will holte ein Bonbon aus der Tasche und fummelte an der Folie herum. Sara wollte ihn schon erlösen, doch dann sagte er unvermittelt: »Schmetterlinge schmecken mit den Füßen.« Der Junge starrte ihn einfach nur an. Sara ebenfalls. Sie hatte keine Ahnung, wovon er redete.

Will steckte sich das Bonbon in den Mund. »Schmetterlinge haben keinen Mund, mit dem sie beißen oder kauen könnten. Aber sie haben so ein Rüsselding, mit dem sie Nektar saugen. So fressen sie.« Er räusperte sich. »Aber wie sollen sie wissen, was sie essen sollen? Sie landen mit ihren Füßen auf Blättern und Blüten – und so schmecken sie, ob etwas gut ist oder nicht. Sie haben ihre Geschmacksknospen in den Füßen.«

Der Junge kniff skeptisch, aber nicht uninteressiert die Augen zusammen, was Will nicht entgangen war. Er rückte seinen Stuhl ein Stück näher ans Bett.

»Und hast du gewusst, dass die meisten Schildkröten durch den Popo atmen?«

Der Junge warf Sara einen aufgeregten Blick zu, wahrscheinlich, weil Will »Popo« gesagt hatte.

»Das stimmt wirklich.« Will rutschte noch ein Stückchen näher. »Sie haben kleine Luftsäcke in ihrem Popo. So können sie den Kopf unter Wasser halten und müssen einfach nur den Popo rausstrecken, wenn sie atmen müssen.«

Fast unmerklich hatte sich der krampfhafte Griff um das Laken gelockert. Der Junge starrte Will jetzt mit offener Neugier an.

»Übrigens hab ich auch gehört, dass es im Wald so eine Art Krieg gibt.« Er räusperte sich noch einmal. Sara hoffte inständig, dass ihn nicht wieder ein Hustenanfall überkam.

»Die Insekten gegen die anderen Tiere. Hast du davon schon mal gehört?«

Der Junge antwortete immer noch nicht, aber er beugte sich leicht vor.

»Ich glaube, davon hab ich in der Zeitung gelesen«, warf Sara ein.

»Das wundert mich überhaupt nicht. Es war überall in den Nachrichten.« Will wandte sich wieder an den Jungen: »Hast du das auch im Fernsehen gesehen?«

Ganz leicht schüttelte der Junge den Kopf.

»Offenbar hatten sie endlich beschlossen, ihren Streit offen auszutragen. Die Insekten gegen die anderen Tiere. Sie setzten ein Footballspiel an – und der Gewinner sollte dann für immer im Wald regieren. Und ich meine wirklich auf ewig und noch einen ganzen Tag extra.« Will stützte die Ellbogen auf die Knie. »Sicher, dass du nichts von diesem Spiel gehört hast? War 'ne Riesensache.«

Diesmal war das Kopfschütteln schon deutlicher.

»Und es war ja auch ein Wahnsinnsspiel«, fuhr Will fort. »Ich meine, unvergesslich. Die Tiere und die Insekten werden ihren Kindern noch jahrelang davon erzählen.«

Der Junge beugte sich noch weiter vor. Er wollte mehr erfahren, das konnte man ihm ansehen.

»In den ersten zwei Vierteln war es eigentlich kein gutes Spiel. Die Tiere haben die Insekten einfach überrannt. Ich meine, die sind ja auch körperlich stärker …« Will tat so, als würde er einen Football werfen. »Ein Touchdown nach dem anderen. Die Tiere haben den Platz beherrscht. Die Insekten konnten nichts tun, um sie zu stoppen. Dann kam die Halbzeit.« Will hob die Hände, als wäre er der Schiedsrichter, der zur Halbzeit abwinkt. »Die Insekten flennten in der Kabine wie die Babys! Sie würden dieses Spiel verlieren. Sie wussten es genau. Sie spürten es in ihren Panzern. Das würde eine Demütigung für den Rest ihres Lebens bedeuten. Trotzdem liefen sie wieder auf den Platz. Sie konnten sich ja nicht einfach davor drücken, oder? Nicht nach all den Jahren. Sie haben vielleicht kein Skelett, wie wir es haben, aber Drückeberger sind sie auch nicht, hab ich recht?«

Der Junge nickte. Er hing an Wills Lippen.

»Als dann das dritte Viertel anfängt, kommt plötzlich die Raupe aufs Spielfeld und zeigt endlich allen, was sie kann. Sie nimmt ihre Position ein, macht sich bereit für den langen Weg – und ich meine, wirklich lang! Stell dir mal den Wendekreis dieses Viechs vor! Die Grille gibt also den Ball durch die Beine ab und plötzlich, *wusch!*« – Will riss die Hände in die Höhe –, »setzt die Raupe sich in Bewegung. Sie drückt den Ball an sich und kriecht wie verrückt das Spielfeld rauf und runter. Touchdown um Touchdown. Ich meine, die Raupe ist richtig heiß – sie gewinnt das Spiel nicht nur. Es wird ein echter Kantersieg. Am Ende steht es 34 für die Tiere und für die Insekten 212.«

Bei der Vorstellung klappte dem Jungen die Kinnlade runter.

»Die Insekten sind natürlich völlig aus dem Häuschen«, fuhr Will fort. »Alle laufen aufs Spielfeld. Sie heben die Raupe auf die Schultern und tragen sie herum. Sie können es nicht glauben. Jetzt sind sie die Herrscher des Waldes für immer und einen Tag. Und dann sagt jemand plötzlich zu der Raupe: ›Mann, wir hätten das Spiel doch schon zur Halbzeit gewinnen können! Wo warst du denn die ganze Zeit?‹« Will machte eine dramatische

Pause. »Und die Raupe sagt: ›Ich musste mir erst noch die Schuhe anziehen.‹«

Der Junge hielt kurz den Atem an. Einen Augenblick später explodierte er schier vor Lachen. Er riss den Mund weit auf, krümmte sich. Vor Anstrengung waren seine winzigen Fäuste geballt. Er sah zu Sara hoch, als wollte er sie fragen: *Kannst du das glauben?* Sara musste ihm nicht mal vorgaukeln, als würde sie ebenfalls lachen. Die ungezügelte Freude des Jungen war das Süßeste, was sie seit Langem gehört hatte.

Er kippte regelrecht zur Seite. Das Laken war vergessen. Für einen kurzen Augenblick war er einfach nur wieder Kind.

Doch dann – als würde ein Vorhang vorgezogen – erstarb das Lachen, und die Erinnerungen stürmten wieder auf ihn ein. Langsam schob sich der Junge wieder zurück gegen das Kopfende und drückte sich das Laken fest um die Taille.

Will zog eine Handvoll Jolly Ranchers aus der Tasche.

»Willste auch eins?«

Der Junge suchte sich ein Bonbon mit Wassermelonengeschmack aus. Konzentriert wickelte er das Bonbon aus der Folie. Sara hielt ihm die Hand hin, um ihm den Abfall abzunehmen. Der Junge spitzte beim Lutschen die Lippen. Irgendwas war mittlerweile anders. Sie ahnte, dass immer noch eine Mauer zwischen ihnen stand, doch endlich fiel ein bisschen Sonnenlicht durch die Risse.

»Weißt du«, fuhr Will fort, »der Mann, der das mit meinem Gesicht gemacht hat, der bekommt eine Menge Ärger, wenn ich ihn in die Finger kriege.« Er legte sich lässig den Fuß aufs Knie. »Er wird für den Rest seines Lebens im Gefängnis landen. Oder vielleicht verhaftet ihn auch Denise oder Lila. Oder jemand anderes. Es gibt da draußen echt viele Polizisten, die gute Menschen sind. Sie sorgen dafür, dass die Bösen weggesperrt werden, damit sie niemandem mehr etwas antun können.«

Der Junge schob das Bonbon im Mund hin und her. Sara hörte, wie es gegen seine Zähne klackerte.

»Leute, die schlimme Dinge tun, werden am Ende immer geschnappt«, stellte Will fest. »Wusstest du das?«

Der Junge schien über die Frage ernsthaft nachzudenken. Schließlich schüttelte er den Kopf.

»Weißt du es nicht, oder glaubst du nicht, dass es wahr ist?«, hakte Will nach.

Der Junge schüttelte wieder den Kopf, hielt dann aber inne. Anstatt zu reden, hob er zwei Finger.

»Du glaubst nicht, dass es wahr ist?« Der Junge nickte.

»Ich weiß, dass du ein kluger kleiner Junge bist. Aber diesmal liegst du falsch. Denn genau das ist meine Arbeit. Ich jage die Bösen und sperre sie ein.«

Der Junge blickte auf das Laken hinunter und zupfte wieder am Saum.

»Vor ein paar Monaten hab ich ein paar echt böse Jungs verhaftet. Sie hatten diesem kleinen Jungen erzählt, dass seiner Mommy und seinem Daddy was passiert, wenn er mit der Polizei redet.«

Der Junge riss schockiert den Kopf hoch.

»Aber die bösen Jungs hatten ihn angelogen«, sagte Will. »Sie wollten dem kleinen Jungen einfach nur Angst einjagen. Seine Mommy und sein Daddy waren die ganze Zeit über in Sicherheit. Und nachdem er mir erzählt hatte, was passiert war, hab ich die bösen Jungs verhaftet und den kleinen Jungen wieder heimgebracht.« Will beugte sich ein Stückchen vor. »Verstehst du, was ich meine?«

Der Junge schien ihn tatsächlich zu verstehen, reagierte aber nicht.

»Je schneller du mir erzählst, was mit dir passiert ist, umso eher kann ich dich wieder zu deiner Familie zurückbringen. Und glaub mir, sie wollen dich unbedingt wiederhaben. Sie können an gar nichts anderes mehr denken. Egal was die bösen Männer dir angetan haben – deine Familie will dich einfach nur zurück, damit sie sich um dich kümmern und dich beschützen kann.«

Der Junge starrte wieder auf das Laken hinab. Tränen liefen ihm über die Wangen.

»Du kannst ruhig mit mir reden, Kumpel. Was immer dir auch passiert ist – es war nicht deine Schuld. Und deine Mommy und dein Daddy lieben dich sehr, sie wollen dich unbedingt wieder bei sich haben. Das ist das Einzige, was ihnen wichtig ist. Egal was die bösen Männer dir angetan haben. Sie werden dich immer, immer lieben.«

Der Junge hielt den Kopf gesenkt. Sein Mund bewegte sich. Er musste sich wieder darauf besinnen, wie er Worte bilden konnte. »Was ist mit Benjamin?«

Will sah zu Sara hoch.

»Ist das dein Bruder?«, fragte sie. Der Junge nickte.

»Ich bin mir sicher, dass er dich auch zurückwill«, sagte Will. »Auch wenn du mit ihm gestritten hast oder ihr euch nicht verstanden habt. Das alles ist jetzt unwichtig. Benjamin will ebenfalls, dass du wieder zu ihm nach Hause kommst.«

Endlich blickte der Junge wieder zu Will hinüber. »Er ist nicht zu Hause«, flüsterte er. »Er war auch im Keller.«

Saras Herz setzte für einen Schlag aus, und sie war unfähig zu sprechen. Noch ein Junge – ein Bruder, der weiterhin irgendwo dort draußen war und entsetzliche Grausamkeiten erleiden musste. Oder schlimmer noch, der nicht mehr dort draußen, sondern längst irgendwo verscharrt worden war.

Will gingen offensichtlich dieselben Möglichkeiten durch den Kopf. Er hatte sichtlich Mühe, Ruhe zu bewahren. »Benjamin war mit dir zusammen in dem Keller?«

Der Junge nickte. »Der Böse hat ihn weggebracht.«

Wills Nerven waren zum Zerreißen angespannt, als er krächzte: »Verrätst du mir deinen Namen?«

Der Junge antwortete nicht.

»Ich hab gestern Abend zufällig einen kleinen Jungen getroffen. Der hat den Namen seiner Schule erwähnt. Kennst du den Namen von deiner Schule?«

Der Junge antwortete noch immer nicht. Er hatte zu viel Angst, machte sich zu große Sorgen, dass er jetzt schon zu viel verraten hätte. Er rutschte auf dem Bett nach unten und zog sich das Laken über den Kopf.

Will öffnete den Mund, aber es kam nichts heraus. Er wollte nicht aufgeben, aber er wusste auch nicht, wie er weitermachen sollte.

Sara legte dem Jungen die Hand auf den Arm. Er zitterte. Sie hörten ihn durch das Laken wimmern.

»Alles okay, Liebling«, sagte Sara. »Im Augenblick musst du gar nichts mehr sagen. Es war sehr, sehr tapfer von dir, dass du zu Agent Trent überhaupt etwas gesagt hast. Und du bist hier immer noch sicher. Dir wird nichts Schlimmes passieren.«

Denise Branson war zurückgekehrt und räusperte sich.

»Wir lassen dich jetzt mal allein«, fuhr Sara fort. »Aber wir sind alle für dich da, wenn du uns brauchst.« Dann stand sie auf und bedeutete Will, ihr zu folgen. »Ich bin in der Küche, okay? Du musst jetzt nichts mehr sagen. Erst wenn du wieder so weit bist.«

Sara verließ das Zimmer, auch wenn sie das Gefühl hatte, dass ein Teil ihres Herzens bei dem Jungen zurückblieb. Sein Bruder war ebenfalls verschleppt worden. Warum in aller Welt war er nicht in dem Haus gefunden worden? Wohin hatte man ihn gebracht?

»In ein paar Minuten versuch ich's noch einmal«, raunte sie Will zu.

Er zog sein zersplittertes Handy aus der Tasche. Sara nahm an, dass er Faith anrufen wollte, aber dann sagte er: »Hier spricht Will Trent. Im Auftrag von Deputy Director Amanda Wagner fordere ich einen sofortigen nationalen Alarm an. Zwei vermisste Brüder, beide am selben Tag verschwunden, möglicherweise vor mehr als zwei Wochen. Kein Name für den ersten Jungen, aber er ist ungefähr sieben Jahre alt, dunkles Haar, braune Augen. Der zweite Junge heißt Benjamin.«

»Oder Ben«, raunte Sara ihm zu. »Oder Benji.«

Beinahe hätte Will das Telefon fallen gelassen. Der Schock war ihm regelrecht anzusehen. »Was hast du eben gesagt?«

Sie wusste, dass er mit Spitznamen nicht gut zurechtkam.

»Benjamin wird manchmal zu Ben oder Benji abgekürzt ...«

»Benji?« Will musste sich an der Wand abstützen. Er war vollkommen fassungslos.

»Was ist denn los?«

»Gib mir deine Schlüssel!«

14.

Will jagte die Tachonadel des BMW über die Hundert-Meilen-Marke, sowie er Lilas Farm hinter sich gelassen hatte. Sie lag nur wenige Meilen von der Interstate entfernt. Für die Auffahrt bremste er kaum. Die Reifen schlitterten über den Asphalt, aber der BMW blieb auf der Straße. Als er auf die Interstate einbog, drängelte er sich in den fließenden Verkehr. Er fuhr schnell, aber für Will fühlte es sich noch immer nicht schnell genug an. Er schoss an der Ausfahrt für das Macon General vorbei. Der Motor kreischte auf, als er noch mehr Gas gab.

Er war schon kurz vor der Ausfahrt, die zu Cayla Martins Haus führte, als endlich sein Handy klingelte. »Haben Sie ihn?«

»Sie können Cayla Martins Straße nicht finden«, antwortete Faith.

Will fluchte leise. »Was ist mit den Beamten, die gestern Abend dort waren?«

»Sind beide nicht im Dienst. Keiner von ihnen geht ans Telefon. Wahrscheinlich schlafen sie noch.«

»Schicken Sie jemanden hin, der sie aufweckt!«

»Glauben Sie im Ernst, das hätte ich nicht getan?«

Will versuchte, sich zu zügeln. »Sie müssen das Haus finden, Faith! Sagen Sie ihnen, sie sollen einen Hubschrauber schicken!«

»Der State Highway führt dreißig Meilen durch dieses Postleitzahlgebiet, Will – wir haben sämtliche Straßenteams losgeschickt. Wir haben den Park Service und die Müllabfuhr und die Post und die Mittelschule angerufen. Drei Streifenwagen fahren die Straße ab. Sie geben sich wirklich alle Mühe.«

»Es ist ein Feldweg, da ist eine Wohnwagensiedlung, und …«

»Wir finden es schon.«

»Sagen Sie ihnen, sie sollen nach mir Ausschau halten. Ich bin gerade am Macon General vorbeigefahren. Ich nehme jetzt die Ausfahrt zwölf.«

Es knisterte kurz, während Faith die Informationen weitergab. Dann war ihre Stimme wieder klar zu hören. »Cayla Martin wurde vor einer halben Stunde im Macon General gesehen. Sie hat sich dort ihren Gehaltsscheck abgeholt. Ihr Auto steht noch auf dem Parkplatz, aber sie selbst ist nicht mehr aufzufinden.«

»Haben Sie am Personaleingang nachgesehen? Dort geht sie raus, um zu rauchen.«

»Moment.« Wieder legte Faith die Hand auf die Muschel, um in eine andere Leitung zu sprechen. »Sie sehen sofort nach.«

»Haben Sie einen AMBER Alert zu zwei vermissten Brüdern gefunden?«

»Nein, nichts.«

»Das ist doch unmöglich«, brüllte Will. »Zwei Brüder, die am selben Tag verschwunden sind. Warum haben wir nichts davon erfahren?«

»Vielleicht dachte die Polizei, es wäre eine Entführung durch ein Elternteil?« Faith wies ihn auf das Offensichtliche hin. »So etwas würde es niemals bis in die Medien schaffen, außer es hätte Leichen gegeben.« Sie hielt kurz inne und fragte dann: »Sind Sie sich sicher, dass der Junge sich das nicht nur ausgedacht hat? Kinder in diesem Alter denken sich oft Geschichten aus. Vielleicht war der andere Junge ein Cousin oder ein Freund oder …«

»Er hat nicht gelogen«, gab Will zurück. »Sie glauben doch

auch nicht an Zufälle. Benjamin ist hier in der Gegend kein wahnsinnig gängiger Name.«

»Das stimmt«, gab Faith zu. »Amanda spricht gerade mit den Mounties.« Die zuständige Einheit der kanadischen Polizei. »Von dort dringen Nachrichten nicht allzu oft bis zu uns herüber, außer vielleicht, man lebt im Grenzgebiet. Womöglich kommen die Jungen ja von dort oben.«

»Was ist mit den französischsprachigen Teilen?«, fragte Will. »Dort sind die Mounties nicht zuständig.«

»Klang der Junge französisch?«

»Vielleicht sind sie zweisprachig aufgewachsen. Ich weiß es nicht, Faith. Sagen Sie ihr einfach, sie soll jeden anrufen.«

»Ich schicke ihr gerade eine Nachricht.«

Will schwieg und wartete, bis Faith fertig getippt hatte. In seinem Kopf drehte sich alles. Er hatte Benjamin direkt vor Augen gehabt. Der Junge hatte Will regelrecht angefleht, ihm zu helfen. Er hatte ihm erzählt, er wäre vor einem Monat abgeholt worden, und Will hatte einfach angenommen, der Junge wäre bei seiner Mutter abgeholt worden, und zwar von den Behörden, nicht von irgendeinem Sadisten.

Big Whitey.

Will wusste, was mit Marie Sorensen passiert war. Er hatte erst am Morgen die Zigarettennarben auf dem Rücken des Jungen gesehen. Denise Branson hatte ihn aus diesem Keller befreit. Doch was passierte mit den Jungen, die nicht gerettet wurden? Welche abscheulichen Dinge wurden Benjamin im Augenblick angetan?

»Okay«, sagte Faith. »Amanda weiß Bescheid. Übrigens, keine Cayla vor dem Personaleingang des Krankenhauses. Sie ist auch nicht auf dem Dach oder im Treppenhaus. Wie weit sind Sie noch von ihrem Haus entfernt?«

Will trat hart auf die Bremse, sodass das ganze Auto bebte. Er legte den Rückwärtsgang ein. Beinahe hätte er die Abzweigung übersehen. »Die Straße geht in einem spitzen Winkel vom

Highway ab, ungefähr zehn Meilen von der Interstate entfernt.«
Er verfluchte sich stumm, weil er beim Verlassen der Interstate
den Streckenzähler nicht zurückgestellt hatte.

»Hier gibt es eine Menge überhängender Bäume. Und neben
der Abzweigung steht eine Werbetafel.« Er sah hinauf. »Für die
Wohnwagensiedlung. Da sind Palmen drauf.«

»Ich sage der Streife Bescheid.«

Will trat das Gaspedal durch und raste über den Feldweg.
Hinter ihm wirbelte roter Staub auf. Der kleine Navi-Monitor
auf Saras Armaturenbrett wurde schwarz. Der Feldweg war offenbar nicht verzeichnet. Will verfluchte erneut seine eigene
Dummheit. Er hatte den Monitor die ganze Zeit direkt vor Augen gehabt.

»Orten Sie mein Handy«, befahl er Faith. »Vielleicht ist diese
Straße ja im GPS des Militärs verzeichnet.«

»Bin schon dabei«, sagte Faith. »Rufen Sie mich an, wenn Sie
dort sind.«

Will schaltete ab und warf das Handy auf den Beifahrersitz.
Dann überlegte er es sich anders und steckte es sich in die Gesäßtasche. Obwohl die Fahrt zu Cayla sich schon am Vorabend
unendlich lang angefühlt hatte, schien sie sich jetzt schier endlos
hinzuziehen. Die Straße vor ihm wollte kein Ende nehmen. Es
kam ihm vor wie eine geschlagene halbe Stunde, ehe er die
Wohnwagensiedlung vor sich sah. Kinder spielten auf dem Hof.
Will bremste, sah sich ihre Gesichter an, suchte nach Benjamin.
Sie starrten zurück. Einige liefen fort, um sich zu Hause in
Sicherheit zu bringen. Wahrscheinlich hatte man ihnen beigebracht wegzulaufen, sobald ein Fremder sie auch nur kurz an-
schaute.

Das Lenkrad wurde herumgerissen, als der BMW in ein großes Schlagloch sackte. Will lenkte dagegen und übersteuerte,
richtete die Räder mühsam wieder aus und spürte den nächsten
lauten Rumms, als die Reifen schließlich wieder auf Asphalt trafen. Endlich hatte er die Neubausiedlung erreicht. Bei Tageslicht

wirkten die leeren Grundstücke und unfertigen Gebäude noch trister als in der Dämmerung. Zum Glück war die Gruppe fertiggestellter Häuser für Will gut zu erkennen. Vor Caylas Einfahrt bremste er abrupt ab. Nirgends ein Auto. Er hechtete aus dem BMW, spähte durch die Fenster der Garage. Leer.

Will wählte Faiths Nummer, während er zum Haus hinüberlief. »Ich bin jetzt da. Kein Auto. Das Haus sieht leer aus.«

»Die Beamten von gestern Abend sind inzwischen ebenfalls unterwegs. Sie haben noch zwei weitere Streifenwagen dabei. Ich weiß, dass Sie Ihre Waffe nicht bei sich haben, Will, warten Sie also auf Verstärkung.«

»Ich warte auf gar keinen Fall.« Will legte auf, machte einen Schritt von der Tür weg und trat sie ein, ohne auch nur eine weitere Sekunde zu zögern. »Benjamin?«, rief er. Seine Stimme hallte durch das Haus. »Benjamin?«

Will öffnete den Garderobenschrank und suchte die Rückwand nach einer Geheimtür ab. Als Nächstes lief er in die Garage. Allerdings war die immer noch nicht vollends fertiggestellt, und zwischen den nackten Stützstreben war kein Versteck möglich.

Die Küche sah genauso aus wie am Abend zuvor. Wills leerer Teller stand immer noch auf dem Esstisch. Auf dem Herd stapelten sich Töpfe und Pfannen. Tonys Bierdosen lagen kreuz und quer auf der Anrichte herum.

»Benjamin?« Will rannte nach oben, nahm immer zwei Stufen auf einmal. Vor dem Bad blieb er stehen, ging aber nicht hinein. An einer der Schlafzimmertüren entdeckte er einen Sperrriegel. Ein stabiles Kombinationsschloss sicherte ihn. »Benjamin?« Er hämmerte gegen die Tür. »Ich bin's, Mr. Black von gestern Abend. Ich bin von der Polizei. Ich bin gekommen, um dir zu helfen.« Das Riegelschloss war mit Bolzen statt mit Schrauben befestigt. So würde er es unmöglich aufstemmen können. »Benjamin, du musst ein Stück nach hinten ausweichen. Ich werde jetzt die Tür eintreten.«

Will wartete ein paar Sekunden, hob dann den Fuß und trat gegen die Tür. Das Schloss schepperte gegen das Holz. Er trat noch einmal dagegen. Der Türstock splitterte. Er hob den Fuß erneut und trat noch einmal zu. Dann noch mal. Nur durch die schiere Wiederholung schaffte er es schließlich, das Holz aufzubrechen. Das Türblatt schnellte nach innen, und der Knauf drillte sich in die dahinterliegende Gipskartonwand.

Benjamin war an den Boden gekettet. Er saß in der Ecke, mit dem Rücken zur Wand. Offensichtlich hatte er entsetzliche Angst.

»Alles okay«, flüsterte Will ihm zu. »Ich bin Polizist. Ich bin hier, um dir zu helfen.«

Benjamin reagierte nicht. Will verschaffte sich einen schnellen Überblick. Eine Handschelle fesselte den Knöchel des Jungen an die Kette. Das andere Ende war an einem am Boden verschraubten Rundhaken befestigt. Irgendjemand hatte den Haken mit Spachtelmasse überschmiert, damit der Junge die Schraube nicht herausdrehen konnte. Wahrscheinlich Tony. Ein solcher Dilettantismus war typisch für ihn. Tony hätte daran denken müssen, dass der Junge so nicht auf die Toilette gehen konnte. Der Urin hatte das Holz aufgeweicht. Ohne Probleme riss Will den Haken aus dem Boden.

Dann hörte er das Zuknallen einer Autotür.

Vorsichtig trat Will ans vordere Fenster. Dort stieg Paul Vickery aus einem weißen Honda. Er hatte eine Waffe in der Hand.

»Scheiße«, murmelte Will. Er hätte ahnen müssen, dass Vickery beteiligt war.

Will angelte sein iPhone aus der Tasche. »Kannst du SMS verschicken?«, fragte er den Jungen, und Benjamin nickte, die Augen vor Angst immer noch weit aufgerissen. »Du wirst jetzt meiner Partnerin eine Nachricht schicken.« Will wischte über das Display, rief die entsprechende App auf und tippte Faiths

Nummer ein, ehe er Benjamin das Handy in die Hand drückte. »Gib deinen Namen ein. Schreib ihr, dass du dich in Caylas Haus versteckst. Schreib ihr, sie soll sich beeilen.«

Dann hob er den Jungen hoch und lief aus dem Zimmer. Draußen im Flur hatte er eine Luke zum Dachboden gesehen, als er oben auf dem Treppenabsatz gestanden hatte. Er hielt Benjamin in die Höhe. Er musste dem Jungen nicht erst sagen, was er tun sollte. Benji stieß die Luke auf und kletterte hinauf.

»Mach keinen Lärm! Wenn sie dich finden, behalt das Handy bei dir. Hast du mich verstanden? Es hat eine Ortungsfunktion. So können wir dich wiederfinden, solange du das Handy bei dir hast. Steck's dir in die Hosentasche. Verlier es nicht!« Benjamin zog die Kette hinter sich her. Das Lukenschloss fiel im selben Augenblick zu, als unten die Haustür aufsprang. Will rannte die Treppe hinunter. Paul Vickery hatte ihn schon zweimal angegriffen, allerdings hatte der Mann dabei stets das Überraschungsmoment auf seiner Seite gehabt. Diesmal würde Will Oberwasser haben. Immerhin wusste er, dass Vickery – so korrupt er sein mochte – nun mal auch Polizist war. Er würde genau das tun, was Will zuvor getan hatte: im Garderobenschrank nachsehen. In der Garage. In der Küche.

Vickery kam gerade aus der Küche, als Will ihn von der Treppe aus ansprang. Vickerys Mund klappte auf, doch er hatte keine Zeit zu schreien. Will rammte ihn mit aller Kraft zu Boden. Die Waffe schlitterte ihm aus der Hand. Will jagte dem Mann seine Faust mitten ins Gesicht. So grässlich es auch war – Will konnte nicht anders, als den süßen Sieg der Vergeltung zu genießen, als Vickerys Nase regelrecht zu explodieren schien wie ein geplatzter Reifen.

Will holte zum zweiten Schlag aus, doch Vickery rührte sich nicht mehr. Wie die meisten Schläger hatte auch er ein Glaskinn. Ein Treffer, und er hatte das Bewusstsein verloren. Will ging in die Hocke. Er war fast schon enttäuscht.

»Mann, Bud!«, kam es plötzlich von der Haustür, und vor ihm stand Cayla Martin. Sie zielte mit einem Taser auf Wills Brust.

Die M26-C enthielt eine Stickstoff-Druckluftpatrone, die zwei winzige, mit Widerhaken versehene Projektile bis zu fünf Meter weit zu schießen vermochte. Die Projektile waren mit isolierten Leitungsdrähten verbunden, die mit acht Mignon-Batterien verkabelt waren, die wiederum bis zu fünfzigtausend Volt Strom lieferten – genug Saft, um das zentrale Nervensystem lahmzulegen.

Will sprang auf Vickerys Waffe zu, doch die Stickstoffladung war schneller. Die Sonden drangen in seinen Nacken ein.

Er war bewusstlos, noch ehe er auf dem Boden aufschlug.

15.

Fünf Tage vor der Razzia

Lena lag auf der Pritsche in Dr. Benedicts Praxis. Ihr Kopf war leicht erhöht, die Beine hingegen hingen unbequem über die Kante. Sie versuchte zu verhindern, dass der Papierkittel hochrutschte, doch es war aussichtslos. Es dämmerte ihr, dass man sich in so einem Zustand verhältnismäßig schnell entscheiden musste, was man sein wollte: schwanger oder züchtig. Und das war wohl lediglich der erste von zahlreichen Kompromissen, die Lena für die Zukunft zu erwarten hatte. Schon jetzt hatte sie das Gefühl, dass ihr Körper nicht mehr ihr gehörte. Sie pinkelte mehr. Schlief mehr. Verdammt, sie atmete sogar mehr. Komisch daran war nur, dass Lena sich nicht etwa überrumpelt fühlte, sondern so glücklich war wie nie zuvor in ihrem Leben.

»Bist du vorzeigbar?« Jared spähte zur Tür herein. Er pfiff leise durch die Zähne, als er sich der Pritsche näherte. »Babe, hier eröffnen sich ja ganz neue Möglichkeiten fürs Schlafzimmer …«

Sie verdrehte die Augen, verspürte aber ein merkwürdiges Kribbeln. So redete er in letzter Zeit ziemlich oft.

»Was hast du ihnen erzählt, um von der Arbeit wegzukommen?«

»Hab gesagt, ich brauch ein bisschen Zeit für mich. Ich glaube, sie denken, ich hätte eine Affäre.«

Sie gab ihm einen Klaps auf den Arm. »Das ist nicht witzig.« Er lachte gutmütig und blickte sich im Sprechzimmer um.

»Was ist denn dieser ganze Mist?«

»Touché«, erwiderte Lena. Zumindest hatte sie das Ultraschallgerät erkannt. Die Maschine auch nur anzusehen machte sie indes nervös. Sie wusste nicht, was sie tun würde, wenn irgendwas nicht stimmte. Kein Herzschlag. Wenn das Hirn des Babys außerhalb des Schädels wuchs. Das Internet war voll von solchen Horrorgeschichten. Am Vorabend hatte sie irgendwann den Rechner ausschalten und sich im Bad vor die Schüssel knien müssen.

Jared zog eine der Fußstützen heraus. »Meinst du, man kriegt so eine Pritsche bei Costco?«

»Kannst du bitte zur Abwechslung mal nicht abscheulich sein?« Mit dem Absatz drückte sie die Stütze wieder zurück.

»Schlimm genug, dass irgendjemand in den nächsten acht Monaten wieder und wieder in mir herumstochert.«

»Siebeneinhalb.« Er nahm das Plastikmodell einer Gebärmutter zur Hand. Das Ding zerfiel ihm in den Händen.

»Scheiße, das Baby ist unter den Tisch gefallen …«

Lena sah ihm zu, wie er auf alle viere ging, um den Plastikfötus aufzuheben. Sein Hintern ragte dabei hoch in die Luft. Die Uniformhose spannte sich auf alles andere als erfreuliche Art darum. Fast jeden Morgen gingen sie zusammen ins Fitnessstudio. Manchmal sah sie ihm bei seinen Kniebeugen zu, während sie auf dem Laufband trainierte.

»Hab ihn.« Jared stand auf und hielt den Fötus wie einen Zahnstocher zwischen Daumen und Zeigefinger. »Alles okay? Dein Gesicht ist ganz rot.«

Lena legte sich die Hand an die Wange und versuchte es mit einem Themenwechsel. »Gestern hab ich in einem Laden diese schwangere Frau gesehen … Die Kassiererin hat ihr den Bauch getätschelt, als wäre sie ein Hund. Dann sagte sie: ›Gut gemacht,

Mom‹, als bräuchte man spezielle Fähigkeiten, um sich schwängern zu lassen.«

Jared grinste. »Glaubst du, die Leute tätscheln mir bald das Gemächt und loben mich ebenfalls?«

»Wenn sie meine Glock in ihrem Arsch spüren wollen …« Er lachte, fummelte das Plastikbaby in das Modell zurück und fügte auch die restlichen Teile wieder zusammen. »Du weißt, meine Mom wird hier sein wollen, wenn es so weit ist.« Lena wollte nicht darüber reden. Heute sollte ein glücklicher Tag werden.

»Ich will dich ja nur vorwarnen«, fuhr Jared fort. »Und dir sagen, dass ich sie hier haben will.«

»Hab ich denn eine Wahl?«

»Dein ekliger Onkel wird wahrscheinlich auch kommen wollen.«

»Wenigstens wird Hank so anständig sein, in einem Hotel zu übernachten und am nächsten Tag wieder abzureisen.« Dagegen konnte Jared nichts einwenden. Seit ihrer Hochzeit hatte Hank sie zwar ein paarmal besucht, aber er achtete sehr darauf, nicht länger zu bleiben, als er willkommen war.

»Außerdem bringt es Pech, über so was jetzt schon zu reden.« Und dann musste sie einfach hinzufügen: »Genau wie das Kinderzimmer zu streichen. Und sich Kinderbettchen anzugucken. Wir sollten noch ein paar Wochen warten.«

Er stellte das Gebärmuttermodell geräuschvoll auf die Arbeitsfläche zurück.

»Außerdem – wenn du schon im Haus arbeiten willst, solltest du vielleicht zuallererst die Küche fertig machen.«

»Die ist fertig, bis das Baby kommt.«

»Das sollte sie auch sein.« Lena spürte, dass sich schon wieder ein Streit anbahnte. Sie lenkte ein, weil sie den Tag nicht ruinieren wollte. Die ganze Woche redete Jared schon davon, dass er das Baby gleich zum ersten Mal zu Gesicht bekommen würde. Sie wollte ihm die gute Laune nicht verderben.

»Du kommst sonst nie zu spät«, sagte sie dann. »Was hat dich aufgehalten?«

»Heute Morgen wurde der Grabstein für Lonnies Sohn aufgestellt. Ein paar von uns sind dort vorbeigefahren, um ihm Respekt zu zollen.«

»Das ist nett.« Lena tat der Chief aufrichtig leid. Sein Sohn war jüngst nach langer Krankheit gestorben. Lonnie hatte ihn nicht gehen lassen wollen, selbst als klar gewesen war, dass sie nichts mehr für ihn hatten tun können. Am Ende hatte er an so gut wie jeder Maschine gehangen, die eine Intensivstation hergab.

»Versprich mir, dass du den Stecker ziehst, wenn mir was Schlimmes passiert«, sagte Jared.

»Ich zieh ihn jetzt sofort.«

»Ich meine es ernst«, sagte er. »Lass mich nicht so daliegen. In einen Beutel pinkeln. Lass nicht zu, dass Leute kommen und mich streicheln wie ein Baby.« Dann fragte er: »Was bringt es denn, jemanden zu berühren, der im Koma liegt? Was, wenn derjenige das gar nicht will? Er kann sich nicht mal wehren. Er ist da einfach gefangen. Das ist irgendwie unheimlich.« Er erschauderte. »Und lass nicht zu, dass meine Mutter mir 'nen Schlafanzug anzieht. Du weißt, dass sie manchmal auf so verrückte Gedanken kommt.«

Lena spürte, wie ihre Lippen anfingen zu zittern. Er sah sie verwirrt an. »Weinst du?«

»Ja, ich weine, du Trottel!« Sie wischte sich mit dem Handrücken über die Augen. »Wie kannst du vom Sterben reden, während ich dein verdammtes Baby im Bauch habe?«

»O Gott«, murmelte er. Er zog ein Papiertuch aus der Schachtel auf der Arbeitsfläche. Es war das letzte. Er hielt es Lena hin. »Du darfst nicht heulen, wenn der Doktor reinkommt. Er denkt sonst, ich hätte dich vermöbelt oder so.«

Lena schnäuzte sich. »Red von was anderem.«

»Wie läuft's mit der Razzia?«

Jared hatte ihr den Tipp zu dem Fixertreff an der Redding

Street selbst gegeben. Er verfolgte den Fall wie ein Glücksspieler, der ein Vermögen auf den Ausgang gewettet hatte.

»Ziemlich holprig, so läuft's.« Sie wischte sich mit dem Tuch über die Augen. »Ich brauche mehr Kleenex.«

Er zog die Tür zum Sprechzimmer auf und rief: »Schwester? Könnten wir eine neue Schachtel Taschentücher bekommen?« Über die Schulter fragte er Lena: »Hast du endlich jemanden gefunden, der gegen Sid aussagt?«

»Was glaubst du denn?« Sie wischte sich über die Nase.

»Denise wird ausrasten. Sie ist felsenfest davon überzeugt, dass wir nur so an Big Whitey rankommen.«

Jared verdrehte die Augen. Er mochte Denise, aber Mädchen wie Marie Sorensen rissen die ganze Zeit von zu Hause aus. Indem sie Big Whitey als Buhmann benutzte, schob sie doch nur die Verantwortung von sich selbst weg.

Lena meinte, ihre Freundin verteidigen zu müssen. »Er könnte existieren. Denise hat seinen Namen auf einem Fax aus Florida gefunden.«

Jared schüttelte so abschätzig den Kopf, dass sie ihm am liebsten eins übergebraten hätte. »Ich bin der gleichen Meinung wie Lonnie. Es ist eine Sackgasse.«

»Sid Waller ist der Schlüssel«, beharrte Lena, obwohl sie sich in letzter Zeit immer häufiger ausgemalt hatte, dass Sid Waller wohl selbst dann immer noch frei herumlaufen würde, wenn ihre Kinder mit der Highschool fertig wären. »Ist er erst mal hinter Gittern, fängt er schon an zu singen.«

»Der böse alte Big Whitey würde Waller doch lieber umbringen, als so was zuzulassen, oder nicht?«

Lena kniff die Augen zusammen. Jared redete schon wieder Blödsinn.

»Glaub mir, sobald Sid Waller tot ist, wird Chief Gray die Whitey-Sache fallen lassen. Es ist schlicht zu gefährlich für ihn. Und wir wissen beide, dass er nach dem Tod seines Sohns den Biss verloren hat.«

»Genau«, sagte Lena und passte ihren Tonfall seinem an. »Zum ersten Mal in seinem Leben wird Lonnie Gray 'nen Rückzieher machen.«

Die Schwester reichte Jared eine frische Schachtel Taschentücher. »Vielen Dank«, sagte er zu ihr und drehte sich wieder zu Lena um. »Vielleicht ist Lonnie ja Big Whitey? Hast du dir das schon mal überlegt?« Die Tür fiel mit einem Klicken zu, und er grinste Lena an. »Wie verrückt wäre das denn, bitte? Chief Gray ist insgeheim ein Kinderlude und ein Dealer.«

»Hör auf, solchen Schwachsinn von dir zu geben.« Lena schnappte sich ein paar Tücher und schnäuzte sich, so laut sie konnte. Sie hasste es, dass dieser blöde Gedanke tatsächlich nicht ganz von der Hand zu weisen war. Gray hatte in Florida angefangen. Im Lauf der Jahre hatte er in mehreren Städten an der Küste gearbeitet oder als Berater fungiert, auch in Savannah. Und das Chaos, das jetzt in Macon herrschte, hatte angefangen, als Gray zur Truppe gestoßen war. Wenn Denise recht hatte und es in ihrem Department einen Maulwurf gab, musste es einer sein, der über alles Bescheid wusste. Welche bessere Tarnung gab es als das Amt des Polizeichefs?

Und gab es einen größeren Idioten als eine Frau, die an jede noch so hanebüchene Theorie glaubte, die aus dem Mund ihres Mannes kam? Letzte Woche noch hatte er behauptet, er hätte von einem Kerl gehört, dass man aus Fort Knox das gesamte Gold des Landes geraubt hätte. Warum um alles in der Welt nahm sie ihn jetzt ernst?

Sie schüttelte den Kopf und hoffte inständig, dass es nur die Schwangerschaftshormone waren und sie nicht vollends den Verstand verlor.

»Warum schüttelst du denn den Kopf?«

Sie antwortete nicht, weil sie wusste, dass es nichts gebracht hätte. »Ich hab nur Angst, dass die Razzia in die Hose geht. Denise und ich lehnen uns beide weit aus dem Fenster, und du weißt, dass Lonnie weder verzeiht noch vergisst.«

Jared mäßigte seinen Ton. »Aber guck mal – irgendwas wird sich dort schon ergeben.« Er wartete, bis sie sich noch einmal geschnäuzt hatte. »Irgendwas ergibt sich immer. Du bist eine gute Polizistin, Babe. Du bist schlau und engagiert und gibst nie auf. Du sorgst schon dafür, dass es ein Erfolg wird.«

Lena konnte nicht anders. Die Art, wie er sie ansah, trieb ihr schon wieder Tränen in die Augen. Sie schob ihre Hand in seine. Jared spannte zwar den Arm an, zog die Hand aber nicht zurück. Er war an derlei Zuneigungsbekundungen nicht gewöhnt. Seine Mutter war kalt wie ein Fisch. Lena hatte noch nie gesehen, dass Nell eines ihrer Kinder berührt hätte. Natürlich war auch Lena niemand, der sich an jemanden klammerte. Sie konnte selbst nicht erklären, warum Jared zu berühren in letzter Zeit das Einzige war, was sie noch zu beruhigen schien. Doch das war nichts, wonach sie Dr. Benedict fragen konnte. Sie hatte im Internet ein bisschen recherchiert, aber die meisten Schwangeren, die sich online äußerten, schienen ihre Männer vielmehr von sich wegstoßen zu wollen, und es gab schließlich nur eine beschränkte Anzahl von Begriffen, die man in Bezug auf Schwangerschaften googeln konnte, ohne mit abscheulich pornografischen Aufnahmen konfrontiert zu werden.

»Alles okay?«, fragte Jared.

Sie knabberte an der Unterlippe und hoffte inständig, dass sie nicht gleich wieder zu weinen anfing.

Er machte ein dümmliches Gesicht. »Du weißt, dass ich dich liebe, oder?«

»Ja«, krächzte sie. »Sag Bescheid, wenn ich aussehe, als würde ich eher in einen Tank von SeaWorld gehören.«

»Baby, solange du auch noch an anderen Stellen rund wirst, soll mir das sehr recht sein.«

Lena verdrehte erneut die Augen. Und zog die Hand weg, als die Tür aufging.

Dr. Benedict trat an das Waschbecken, um sich die Hände zu

waschen. »Tut mir leid, dass ich Sie habe warten lassen«, rief er seiner Patientin zu.

Jared zwinkerte Lena zu. Den Satz sagte der Arzt jedes Mal, wenn er das Zimmer betrat. Wahrscheinlich hörte seine Frau im Schlafzimmer das Gleiche.

»Bitte lehnen Sie sich zurück.« Benedict zog das Fußteil der Pritsche heraus.

Lena legte den Kopf aufs Kissen und streckte die Beine. Sie sah zu Jared hinüber. Er legte ihr die Hand an die Schläfe. Die Geste war unbeholfen – eher so, als würde er ihre Temperatur fühlen wollen –, doch sie beschwerte sich nicht.

Dr. Benedict schaltete das Ultraschallgerät ein. Ungeniert hob er ihren Papierkittel an, und Lena wurde sich wieder dessen bewusst, was sie die ganze Woche über verdrängt hatte. Ihre Unterwäsche saß zu eng. Bald würde sich ihr Slip unter dem Bauch zusammenrollen. Sie blickte zu Jared auf, weil sie einen dummen Spruch von ihm erwartete, aber Jared lachte nicht. Er starrte auf den Monitor, auch wenn darauf noch immer nichts zu sehen war.

Dr. Benedict schüttelte die Gelflasche und hielt sie über Lenas Bauch. »Das wird jetzt ein bisschen kalt«, sagte er routiniert wie immer und drückte auf die Flasche, doch es kam nichts. »Einen Augenblick bitte.« Er rollte auf seinem Stuhl in Richtung Tür und rief auf den Gang hinaus: »Könnten Sie mir bitte neues Gel bringen?« Dann rollte er zur Pritsche zurück. Seine kalten Hände berührten Lenas Bauch, als er nach Dingen tastete, über die er lieber nicht sprach. Wieder einmal fragte sie sich, ob sie nicht doch besser zu einer Ärztin gehen sollte. Andererseits war ihre Hausärztin eine Frau, und die war das reinste Trampeltier.

Die Tür ging wieder auf. Lena war froh, dass ihre Beine nicht in den Fußstützen hingen. Der Gang war voller Leute.

»Hier?« Es war dieselbe Schwester, die zuvor das Kleenex gebracht hatte. Sie hielt dem Arzt eine neue Flasche Gel entgegen. »Ich hab die aus dem Wärmeschrank?«

Lena wusste nicht, was ärgerlicher war – die Art, wie die Frau am Ende jeder Aussage die Stimme hob, als würde sie eine Frage stellen, oder die Tatsache, dass niemand die erste Flasche angewärmt hatte.

Dem Arzt schien es nicht aufzufallen. Er schüttelte die Flasche und wiederholte: »Das wird jetzt ein bisschen kalt.«

Lena sah zu Jared hoch, als die angewärmte Flüssigkeit auf ihre Haut traf. Sie spürte, wie die Ultraschallsonde auf ihren Bauch drückte und das Bauchfett auf eine Art zur Seite rollte, die sie als unangenehm empfand. Sie ließ den Blick zum Monitor wandern und betrachtete die sich ruckartig bewegenden schwarzen und weißen Falten.

Das war wirklich das Dümmste, was Lena je getan hatte. Sie verstand theoretisch, warum der Arzt das Bild betrachten musste, aber es gab keinen Grund, warum Jared mitkriegen sollte, wie ihre Eingeweide hin- und hergeschoben wurden. Auf der Dienststelle gab es eine schwangere Sekretärin, die jede Ultraschallaufnahme, die sie bekam, rahmte und auf den Schreibtisch stellte. Lena konnte kaum über den Korridor gehen, ohne die Entwicklung dieses merkwürdigen, fremdartigen Klumpens mitzubekommen. Nicht nur einmal war ihr der Gedanke gekommen, dass nichts mehr rein privat war.

Dr. Benedict runzelte die Stirn. Als er unbewegt auf den Monitor starrte und die Sonde immer fester auf ihren Bauch drückte, stellte Lena die Frage, vor der sie sich am meisten fürchtete. »Stimmt irgendetwas nicht?«

Der Arzt antwortete nicht, was es noch zehnmal schlimmer machte.

»Hören Sie mal«, raunte die Arzthelferin und drehte an einem Regler. Ein leises »Wah-wah« kam aus den Lautsprechern, ein Geräusch wie aus einem Unterwasserfilm.

Lena fürchtete schon, sie hätte verpasst, was sie hätte hören sollen, doch dann füllte das schnelle »Bumm-bumm-bumm« eines Herzschlags das Zimmer.

Jared hielt die Luft an. »Ist das …« Er sah Lena an. »Es ist der Herzschlag.« Er legte sich die Hand an die Brust, tastete nach seinem Herzen. »Es hört sich anders an.«

Er hatte recht. Lenas Herz schlug in einem ruhigen, langsamen Rhythmus, während das Herz des Babys klang wie eine Hummel, die an einer Fensterscheibe entlangflog und nach dem Fluchtweg suchte.

»Sehen Sie Ihr Baby?«, fragte die Arzthelferin nun.

Lena sah wieder zum Monitor. Zwischen den Falten war ein kleiner schwarzer Punkt zu erkennen. Dr. Benedict bewegte die Hand, und aus dem Punkt wurde eine Bohne. Lena sah das Herz aufblitzen.

»Heilige Scheiße«, flüsterte Jared. »Heilige Scheiße …« Lena hörte, wie sie die gleichen Worte im Kopf flüsterte.

Wie hatten sie das geschafft? Wie hatten sie etwas so Schönes erschaffen können?

Sie konnte den Blick nicht von der kleinen Bohne abwenden. Die Ränder, die Biegung in der Mitte, die der Bauch werden würde. Bald würden der Bohne Arme und Beine wachsen und ein Kopf mit süßen kleinen Augen und einem geschwungenen Mund.

Doch im Augenblick war es einfach nur eine winzige pulsierende Bohne.

Ihre Bohne.

Noch nie in ihrem Leben hatte Lena etwas so Faszinierendes gesehen.

»Sieht wunderbar aus«, sagte Dr. Benedict. »Sie sind in der sechsten Woche. Kommen Sie nächste Woche ungefähr um die gleiche Zeit wieder.« Er drückte ein paar Knöpfe auf dem Ultraschallgerät, und ein Drucker sprang an. Dr. Benedict stand auf und lief zum Waschbecken, um sich erneut die Hände zu waschen. »Ich kümmere mich darum, dass Sie auch eine Videoaufzeichnung bekommen.«

Jared beugte sich über sie und blickte Lena in die Augen.

»Das ist es, Babe. Du und ich, wir sind der Anfang von allem.«

Ihr Hirn hielt das, was er gesagt hatte, für melodramatisch, doch ihr Herz … Ihr Herz erfasste die Tränen in seinen Augen, das dümmliche Grinsen in seinem Gesicht, die Berührung seiner Hand, als seine Finger sich zwischen ihre schoben.

»Jetzt wird nichts mehr sein wie früher. Eines Tages werden wir beide in Windeln im Altenheim sitzen und über den Augenblick reden, der alles verändert hat.«

Lena legte ihm die Hand an die Wange und strich ihm mit dem Daumen über die Lippen, bevor sie ihn sanft von sich wegschob. Sie wollte nicht noch einmal weinen.

Jared sah es ihr an. Er zwinkerte ihr zu und sagte zu Dr. Benedict: »Danke, Doc. Gut gemacht.«

»Nichts zu danken.« Dr. Benedict war offensichtlich kein Freund von Abweichungen vom gewohnten Ablauf. Beim Händetrocknen musterte er die Arzthelferin. »Sind Sie für Margery eingesprungen?«

»Ja, Doktor.« Die Frau lächelte freundlich, während sie Lena das Gel vom Bauch wischte. »Ich hab schon mal in Ihrer Praxis gearbeitet? Ich bin Cayla Martin?«

16.

Wills Hirn loderte in seinem Schädel. Seine Muskeln vibrierten noch immer von dem Stromschlag. Zumindest war sein Körper nicht mehr zusammengekrampft wie eine Faust. Hände und Füße waren nicht mehr gekrümmt, er konnte Knie und Ellbogen wieder strecken. Trotzdem fühlte es sich unmöglich an, sich aufzusetzen. Er lag rücklings auf dem Boden. Er hörte, wie Cayla Martin oben in einem der Schlafzimmer auf und ab marschierte. Zumindest nahm er an, dass es sich um Cayla handelte. Paul Vickery lag gefesselt und geknebelt neben ihm, und wer immer dort oben unterwegs war, hatte hohe Schuhe an.

Detektivarbeit.

Der pochende Schmerz in seinem Kopf musste von etwas anderem als von dem Taser herrühren. Will hatte schon einmal eine Begegnung mit einem Taser gehabt. Amanda hatte damals zwar behauptet, es wäre ein Versehen gewesen, dabei aber so gekichert, dass er vom Gegenteil ausgegangen war. Vorsichtig bewegte Will den Kopf. Am Hinterkopf hatte er eine empfindliche Stelle. Er blinzelte und fragte sich, wie oft in den vergangenen vierundzwanzig Stunden er schon verschwommen gesehen hatte. Doch darüber konnte er jetzt nicht nachdenken. Genau genommen konnte er über gar nichts nachdenken, weil sein Gehirn keinen Gedanken festhalten konnte.

Benjamin.

Dies war das einzige Wort, das ihm nicht gleich wieder entglitt. Benjamin hatte sich auf dem Dachboden versteckt. Die Kette hatte noch immer an seinem Fuß gehangen. Will hatte ihm aufgetragen, Faith eine SMS zu schicken. Wo zum Teufel blieb sie nur? Hatte sie nicht gesagt, die Streifenwagen wären bereits unterwegs?

Will musste weg von hier. Er musste die Polizei finden, bevor Cayla wieder verschwinden konnte. Paul Vickery war immer noch bewusstlos, und das nicht nur, weil Will ihn niedergeschlagen hatte. Seitlich an seinem Kopf klaffte eine tiefe Wunde. Er würde medizinisch versorgt werden müssen. Offensichtlich arbeitete Vickery – entgegen Wills Vermutung – doch nicht für die falsche Seite. Ob dies allerdings eine neuere Entwicklung darstellte, war nicht annähernd so klar.

Will versuchte erneut, sich aufzusetzen, doch seine Muskeln gehorchten ihm nicht. Er konnte sich lediglich zur Seite drehen. Erst da sah er seine Handgelenke. Sie waren mit einer Schnur gefesselt. Die Knoten waren straff. Die Schnur schnitt ihm in die Haut. Will versuchte, seine Beine zu bewegen. Auch seine Knöchel waren gefesselt. Jetzt wusste er wenigstens, warum er seine Zehen nicht mehr spürte.

Will versuchte noch einmal, sich aufzusetzen, doch seine Füße rutschten auf dem Boden ab. Irgendwann brachte er sich in eine sitzende Position. Er musste nur für ein paar Sekunden die Augen schließen, sodass die Übelkeit verschwand. Dann schlug er die Augen wieder auf, und augenblicklich wurde ihm wieder schlecht.

Auf der Couch gegenüber saß ein Mann. Er zielte mit einer Glock auf Wills Kopf.

Will hatte Detective DeShawn Franklin nie persönlich kennengelernt, aber er erkannte den Mann von einem der Fotos auf Faiths Handy. Er war gebaut wie ein Footballspieler, mit breiten Schultern und baumdicken Beinen. Auf Caylas Sofa nahm er zwei Plätze ein. Die Waffe in seiner Hand sah aus wie Spielzeug, doch Will wusste, dass die Glock ein sogenannter Manstopper war.

Will sah erneut zu Paul Vickery hinüber. Auch er war gefesselt, verschnürt wie ein Paket. Was nicht erklärte, warum DeShawn Franklin auf Will zielte.

Franklin ließ die Glock sinken, legte sie sich aufs Knie.

»Paul war hier, um Sie zu retten.«

Will wollte diesem Mann nicht die Befriedigung schenken, einen Schwall Flüche anzuhören. »Hat meine Partnerin ihn geschickt?«

»Ihre Partnerin hat jeden ausgeschickt, der den Funk abhörte.« DeShawn grinste. »Danke, dass Sie Paul ausgeschaltet haben, bevor ich ankam. Von seinem Hang zu Handgreiflichkeiten einmal abgesehen, ist er kein schlechter Polizist. Wär schwer gewesen, ihm zu erklären, warum ich Sie fesseln musste.«

Will reagierte nicht auf die Bemerkung. Er nahm an, die GPS-Ortungsfunktion auf seinem Handy hatte nicht funktioniert. Faith wusste, dass er sich in Caylas Haus befand. Sie würde die Streifenwagen schicken. Es war nur eine Frage der Zeit, bis zwanzig Polizisten die Haustür aufbrechen würden. Franklin schien zu ahnen, worüber Will sich Gedanken machte. Er zerpflückte eine Hoffnung nach der anderen: »Ich hab den Kollegen gesagt, Paul und ich würden das Haus sichern. Als wir Sie das letzte Mal sahen, waren Sie zu Fuß in Richtung Wald unterwegs. Der Suchradius wird bis auf die andere Seite des Highways ausgedehnt.« Nach einer Weile fügte er hinzu: »Die ganze verdammte Truppe ist auf der Suche nach Ihnen, Junge.«

Will rieb sich das Gesicht. Seine Finger fühlten sich kalt an, wahrscheinlich weil die Schnur um seine Handgelenke die Durchblutung abschnitt. »Sie arbeiten mit Cayla zusammen?«

»Ich erweise einem alten Freund einen Gefallen.« Irgendwie hatte Will das Gefühl, dass er dies nicht freiwillig tat.

»Wo ist der Junge?«

»Sagen Sie es mir. Er ist nicht hier im Haus. Er ist nicht in

Ihrem BMW.« Er grinste noch einmal und zeigte dabei seine Zähne. »Nette Karre übrigens. Anscheinend zahlt der Staat wesentlich besser als das Macon PD.«

»Sind Sie Big Whitey?«

Er schien aufrichtig belustigt zu sein. »Ich bin Big *Blackie*, Arschloch! Sind Sie farbenblind?«

Will wusste nicht, was er darauf erwidern sollte. »Wer ist Big Whitey?«

Franklin antwortete nicht sofort. Er blickte auf die Glock hinunter, drehte sie auf dem Knie hin und her. »Ich war mit seinem Sohn befreundet. Chuck und ich sind zusammen aufgewachsen. Wir haben beide im selben Jahr unseren Abschluss an der Polizeiakademie gemacht. Sind gemeinsam im Land herumgezogen. Er bekam sein Lieutenantabzeichen vor mir, aber so läuft das manchmal.«

Will schüttelte den Kopf, versuchte, sich eine ferne Erinnerung ins Bewusstsein zu rufen.

»Vor acht, neun Monaten waren wir beim Joggen. Chucks Bein bricht einfach, wie ein Zweig – ohne Grund. Bricht einfach so.«

Will hatte so etwas schon öfter gehört. »Leukämie?«

»Jetzt kommen Sie allmählich drauf.«

»Nicht wirklich«, gab Will zu.

»Chuck hätte eigentlich das Familiengeschäft übernehmen sollen. Aber da er jetzt nicht mehr da ist – wer weiß?«

»Chuck«, wiederholte er. Der Name klang vertraut.

»Ich dachte, ihr Jungs vom Staat wärt schlauer.«

»Ich hab ein paar echt üble Tage hinter mir.«

»Schon kapiert, Bruder. Und es sieht nicht so aus, als würde es viel besser werden.«

Will hörte oben etwas zu Boden fallen. Es war, als würde ihm zugleich ein Hinweis in den Schoß fallen. »Cayla Martin hat mir erzählt, dass sie mit einem Kerl namens Chuck den Tamiami Trail raufgefahren ist.«

Franklin grinste. »Vielleicht sind Sie ja doch nicht so blöd.«
Will spürte die Wand im Rücken und lehnte sich zurück. Es tat
gut, sich eine Weile auszuruhen. »Chief Grays Sohn ist vor Kurzem gestorben.« Und irgendetwas hatte Faith erst gestern Vormittag zu ihm gesagt. »Er hat darauf bestanden, dass Sie mit an
Bord kamen, als er die Truppe hier in Macon übernahm.«

Franklin sah ihn erwartungsvoll an.

»Chief Gray ist Big Whitey.«

Franklin bejahte es nicht direkt, sagte aber: »Lonnie arbeitete
in Jacksonville, wohnte aber in Folkston. Meine Ma, meine
kleine Schwester und ich wohnten damals oben bei der Funnel-
Eisenbahn. Dort gab's nicht viele schwarze Kinder, aber Lonnie
hat nie mit der Wimper gezuckt, wenn er mich an seinem Esstisch sitzen sah.«

»Sie sollten froh sein, dass er Sie nicht entführt und vergewaltigt hat.«

Franklin hob die Waffe wieder und richtete sie auf Wills Kopf.

»Sie haben nicht gewusst, dass Lonnie auf Kinder steht, was?«

Franklin warf ihm einen finsteren Blick zu. Nach einer Weile
ließ er die Waffe wieder auf sein Knie sinken. »Er hat mehr Kinder großgezogen als mein Daddy.« In seinem Gesicht zeigte sich
Abscheu. »Hab Lonnie nie irgendwas über Kinder sagen hören.
Hab nie gesehen, dass er sie angestarrt oder sie angesprochen
hätte, nichts. Ich schätze, so gut Lonnie darin ist, Fremde zu
täuschen – noch besser kann er seine eigenen Freunde täuschen.«

»Wie fühlte es sich an, als Sie das rausgefunden haben?«
Franklin quittierte Wills Frage mit Schweigen.

»Ein mächtiger Drogendealer und Mörder zu sein ist eine Sache. Aber Kinder zu vergewaltigen ist eine ganz andere.« Er
ahnte, dass Franklin ihm insgeheim beipflichtete. »Das über-
schreitet eine Grenze, nicht wahr? Einen Junkie kann man ab-
knallen, er hat's ja darauf angelegt. Aber Kinder sind unschuldig.
Die wollen nichts von einem.«

»Ich hab Ihnen doch gesagt, ich weiß davon nichts.«

»Denise Branson wusste es.«

»Glauben Sie, irgendjemand hört auf diese blöde Lesbe?«

Will wollte lieber nicht erwähnen, dass die blöde Lesbe die ganze Zeit über recht gehabt hatte.

»Lonnie war wie ein Gott für mich. Für uns alle. Ich hatte keine Ahnung, dass er …« Franklin konnte das Wort nicht einmal aussprechen. »Ich bin froh, dass Chuck es nie herausgefunden hat. Es hätte ihn gleich noch einmal getötet.«

»Wie haben Sie es herausgefunden?«

»Das Haus«, sagte Franklin. Er meinte den Fixertreff. »Ich hab einen meiner Männer vor der Razzia dort reingeschickt, um Waller und seine Jungs kaltzumachen.«

Will mutmaßte, dass es sich bei diesem Mann um Tony Dell gehandelt hatte. In dieser Geschichte gab es weit und breit keinen zweiten Mitspieler, der so erfahren im Töten gewesen wäre.

»Und was hat Ihr Mann dort vorgefunden?«

»Was wir erwartet hatten. Drei von ihnen saßen im Wohnzimmer und sahen fern. Kein Problem. Mein Mann legt sie in aller Stille um. Dann geht er auf der Suche nach Waller in den Keller und findet dort stattdessen die zwei Jungs.« Franklin schüttelte den Kopf. Will konnte ihm ansehen, dass er aufrichtig aufgewühlt war. »Einer der Jungs war bereits tot. Lag einfach nur da, hat mein Mann gesagt.«

Wills Gedanken waren wieder bei dem Jungen auf Lilas Farm. Sich tot zu stellen hatte ihm endloses Leid erspart.

»Der zweite Junge atmete kaum noch. Mein Mann brachte ihn hierher, damit Cayla sich um ihn kümmert.«

Will fragte sich, ob er wusste, in welcher Weise Cayla sich um ihn gekümmert hatte. »Und dieser Junge hat Big Whitey identifiziert?«

Franklin nickte, und Will wollte lieber gar nicht darüber nachdenken, dass Benjamin hier alles andere als sicher war, nur weil auch Franklin eine Polizeimarke trug.

»Ihr Mann sagte, Waller wäre nicht im Keller gewesen?«

»Stimmt, aber sowie er mit dem Jungen hintenrum rausgehen will, hört er Waller durch die Vordertür hereinkommen.« Franklin zuckte mit den Schultern. »Waller rennt in den Keller, um das Versteck zu kontrollieren. Mein Mann legt den Riegel vor die Tür, sperrt ihn dort unten ein und haut ab.«

»Warum haben Sie Wallers Männer vor der Razzia überhaupt umbringen lassen?«

Franklin zögerte, antwortete dann aber doch: »Ich hatte Angst, dass Lena was passieren könnte.«

Anscheinend konnte er Will die Skepsis vom Gesicht ablesen.

»Ich bin doch kein Tier, Mann! Ich hab zwei Nichten. Als mein Vater starb, hab ich meine kleine Schwester mit aufgezogen«, erwiderte Franklin. »Ich hab doch gesehen, dass Lee schwanger war. Cayla hilft hier und da in Arztpraxen aus. Sie hat gehört, wie Jared zu Lena gesagt hat, dass er Lonnie für Big Whitey hielt.«

Will musste diesen Satz in Gedanken noch einmal wiederholen, um sich ganz sicher zu sein, dass er ihn auch verstanden hatte. »Hat Cayla sie belauscht?«

»Ach was. Jared stand in der offenen Tür. Die halbe Praxis konnte hören, wie er den Namen Lonnie fallen ließ.«

»Und Cayla dachte, weil er das vor allen Leuten in der Praxis ausplauderte, meinte er es ernst?«

»Das hat sie zumindest behauptet.«

»Und was war Ihre Meinung?«

»Dass er nur blöd dahergeredet hat.« Franklin zuckte erneut mit den Schultern. »Jared ist ein Schwätzer. Das sind diese Motorradjungs doch alle. Sie glauben, sie könnten mit den Großen mithalten, aber in Wahrheit haben sie keinen Schimmer.«

Will brauchte einen Augenblick, um diese Informationen zu verdauen. Wenn es stimmte, was DeShawn da gerade behauptete, dann hatte Lena recht gehabt. Dann war sie es nicht gewesen, die diese ganze Geschichte ausgelöst hatte. Es war stattdessen Jared Long gewesen. »Hat Lena Jared geglaubt?«

»Ich denke nicht. Zumindest hat sie nie etwas zu mir oder den Jungs gesagt«, gab DeShawn zu. »Aber sie ist clever, und sie hängt sich rein. Wenn Jared ihr diese Idee in den Kopf gepflanzt hätte, hätte sie womöglich angefangen, auf Sachen zu achten, die ihr vorher gar nicht aufgefallen sind. Ich musste sie irgendwie beschäftigen, und sie steckte tief drin in dieser Waller-Sache. Ich wusste, sie würde jede Chance ergreifen, die sich bieten würde, um ihn sich zu schnappen.«

Will merkte, wie sich allmählich alles zusammenfügte.

»Cayla hat Ihnen also von dieser Unterhaltung in der Arztpraxis erzählt. Sie setzten sich mit Tony Dell in Verbindung. Tony wird verhaftet. Zwei Stunden später verpfeift er Waller und verspricht Lena die Beweise, die sie braucht, um sich zu dem Fixertreff Zugang zu verschaffen.«

»Ich weiß, Sie halten mich für kaltschnäuzig, aber ich hab wirklich versucht, sie zu beschützen«, erklärte Franklin. »Wenn Lena Waller verhaftet hätte, hätte sie die folgenden sechs Monate bis über beide Ohren in Papierkram gesteckt. Ich hab mir ausgerechnet, dass das die Schwangerschaft so gut wie abgedeckt hätte, und wenn das Kind erst da ist, beschließt sie vielleicht, nur noch Mama sein zu wollen und gar nicht mehr in den Job zurückzukehren.«

Unwillkürlich fragte Will sich, ob es in Lenas Leben auch nur einen einzigen Mann gab, der für sie keine Risiken eingegangen war. »Lena hat das Baby verloren.«

»Ich weiß.« Franklin schien das aufrichtig zu bedauern.

»Cayla hat sie angerufen, wollte sie überreden, einige Zeit freizunehmen. Aber sie hat nicht auf sie gehört. Diese Frau hört echt auf niemanden.«

Dem konnte Will nicht widersprechen. »Was war mit Jared?«

»Was soll mit ihm gewesen sein? Er schreibt Strafzettel und fegt zerbrochene Windschutzscheiben von der Straße. Er kann keine Ermittlungen einleiten.«

»Lonnie Gray wäre das Risiko nie eingegangen«, mutmaßte Will. Er hatte mit eigenen Augen gesehen, wie unbarmherzig der Mann sein konnte. »Sie haben ihm nichts von dieser Unterhaltung in der Praxis erzählt, nicht wahr? Cayla war es. Und Gray wurde deutlich hellhöriger, als Sie es waren.«

Franklin antwortete nicht, aber sie wussten beide, dass Cayla eine Schlange war. Franklin formulierte es ein wenig netter, indem er sagte: »Cay und Chuck waren sechs Jahre lang ein Paar. Sie blieb bei ihm, selbst als er schon im Sterben lag. Am Ende freundete sie sich mit Lonnie an. Sie hat ihn gern.«

Das glaubte Will sofort. Cayla wurde von Dramen angezogen wie das Meer vom Mond. »Deshalb sind Sie hier: um *ihr* einen Gefallen zu erweisen.«

»Ich kann nicht zulassen, dass sie in den Knast kommt. Das bin ich Chuck schuldig.«

Will wusste, dass es auch unter Kriminellen einen Ehrenkodex gab. Trotzdem fiel es ihm schwer, sich vorzustellen, dass Cayla Martin dies alles wert war. »Lonnie hat die Rednecks auf Jared und Lena gehetzt.«

Franklin nickte.

»Und er ließ zu, dass sie Eric Haigh zu Tode folterten.« Franklins Miene verdüsterte sich. »Die haben ihn weggeworfen wie eine Fuhre Müll.«

»Lonnie versucht aufzuräumen«, sagte Will. »Sie wurden gestern Abend vor dem Kino angegriffen. Jemand schießt auf Vickery. Tony Dell ist immer noch auf freiem Fuß. Big Whitey hört erst auf, wenn alle Beteiligten tot sind.«

»Lonnie würde mich nie anrühren. Er hat nur nach den kleinen Jungs gesucht. Er wusste, dass jemand sie im Keller gefunden hatte. Beide Jungs kennen sein Gesicht und wissen, wer er ist. Ich sage nicht, dass das richtig war – ich meine nur, dass das auf ihn zurückfallen könnte.«

»Wäre es denn so schlecht, wenn es auf Lonnie zurückfiele? Ihn davon abhielte, noch mehr Kindern Gewalt anzutun?«

Franklin zuckte mit den Schultern, aber er redete offensichtlich aus einem bestimmten Grund.

»Sie wussten erst seit der Razzia von den Kindern.«

»Und?«

»Sie hatten jemanden auf Waller und seine Männer angesetzt, noch bevor Sie von den Kindern wussten.« Womöglich wurde Big Whiteys Geschäftsmodell ja doch konzessioniert.

»Seit Chucks Tod ist alles anders. Ich und Lonnie stehen einander einfach nicht mehr so nahe. Erst dachte ich, es wäre der Kummer, aber dann kam mir irgendwann der Gedanke, dass da auch noch etwas anderes dahinterstecken könnte.«

»Waller und Lonnie waren beide pädophil. Sie taten das alles nicht für Geld – Lonnie ging immer nur dann Risiken ein, wenn er sich ein neues Kind beschaffte.«

»Sie haben recht«, sagte Franklin. »Nur hab ich erst nach Wallers Tod herausgefunden, dass die beiden diesbezüglich gemeinsame Sache machten.«

»Dass sie gemeinsam Kinder ausspähten?«

»Dass sie alles zusammen machten …« DeShawn sah aus, als wollte er den schlechten Geschmack in seinem Mund ausspucken. »Lonnie hat zu mir gesagt, es wäre der größte Spaß gewesen, den er je gehabt hätte.«

Will nahm an, dass die beiden Männer ein paar längere Unterhaltungen geführt hatten, die DeShawn Franklin nicht unbedingt gutgetan hatten. »Aber die ganze Sache hatte doch schon vor der Razzia Risse bekommen. Immerhin haben Sie mitbekommen, dass irgendwas nicht stimmte. Sie haben gesehen, wie Lonnie und Waller immer näher zusammenrückten. Sie machten sich Sorgen, dass Lonnie das Geschäft an Waller übergeben könnte.«

Franklin schnaubte. »Ich machte mir keine Sorgen, dass es passieren *könnte*. Ich wusste, es war längst so. Lonnie hatte es mir vor der Razzia gesagt. Das war, noch ehe Cayla hörte, was Jared da vor sich hin plapperte. Bevor auch nur irgendetwas von dieser Scheiße anfing, hatte er sich mit mir hingesetzt und mir gesagt, dass es ganz danach aussehen würde, als hätte Waller die Sache besser im Griff. Wollte, dass ich für diesen Arsch von Redneck arbeite. Stellte es so hin, als würde er mir damit einen Gefallen tun.« Franklin lachte verbittert auf. »Schätze, letztendlich hat er mich doch nicht geliebt wie einen Sohn.«

»Wer hat dich geliebt?«

Mit einem großen Koffer in der Hand war Cayla Martin die Treppe heruntergekommen. Der Koffer war zu voll gepackt. Sie konnte ihn nicht länger festhalten. Er rumpelte die Treppe hinunter und krachte unten gegen die Haustür.

Cayla schien es nichts auszumachen. Vorsichtig balancierte sie auf ihren hohen Absätzen dem Koffer hinterher. Sie hatte sich herausgeputzt, zumindest kam es Will so vor. Ihr enger Lederrock sah brandneu aus, und die dazu passende Seidenbluse war so tief ausgeschnitten, dass man den rosafarbenen Steg ihres BHs sehen konnte.

»Warte im Auto«, sagte Franklin.

»Ach nee!« Sie fischte eine Schachtel Zigaretten aus der Handtasche. »Eins muss ich dir sagen, Bud. Hast mich wirklich ganz schön beschissen, weil du Benji hast laufen lassen.« Will sah zu Franklin hinüber, doch der Mann hielt mit seiner Meinung lieber hinterm Berg.

»Ich hatte schon 'ne Familie in Deutschland, die hätte dreißig Riesen für ihn gezahlt.«

»Familie?« Will wusste beim besten Willen nicht, ob sie sich hatte täuschen lassen oder einfach nur naiv war.

»Nur gut, dass ich jetzt dieses verdammte Flugticket habe.« Sie schob sich eine Zigarette in den Mund, zündete sie aber nicht an. »Wenn Shawn mich nicht vom Krankenhaus abgeholt hätte, würde mein fröhlicher Arsch jetzt wahrscheinlich schon im Knast sitzen. Hab ich nicht recht, Darling?«

Franklin antwortete nicht. Er saß einfach nur auf dem Sofa und sah aus, als würde er es niemals schaffen aufzustehen. Ein

Teil von ihm war immer noch Polizist. Er hatte versucht, Lena zu beschützen. Paul Vickery war lediglich gefesselt und noch nicht ermordet worden. Franklin hatte alles getan, um Tony Dells Namen aus der Geschichte rauszuhalten. Und dann war da auch noch die unbestreitbare Tatsache, dass auch Will noch atmete.

DeShawn Franklin war fertig mit alledem. Vielleicht waren es die Kinder gewesen. Vielleicht war es Lonnie Grays Verrat gewesen. So oder so, er hatte die Schnauze voll.

»Scheiße, Shawn.« Cayla schien seine Unentschlossenheit zu spüren. Auf ihren hohen Absätzen stöckelte sie zu Franklin hinüber. »Du weißt, dass du es tun musst.«

Franklin griff in seine Tasche. Er zog die Autoschlüssel heraus. »Stell ihn rüber auf den Parkplatz.«

»O verdammt, nein.« Cayla schüttelte den Kopf. »Nein, Sir.«

»Du verlässt die Stadt. Was ich letztendlich tun werde, ist meine Sache. Das hat nichts mit dir zu tun. Ich bin es Chuck schuldig, dafür zu sorgen, dass dein Name rausgehalten wird.«

»Scheiße, das kannst du doch nicht tun, Shawn – und ich werd' nicht für den Rest meines Lebens Wiener Schnitzel fressen.« Cayla schnippte ihr Feuerzeug an und hielt die Flamme an die Zigarette. »Komm schon, bring's zu Ende. Für ein schlechtes Gewissen haben wir jetzt keine Zeit.«

»Ich werde nicht …«

Im selben Moment schnappte sich Cayla Franklins Glock und schoss viermal auf Vickery.

Die Schüsse hallten durch den beengten Raum. Die Luft erzitterte. Vickerys Körper zuckte heftig, als die Kugeln seinen Rücken trafen.

Will schlug sich die Hände vors Gesicht. Er zog die Knie an, als dächte ein Teil seines Gehirns, er könnte sich einfach zu einem Ball zusammenrollen und so die Kugeln abwehren.

Er wartete darauf, dass Cayla die Waffe auch auf ihn richtete. Und wartete.

Doch nichts passierte.

Will hob den Kopf und erwartete bereits, in den Lauf der Glock zu starren.

Stattdessen sah er, dass Franklin ihr die Waffe entrissen hatte. Er atmete schwer, obwohl es offensichtlich keinen Kampf gegeben hatte. »Scheiße, Cayla!«, schrie er. »Was sollte das?« Franklin ging neben Vickery in die Knie. Er drückte dem Mann zwei Finger an den Hals. »Du hast ihn umgebracht!«

»Nichts zu danken, du Arschloch.« Caylas Zigarette wippte in ihrem Mund auf und ab. »Ich hab dich oben gehört, Shawn. Du hast alles verraten. Kein Wunder, dass Lonnie dir das Geschäft nicht übertragen wollte.«

»Schnauze!« Jetzt richtete Franklin die Waffe auf Cayla. »Halt einfach die Schnauze!«

Die Zigarette fiel ihr aus dem Mund. »Nimm die Waffe aus meinem Gesicht.«

»Ich sagte: Schnauze!« Franklin drückte Cayla die Waffe auf die Brust. »Ich hab dir gesagt, du sollst das mir überlassen. Ich hab dir gesagt, halt einfach endlich mal in deinem Elendsleben deine Schnauze und überlass es mir, weil ich weiß, wie man so was macht.«

»Ach, und was willst du jetzt tun, Shawn? Dich als Kronzeuge bewerben? Zu den Bullen rennen und ihnen erzählen, dass es dir leidtut?«

»Hör auf.«

»Schießt du mir jetzt in die Brust, Shawn? Hast du Chuck das versprochen? Mich zu ermorden?« Ihre Stimme klang kräftig. Trotzdem machte sie einen Schritt zurück. »Du weißt, dass wir ihn loswerden müssen, weil er sonst auf direktem Weg zu den Bullen läuft.«

»Er geht nicht zu den Bullen!«, schrie Franklin. »Er ist ein Knacki – auf Bewährung!«

Will starrte zu Boden, damit er sich nicht selbst verriet. Er hatte keine Ahnung, warum Franklin seine Tarnung nach wie vor aufrechterhielt.

Und er würde es auch nie herausfinden.

Denn in diesem Augenblick stieß Tony Dell die Schwingtüren zur Küche auf. Will hatte keine Ahnung, wie lange er schon dort gestanden hatte. Doch offensichtlich hatte er genug gehört.

Mit drei langen Schritten war er bei ihnen und rammte Franklin sein Messer in den Hals.

Franklins Mund klappte auf. Er ließ die Waffe fallen, presste sich die Hand an den Hals und versuchte mit der anderen, den Messergriff zu stabilisieren.

Bis Tony die Klinge wieder herauszog.

Blut schoss aus der Wunde wie eine Fontäne.

Franklin sank auf die Knie und keuchte auf. Will hörte, wie die Atemluft durch den klaffenden Schlitz in seinem Hals strömte.

»Mein Gott, Tony, bring's zu Ende«, fauchte Cayla.

Doch das wollte Tony nicht. Er weidete sich regelrecht am Anblick des sterbenden Mannes. Daran, wie das Blut aus dessen Hals strömte. Wie er hilfesuchend die zitternden Finger ausstreckte. Schließlich verlor Franklin das Gleichgewicht. Sein Körper kippte um, seine Beine rutschten weg, mit einer Schulter krachte er ungebremst auf den Boden. Blut breitete sich um seinen Kopf herum aus. Seine Finger zitterten noch immer. Ein stechender Geruch breitete sich aus. Franklins breite Brust hob sich für einen letzten Atemzug, den er nie wieder ausstoßen würde.

Und dann war es vorbei.

»Verdammt«, flüsterte Tony. »Ich glaube, er hat sich eingeschissen.«

Cayla gab ihm einen Klaps auf den Hinterkopf. »Wie oft musste ich dich eigentlich anrufen? Ich schwöre bei Gott, ich dachte, Shawn würde mich dort vor dem Krankenhaus verhaften. Ich hab dir doch gesagt, er ist nicht auf Linie.«

»Hörst du jetzt vielleicht mal auf zu quasseln und dankst mir dafür, dass ich meinen Hals riskiert habe, indem ich hergekommen bin?« Tony wischte sich die Klinge an der Jeans ab, bevor er das Messer in den Stiefel zurücksteckte. »Auf der anderen Seite des Highways stehen zwanzig Streifenwagen in Stellung. Ich musste hintenrum kommen.«

»Du Armer.« Cayla hob die noch brennende Zigarette vom Boden auf, schnappte sich Franklins Glock und warf sie in die Küche. »Kümmere dich um Bud und bring meinen Koffer raus. Wenn wir die Nebenstraßen nehmen müssen, komm ich sonst noch zu spät zum Flughafen.«

»Scheiße, du musst doch nicht schon drei Stunden vorher da sein! Das gilt für Ausländer, nicht für dich.«

»Warst du schon mal auf einem internationalen Flug?«, fragte sie, und sein Gesichtsausdruck verriet ihn prompt.

»Mach einfach schnell und vergiss meinen Koffer nicht!« Sie machte die Tür auf, ging aber nicht hinaus. Stattdessen marschierte sie auf Will zu, schob die Hand in seine vordere Hosentasche und zog die Schlüssel zu Saras BMW heraus. »Eigentlich könnte ich ja schon mal mit Stil vorfahren.«

Tony schlug ihr auf den Hintern. »Verdammt, ja, Baby!« Cayla funkelte Will an, und aus ihrer sonst so schrillen Stimme wurde ein Hexenfauchen. »Tu ihm richtig weh, Baby. Dieses Arschloch hat mich dreißig Riesen gekostet.«

Dann knallte sie die Tür hinter sich zu.

In der Stille hörte Will ein Knacken. Er brauchte einen Moment, um zu begreifen, dass es sein eigener Atem war, der aus seinem Mund rasselte.

Tony schüttelte den Kopf. »Dieses Mädchen ist vielleicht 'ne Nummer, das kann ich dir sagen.«

Will antwortete nicht darauf. Er hatte schon zweimal erlebt, wozu Tony Dell fähig war. Als er gesehen hatte, wie er Eric

Haigh erstochen hatte, hatte er nur mehr daran denken können, dass er auf keinen Fall so umkommen wollte. Jetzt, da er die Alternative kannte, war er sich da nicht einmal mehr sicher.

Tony seufzte schwer. »Steh auf, Bud. Ich bring dich doch nicht auf dem Boden um.«

Will mühte sich ab, um auf die Knie zu kommen. Schließlich packte Tony ihn am Arm und riss ihn hoch. Will versuchte, sich loszuwinden, doch es brachte nichts. Seine Hände und Füße waren gefesselt. Er saß in der Falle. Er würde in diesem Haus sterben, neben Paul Vickery und DeShawn Franklin.

Ein wenig Frieden brachte ihm nur der Gedanke, dass Benjamin auf dem Dachboden in Sicherheit war. Er hatte Wills Handy. Sie würden ihn orten können. Sie würden Benjamin zu seinem Bruder bringen. Und irgendwann würden die beiden Jungen wieder nach Hause kommen.

Sara würde indes mit leeren Händen dastehen. Offiziell war Will immer noch mit Angie Polaski verheiratet. Den Gerichten wäre es gleichgültig, dass Will sie seit Monaten nicht mehr gesehen hatte und dass er sogar einen Scheidungsanwalt eingeschaltet hatte, um sie aufzuspüren. Seine Frau saß wie eine Glucke auf sämtlichen Ansprüchen – nicht nur auf seine Leiche, sondern auch auf seine Erinnerungen. Angie war mit Will aufgewachsen. Sie wusste mehr über ihn als jeder andere auf dieser Welt. Sie war seine Büchse der Pandora, die sich immer nur dann öffnete, wenn es mal wieder an der Zeit war, Schmerzen zu bereiten.

Sara blieben nur Wills Hund, seine Zahnbürste und die Kleidung, die er in ihrer Wohnung aufbewahrt hatte.

»Na gut.« Tony zog das Messer aus dem Stiefel. »Bringen wir es hinter uns.« Er hielt es Will vor die Augen. Den Trick hatte er sich offensichtlich von dem Redneck abgeguckt. Und er funktionierte, genau wie beim ersten Mal. Wills Magen krampfte sich zusammen.

Tony grinste. »Angst, Bud?«

Ein letztes Mal würde er Bill Black spielen müssen. Er durfte nicht einfach wie irgendein Feigling sterben. »Los, tu's endlich, Mann. Zieh's nicht in die Länge.«

Doch Tony war anderer Meinung. Er ließ das Messer sinken. »Schätze, du hast irgendwen richtig sauer gemacht.« Er nickte hinauf zu den Wunden auf Wills Gesicht. »Zwei Veilchen, Nase gebrochen. Junior hat dir das nicht angetan, so viel steht fest.«

Will schluckte. Sein Hals tat immer noch weh. Er musste an den Whiskey denken, den Sara ihn gezwungen hatte zu trinken. Sie hatte recht gehabt. Danach hatte er sich besser gefühlt. Bei allem, was sie tat, fühlte er sich besser.

»Also, wer hat dich so zugerichtet, Freundchen?«

Will wusste, dass Tony eine Antwort erwartete. Die Fragerei gehörte nicht zu seinem Tötungsritual. »Dieser Bulle. Er hat mir gestern Nacht aufgelauert. Ist wie aus dem Nichts auf mich los.« Er warf Paul Vickery einen herablassenden Blick zu. »Tja, das macht er wohl nie wieder.«

Tony lachte. »Der war gut, Bud! Schätze, das macht er wirklich nicht noch mal.« Dann fing er an, sich mit der Messerspitze die Fingernägel zu reinigen. Die Spitze stach in die Haut unter seinem Daumen. Tony verzog keine Miene, sondern sah reglos zu, wie das Blut hervorquoll. »Und wo hast du den irren Schlitten her?«

Saras BMW. Ihre Zulassung lag im Handschuhfach. »Hab ihn einer Frau in der Cafeteria geklaut.«

»Echt?«

»Sie hatte die Schlüssel auf dem Tisch liegen gelassen. Ich musste einfach nur auf den Parkplatz rauslaufen und auf den Knopf drücken, bis ich ihn gefunden hab.«

»Guter Trick. Muss ich mir merken.« Tony wog das Messer in der Hand und warf es in die Luft, sodass es sich um die eigene Achse drehte. »Ich hab mich was gefragt, Bud.« Er warf einen Blick über die Schulter, als wollte er sicherstellen, dass sie wirklich alleine waren. »Ich bin nicht schwul oder so, aber ich hab gesehen, dass du untenrum rasiert bist.« Er räusperte sich. »Im Club, als Denny dich aufgefordert hat, die Shorts runterzulassen.«

Will schüttelte den Kopf. »Was?«

»Ich denk doch mal, ein Mann rasiert sich unten nicht. Außer er macht das für 'ne Frau. Hab ich nicht recht?«

Will schluckte wieder. Er wollte nicht so kurz vor seinem Tod über seine Genitalien reden.

Tony spielte weiter mit dem Messer. »Cayla hat mich mal überredet, mir die Eier zu rasieren. Das hat so fies gejuckt, dass ich sie mir fast abgerissen hätte.« Er zuckte mit den Schultern. »Schätze, was du da machst, ist besser?«

Will hatte keinen Schimmer, ob dies als Frage oder als Feststellung gemeint war.

Tony fing das Messer erneut am Griff auf. Er lächelte, als hätte er soeben etwas herausgefunden. »Du stehst immer noch auf diese Kleine oben in Tennessee, was?«

Will zermarterte sich das Hirn, wie Bill Black darauf reagieren würde. Dann wurde ihm klar, dass dies genau die Art von Tod war, die für einen Mann wie Black erwartbar wäre. »Ja«, sagte Will schließlich. »Ich liebe sie. Und genau da wollte ich eigentlich jetzt hin – nach Tennessee. Ich will nicht, dass mein Junge ohne Vater aufwächst.«

»Das hab ich mir gedacht«, gab Tony zurück. »Du hast nur versucht, sie eifersüchtig zu machen, oder? Indem du mit Cayla rumgemacht hast.«

Will nickte.

»Und du warst hier, um Cayla das zu sagen, oder? Dass zwischen euch nichts laufen wird?«

»Ich weiß, dass sie dein Mädchen ist, Tony.« Will suchte verzweifelt nach einer besseren Ausrede, die seine Anwesenheit erklärte. »Ich hab im Krankenhaus gehört, dass nach ihr gefahndet wird. Ich bin gekommen, um ihr zu sagen, dass sie vielleicht für eine Weile in Deckung gehen sollte. Ich wollt' mich um sie kümmern für den Fall, dass du's gerade nicht kannst.«

Tony schob das Kinn zu Seite, während er über die Erklärung nachdachte. »Du bist ein echter Gentleman, Bud, dass du dich so um sie gekümmert hast«, sagte er nach einer Weile.

»Ich hab gewusst, dass du okay bist.« Er hielt inne. »Wie war das – du willst die Stadt verlassen?«

Will versuchte, beim Schlucken nicht das Gesicht zu verziehen. »Ich wollte hoch nach Tennessee, gleich nachdem ich für dich nach Cayla gesehen hatte. In Macon hält mich nichts mehr.«

»Im Ernst?«, fragte Tony. »Du willst deine Bewährung sausen lassen?«

»Mir ist es hier einfach zu heiß. Zu viele tote Bullen. Ist doch nur 'ne Frage der Zeit, bis die Schweine versuchen, es mir anzuhängen.«

»Du könntest denen ja auch den Zeugen machen.«

»Ich verpfeif niemanden. Und ich will nicht …« Will brach ab, bevor er noch anfing zu betteln. Tony hörte die Leute gerne betteln. »Ich will meinen Jungen aufwachsen sehen. Ich hab keinen Grund, je wieder hierher zurückzukommen.«

»Das ist echt putzig, Buddy. Und ich wette, du würdest sogar einen guten Daddy abgeben.«

»Das ist alles, was ich je wollte«, log Will. Es gab zu viele schlimme Dinge, die Kindern passieren konnten, als dass Will je eigene hätte haben wollen. Und trotzdem sagte er: »Mein Daddy hat mich im Stich gelassen, als ich noch ein kleiner Scheißer war. Meinem will ich das nicht antun.«

Tony musterte ihn eingehend. »Mein Daddy hat mich auch im Stich gelassen.«

Will spannte jeden Muskel in seinem Kehlkopf an, um die Unterhaltung am Laufen zu halten – um irgendein Märchen über diese Frau in Tennessee und ihr wunderbares gemeinsames Leben zusammenzuspinnen.

Doch Will ahnte bereits, dass es zu spät war. Tony wollte

nichts mehr hören. Er musste jetzt eine Entscheidung treffen. Will merkte es an der Art, wie sein Blick hin- und herschweifte. Schließlich steckte Tony sein Messer wieder in den Stiefel.

»Sei vorsichtig auf diesen Bergstraßen.«

Will spürte, wie sich seine Lippen öffneten. Auf einmal war der gute alte Tony wieder da.

»Hab gehört, in Tennessee soll's hübsch sein.« Er ging zur Tür, doch dann fiel ihm Caylas Koffer wieder ein. Er musste den Griff mit beiden Händen packen. »Scheiße, da hat sie doch wohl jedes verdammte Ding in diesem Haus reingepackt.«

Will sagte nichts.

»Ich mag dich, Bud. Nur schade, dass ich dich nie wiedersehen werde.« Er sah Will streng an. »Richtig?«

Will nickte heftig. »Richtig.«

Dann schleppte er Caylas Koffer zur Haustür hinaus.

Will schwankte leicht, als er den Koffer über die Veranda schleifen, dann die Betonstufen hinunterrumpeln und quer über die Einfahrt schaben hörte.

Mit Saras Fernbedienung kamen sie offensichtlich nicht zurecht. Der Alarm ging los, aber sie konnten die durchdringende Sirene abschalten, ehe sie zu laut wurde. Eine Tür ging auf und wieder zu, dann noch eine. Ein paar Sekunden später öffnete und schloss sich eine weitere Tür.

Der Motor sprang an. Die Reifen quietschten, als Tony aufs Gas stieg.

Ganz langsam gewöhnte sich Wills Körper an den Gedanken, dass er nicht erstochen werden würde. Er musste sich mit den Händen an der Wand abstützen und mühsam jeden Tippelschritt einzeln setzen, um zur Tür zu kommen. Er sah die Bremslichter von Saras BMW aufleuchten, als Tony aus der Siedlung brauste.

Will ging in die Hocke. Er schloss die Augen und atmete ein paarmal tief durch. Sein Herz pochte so heftig, dass er es gegen seine Rippen schlagen spürte.

Benjamin!

Der Junge war noch immer auf dem Dachboden.

Für den Fall, dass Tony seine Meinung spontan änderte, wollte Will nicht nach ihm rufen. Außerdem war er selbst nach wie vor an Händen und Füßen gefesselt. Er würde nicht einmal nach oben rennen und den Jungen auffangen können, wenn er aus der Luke sprang.

Außerdem lagen hier unten zwei Leichen. Benjamin hatte genug schlimme Dinge für sein ganzes Leben gesehen.

Paul Vickery lag auf der Seite. Seine Kopfwunde hatte aufgehört zu bluten. Seine Handgelenke waren rot von der Schnur, die in sein Fleisch geschnitten hatte.

Will ließ sich auf die Hände fallen und zog die Knie nach. Kurz schoss ihm durch den Kopf, dass er sich bewegte wie eine Raupe. Kaum zu glauben, dass er dem Jungen auf der Farm erst vor wenigen Stunden diese Footballgeschichte erzählt hatte. Inzwischen war er wahrscheinlich längst im Grady Hospital. Sara ebenfalls. Sie war in Sicherheit. Das war das einzig Wichtige.

Neben Vickerys Körper hielt Will inne. Er durchsuchte die Taschen des Mannes nach seinem Handy. Er fand eine Brieftasche, einen Autoschlüssel und eine Handvoll Kleingeld, aber kein Telefon. Will klopfte Vickerys Brust ab. Unter seinem Hemd ertastete er etwas Hartes.

Vickery stöhnte, und Will schreckte zurück, als hätte eine Schlange versucht, ihn zu beißen.

»Scheiße!« Vickery zerrte sich den Knebel aus dem Mund. Er fluchte noch ein paarmal, als er seinen Kragen lockerte. Erst jetzt entdeckte Will die schwarze Kevlar-Weste unter seinem Hemd. »Was zum Teufel ist passiert?«

»Sie wurden angeschossen.« Will kontrollierte Vickerys Rücken. In der Weste steckten vier platt gedrückte Patronen.

»Von Ihnen?«, fragte Vickery.

»Nein.« Will kauerte sich wieder hin. »Ich habe Sie gestern Nacht auf der Straße mit Tony Dell reden sehen.«

Vickery blinzelte, als würde er nicht verstehen, was Will meinte. »Nein, haben Sie nicht.«

»Weißer Honda. Tonys Pick-up hielt direkt dahinter.«

»Wissen Sie, wie viele weiße Hondas es hier gibt?« Vickery versuchte, sich auf den Rücken zu drehen. »Warum haben Sie mir nicht gesagt, dass Sie Polizist sind?«

»Ich war zu sehr damit beschäftigt, mich verprügeln zu lassen.«

Vickery kicherte wie über eine lieb gewonnene Erinnerung. Und dann sah er zu DeShawn Franklin hinüber und verzog das Gesicht. »Dem Mistkerl habe ich mein Leben anvertraut.«

Will ließ unerwähnt, dass er das wahrscheinlich ganz zu Recht getan hatte. »Wo ist Ihr Handy?«

»Vordere Hosentasche.« Vickery versuchte, nach unten zu greifen, doch die Fesseln ließen es nicht zu, und Will wusste ohnehin, dass die Tasche leer sein würde.

Widerwillig kroch er zu Franklins Leiche hinüber. Blut floss keines mehr, weil das Herz aufgehört hatte zu schlagen. Nur aus der Halswunde traten ein paar letzte Tropfen. Will unterdrückte eine Gänsehaut, als er die Leiche absuchte. Dass seine Handgelenke praktisch aufeinandergepresst waren, machte es nicht gerade einfacher. Erst nach einer Ewigkeit fand er das Handy in Franklins Brusttasche.

Will wich von dem Toten zurück, ehe er auch nur einen Blick auf das Handy warf. Zwangsweise hielt er es in beiden Händen. Mit dem Daumen wischte er über das Display. Anstelle einer Tastatur blitzte ein Mikrofonsymbol auf. Die rote Anzeige darunter blinkte. Eine Uhr zählte die Sekunden, und darunter war eine flache Linie wie auf einem Herzmonitor zu sehen.

Die Linie hüpfte auf und ab, als Will zu Vickery sagte: »Ich glaube, er hat uns aufgenommen.«

Vickery schüttelte den Kopf, sagte aber nichts.

Zwölf Minuten und dreiundzwanzig Sekunden. So lange lief der Rekorder schon. Anscheinend hatte Franklin ihn eingeschaltet, als Will aus seiner Taser-Ohnmacht aufgewacht war.

»Rufen Sie jetzt jemanden an oder was?«, blaffte Vickery ihn an.

Will drückte auf den roten Knopf. Der Timer stoppte. Er war mit dem Betriebssystem dieses Geräts nicht vertraut, aber zum Glück funktionierten sie alle ziemlich ähnlich. Er drückte den Daumen auf das Haussymbol. Dann tippte er auf den Telefonhörer. Ein Ziffernfeld erschien. Will wählte Faiths Nummer, hielt sich die Hände ans Gesicht, während er wartete, bis die Verbindung zustande gekommen war.

Faith meldete sich nach dem ersten Klingeln. »Franklin, was ist los?«

»Ich bin's«, sagte Will. »Ich bin in Caylas Haus.«

»Will?« Faiths Stimme wurde schlagartig schrill. »Sechzig Polizisten durchkämmen hier den Wald nach Ihnen – wir können Ihr Handy nicht orten!«

»Sie müssen Saras Auto zur Fahndung ausschreiben. Tony Dell und Cayla Martin haben es gestohlen. Sie sind unterwegs zum Flughafen, allerdings über Nebenstraßen. Internationales Terminal. Sie will nach Deutschland.«

Faith machte sich nicht die Mühe, die Sprechmuschel abzudecken, während sie ihrem Team Befehle zubellte. Im nächsten Augenblick war sie wieder da. »Was ist mit Benjamin?«

»Er ist in Sicherheit.« Will sah zu Paul Vickery hinüber. Er traute dem Mann noch immer nicht. »Was ist mit der anderen Sache?«

»Sie sind im Grady. Sara hat vor einer guten Stunde angerufen. Sie sind in Sicherheit.«

Will spürte, wie riesige Erleichterung sich in ihm breitmachte.

»Der Junge fing im Krankenwagen an zu reden. Sein Name ist Aaron Winser. Amanda hatte recht: Seine Eltern leben in Neufundland. Sie hatten einen üblen Sorgerechtsstreit. Der Vater war auf einem Angelausflug, und die Mutter beschuldigte ihn, die Jungs entführt zu haben. Die Polizei wollte ihn schon verhaften.« Faith schien zu merken, dass sie zu schnell redete. Sie bremste sich ein wenig. »Die Eltern sind inzwischen unterwegs nach Atlanta. Mein Gott, Will, Sie haben mir eine Heidenangst eingejagt!«

»Moment.« Will konnte nicht länger auf den Knien kauern.

Er wollte sich nicht auf den Hintern fallen lassen, deshalb schob er sich an der Wand hinauf. Vickery verfolgte mit dem Blick jede seiner Bewegungen. In der Ferne hörten sie beide Sirenen.

»Wie weit sind die Streifenwagen noch entfernt?«

»Fünf Minuten maximal. Rufen Sie Sara an!«

»Sie ist wahrscheinlich beschäftigt.«

»Seien Sie kein Idiot.«

Will hörte ein Klicken. Sie hatte aufgelegt. Er sah wieder zu Paul Vickery hinüber. Der Mann lag immer noch auf dem Rücken, die Ellbogen und Knie unbequem abgewinkelt.

»Helfen Sie mir jetzt endlich? Das tut verdammt weh.«

»Sieht auf jeden Fall ziemlich schmerzhaft aus.« Will spürte, dass die Schnur, die in seine Fußknöchel schnitt, ein wenig nachgab. Nach ein paar vergeblichen Versuchen hüpfte er zur Küche.

»Wo wollen Sie denn hin?«, rief Vickery ihm nach. »Kommen Sie zurück!«

Will blieb erst stehen, als die Schwingtüren hinter ihm zufielen. Er lehnte sich an die Anrichte, um durchzuatmen. Und auch, um wieder zu Kräften zu kommen. Das Hüpfen war anstrengender gewesen, als es ausgesehen haben musste.

Auf dem Display von DeShawn Franklins Handy schaltete sich der Bildschirmschoner an. Das Foto zeigte zwei kleine Mädchen mit Mickymaus-Ohren auf dem Kopf. Will wollte lieber nicht darüber nachdenken, dass irgendjemand den Nichten dieses Mannes würde sagen müssen, was mit ihm passiert war. Schließlich wischte er erneut über das Display und wählte Saras Nummer.

Sie war es gewohnt, auf ihrem Krankenhaushandy merkwürdige Anrufe zu bekommen. Dennoch klang sie angespannt, als sie sich meldete. »Dr. Linton.«

»Ich bin okay«, sagte er mit einer Stimme, die das Gegenteil verriet.

»Bist du in Sicherheit?«

»Ja.« Erst jetzt, da er sie in der Leitung hatte, merkte er, wie alles auf ihn einstürzte. Saras Stimme zu hören war für ihn Rettung in letzter Sekunde.

»Will?«

»Alles in Ordnung.« Er bemühte sich um eine feste Stimme. »Bin im Augenblick nur ein bisschen kurz angebunden ...« Er verkniff es sich, über seinen eigenen Witz zu lachen. Er war sich verhältnismäßig sicher, dass Sara ihn nicht lustig gefunden hätte. »Ich hab allerdings keine Ahnung, was mit deinem Auto ist ...«

»Liebling, glaubst du wirklich, dass ich mir darum Sorgen mache?«

Will hoffte, dass sie immer noch so denken würde, wenn sie die Nachrichten einschaltete und sah, dass ihr BMW in eine Verfolgungsjagd über die I-75 verwickelt war. »Bist du noch im Krankenhaus?«

»Ich bin wieder zu Hause. Denise hat mich heimgefahren, als Amanda mit der Befragung des Jungen anfing. Sie fährt gerade zurück ins Grady, um bei Aaron zu bleiben, bis seine Eltern da sind. Hat Faith es dir gesagt?«

»Ja.« Will schloss die Augen. Dass Sara daheim in Sicherheit war, war eine enorme Erleichterung. »Was machst du gerade?«

»Ich liege auf der Couch. Ich wollte eigentlich duschen, aber ich komme mir vor, als wäre ich von einem Laster angefahren worden. Ich fühle mich irgendwie ... zu wund, um mich zu bewegen.«

Wieder musste Will an die vergangene Nacht denken.

»Wund von mir?«

»Ein bisschen«, gab sie zu. »Wann, glaubst du, kannst du zurück in Atlanta sein?«

»Ich fahre noch heute Abend.« Und in diesem Augenblick beschloss Will, sofort zu kündigen, falls dies die einzige Möglichkeit sein sollte. »Ich ruf dich an, kurz bevor ich da bin.« Er schirmte die Sprechmuschel mit der Hand ab – ein Kinderspiel, nachdem zwischen seinen Handgelenken ohnehin so gut wie kein Abstand war – und senkte die Stimme: »Und wenn ich anrufe, will ich, dass du die Badewanne einlässt.«

Sie klang überrascht. »Okay …«

»Wenn ich da bin, will ich, dass du mit mir in die Wanne steigst.«

Diesmal klang ihr Okay anders.

»Und dann reden wir.«

Wieder änderte sich ihre Stimme. »Nur reden?«

»Ich werde jede Frage beantworten, die du mir stellst.«

»Jede Frage?«, wiederholte sie. »Dann wird das Wasser kalt.«

»Wir halten es warm«, erwiderte er. »Ich meine es ernst, Sara. Keine Geheimnisse mehr.« Will sah zum Küchenfenster hinaus. In der Ferne konnte er erkennen, dass der erste Streifenwagen Staub aufwirbelte. Seine Entschlossenheit bekam Risse. Er fühlte sich, als würde er auf ein Hochseil hinaustreten. Seine Hände waren so feucht, dass er das Handy kaum mehr halten konnte.

Trotzdem schaffte er es noch, den Satz zu sagen, den er ihr gleich eingangs hätte sagen müssen. »Ich vertraue dir.« Sara erwiderte zwar nichts, aber er hörte ihren Atem durch das Telefon, und seine Kehle wurde eng. Er sollte endlich auflegen. Trotzdem fragte er: »Was denkst du? Klingt das gut?«

»Baby …« Sie seufzte. »Ich denke, das klingt nach einem perfekten Beginn für den Rest unseres Lebens.«

17.

Macon, Georgia
Fünf Tage später

Wieder einmal saß Lena einem Ermittler aus der Innenrevision gegenüber. Brock Pattersons schwarz-weißes Outfit erinnerte sie an die Frau, die ihr in der Woche zuvor gegenübergesessen hatte. Lena fragte sich, ob es in dieser Abteilung einen speziellen Dresscode gab oder ob sie alle heimlich Nachtschichten in einer Olive-Garden-Filiale schoben. Wenn die Bezahlung dort in etwa ihrer eigenen entsprach, war dieser Gedanke nicht einmal besonders weit hergeholt.

»Detective Adams?« Offensichtlich hatte Patterson ihr eine Frage gestellt. Lena hörte nicht mehr richtig zu, seit sie begriffen hatte, wie sehr diese Art der Befragung rein auf Wiederholungen basierte. Alle zwanzig Minuten drückte dieser Typ sozusagen auf Reset und stellte ein und dieselben Fragen wieder und wieder, bloß mit einem anderen Tonfall, in einer anderen Formulierung.

»*Wann haben Sie den Jungen gefunden?*«

»*Und Sie fanden den Jungen wann und wo genau?*«

»*Wo befand sich der Junge, als Sie ihn fanden?*«

Der Junge. Aaron Winser. Mittlerweile war er in Sicherheit, aber sie waren alle immer noch viel zu entsetzt, um seinen Namen in offiziellen Runden laut auszusprechen.

Und wenn Lena ehrlich zu sich war, wollte sie auch nicht mehr an ihn denken. Nicht aus Boshaftigkeit, sondern aus reinem Selbstschutz. Seit vier Tagen war sie jedes grausame Detail der Razzia in dem Fixertreff immer wieder durchgegangen – die Leichen, die kalte Angst in ihrer Magengrube, als sie Sid Waller niedergestarrt hatte. Und dann der schlimmste Teil – der Teil, den sie in den ersten Befragungen ausgelassen hatte. Die Entdeckung des Jungen.

Lena sah in ihren Albträumen immer noch vor sich, wie sie die Wandvertäfelung weggerissen hatte. Sie sah den verängstigten Blick vor sich. Augen, die sie anstarrten. Aarons Pupillen waren so schwarz gewesen wie Kohlen, eingebettet in rot geädertes Weiß. Er hatte kein Wort gesagt, als Lena ihn aus dem Loch gehoben hatte. Er hatte sich so leicht angefühlt. Wie eine Decke. Lena hatte ihn in den Armen gewiegt, ihn getröstet. Sonderlich mütterlich war sie nie gewesen, aber bei Aaron war es der reinste Instinkt gewesen: Sie hatte ihm über die Haare gestrichen, ihm ihre Lippen auf die trockene Stirn gedrückt. Ihre Hand auf seinem Rücken hatte den schnellen Herzschlag gespürt, und sie hatte an die kleine Bohne denken müssen, die jetzt für immer abgespeichert war in einer Datei auf dem Computer in ihrem Büro.

»Detective Adams«, wiederholte Patterson. »Könnten Sie sich bitte ein wenig konzentrieren?«

»Könnten Sie nicht in Ihren Notizen nachsehen und einfach aufschreiben, was ich Ihnen schon beim ersten Mal gesagt habe?«

»Als Sie das erste Mal befragt wurden, oder als Sie zum ersten Mal die Wahrheit gesagt haben?«

Das hatte gesessen.

Lena lehnte sich auf ihrem Stuhl zurück. Er war absichtlich so konstruiert worden, dass er unbequem war. Es war kalt in diesem Zimmer. Übermalter Waschbetonstein mit Kratzspuren entlang der Plastiksockelleiste. Sie starrte in den Spiegel hinter Patterson und fragte sich, wer hier wem zuhörte. Ihr letzter Zusammenstoß mit der internen Ermittlermeute hatte im Konferenzraum stattgefunden. Lena nahm an, dass jetzt, da Lonnie Gray im Knast saß, die ganze Truppe anders behandelt wurde.

Auf dem Tisch stand eine halb leere Flasche Cola. Lena nahm einen großen Schluck, bevor sie die Flasche wieder abstellte. »Sagen Sie mir, warum das alles passiert ist.«

Pattersons Mundwinkel bogen sich nach unten. Er sah aus wie der Inbegriff eines Miesepeters.

»Keiner will mir sagen, warum Jared und ich angegriffen wurden. War es wegen des Jungen? Glaubten sie, ich hätte gewusst, wo er steckte?«

Wie zu erwarten ließ Patterson sich nicht erweichen. »Fragen zu stellen ist hier mein Job.«

»Aber ist es wirklich mein Job, sie zu beantworten?«, gab Lena zurück. Sie hatte es satt, nichts zu wissen. An etwas anderes konnte sie nicht mal mehr denken. Was hatte sie nur getan, um diese Welle der Gewalt auszulösen? Welchen dummen Fehler hatte sie begangen? Welches Arschloch hatte sie gegen sich aufgebracht? »Mein Mann wurde beinahe umgebracht. Ich wurde in meinen eigenen vier Wänden angegriffen. Glauben Sie nicht, ich hab's verdient zu erfahren, warum?«

»Meine Kollege ermittelt in dem Überfall. Wie Sie wissen, sind wir beide aus einem anderen Grund hier.« Patterson hatte das Pokerface eines Bankers, der gleich einen Kreditantrag ablehnen würde. »Und Ihre Kooperation wäre sehr hilfreich im Hinblick auf ...«

»Im Hinblick worauf?«, fauchte sie ihn an. »Ich war in nichts verwickelt – ich habe nur getan, was mein Vorgesetzter mir befohlen hat.«

»Sie haben unter Eid gelogen.«

»Ach, hab ich das?« Lena lächelte ihn an. Für eine Lüge war sie viel zu vorsichtig gewesen. Die erste Ermittlerin hatte nicht nach dem Jungen gefragt. Soweit Lena wusste, gab es kein Gesetz, das ihr vorschrieb, unaufgefordert Informationen preiszugeben.

Patterson lehnte sich zurück, wollte offensichtlich ihre entspannte Haltung imitieren. »Wir stehen doch auf derselben Seite, Detective Adams.« Er versuchte, vernünftig zu klingen, obwohl sie beide wussten, dass für ihn einiges auf dem Spiel stand. Ihm stand eine anständige Beförderung ins Haus, wenn er noch mehr korrupte und verderbte Polizisten aufspürte, und der Mann hatte von Beginn an deutlich gemacht, dass er Lena nicht über den Weg traute. »Wir wollen doch nur sicherstellen, dass der Fall gegen Mr. Gray Bestand hat. Und ich habe den Eindruck, dass wir da ein und dasselbe Ziel haben.«

»Mr. Gray«, wiederholte Lena. Keiner nannte ihn mehr Chief Gray. Keiner wollte mehr etwas mit ihm zu tun haben.

»Mein Ziel ist es, zu meinem Mann zurückzukehren. Es geht ihm übrigens besser, danke für Ihre Anteilnahme.«

Patterson ließ das Kinn auf die Brust sinken. Er tat das jedes Mal, wenn Lena zurückschlug, so als wäre er körperlich gegen eine Wand gerannt. Er stieß kurz Luft aus und schob dann die Papiere auf dem Tisch zusammen. »Ich bin gleich wieder zurück.« Er stand auf. »Sie können ruhig zur Toilette gehen, wenn Sie müssen.«

Lena salutierte, als er das Zimmer verließ. Er wollte sich offensichtlich mit jemandem hinter dem Spionspiegel besprechen. Sie nahm an, dass dort Amanda Wagner wartete. Die Deputy Director würde sich die Verhaftung von Lonnie Gray auf ihre Fahne schreiben, obwohl die Anerkennung in Wahrheit Will Trent gebührte. Er war derjenige gewesen, der sein Leben riskiert hatte.

Er war außerdem derjenige gewesen, der Lena davon abgehalten hatte, einen Mann zu töten.

Blut an den Händen war Lena zwar nicht fremd, aber sich diese beiden Rednecks vorzunehmen, die in ihr Haus eingedrungen waren, war etwas anderes gewesen. Sobald sie länger darüber nachdachte, kehrte die Blutgier zurück. Sie spürte, wie sie in ihrer Kehle aufwallte. Ihre Muskeln verkrampften sich.

Die Hände ballten sich zu Fäusten. Selbst als sie auf der Intensivstation an Jareds Bett gestanden hatte, hatte Lena gegen den Impuls ankämpfen müssen, den Job an jenem Monster zu beenden, das ihren Mann hatte umbringen wollen.

Doch das Monster hatte es nicht geschafft.

Der Arzt hatte gesagt, es grenze fast an ein Wunder, aber Jared würde sich wieder vollkommen erholen. Ihm standen noch ein paar Monate Physiotherapie bevor, ansonsten aber hatten ihm seine gute Gesundheit und seine Jugend geholfen. Und natürlich standen ihm ausgerechnet diese beiden Qualitäten nun im Weg. Jared war seit nicht einmal sechsunddreißig Stunden zu Hause und hatte jetzt schon einen Lagerkoller – er war zu lange auf den Beinen, bewegte sich zu viel, mischte sich zu sehr in ihre Angelegenheiten ein.

Sie war versucht gewesen, ihn zu seiner Mutter zu schicken. Lena hasste die Frau nicht mehr annähernd so sehr wie vorher, vielleicht weil einzig und allein Darnell Long dafür gesorgt hatte, dass Lena endlich eine funktionierende Küche hatte. Zum Glück schien Jareds Mutter einzusehen, dass ihr Waffenstillstand umso belastbarer war, je mehr räumliche Distanz zwischen ihnen lag. Sie war schnellstmöglich nach Alabama zurückgekehrt. Wenn Lena Glück hätte, würde Nell erst wieder zum Prozess nach Macon kommen.

Wobei Lena nicht glaubte, dass es einen Prozess geben würde. Erst am Morgen hatte Fred Zachary, der zweite Schütze, sich auf einen Deal eingelassen, der ihn verpflichtete, gegen die Rednecks im Tipsie's auszusagen. Die Rednecks redeten nicht, aber es war vermutlich nur eine Frage der Zeit, bis sie sich dazu durchrangen mitzuspielen.

Damit war nur mehr Tony Dell übrig. Und Mr. Snitch hatte ihnen deutlich zu verstehen gegeben, dass er keinen Deal mehr wollte. Er hatte zugegeben, in der Nacht der Schüsse auf Jared in derselben Straße gewesen zu sein. Er hatte zugegeben, Eric und DeShawn erstochen zu haben. Er hatte alles bestätigt, was

DeShawn Will Trent über Big Whitey und Sid Waller erzählt hatte. Im Grunde hatte er damit alle ausgeliefert, sich selbst mit eingeschlossen. Es würde nicht lange dauern, bis jemand zu dem Schluss käme, dass Dell genug geredet hatte. Lena argwöhnte sogar, dass er sich umbringen würde. Denn Tatsache war: Tony Dell hatte nichts mehr zu verlieren. Die Polizei von Atlanta hatte Tony Dell und Cayla Martin vor dem internationalen Terminal des Hartsfield-Jackson Airport von Atlanta festgenommen. Dell war ein Psychopath, aber er war auch ein Überlebenskünstler. Er hatte sofort gewusst, dass das Spiel aus war. Er hatte einfach die Hände erhoben und war aus dem Auto ausgestiegen.

Cayla Martin hatte nicht so einfach aufgegeben. Sie hatte sich hinters Steuer gesetzt und versucht, der Polizei davonzufahren. Nur leider hatte sie die falsche Richtung eingeschlagen. Lena fragte sich, was der Krankenschwester wohl durch den Kopf gegangen war, als der Flughafenzubringerbus direkt auf sie zugekommen war. Dem Unfallbericht zufolge hatten nur etwa zwei Sekunden zwischen Martins Herumreißen des Steuers und dem Frontalzusammenstoß gelegen. Lena wusste, wie es sich anfühlte, wenn man den Tod vor Augen hatte. Da waren zwei Sekunden eine Ewigkeit. Martin war nicht angeschnallt gewesen. Wahrscheinlich war noch eine weitere Sekunde verstrichen, während sie mit dem Kopf voraus dem Bus entgegengeschleudert war und sich am Ende das Genick gebrochen hatte.

Lena konnte sich nicht gegen den Gedanken wehren, dass das Schönste an dieser Geschichte nicht etwa Martins brutaler Tod war, sondern die Tatsache, dass Sara Lintons fünfundsechzigtausend Dollar teurer BMW jetzt der teuerste Zauberwürfel der Welt war.

Lachen kitzelte Lena in der Kehle, als sie sich vom Tisch hochstemmte. Sie wanderte eine Weile in dem Zimmer auf und ab und zwang sich, ihre Schritte nicht zu zählen. Sie wusste ohnehin, dass dieses Zimmer vier auf dreieinhalb Meter maß. Sie sah zu der Kamera empor, lächelte, auch wenn sie am liebsten gefaucht hätte. Sie wollte endlich den Stapel Papierkram auf ihrem Schreibtisch abarbeiten. Sie wollte nach Jared schauen. Sie wollte nach Hause fahren und die Dinge tun, bei denen sie sich wieder wie ein normaler Mensch fühlte: das Haus von oben bis unten putzen, Wäsche waschen, sich um den Vorgarten kümmern. Der Winter stand vor der Tür. Wahrscheinlich würde sie die Petunien herausreißen müssen, aber noch brachte sie es nicht übers Herz, irgendetwas sterben zu lassen.

In letzter Zeit war sie auf zu vielen Beerdigungen gewesen. DeShawn Franklins Leiche war ohne jede Feierlichkeit in einem Krematorium außerhalb von Macon verbrannt worden. Neben dem Bestatter war Lena die Einzige gewesen, die sich die Mühe gemacht hatte. Seine Schwester hatte die Kinder nicht dort hinbringen wollen. Seine Ex-Frau hatte seinen Namen nicht mal aussprechen und seine gegenwärtige Frau ihr Gesicht nicht in der Öffentlichkeit zeigen wollen. Jared war dagegen gewesen, dass Lena hinging, aber er hatte letztlich nicht versucht, sie davon abzuhalten. Sie hatte in ihrem Leben schon so viele Fehler gemacht. Sie glaubte fest daran, dass DeShawn am Ende versucht hatte, das Richtige zu tun. Er hatte die Aufnahmefunktion seines Handys eingeschaltet. Lena wusste nicht, was genau die Aufnahme erfasst hatte – niemand in der Dienststelle war umfassend darüber informiert worden –, doch offenbar hatte er Will Trent genug Beweise geliefert, um Big Whiteys Organisation zerschlagen zu können. Allein deswegen hatte DeShawn es verdient, dass ein zweites Augenpaar ihm dabei zusah, wie er vor seinen Schöpfer trat. Eric Haighs Bestattung war deutlich anders abgelaufen. Der Staat hatte ihn am Morgen des Vortags des Begräbnisses von jeglicher Schuld freigesprochen, sodass er ein anständiges Polizistenbegräbnis mit Beamten in Gala-Uniform und der vollen Eskorte bekommen hatte. Lena nahm an, sie war nicht die einzige Polizistin gewesen, die sich darüber im Klaren war, dass die letzte Beerdigung, die sie besucht hatte, die von Chuck Gray gewesen war. Lonnies Sohn war vor drei Monaten an Leukämie gestorben. Lena hatte bei Chucks Zeremonie geweint – nicht weil sie ihn gemocht hätte. Er war genau das verzogene Arschloch gewesen, das man bei so einem Vater erwarten würde. Sondern weil Lonnie Gray ihr so leidgetan hatte.

Und sie konnte sich vorstellen, dass auch Lonnie Gray sich selbst irrsinnig leidtat. Er hatte eine erstklassige Anwaltskanzlei damit beauftragt, die Vorwürfe gegen ihn abzuschmettern. Aber so schlau Lonnie auch war – einen gigantischen Fehler hatte er begangen. Letztlich hatte seine Arroganz ihn zu Fall gebracht. Lonnie hatte nie an die Möglichkeit gedacht, dass das GBI den Computer in seinem Haus beschlagnahmen könnte. Auch ohne die Morde, die Entführungen und den Drogenhandel hatte der Staat genug kinderpornografisches Material auf seiner Festplatte gefunden, um ihn für hundert Jahre wegzusperren.

Kranker Mistkerl.

Im letzten Monat hatte Lena mit Lonnie noch einen Langstreckenlauf absolviert – zugunsten der Leukämieforschung. Lonnie war dreißig Jahre älter als sie, aber im Ziel war er der Erste gewesen. Lena freute sich insgeheim an dem Gedanken, dass sein starkes Herz weiter und immer weiter schlagen würde, während er den Rest seines elenden Lebens im Gefängnis verbrachte. Sie hoffte, dass irgendein großer, fieser Verbrecher Lonnie Gray genau das Gleiche antun würde, was er Marie Sorensen und all den anderen Kindern und Jugendlichen angetan hatte. Lena hoffte fast, dass man es jede Sekunde jedes einzelnen Tages mit ihm treiben würde, bis er vor Erschöpfung zusammenbräche. Und sie hoffte, dass man ihn dann hochziehen und weitermachen würde.

Lena hätte zu gern geglaubt, dass Lonnies Haft Marie Sorensens Mutter und der Familie Winser helfen würde, nachts wieder besser zu schlafen. Aber sie wusste aus Erfahrung, dass gewisse Dämonen nie ganz verschwanden.

Die Tür ging wieder auf. Patterson stand mit der Hand am

Knauf da, trat aber nicht ein. Er sah verärgert aus, was ihr alles sagte, was sie wissen musste.

»Schätze, die Ratte hat den Käse nicht bekommen.«

Sie wartete Pattersons Antwort gar nicht erst ab, schob sich einfach nur an ihm vorbei und lächelte ihn an, genau wie sie zuvor die Kamera angelächelt hatte. Lena wusste, dass sie es nicht zu weit treiben sollte, dass noch rein gar nichts ausgestanden war, aber jedes Mal, wenn man der internen Meute mit der Marke am Revers entkam, war das ein Grund zu feiern.

Lenas Lächeln erstarb schlagartig, als sie Denise Branson im Flur stehen sah. Sie hatte gewusst, dass Denise sich im Gebäude aufhielt, aber Lena hatte insgeheim gebetet, die Frau nie wieder sehen zu müssen. Doch noch nie in ihrem Leben war eines ihrer Gebete je erhört worden.

Und noch nie hatte sie Denise Branson so offensichtlich verlegen gesehen. Es war ein schwieriger Anblick. Sie trat von einem Fuß auf den anderen, wich Lenas Blick aus. Sie hatte etwas Gedemütigtes an sich, als wäre sie in den vergangenen vier Tagen so oft niedergeschlagen worden, dass sie vergessen hatte, wie es war, wieder aufzustehen.

»Ms. Branson?«, sagte Patterson.

Sein Tonfall war abfällig, was Lena missfiel. Wenn er den Mund gehalten hätte, hätte Lena wahrscheinlich nie wieder mit Denise gesprochen. Doch so konnte sie nicht anders.

»Brauchst du 'ne Pinkelpause?«

Denise war sichtlich überrascht. Dennoch nickte sie, und dann marschierten die beiden auf den einzigen Ort zu, an den Brock Patterson ihnen nicht folgen durfte. Lena sah seinen enttäuschten Blick, als die Toilettentür hinter ihnen ins Schloss fiel.

Denise kam sofort zur Sache. Ihre Stimme klang fast, als wäre sie es inzwischen gewohnt, sich in einem fort zu rechtfertigen. »Es tut mir leid. Es gibt keine Entschuldigung für das, was ich dir angetan habe.«

»Aber?«

»Kein Aber.« Denise wirkte entschlossen. Ihr früher so selbstsicheres Gehabe war verschwunden. »Ich hab dich in Bezug auf diesen Jungen in die Irre geführt. Ich hab dich ohne dein Wissen da mit reingezogen. Ich hab dich den Wölfen von der Innenrevision zum Fraß vorgeworfen, obwohl du nichts Falsches getan hattest.«

»Ist das der Grund, warum sie versucht haben, mich und Jared umzubringen? Weil sie glaubten, ich wüsste, wo der Junge steckte?«

Denise schüttelte den Kopf und zuckte dann mit den Schultern. »Ich weiß es nicht, Lee. Es ergibt einfach keinen Sinn, dass sie hinter dir her waren und nicht hinter mir.«

Lena kam immer wieder zu ein und demselben Schluss. Sie drehten sich im Kreis. »Wem hast du sonst noch von dem Jungen erzählt?«

»Freunden. Leuten, denen ich vertrauen konnte.«

»Ich dachte, ich wäre eine Freundin gewesen, der du vertrauen konntest.«

Diesmal hatte Denise eine Entschuldigung. »Ich habe wirklich geglaubt, ich würde dich damit schützen.«

»Das ist eine Lüge«, entgegnete Lena. »Bei der Arbeit hast du keinem Menschen über den Weg getraut. Mir nicht, Lonnie nicht. Du hast gewusst, dass irgendwas nicht koscher war. Du hast gedacht, es gäbe einen Maulwurf – und du hast gedacht, dass es von ganz oben bis ganz unten jeder sein könnte.«

Denise seufzte schwer. Sie sah aus, als könnte sie die Kraft zu einer Diskussion nicht länger aufbringen.

»Hattest du auch den Verdacht, dass Lonnie hinter Big Whitey stecken könnte?«

»Ich weiß es nicht«, antwortete sie vage, doch Lena konnte ihr ansehen, dass sie die Wahrheit sagte. »Es kam mir nur so merkwürdig vor, dass Big Whitey immer wieder Tipps bekam. Ich dachte, es wäre vielleicht eine von Lonnies Sekretärinnen oder jemand aus deinem Team.«

»Oder ich?«

Denise starrte auf einen Punkt in Lenas Rücken. »Eigentlich nicht ... Aber für dieses Risiko stand einfach zu viel auf dem Spiel.«

Lena sah Denise Branson an und dachte sich nicht zum ersten Mal, dass sie gerade ein Abbild ihrer selbst vor fünf Jahren vor sich hatte. Die alte Lena hätte ebenfalls versucht, die Sache allein durchzuziehen. Sie hätte niemandem getraut. Sie hätte sich auf niemanden gestützt. Sie hätte im Leben nicht um Hilfe gebeten. Auf der ganzen Welt, hätte sie gedacht, würde es nur eine einzige Person geben, die es richtig machen konnte. Auch heute war diese Tendenz noch da. Doch Lena verbrachte eine Menge Zeit damit, ihre niederen Instinkte zu bekämpfen. Manchmal gewann sie, oft genug aber verlor sie immer noch. Dann tröstete sie sich damit, dass sie es zumindest versucht hatte.

»Ich hab gehört, Lonnie war im Büro des Bürgermeisters, als er verhaftet wurde. Sie haben ihn direkt zur Vordertür des Rathauses hinausgeführt, damit alle Welt ihn sehen konnte.« Denise grinste. Offensichtlich hatte sie die Geschichte ebenfalls gehört. »Diese blonde Tussi, die ihn verhaftet hat ... Agent Mitchell. Ich wette, die hatte ihre Stiefelspitze die ganze Zeit über in seinem Arsch.«

Daran zweifelte Lena keine Sekunde lang. »Wenn Lonnie nur halb der Mann war, der er vorgab zu sein, dann findet er bestimmt einen Weg, sich umzubringen und dem Gericht die Mühe zu ersparen.«

»Gib mir 'ne Klinge, und ich tu's.«

»Hinten anstellen.« Lena atmete langsam aus. »Nein, ich will wirklich nicht noch mehr Zeit auf diesen Mistkerl verschwenden. Wie geht's den Jungs?«

In Denises Gesicht leuchtete etwas auf, das man nur als aufrichtige Freude beschreiben konnte. »Es geht ihnen gut, Lee. Ich habe Aaron selbst in die Arme seiner Mutter übergeben. Er ist wieder bei seiner Familie. Er ist wieder bei seinem Bruder. Es wird schwer werden, aber sie haben ja einander.«

Wieder hatte Lena das merkwürdige Gefühl, sich selbst vor sich zu sehen. All die Bälle, die durch die Luft wirbelten, waren es am Ende doch wert, wenn man es schaffte, mit ihnen zu jonglieren. Sie in der Luft zu sehen verschaffte einem einen größeren Kick als jede Droge von der Straße. Natürlich hielt dieses Gefühl nie lange an. Niemand konnte auf Dauer mit so vielen Bällen jonglieren. Wenn der erste zu Boden fiel, wollte man am liebsten alles hinwerfen. Beim zweiten fühlte man sich immer noch schlecht. Beim dritten und vierten aber griff man nach einem anderen Ball, den man wieder in die Luft werfen konnte, und machte einfach weiter.

Lena hatte in ihrem Leben so viele Bälle fallen gelassen, dass sie sie nicht einmal mehr zählen konnte.

»Schwamm drüber«, sagte sie unvermittelt.

Denise sah erst überrascht, dann verwirrt aus. »Warum?«

»Keine Ahnung«, gab Lena zu. Sie war der lebende Beweis dafür, dass zweite Chancen funktionieren konnten, aber sie war bislang nie fähig gewesen, diese Gefälligkeit auch anderen zu erweisen. Jeffrey Tolliver zu verlieren hatte sie vieles gelehrt, doch die Aussicht, auch Jared zu verlieren, hatte sie zu Boden geworfen.

»Willst du nicht noch mal darüber nachdenken?«

»Nein.« Und dann sprach Lena die nackte, ungeschminkte Wahrheit aus: »DeShawn und Eric sind tot. Lonnie hat sich als Teufel entpuppt. Paul hat sich beim Atlanta PD beworben. Jared wäre fast gestorben.« Lena hatte einen Kloß im Hals. Die kleine Bohne hatte sie wohlweislich nicht mit auf die Liste gesetzt, doch die Erinnerung daran war immer noch sehr frisch. »Schätze, ich kann es mir nicht leisten, noch jemanden zu verlieren.«

Denise war skeptisch. »Es war höchstwahrscheinlich meine Schuld, dass du und Jared fast ums Leben gekommen wärt. Ich hätte beinahe zugelassen, dass du gefeuert würdest. Dem Himmel sei Dank, dass diese Arschlöcher von der Innenrevision dir deine Geschichte abgekauft haben.«

»Glaubst du wirklich, sie haben mir geglaubt?« Lena lachte. »Der einzige Grund, warum ich nicht längst auf der Straße oder in irgendeiner Zelle sitze, ist doch, dass sie mir nichts nachweisen können.« Sie ging zum Waschbecken und drehte den Hahn auf. Das Wasser war eiskalt. Lena beugte sich darüber und nahm einen großen Schluck.

»Ich war dir eine schlechte Freundin, Lena. Das weiß ich.« Sie senkte die Stimme. »Ich weiß, dass du einiges durchgemacht hast. Auch schon vorher, meine ich.«

Lena drehte den Hahn wieder zu. Denise war nicht die Einzige mit einem Vertrauensproblem. Lena war nie in den Sinn gekommen, mit irgendjemandem über den Verlust des Babys zu reden – nicht mit Jared, nicht mit Denise, nicht einmal mit sich selbst. Wenn sie jetzt ehrlich zu sich war, fühlte es sich einfach zu sehr nach Versagen an. Als müsste sie sich dafür schämen.

Aber selbst wenn es sich nicht so angefühlt hätte, hatte Lena nicht vor, ihr Herz auf der Damentoilette eines Polizeireviers auszuschütten.

»Schon okay. Das ist etwas, was ich allein durchstehen muss.«

»Kann ich verstehen.« Auch Denise war niemand, der sich gerne umsorgen ließ. »Aber ich bin da, wenn du reden willst.« Lena starrte auf ihre Hand hinunter. Sie lag auf dem Waschbeckenrand, nicht mehr auf ihrem Bauch. Sie fragte sich, ob es so ablief – in kleinen Schritten. Die Schwester, die aus Dr. Benedicts Praxis angerufen hatte, hatte zumindest in dieser Hinsicht recht behalten: Es verschwand nie ganz, aber es veränderte sich. Langsam, aber sicher.

Lena atmete tief durch. Sie blickte in den Spiegel über dem Waschbecken. Seit dies alles angefangen hatte, war sie um zwanzig Jahre gealtert.

»Jared geht mir höllisch auf die Nerven. Ich könnte eine Ausrede gebrauchen, um mal wieder aus dem Haus zu kommen.«

Denise suchte Lenas Blick im Spiegel. »Ich auch.« Nach einer Weile räusperte sie sich. Sie musste sich schier zum Reden zwingen. »Ihr Name ist Lila. Wir sind schon eine ganze Weile zusammen.«

Lena wollte sie nicht drängen. »Wie lange wird dich die Innenrevision noch hierbehalten?«

»So lange sie es für nötig erachtet.«

»Ruf mich an, wenn du fertig bist. Dann gehen wir zu Barney's.«

Denise wandte den Blick ab. Plötzlich war der gedemütigte Ausdruck wieder da. Barney's war eine Polizistenkneipe. Offensichtlich wollte sie nicht von den Männern gesehen werden, die sie früher befehligt hatte.

»Weißt du was?« Lena schnappte sich ein paar Papiertücher. »Soweit ich es sehe, warst du die Einzige in der ganzen Truppe, die bemerkt hat, dass mit Lonnie was nicht stimmte. Du hast diesem entführten Jungen das Leben gerettet. Du hast ihn in Sicherheit gebracht und versteckt. Du hast dafür gesorgt, dass er wieder zu seiner Familie kommt. Du hast Marie Sorensens Mutter einen Namen gegeben. Du hast einen heimtückischen Triebtäter von der Straße geholt. Und dies alles hast du mit einem hübschen Schleifchen verziert, das der Staat jetzt wieder aufbinden kann.« Sie warf die Papiertücher in den Abfalleimer. »Hab ich recht? Hast du all das getan?«

»Es ist zumindest eine Art, es zu formulieren.«

»Was mich angeht, ist es die einzige Art, es zu formulieren, und zwar gegenüber jedem Arschloch, das dumm fragt.« Denise schüttelte den Kopf. Sie sah, in welche Richtung Lena dachte. »Sie werden mich nicht als Heldin betrachten, Lee. Sie werden mich feuern, sobald ich vor ihnen sitze.«

»Dann sag ihnen, dass du zu jedem Sender gehst, der Interesse zeigt. Verdammt, geh zu den Nationalen. Geh hoch nach Kanada. Erzähl ihnen, was du getan hast, um diesen Jungen zu retten, und dann soll das Macon PD erst mal erklären, warum sie dich deswegen gefeuert haben.« Lena lachte bei dem Gedanken. »Wenn du jemanden brauchst, der deine Geschichte bestätigt, dann gib ihnen meine Nummer.«

Denise starrte sie unverblümt an. »Du bist ganz schön durchgeknallt, weißt du das?«

»Vielleicht.« Lena legte die Hand auf den Knauf, öffnete die Tür aber nicht. »Ich war schon zu oft genau am selben Punkt wie du jetzt, um nicht zu wissen, wie man da wieder rauskommt.«

»Du glaubst wirklich, das könnte funktionieren?«

»Unterschätze nie die Angst der Behörden vor schlechter Publicity«, sagte Lena und wünschte sich im selben Moment eine Tafel neben ihrer Bürotür, auf die sie schreiben würde: »Lass sie nicht an deine Pension ran. Darauf werden sie es als Erstes abgesehen haben. Lass dich nicht weiter degradieren als bis zur Detective.« Lena lächelte, als ihr noch etwas einfiel.

»Was glaubst du eigentlich – wie groß ist die Chance, dass das Atlanta PD Pauls Bewerbung annimmt?«

Jetzt lächelte auch Denise. »Weißer Mann, Ex-Militär? Die rollen den roten Teppich für ihn aus.«

»So oder so, ich brauche einen neuen Partner.«

»Salz und Pfeffer?«

»Eher *Die zwei von der Tankstelle*.« Lena zog die Tür auf.

Und zum zweiten Mal an diesem Tag erstarb ihr Lächeln augenblicklich.

Will Trent lehnte gegenüber an der Wand. Sein Gesicht sah furchtbar aus. Schwarzblaue Quetschungen, durchsetzt mit dunkelroten Flecken etwa von der Größe der Fingerknöchel eines erwachsenen Mannes.

»Ruf mich an, wenn dir der Sinn nach einem Feierabendbier steht«, sagte sie noch über die Schulter.

»Mach ich.« Denise sah an Will vorbei, als sie zum Vernehmungsraum zurückging, wo Patterson noch immer an der Tür Wache stand. Er starrte Lena böse an. Sie verkniff es sich, ihm die Zunge rauszustrecken.

Will wartete, bis Denise die Tür hinter sich zugezogen hatte. Dann sagte er zu Lena: »Wie man sieht, ist Jared wieder auf den Beinen.« Auf ihren verwirrten Gesichtsausdruck hin fügte er hinzu: »Ich hab ihn gerade in den Umkleideraum gehen sehen.«

Lena presste die Lippen zusammen. Sie würde Jared umbringen. Nach allem, was ihr dummer Ehemann überlebt hatte, würde sie ihn mit bloßen Händen erwürgen.

Will nickte in Denises Richtung. »Wird sie es überstehen?«

»Was denken Sie denn?«, fragte Lena und meinte es mitnichten streitlustig. Auch der Staat Georgia würde sich in Denises Fall einmischen.

»Ich glaube, das Department hat schon genug schlechte Presse, auch ohne jemanden wie Denise Branson abzusägen.« Lena fragte sich, wie viel Will durch die Tür gehört hatte.

»Sie scheint dazu bereit zu sein, die bittere Pille zu schlucken.«

»Meiner Erfahrung nach bleiben Leute wie sie nicht am Boden.« Sein Blick sprach Bände. Sie wussten beide, dass auch Lena schon mehrmals wie ein Phönix aus der Asche gestiegen war.

»Okay.« Lena sah auf die Uhr, auch wenn sie im Augenblick nichts anderes vorhatte, als ihren idiotischen Gatten am Kragen zu packen und nach Hause zu schleifen. »Ich lasse Sie jetzt wieder an die Arbeit gehen.«

»Ich bin schon fertig. Ich wollte mit Ihnen reden.«

Schlagartig war Lena unwohl. »Worüber?«

»Ich wollte Ihnen eigentlich nur sagen, dass Sie recht hatten.«

Sie lachte, weil sie es für einen Witz hielt. »Recht womit?«

»Mit dem Angriff. Nur wollte die Innenrevision, dass ich damit warte, bis Sie freigesprochen werden, ehe ich es Ihnen sage.«

Jetzt lachte Lena nicht mehr. »Mir *was* sagen?«

»Es war nicht Ihre Schuld. Der Grund, warum diese beiden Männer in der Nacht in Ihr Haus eingedrungen sind, war etwas, das Jared in der Praxis Ihres Arztes gesagt hat.«

Lena hatte keine Ahnung, was er meinte. Es war, als würde er Japanisch sprechen.

»Cayla Martin hat eine der Arzthelferinnen in Dr. Benedicts Praxis vertreten, während Sie dort waren. Sie hörte mit an, wie Jared über Big Whitey sprach.«

Lena war sprachlos. Cayla Martin. Der Name hatte vertraut geklungen, als sie ihn vor drei Tagen zum ersten Mal gehört hatte, aber nicht in tausend Jahren hätte sie den Zusammenhang hergestellt. »Ich dachte, sie arbeitete nur im Krankenhaus? Und dass sie Tony Dells Stiefschwester war?«

»Sie hat bei Dr. Benedict immer mal wieder ausgeholfen.« Will sprach langsam, als würde er es einem Kind erklären.

»Cayla hat gehört, wie Jared zu Ihnen sagte, dass Lonnie Gray durchaus Big Whitey sein könnte.«

»Nein ...« Lena spürte, wie ein trockenes Lachen sie im Hals kitzelte, dabei klang dies alles eher wie ein schlechter Witz. »Das hat er doch nicht ernst gemeint!«

»Cayla sah das anders. Sie erzählte es DeShawn Franklin, der es sofort als Scherz abtat. Doch dann erzählte sie es auch noch Gray persönlich, der daraufhin Sie und Ihren Mann auf die Abschussliste setzte.«

Nichts davon ergab einen Sinn. »Woher kannte sie ...«

»Cayla und Chuck Gray waren ein Paar, bis er an Leukämie starb. Sie stand Lonnie ziemlich nahe ... zumindest so nahe, wie zwei dieser Art sich nahestehen können.« Will steckte die Hände in die Taschen. »Wenn Sie meine persönliche Theorie hören wollen: Ich glaube, sie gehörte einfach zu der Art Frauen, die gern Unruhe stiften.«

Lena schüttelte den Kopf, während ihr Hirn versuchte, die Informationen zu verarbeiten. Sie erinnerte sich noch gut an jenen Arztbesuch. Sie erinnerte sich daran, dass Jared Unsinn geredet hatte. Und sie erinnerte sich daran, dass sie ihn einen kurzen Augenblick lang ernst genommen hatte, ehe sie es als hirnrissige Idee abgetan hatte.

»Ich glaub Ihnen kein Wort.«

»Warum denn nicht?«, fragte Will. »Es ist die Wahrheit.« Das Lächeln auf seinem Gesicht war verschwunden. Nichts deutete darauf hin, dass er ihr jetzt gleich die Pointe verraten würde. »Es war nicht Ihre Schuld. Ich würde auch nicht sagen, dass es Jareds Schuld war. Es ist einfach passiert.«

Lena presste den Rücken an die Wand. Sie hatte sich das Hirn zermartert, um herauszufinden, an welcher Stelle sie den Fehler begangen hatte … was sie bloß getan hatte … und nun sollte sie völlig schuldlos sein. »Ich hab einfach angenommen …« Lena schüttelte wieder den Kopf. »Ich hab einfach gedacht, es hätte irgendwie mit meiner Arbeit zu tun.«

»Eine durchaus vernünftige Annahme«, pflichtete Will ihr bei. »Wir haben alle gedacht, dass es mit der Arbeit zu tun hätte. Aber so war es nicht.«

»Wir waren …« Lena beendete den Satz nicht. Sie vermochte einfach nicht auszusprechen, was das Bestürzendste an der ganzen Sache war. Im Dienst erwartete man schließlich, dass etwas Schlimmes passieren konnte. Aber sie waren in einer Arztpraxis gewesen. Lena hatte angenommen, dort wäre sie sicher. »Ich kann mich gar nicht mehr erinnern, sie dort getroffen zu haben. Ich habe ihr Gesicht überall in den Nachrichten gesehen, aber das kam mir nie in den Sinn …« Doch dann auf einmal tauchte eine ferne Erinnerung auf. »Ich glaube, sie hat mich sogar angerufen …«

»Falls es Ihnen was bringt: Meine Partnerin haben Sie richtig sauer gemacht. Ihre ganze Karriere fußt auf der Überzeugung, dass es so was wie Zufall gar nicht gibt.«

Lena schüttelte immer noch den Kopf. Auch sie hatte nie an Zufälle geglaubt.

»Und«, sagte Will, »noch Fragen?«

Lena fiel nur mehr eine ein. »Weiß Sara, dass es nicht meine Schuld war?«

Er zögerte, sagte dann aber: »Ja.«

Lena versuchte gar nicht erst, gegen das Lächeln anzukämpfen. »Und sie weiß, dass Sie jetzt hier sind, um es mir zu sagen?«

»Ja.«

»Sie hat nicht versucht, Sie davon abzuhalten?«

»Ich sollte langsam nach Atlanta zurück ...« Will stieß sich von der Wand ab. Das Thema war ihm sichtlich unangenehm. »Es freut mich jedenfalls, dass für Jared und Sie alles gut ausgegangen ist.«

Doch so einfach konnte sie ihn nicht gehen lassen. »Warum haben Sie mich nicht einfach angerufen? Oder mir eine E-Mail geschickt?«

Er warf ihr einen verschwörerischen Blick zu. »Sie sind schon immer besser davongekommen, wenn unsere Kommunikation inoffiziell lief.«

Lena musste gar nicht erst fragen, was er damit meinte. Erneut stand ihr die Nacht in ihrem Haus vor Augen, als sie den Hammer über den Kopf geschwungen hatte. Jared hatte blutüberströmt am Boden gelegen. Ein Mann war bereits tot gewesen. Die Prellung an ihrem Knie, das sie Fred Zachary mit Wucht ins Rückgrat gedrillt hatte, schmerzte immer noch. Und wenn sie nur lange genug darüber nachdachte, dann hallte sogar noch das Krachen der Knochen in ihren Ohren.

Die Castle Doctrine in Georgia besagte, dass jeder Mann und jede Frau selbst tödliche Gewalt gegen einen Eindringling anwenden durfte, sofern sein eigenes Leben in Gefahr war.

Will Trent wusste genauso gut wie Lena, dass Fred Zachary keine Bedrohung mehr dargestellt hatte.

Er nickte ihr leicht zu – das stillschweigende Eingeständnis einer Wahrheit, die nur sie beide kannten. »Bis zum nächsten Mal.«

»Es wird kein nächstes Mal geben.«

»Lena.« Er klang beinahe wehmütig. »Ich hoffe wirklich, Sie haben recht.«

· Will behielt die Hände in den Taschen, als er davonging, und

Lena dachte an ihre erste Begegnung mit ihm zurück. Mit seinem dreiteiligen Anzug und seiner höflichen Verbindlichkeit hatte er auf sie eher wie ein Bestatter denn ein Polizist gewirkt. Während Lena immerzu aus ihren Fehlern hatte lernen wollen, hatte Will Trent ihr beigebracht, was das Leben ihn gelehrt hatte. Außerdem hatte dieser Bestatter sie beinahe ins Gefängnis gebracht.

Nicht ohne guten Grund.

Lena ließ Will ausreichend Zeit, um das Gebäude zu verlassen, ehe sie zur Tür zum Vernehmungsraum hinüberging. Sie lauschte, konnte aber nichts verstehen. Denise hatte eine leise Stimme, und Brock Patterson hatte den schläfrigen Tonfall einer alten Nonne angenommen. Lena drückte zum Zeichen stummer Solidarität die Handfläche an die Tür. So viele Male hatte Lena schon auf der anderen Seite dieser Tür gesessen. So viele Male hatte sie sich eingestehen müssen, dass auf der anderen Seite niemand auf sie wartete.

»He.« Sie wirbelte herum und war überrascht, auf einmal Jared gegenüberzustehen. Doch der Schreck war im Nu verflogen.

»Du Blödmann! Was treibst du denn hier? Wie bist du …« Er brachte sie mit einem Kuss zum Schweigen.

Mit einem finsteren Blick riss Lena sich wieder von ihm los. Er trug eine blaue Jogginghose und ein leuchtend orangefarbenes Auburn-Sweatshirt. Seine Verbände hatte er abgenommen. Seine Haare standen ihm vom Kopf ab wie Entenbürzel. Über die Kopfhaut verliefen Frankenstein-Nähte, die bereits in mehreren Facebook-Postings dokumentiert worden waren.

»Wie bist du hergekommen? Du darfst doch noch nicht fahren!«

»Estefan hat mich abgeholt, damit ich mir die neue Harley ansehen kann.«

»Estefan«, murmelte sie. Die beiden hatten wirklich nicht mehr alle Tassen im Schrank. »Du musst sofort nach Hause!«

»Dann fahr mich doch.« Er schlang ihr die Arme um die Taille.

»Jared!«

»Fahr mich nach Hause.« Er packte ihren Hintern, um sie in Bewegung zu setzen, und Lena schlug seine Hand weg. Fast jeder Winkel dieses Gebäudes wurde von Kameras überwacht.

Unwillkürlich stellte sie sich vor, wie der diensthabende Sergeant gerade auf Speichern drückte.

»Du solltest zu Hause sein und schlafen. Du warst im Krankenhaus. Du wärst fast gestorben.«

»Bin aber nicht müde.«

»Blödsinn. Du kannst doch kaum die Augen offen halten.«

»Wenn's nur mit deinem Mund genauso wäre!«

Sie warf ihm einen finsteren Blick zu, verstand den Hinweis aber. Sie hatte Nell lange genug erlebt, um zu wissen, welche Art Ehefrau sie nicht sein wollte. Sie war durchaus dafür, einen Mann in seine Schranken zu weisen, aber Jareds Dad war ein solcher Schlappschwanz, dass er sich zum Pinkeln wahrscheinlich hinsetzen musste.

Auf dem Weg zum Ausgang stützte Jared sich auf sie. »Diese neuen Maschinen sind echt klasse, Baby. Überall Druckknöpfe, und sie sind mit einem 103er-Powerpack …«

Lena blendete sein Gefasel aus. Stattdessen ließ sie sich noch einmal Wills Enthüllung durch den Kopf gehen. Cayla Martin. Dr. Benedicts Praxis. Sosehr Lena sich auch bemühte, sie konnte sich nicht daran erinnern, der Frau begegnet zu sein. Sie war einfach nur eine dieser gesichtslosen Personen gewesen, die mit dem Hintergrund verschwommen waren.

Und auch Jared erinnerte sich nicht mehr an sie. Zumindest hatte er keinen Ton gesagt, als er sich unlängst mit ihr die Nachrichten angesehen hatte. Da war Cayla Martins Gesicht auf dem Bildschirm erschienen, und er hatte abgeschaltet, noch ehe der Bericht wirklich begonnen hatte.

Im Gegensatz zu Lena schien es Jared nicht sonderlich zu interessieren, warum man sie ins Visier genommen hatte. Er war viel zu froh darüber, dass die Schützen keinen Erfolg gehabt hatten. Wahrscheinlich dachte er insgeheim, es wäre Lenas Schuld, wollte aber nicht, dass sie sich deshalb Vorwürfe machte.

Lena hatte kein Problem damit, ihn in seliger Unwissenheit leben zu lassen. Nachdem Fred Zachary sich auf einen Deal eingelassen hatte, würde es keinen Prozess geben. Es würde keine Zeugen geben, die erklärten, warum zwei Männer ausgeschickt worden waren, um Lena und Jared zu töten. Es gab keinen Grund, warum Jared je erfahren sollte, dass er dies alles ausgelöst hatte. So nachsichtig er anderen gegenüber war – sich selbst würde er nicht annähernd so leicht vergeben können. Lena hingegen war es gewohnt, mit einer Schuld zu leben. Sie hatte sich allerdings nie schuldig gefühlt, weil sie ihren Mann belog.

Endlich waren sie in der Lobby angekommen, und Jared blieb auf einmal stehen. Er stützte sich an der Wand ab, um das Gleichgewicht zu halten. Sie wussten beide, dass sie sich hier in einem Bereich aufhielten, den keine Kamera überwachte. Jeder Polizist im Gebäude wusste, wie man einer Aufzeichnung entging.

Anstatt etwas Unanständiges zu tun, sagte er zu Lena: »Du riechst ein bisschen verschwitzt.«

»Na, vielen Dank.« Sie boxte ihn auf die Schulter, doch er lächelte sie bloß an.

»Waren deine Augen immer schon so braun?«

»Warst du immer schon so ein Idiot?«

Sein Lächeln verschwand, doch die Fältchen um seine Augenwinkel blieben. »Ich will es noch einmal versuchen.«

Lena errötete. Er musste ihr nicht erst erklären, was genau er noch einmal versuchen wollte. »Hältst du das für eine gute Idee?«

»Nein, verdammt.« Er lachte. »Aber das hat uns beim ersten Mal doch auch nicht davon abgehalten.«

Darauf konnte Lena nichts erwidern. Sie wusste nicht recht, wie sie sich fühlen sollte. Ob sie schon wieder bereit dazu war oder nicht. Beim letzten Mal war es ein Unfall gewesen. Das

Ganze in voller Absicht anzugehen kam für sie einer Herausforderung des Schicksals gleich.

»Lee.« Jared nahm ihre Hand. Das tat er in letzter Zeit häufig. Lena erwartete jedes Mal wieder, dass es sie nerven würde, doch insgeheim genoss sie es, wie fest seine Hand war. So fest, wie er jetzt zugriff, war klar: Er würde wieder ganz gesund werden.

»Ich will ein Kind mit dir. Ich will ein gemeinsames Leben aufbauen. Eine Familie.«

Allein diese Worte weckten in ihr denselben Wunsch. Nur hatte sie viel zu viel Angst, um ihm zu antworten. Sie war immer noch zu überrumpelt, um sich erneut Hoffnungen zu machen.

Deshalb sagte sie einfach nur: »Okay.« Jared grinste wie ein Idiot. »Echt?«

»Ja.« Und um ganz sicherzugehen, wiederholte sie: »Ja.«

Er küsste sie, und seine Lippen berührten ihre ein bisschen länger als sonst. Dann legte er ihr die Hand an die Wange und sah ihr in die Augen. Sein Daumen strich über die Lippen, die er soeben geküsst hatte. »Und ich will die Küche wieder rausreißen. Mein Dad hat alles falsch gemacht.«

Lenas Verwünschungen gingen unter im Getöse der Motorräder, die im selben Augenblick über den Parkplatz fuhren. Durch die Glastür sah sie, wie sie sich nebeneinander aufstellten. Sechs speziell für den Polizeidienst ausgestattete Harley Davidsons funkelten im Sonnenlicht. Sechs Maschinen, die sie mit Sid Wallers Geld aus dem Keller bezahlt hatten.

»O Mann!« Jared klang fast wie ein Teenager bei seiner ersten Poolparty. Er hangelte sich regelrecht über eine Sessellehne und an der Wand entlang zum Türgriff, um den Motorrädern näher zu kommen, und humpelte schließlich auf den Parkplatz hinaus.

Mit einem Kopfschütteln zog Lena einen Schlüssel aus der Tasche. Wenn sich Gefangene im Gebäude aufhielten, waren Waffen nicht erlaubt, und deshalb stand neben dem Ausgang eine Reihe Spinde. Sie steckte den Schlüssel in ihr Schloss. Lena war noch nie eine Frau gewesen, die gerne Handtaschen trug. Sie hatte ihre Messenger Bag schon so oft in diesen Spind gestopft, dass die Metallkanten den Stoff aufgescheuert hatten. Aus reiner Gewohnheit warf sie einen kurzen Blick hinein, um zu kontrollieren, ob die Glock, die Brieftasche, Schlüssel und Stifte auch wirklich drin waren.

Eher beiläufig sah sie in der Außentasche nach der Postkarte. Da war sie – frankiert und fertig, um abgeschickt zu werden. Seit drei Tagen trug Lena die Karte nun schon mit sich herum, steckte sie in die Kuriertasche, in die Hosentasche, warf sie auf die Kommode. Jetzt zog sie sie heraus und betrachtete das Foto des Stadtzentrums von Macon. »Danke für Ihren Besuch im Herzen Georgias«, stand in geschwungener gelber Schrift am oberen Rand.

Lena drehte die Karte um. Die Adresse war dieselbe wie die auf dem Brief, den sie vor Jahren nach Atlanta geschickt hatte.

Der Brief.

Lena wusste, dass sie immer schon zu viel Wert auf Sara Lintons Meinung gelegt hatte. Jahrelang hatte der Vorwurf, Lena wäre schuld an Jeffreys Tod, ihr ganzes Leben überschattet. Irgendwann war sie so tief gesunken, dass sie regelrecht die Hand nach oben hatte strecken müssen, um den Boden zu berühren. Lena hatte den Brief geschrieben, um Sara um Verzeihung zu bitten, um Absolution zu erhalten. Sie hatte ihren Fall genauso aufbereitet, wie sie bei Gericht eine Ermittlung darlegen würde. Sie hatte sich selbst einen guten Charakter bezeugt. Sie hatte die Beweise präsentiert. Sie hatte auf Unstimmigkeiten hingewiesen. Sie hatte geschickt divergierende Fakten zu ihren Gunsten verdreht. Es war keine Rechtfertigung gewesen. Lena hatte in dem Brief um die Rückgabe ihrer Seele gefleht.

Die Postkarte war anders. Drei Wörter, keine drei Seiten. Die etwas schenkten, nicht erbaten.

In Wahrheit hatte Lena sich ihre Seele selbst zurückgeholt. Wenn sie jetzt ihr Leben betrachtete, sah sie nur mehr Gutes. Sie war gut in ihrem Job. Sie war gut zu ihren Freunden. Sie hatte einen guten Mann geheiratet, auch wenn er zu viel redete. Irgendwann würden sie ein Kind haben. Vielleicht sogar mehr als eins. Sie würden eine Familie gründen. Sie würden Nells Besuche überstehen. Sie würden Geburtstagspartys feiern, Weihnachtsfeste und Thanksgivings, und egal was Sara Linton von ihren Entscheidungen halten würde: Lena würde immer wissen, dass sie das Richtige getan hatte.

Und darin lag ihre Absolution.

Neben den Spinden befand sich ein Briefschlitz – eine Messingplatte mit dem eingravierten Schriftzug »U. S. MAIL«. Tag für Tag holte die Frau am Empfang die ausgehende Post aus dem Kasten und brachte sie zum Postamt – einer der zahlreichen Vorteile, wenn man in einem Polizeirevier arbeitete. Vor allem, wenn man sich beim Mittagessen gerne Zeit ließ.

Lena starrte auf die Postkarte hinab. Einen Augenblick lang fragte sie sich, ob sie sie doch noch zerreißen sollte. Aber sie konnte sich nicht dazu überwinden. Lena ging es gut. Sara war diejenige, die jetzt Vergebung brauchte. Sie war diejenige, die nicht loslassen konnte. Und sie zu erlösen kostete nichts.

Lena steckte die Postkarte in den Schlitz. Kurz hielt sie sie noch fest, dann ließ sie sie in den Kasten fallen.

Draußen heulte ein Motorrad auf. Jared vorne, Estefan hinter ihm. Jared hätte die Maschine nicht alleine halten können.

Lena warf sich die Tasche über die Schulter und ging auf die Tür zu.

Auf Jared zu. Auf ihr Leben.

Sie lächelte bei dem Gedanken, dass Sara die Postkarte lesen würde. Die Botschaft war einfach. Lena hätte sie auch an sich selbst schreiben können.

Du hast gewonnen.

DANKSAGUNG

Ich schätze mich sehr glücklich, einige wirklich ausgezeichnete Leute in meinem Team zu haben, darunter Angela Cheng Caplan, Diane Dickensheid und Victoria Sanders. Danke euch dafür, dass ihr der Kleber seid, der das ganze Ding zusammenhält.

Wie immer geht ein großes Lob an meine Lektorinnen Kate Elton und Jennifer Hershey für diverse Einsichten und ihre Großzügigkeit.

Wieder einmal war Dr. David Harper überaus hilfsbereit bei den medizinischen Details. Er hat Sara davon abgehalten, im Lauf der Jahre unzählige Menschen zu töten, und ich weiß seine kontinuierliche Beratung sehr zu schätzen. Ewige Dankbarkeit schulde ich den Agenten des Georgia Bureau of Investigation für die Beantwortung all meiner Fragen, die sicher vielen von ihnen verrückt erscheinen. Ich verspreche, ich frage wirklich immer nur, wie man Verbrechen begeht, um eine Geschichte zu schreiben. Chip Pendleton, MD, ist ein großartiger Arzt und ein noch großzügigerer Berater bei allen Fragen zum Grady. Ich danke Ihnen, Sir, für Ihren deftigen Humor und – noch wichtiger – Ihre Zeit.

An Beth Tindall von Cincinnati Media alias Webmaster Beth und darüber hinaus gute Freundin: Danke, dass du all die Jahre zu mir gehalten hast und verhinderst, dass ich ständig den Blitz einschalte.

An all meine Verleger auf der ganzen Welt und die guten Leute, die an meinen Büchern arbeiten: Ich weiß eure Unterstützung sehr zu schätzen. An meine Leser: Danke für all die freundlichen Reaktionen und die ganzen Katzenfotos, die Sie auf Facebook posten.

An meinen Daddy: Danke, dass du immer für mich da warst, auch als ich noch jung und dumm war.

An D.A.: Danke für dein Versprechen, bei mir zu sein, wenn ich erst mal alt und weise bin. Tut mir leid, dass nur eines davon je passieren wird.